TGAU Gwyddoniaeth Gymhwysol

DWYRADD

Cyhoeddwyd dan nawdd
Cynllun Adnoddau Addysgu a Dysgu CBAC

GWASG UWIC PRESS

Colin Bell • David Brodie • Byron Dawson • Ann Tiernan
Golygydd: **Joanne Mitchell**

Gair am yr awduron

Cyn Ddirprwy Bennaeth ysgol gyfun yw **Colin Bell**. Bu'n gweithio fel Pennaeth Bioleg mewn ysgolion gramadeg a chyfun cyn hynny. Mae Colin bellach yn gweithio fel awdur ar ei liwt ei hun. Mae ganddo brofiad helaeth o weithio gyda gwahanol gyrff dyfarnu fel Uwch Arholwr TGAU, yn y DU ac yn rhyngwladol.

Bu **David Brodie** yn Bennaeth Gwyddoniaeth mewn ysgol gyfun yng Nghanolbarth Lloegr, yn Uwch Arholwr ac yn Safonwr, ac mae ef wedi gweithio i Sefydliad Nuffield fel golygydd cyhoeddiadau TGAU a CGCC yn ogystal ag i'r Gymdeithas Brydeinig dros Hyrwyddo Gwyddoniaeth. Mae David wedi cynhyrchu amrywiaeth eang o adnoddau addysgol sy'n cwmpasu ystod gyfan y cwricwlwm gwyddoniaeth.

Cyn Bennaeth Gwyddoniaeth yw **Byron Dawson** ac mae ef ar hyn o bryd yn Brifathro Cynorthwyol sy'n gyfrifol am y cwricwlwm mewn ysgol uwchradd 11–18. Mae ef hefyd yn gweithio fel awdur ar ei liwt ei hun ac mae ef wedi ysgrifennu gwerslyfrau gwyddoniaeth i amryw o gyhoeddwyr. Mae Byron hefyd yn Uwch Arholwr sy'n gyfrifol am asesu arholiadau Gwyddoniaeth TGAU ac arholiadau Bioleg Safon Uwch tramor.

Roedd **Ann Tiernan** yn Bennaeth Gwyddoniaeth mewn ysgol uwchradd 11–18 am flynyddoedd lawer. Mae hi bellach yn gweithio fel awdur ar ei liwt ei hun, gan gynhyrchu testunau a deunyddiau dysgu ar gyfer y Rhyngrwyd i'w defnyddio yng nghyfnodau allweddol 3 a 4. Mae Ann hefyd yn gweithio i gyrff dyfarnu fel Uwch Arholwr, gan reoli'r gwaith o asesu arholiadau Cemeg a Gwyddoniaeth TGAU a Safon Uwch yn y DU a thramor.

Gair am y cwrs

Croeso i'n cwrs TGAU mewn Gwyddoniaeth Gymhwysol (Dwyradd)

Yn ystod y cwrs hwn byddwch yn dysgu am wyddoniaeth yn y gwaith ac yn y byd o'ch cwmpas.

Mae **tair** uned yn y cwrs hwn. Yr unedau hyn yw:

Uned	Teitl	Math o Asesu
1	Datblygu Sgiliau Gwyddonol	Portffolio
2	Gwyddoniaeth a Chymdeithas	Profi allanol
3	Gwyddoniaeth ar Waith	Portffolio

Yn llyfr y myfyriwr, mae *Thema 1. Cyflwyno sgiliau gwyddonol* yn dangos i chi sut i weithio'n ddiogel mewn gwersi gwyddoniaeth. Mae hefyd yn eich cyflwyno i'r broses o wneud tasgau ymarferol.

Trwy astudio'r topigau o fewn pob thema, byddwch chi'n dysgu'r wybodaeth, sgiliau a dealltwriaeth sydd eu hangen arnoch i ddilyn y cwrs. Bydd hyn hefyd yn eich paratoi ar gyfer eich asesiadau, gan gynnwys eich prawf ar gyfer Uned 2.

Bydd eich athro/athrawes yn rhoi gwaith ymarferol i chi ei wneud. Bydd rhai o'r gweithgareddau ymarferol hyn yn eich helpu i ddeall y topigau yn llyfr y myfyriwr. Byddan nhw hefyd yn eich helpu i feithrin y sgiliau ymarferol sydd eu hangen arnoch ar gyfer eich aseiniadau (asesiadau ymarferol).

Byddwch chi'n casglu'r aseiniadau a asesir ar gyfer Uned 1 ac Uned 3 mewn portffolio. Bydd y gwaith hwn yn cael ei farcio a'i raddio gan eich athro.

Yn y llyfr hwn byddwch chi'n dod ar draws llawer o astudiaethau achos sy'n rhoi gwybodaeth i chi am wyddoniaeth ar waith ac yn y byd o'ch cwmpas.

Mae *Thema 6 Gwyddoniaeth yn y gweithle* yn cynnwys gwybodaeth am weithio ym maes gwyddoniaeth a bydd o gymorth i chi edrych ar hon cyn gwneud yr aseiniad ar Wyddoniaeth ar Waith ar gyfer Uned 3.

Gobeithiwn y byddwch chi'n mwynhau astudio'r cwrs TGAU hwn mewn Gwyddoniaeth Gymhwysol ac y bydd yn eich helpu i gymryd diddordeb mewn gwyddoniaeth. Gobeithiwn hefyd y byddwch yn llwyddiannus yn eich arholiad TGAU mewn Gwyddoniacth Gymhwysol (Dwyradd).

Cynnwys

Cynnwys

Sut i ddefnyddio'r llyfr hwn

Mae'r llyfr wedi'i rannu'n themâu. Dangosir y rhain yn y cynnwys.

Mae adrannau gan bob thema. Mae rhestr ar ddechrau pob adran y gallwch ei defnyddio i gadw golwg ar eich cynnydd.

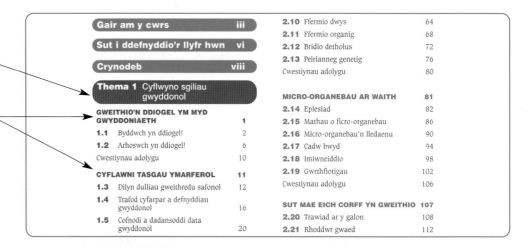

Ar ddechrau pob adran fe welwch restr o dopigau a ble i ddod o hyd iddynt.

Mae hyn yn dangos pa aseiniadau a gweithgareddau ymarferol sy'n gysylltiedig â'r adran dan sylw.

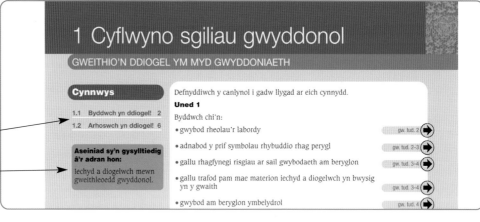

Dangosir geiriau allweddol mewn **teip trwm** ac mae gan rai ohonynt flychau 'gwirio gair' sy'n egluro eu hystyr.

Mae testun â chefndir melyn yn dynodi deunydd ychwanegol ar gyfer myfyrwyr sy'n gweithio ar lefel uwch.

Bydd y cwestiynau hyn yn profi eich dealltwriaeth o'r wybodaeth yn y testun.

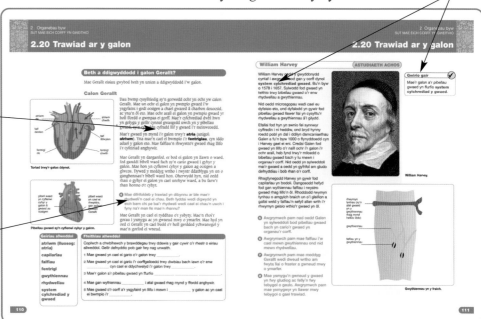

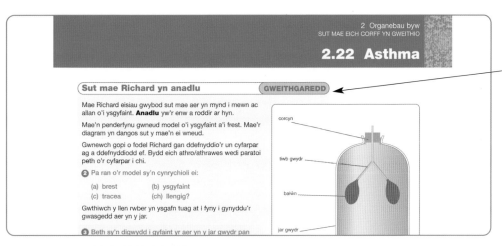

Drwy wneud y gweithgareddau byddwch yn datblygu eich gwybodaeth, sgiliau a dealltwriaeth.

Mae'r astudiaethau achos yn rhoi enghreifftiau o bobl sy'n gweithio ym myd gwyddoniaeth neu o wyddoniaeth yn cael ei defnyddio mewn bywyd pob dydd.

Bydd copïo'r blychau 'ffeithiau allweddol' a llenwi'r bylchau â'r geiriau allweddol yn eich helpu i ddysgu.

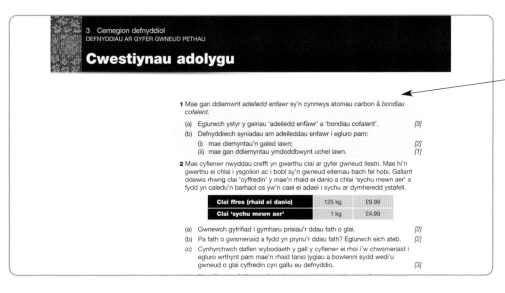

Bydd ateb y cwestiynau hyn ar ddiwedd pob adran yn eich helpu i baratoi ar gyfer eich asesiad cwrs. Mae hyn yn cynnwys eich prawf Uned 2.

Crynodeb

Crynodeb o ble y byddwch chi'n ymdrin ag Unedau 1, 2 a 3 yn Llyfr y Myfyriwr.

Mae ymdriniaeth bellach yn yr aseiniadau, gweithgareddau ymarferol, taflenni cyfeirio a phrofion ymarfer yn y Ffeil Athrawon.

Topig		Uned 1	Uned 2	Uned 3
Thema 1	*Cyflwyno sgiliau gwyddonol*			
1.1	Byddwch yn ddiogel!	•		
1.2	Arhoswch yn ddiogel!	•		
1.3	Dilyn dulliau gweithredu safonol	•		
1.4	Trafod cyfarpar gwyddonol a defnyddiau	•		
1.5	Cofnodi a dadansoddi data gwyddonol	•		
Thema 2	*Organebau byw*			
2.1	Celloedd	•	•	
2.2	Trylediad	•	•	
2.3	Osmosis	•	•	
2.4	Nodweddion		•	
2.5	Celloedd yn ymrannu		•	
2.6	Etifeddiad		•	
2.7	Ffotosynthesis	•	•	•
2.8	Cyfnewid nwyon	•	•	•
2.9	Mwynau	•	•	•
2.10	Ffermio dwys	•	•	•
2.11	Ffermio organig		•	•
2.12	Bridio detholus		•	
2.13	Peirianneg genetig		•	
2.14	Eplesiad	•	•	•
2.15	Mathau o ficro-organebau	•	•	
2.16	Micro-organebau'n lledaenu		•	
2.17	Cadw bwyd		•	
2.18	Imiwneiddio		•	
2.19	Gwrthfiotigau		•	
2.20	Trawiad ar y galon		•	
2.21	Rhoddwr gwaed		•	
2.22	Asthma		•	
2.23	Aerobeg		•	•
2.24	Dyled ocsigen		•	•
2.25	Cadw'n gynnes	•	•	
2.26	Diabetes		•	
2.27	Celloedd a chyfathrebu		•	
2.28	Cyffuriau a'r corff		•	
Thema 3	*Cemegion defnyddiol*			
3.1	Elfennau o'r Ddaear		•	
3.2	Cyfansoddion o'r Ddaear		•	

Topig		Uned 1	Uned 2	Uned 3
3.3	Halen o halen craig		•	
3.4	Haearn a dur		•	
3.5	Olew crai i betrol		•	
3.6	Cemegion swmp a choeth		•	•
3.7	Gwneud amonia		•	•
3.8	Cyfrifiadau ar gyfer diwydiant		•	•
3.9	Cymysgeddau ym mhob man		•	
3.10	Hollti'r atom		•	
3.11	Gwneud halwynau			•
3.12	Dadansoddi cemegol	•	•	
3.13	Rhagor am foleciwlau		•	
3.14	Egni a newid cemegol		•	
3.15	Brics		•	
3.16	Polymerau		•	
3.17	Ymddygiad trydanol	•	•	
3.18	Priodweddau ffisegol	•	•	
Thema 4	*Egni a dyfeisiau*			
4.1	Tanwyddau a generaduron		•	
4.2	Edrych y tu mewn i'r corff		•	
4.3	Egni niwclear ac adnewyddadwy		•	
4.4	Pŵer goleuo		•	
4.5	Gwresogi er mwyn gwneud elw		•	
4.6	Systemau oeri		•	
4.7	Diogelwch ar y ffyrdd		•	
4.8	Systemau electronig i gynnal bywyd			•
4.9	Symudiad dan reolaeth			•
4.10	Gwybodaeth ddigidol			•
4.11	Codi			•
4.12	Gerau			•
Thema 5	*Y Ddaear a r bydysawd*			
5.1	Yr atmosffer		•	
5.2	Y Ddaear a'r amgylchedd		•	
5.3	Y Ddaear o dan ein traed		•	
5.4	Tonnau a chyfathrebu		•	
Thema 6	*Gwyddoniaeth yn y gweithle*			
6.1	Gweithio ym myd gwyddoniaeth			•

1 Cyflwyno sgiliau gwyddonol

GWEITHIO'N DDIOGEL YM MYD GWYDDONIAETH

Cynnwys

Aseiniad sy'n gysylltiedig â'r adran hon:

Iechyd a diogelwch mewn gweithleoedd gwyddonol.

Defnyddiwch y canlynol i gadw llygad ar eich cynnydd.

Uned 1

Byddwch chi'n:

- gwybod rheolau'r labordy — gw. tud. 2
- adnabod y prif symbolau rhybuddio rhag perygl — gw. tud. 2–3
- gallu rhagfynegi risgiau ar sail gwybodaeth am beryglon — gw. tud. 3–4
- gallu trafod pam mae materion iechyd a diogelwch yn bwysig yn y gwaith — gw. tud. 3–4
- gwybod am beryglon ymbelydrol — gw. tud. 4
- gallu cynllunio i osgoi damweiniau — gw. tud. 3
- gwybod beth i'w wneud os bydd damweiniau'n digwydd yn y labordy — gw. tud. 6–7
- gallu rhoi cymorth cyntaf sylfaenol — gw. tud. 7
- gwybod pryd y byddai'n beryglus rhoi cymorth cyntaf — gw. tud. 6–7
- gwybod pam mae'n ddefnyddiol bod yn berchen ar gymhwyster cymorth cyntaf — gw. tud. 6–7
- gwybod enwau'r cyrff sy'n rhoi hyfforddiant cymorth cyntaf a sut i gysylltu â nhw — gw. tud. 6–7
- gwybod beth i'w wneud os clywch larwm tân neu fwg — gw. tud. 8
- gwybod beth i'w wneud os darganfyddwch dân — gw. tud. 8
- gwybod sut mae drysau tân yn gweithio — gw. tud. 8
- gwybod sut i ddefnyddio'r gwahanol fathau o ddiffoddwr tân — gw. tud. 8
- gwybod am y defnydd o systemau ysgeintio dŵr awtomatig. — gw. tud. 8

1.1 Byddwch yn ddiogel!

Diogelwch yn y gweithle

Mae'n debyg eich bod chi'n adnabod pobl sy'n gweithio mewn lleoedd peryglus megis ysbytai neu safleoedd adeiladu. Mae'n ofynnol o dan y gyfraith i gyflogwyr wneud yn sicr bod y gweithle mor ddiogel â phosibl. Gellir gwneud hyn trwy gael rheolau ar weithio'n ddiogel y mae'n rhaid i weithwyr eu dilyn. Mae arwyddion yn ein hatgoffa o beth mae disgwyl i ni ei wneud.

Mae llawer o arwyddion rhybuddio mewn gweithleoedd.

Rheolau'r labordy

Poster diogelwch.

Edrychwch ar gopi o'r rheolau diogelwch ar gyfer eich labordy eich hun. Mae'n debyg bod y rheolau'n cynnwys cyngor ar:

- ymddwyn yn ddiogel er mwyn osgoi damweiniau
- sut i ddefnyddio cyfarpar peryglus megis llosgyddion Bunsen yn ddiogel
- pryd i ddefnyddio cyfarpar diogelwch megis goglau
- adrodd am ddamweiniau.

1 Edrychwch ar y poster. Dewiswch un o'r rheolau yn eich labordy eich hun. Lluniwch gartŵn tebyg i rybuddio pobl beth all ddigwydd os byddan nhw'n anwybyddu'r rheol.

2 Edrychwch ar y ffotograffau ar frig y dudalen.

(a) Pam ydych chi'n meddwl y defnyddir lluniau syml yn aml i gyfleu rheolau diogelwch?

(b) Gan weithio mewn grŵp, dyluniwch luniau syml i ddarlunio pob un o'ch rheolau labordy eich hun a gosodwch nhw yn eich labordy.

3 Gwnewch arolwg o ddiogelwch yn eich labordy eich hun. Ym mha ffyrdd y mae'r dodrefn a'r lloriau yn wahanol i ystafell ddosbarth gyffredin? Pa gyfarpar diogelwch ychwanegol sydd yno? Faint o sinciau, cyflenwadau nwy a socedi sydd? Ble mae'r llwybrau dianc rhag tân a'r diffoddwyr tân? Rhestrwch yr holl ffyrdd y mae'r labordy wedi cael ei addasu i'w wneud yn fwy diogel i wneud arbrofion.

1.1 Byddwch yn ddiogel!

Edrych ar beryglon   GWEITHGAREDD

Mae **perygl** yn gyffredin wrth weithio ym myd gwyddoniaeth. Defnyddir arwyddion rhybuddio rhag perygl i dynnu sylw at y peryglon hyn.

❹ Gweithiwch mewn grwpiau. Rhaid i bawb yn y grŵp ymchwilio i UN symbol perygl yr un. Defnyddiwch lyfrau a Thaflenni Diogelwch i Fyfyrwyr. Ar gyfer eich perygl chi, darganfyddwch:

- y niwed y gall y perygl ei achosi

- beth y gallwch ei wneud i aros yn ddiogel pan fyddwch chi'n wynebu'r perygl

- beth y dylech ei wneud os bydd damwain yn digwydd.

Cyflwynwch eich casgliadau i weddill y grŵp. Gwnewch dabl i grynhoi ymchwil y dosbarth i'r holl beryglon.

❺ Darganfyddwch sut mae cemegion peryglus o'ch labordy yn cael eu gwaredu.

gwenwynig   ocsideiddio   cyrydol

ffrwydrol   perygl o sioc drydan   perygl biolegol

niweidiol neu lidus   ymbelydrol   fflamadwy

Rhai arwyddion rhybuddio.

Peryglon ac asesiadau risg

Mae maint **risg** yn dibynnu ar y math o berygl a'r person sy'n gwneud y gwaith. Er enghraifft, mae'n debyg bod gennych gyllell gegin finiog gartref. Y *perygl* yw y gallai dorri rhywun yn ddrwg iawn. Mae maint y *risg* yn dibynnu ar ble mae'n cael ei chadw a phwy all gael gafael arni, er enghraifft, plentyn ifanc.

Yn y gwaith neu yn ystod eich cwrs, bydd yn rhaid i chi gyflawni **asesiad risg** os byddwch chi'n defnyddio sylweddau peryglus. Wrth wneud arbrofion, mae maint risg yn dibynnu ar:

- beth y byddwch chi'n ei wneud: er enghraifft, nid yw sylwedd fflamadwy yn beryglus iawn os nad ydych chi'n defnyddio gwres na fflamau yn eich arbrawf;

- y bobl sy'n cynnal yr arbrawf: er enghraifft, rhaid cadw rhai o'r sylweddau y byddwch chi'n eu trin yn ystod eich cwrs allan o gyrraedd myfyrwyr ifancach.

Edrychwch ar y cyfarwyddiadau hyn ar gyfer arbrawf cemegol.

| Rhowch symiau bach o'r metelau canlynol mewn tiwbiau profi ar wahân. |
| POWDR MAGNESIWM   POWDR SINC   POWDR PLWM |
| Ychwanegwch ASID HYDROCLORIG GWANEDIG at bob tiwb profi. |

❻ Chwiliwch am y cemegion yn y Taflenni Diogelwch i Fyfyrwyr. Ystyriwch sut i gynnal yr arbrawf hwn mor ddiogel â phosibl. Copïwch a llenwch y tabl canlynol.

Defnydd/dull gweithredu	Perygl	Beth allai fynd o'i le	Rhagofalon diogelwch	Os bydd damwain	Risg (uchel/canolig/isel)

1.1 Byddwch yn ddiogel!

Iechyd a diogelwch yn y gwaith

Mae archwiliadau iechyd a diogelwch yn cael eu cynnal ym mhob gweithle.

Efallai eich bod chi'n teimlo bod labordai gwyddoniaeth yn llawn rheolau, ond mae hi yr un fath yn y gwaith! Mae Cynrychiolydd Iechyd a Diogelwch gan bob gweithle, a bydd y person hwnnw'n archwilio'r safle i sicrhau bod yr adeiladau'n ddiogel, bod yr holl gyfarpar diogelwch ar gael, a bod y gweithwyr yn gwybod am y rheolau diogelwch.

Ceisiwch ddarganfod pwy yw'r Cynrychiolydd Iechyd a Diogelwch ar gyfer eich ysgol neu goleg. (Efallai y bydd yn bosibl iddo/iddi ddod i siarad â chi.)

❼ Os gallwch gael caniatâd, holwch eich technegydd labordy neu rywun o'r adran Dylunio a Thechnoleg am ei waith.

(a) *Technegydd labordy:* Darganfyddwch sut mae'r ystafell baratoi wedi cael ei dylunio fel ei fod yn ddiogel. Beth y mae'r technegydd yn ei wneud i gael gwybodaeth am y peryglon? Ysgrifennwch rai cwestiynau ymlaen llaw. Ysgrifennwch adroddiad byr o dan y teitl 'Diogelwch yn yr ystafell baratoi'.

(b) *Dylunio a Thechnoleg:* Ym mha ffyrdd y mae'r risgiau hyn yn wahanol i'r risgiau mewn gwyddoniaeth? Pa reolau diogelwch sy'n bwysig yma?

Gweithio gydag ymbelydredd

Bathodyn ffilm ar gyfer canfod ymbelydredd.

Bydd rhai pobl yn gorfod ymdrin â pheryglon penodol yn y gwaith. Mae gweithwyr mewn atomfeydd yn poeni am ymbelydredd. Mae yna ddos mwyaf y mae'n ddiogel i weithiwr ei gael bob blwyddyn.

Rhoddir plwm o amgylch pob ffynhonnell ymbelydrol gan ei fod yn amsugno'r pelydrau niweidiol. Os ewch i'r ysbyty neu at y deintydd i gael tynnu llun pelydr X, mae'n bosibl y gofynnir i chi wisgo siaced blwm.

Mae rhai pobl yn gweithio'n agos at ffynonellau ymbelydrol drwy'r amser. Byddan nhw'n gwisgo bathodynnau sy'n cynnwys ffilm sy'n sensitif i ymbelydredd (yr un fath ag y mae ffilmiau ffotograffig cyffredin yn sensitif i olau). Caiff y ffilmiau eu harchwilio i sicrhau nad yw'r gweithwyr wedi cael dos rhy uchel o ymbelydredd.

1.1 Byddwch yn ddiogel!

Cludo cemegion peryglus · ASTUDIAETH ACHOS

Dyn tân dan hyfforddiant yw Jac. Mae'n egluro:

'Yn ôl y gyfraith, mae'n rhaid i unrhyw gerbyd sy'n cludo cemegion peryglus ddangos arwyddion rhybuddio. Rydym ni'n gwybod sut i ddelio ag unrhyw golledion trwy edrych ar y label. Mae pob gwasanaeth tân ar draws y byd yn deall y symbolau.

'Mae'r labeli'n dweud wrthym ni pa ddiffoddwyr tân i'w defnyddio, pa ddillad gwarchod i'w gwisgo, ac a ddylem symud pawb o'r ardal lle mae'r cemegion wedi colli. Weithiau fe allwn ni wanedu'r colledion, hynny yw, eu glanhau trwy eu golchi i ffwrdd â dŵr. Ond rhaid i ni reoli cemegion peryglus iawn trwy eu hamgylchynu â bagiau tywod a'u pwmpio i gynwysyddion sy'n cael eu selio. Fe gaiff y gwastraff ei gladdu ar safle diogel.'

Bydd Jac yn gwisgo dillad gwarchod dros ei gorff cyfan wrth iddo ddelio â cholledion cemegol.

Allwedd i'r symbolau a ddefnyddir ar yr arwyddion rhybuddio am berygl ar gerbydau

P R S T	V V	FULL BA	GWANEDU
W X Y Z	V V	FULL BA	RHEOLI

Diffoddwr tân
1 JETIAU   3 EWYN
2 NIWL   4 CYFRWNG SYCH

V   Gall y cemegyn adweithio'n ffyrnig
BA   Cyfarpar anadlu
FULL   Dillad gwarchod y corff cyfan
E   YSTYRIED SYMUD PAWB

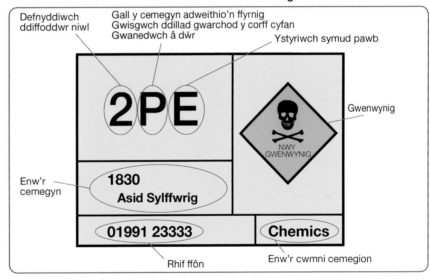

Defnyddiwch ddiffoddwr niwl

Gall y cemegyn adweithio'n ffyrnig
Gwisgwch ddillad gwarchod y corff cyfan
Gwanedwch â dŵr

Ystyriwch symud pawb

Enw'r cemegyn

Gwenwynig

Rhif ffôn

Enw'r cwmni cemegion

8 Beth y byddai'r diffoddwyr tân yn ei wneud pe bai'r cemegion hyn yn cael eu colli?

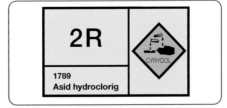

9 Sut mae 'cemegion peryglus iawn' yn cael eu gwaredu yn ôl Jac? Sut mae eich ysgol neu eich coleg chi yn cael gwared â chemegion gwastraff?

1.2 Arhoswch yn ddiogel!

Cymorth cyntaf

Gwirfoddolwr gyda Gwasanaeth Ambiwlans Sant Ioan yw Morris. Mae'r gwasanaeth yn darparu cymorth cyntaf a hyfforddiant o safon uchel. Mae'n debyg bod gan eich ysgol o leiaf un 'Swyddog Cymorth Cyntaf' sydd wedi cael ei hyfforddi gan Wasanaeth Ambiwlans Sant Ioan neu'r Groes Goch neu wedi pasio eu harholiadau. Mae'r hyfforddiant yn drwyadl iawn. Rhaid i Morris ailsefyll arholiad bob tair blynedd i sicrhau ei fod yn gwybod am y datblygiadau diweddaraf. Dychmygwch orfod ailsefyll eich arholiadau TGAU bob tair blynedd i gadw'ch gwybodaeth yn gyfoes.

① Pam mae'n rhaid i 'Swyddog Cymorth Cyntaf' ailsefyll yr arholiad bob tair blynedd?

Anafiadau cyffredin yn y labordy

Faint o beryglon y gallwch eu gweld yn y labordy hwn?

Gall labordai fod yn lleoedd peryglus. Ond peidiwch â phoeni: mae athrawon gwyddoniaeth yn rhoi sylw mawr i ddiogelwch, felly prin iawn yw'r damweiniau mewn labordai. Gallwn eu gwneud yn fwy diogel byth os ydym ni'n gwybod beth yw'r risgiau a pha ddamweiniau sy'n debygol o ddigwydd.

Dyma rai o'r damweiniau labordy mwyaf cyffredin:

- Llosgiadau: gan gynnwys llosgi wrth gyffwrdd â thrybedd boeth neu golli dŵr berw o ficer. Gall rhai cemegion megis asidau cryf neu alcalïau losgi'r croen.

- Anadlu mygdarthau i mewn neu lyncu cemegion.

- Siociau trydan: erbyn hyn mae gan y mwyafrif o labordai ddyfeisiau arbennig sy'n diffodd y cerrynt i osgoi niwed difrifol.

- Archollion: os bydd offer gwydr yn cael eu torri gall yr ymylon miniog dorri'r croen yn hawdd.

- Niwed i'r llygaid: mae'n debyg eich bod yn cael llond bol ar glywed eich athrawon yn dweud wrthych am wisgo sbectol ddiogelwch. Ond cofiwch fod dallineb yn para am oes.

Mae'n bosibl nad ydych chi erioed wedi gweld damwain mewn labordy yn ystod eich holl flynyddoedd yn yr ysgol. Y rheswm am hyn yw fod athrawon yn dilyn y rheolau diogelwch yn ofalus iawn. Ond mae damweiniau'n digwydd weithiau. Ar adegau o'r fath, mae angen i chi wybod beth i'w wneud.

② Beth yw'r damweiniau mwyaf cyffredin mewn labordy ysgol?

1.2 Arhoswch yn ddiogel!

Rhoi cymorth cyntaf

GWEITHGAREDD

Dychmygwch fod damwain yn digwydd yn y labordy. A fyddech chi'n gwybod beth i'w wneud? Na fyddech mae'n debyg – byddai llawer o bobl yn cynhyrfu'n lân. Yn ogystal â bod yn ddrwg i'r person sydd wedi cael ei anafu, gallai hyn fod yn drychinebus i'r dosbarth cyfan. Y peth cyntaf i'w gofio yw nad ydych chi, mae'n debyg, yn Swyddog Cymorth Cyntaf cymwysedig. Does dim pwynt ceisio helpu os nad ydych chi'n gwybod beth rydych chi'n ei wneud. Ceisiwch gymorth yr athro/athrawes neu'r technegydd mor fuan â phosibl.

Rhoi sgwrs cymorth cyntaf i'r dosbarth

Edrychwch ar y dudalen flaenorol. Mae rhestr yno o'r damweiniau mwyaf cyffredin sy'n digwydd mewn labordai ysgol. Y rhain yw llosgiadau, gwenwyno a mygdarthau, siociau trydan, archollion a niwed i'r llygaid.

Paratowch sgwrs y gallech ei rhoi i weddill y dosbarth.

Dylech ddechrau'r sgwrs trwy nodi:

1. Pam mae'n ddefnyddiol bod yn berchen ar gymwysterau cymorth cyntaf.

2. Enwau cyrff, megis Gwasanaeth Ambiwlans Sant Ioan, sy'n rhoi hyfforddiant a chymwysterau cymorth cyntaf a sut i gysylltu â nhw: www.sja.org.uk neu www.redcross.org.uk

Cymerwch bob anaf yn ei dro ac eglurwch sut y byddech chi'n gwneud pob un o'r canlynol:

1. Rhoi cymorth cyntaf sylfaenol.

2. Penderfynu pryd y byddai'n beryglus rhoi cymorth cyntaf. Caiff llawer o bobl eu trydanu wrth geisio helpu rhywun sydd wedi cael sioc drydan. Maen nhw'n anghofio diffodd y trydan yn gyntaf.

Rhoi sgwrs ar gymorth cyntaf.

Cynghorion ar wella eich sgwrs

- Gwnewch nodiadau ar bob un o'r pwyntiau uchod.

- Cynhyrchwch dryloywderau a defnyddiwch daflunydd dros ysgwydd. Yn well byth, defnyddiwch daflunydd fideo a phecyn meddalwedd megis Microsoft PowerPoint.

- Byddwch yn gryno – bydd rhyw ddeng munud yn gwneud y tro.

- Byddwch yn barod i ateb cwestiynau wedyn.

❸ Pam y dylai myfyrwyr wybod am ddulliau cymorth cyntaf sylfaenol ar gyfer y labordy?

1.2 Arhoswch yn ddiogel!

Atal tanau

Agwedd arall ar ddiogelwch yn y labordy yw atal tanau. Mae tanau mewn labordai ysgol yn anghyffredin iawn. Yn y cartref y mae'r mwyafrif llethol o anafiadau a achosir gan dân yn digwydd. Mae'r ysgol yn lle llawer mwy diogel na'r cartref.

Pam mae ysgolion mor ddiogel?

1 **Ymarfer tân.** Bydd ysgolion yn cynnal ymarfer tân o leiaf unwaith y tymor. Pan fydd y gloch larwm yn seinio mae'r disgyblion yn gwybod bod yn rhaid iddynt roi'r gorau i weithio a gwneud eu ffordd yn ddistaw a threfnus i 'ardal ddiogelwch', sef iard yr ysgol fel rheol. Man ymgynnull yw ardal ddiogelwch y mae pawb yn gorfod mynd iddo os bydd tân. Mae enwau pawb ar y gofrestr yn cael eu galw i sicrhau nad oes neb ar ôl yn yr adeilad.

4 Edrychwch ar wal y labordy. Dylai fod poster yno sy'n dweud wrthych beth i'w wneud os bydd tân. Bydd yn cynnwys diagram o'r ardal ddiogelwch a sut i fynd yno. Gwnewch gopi o'r poster i'w gadw yn eich ffeil.

2 **Darganfod tân.** Mae gan ysgolion larymau tân. Er mwyn eu gweithredu rhaid torri'r gwydr yn y blychau larwm bach coch sydd wedi'u lleoli ym mhob rhan o'r ysgol. Os darganfyddwch dân, torrwch y gwydr ac ewch i'r ardal ddiogelwch.

5 Yn wahanol i ddamweiniau, pam mae'n bosibl na fydd yn rhaid i chi ddweud wrth aelod o'r staff fod yna dân?

3 **Drysau tân.** Drysau trwm trwchus sy'n rhwystro tân rhag lledu os ydyn nhw wedi'u cau yw drysau tân. Mae'n demtasiwn eu gadael ar agor weithiau. Byddai hyn yn gadael i dân ledu. Maen nhw'n cau'n awtomatig a dylid gadael iddynt wneud hyn bob amser.

6 Pam na ddylid gosod rhwystr i gadw drws tân ar agor?

4 **Offer diffodd tân a blancedi tân.** Gall gwahanol fathau o danau ddigwydd mewn labordai ysgol. Dylid defnyddio'r diffoddwr priodol i ymdrin â'r tân. Mae'r diffoddwyr hyn yn cynnwys rhai dŵr, carbon deuocsid, powdr sych neu ewyn a blancedi tân.

7 O dan ba amodau y byddech chi'n defnyddio pob un o'r dyfeisiau hyn? (Edrychwch ar label y diffoddwr am wybodaeth.)

8 Pam na fyddai'n syniad da i chi ddefnyddio diffoddwr dŵr ar dân sydd wedi cael ei achosi gan nam trydanol?

5 **Ysgeintellau.** Mae gan rai adeiladau systemau ysgeintio awtomatig. Mae gwres y tân yn eu troi ymlaen yn awtomatig.

Diffoddwr tân carbon deuocsid.

1.2 Arhoswch yn ddiogel!

Morris y Swyddog Cymorth Cyntaf (ASTUDIAETH ACHOS)

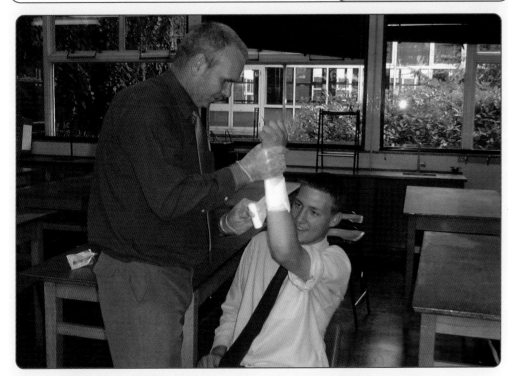

Mae Morris yn rhoi cymorth cyntaf i fachgen sydd wedi cael briw ar ei fraich.

Athro mewn ysgol uwchradd fawr yw Morris. Bu'n Swyddog Cymorth Cyntaf ers blynyddoedd lawer. Mae'n hyfforddi pobl sy'n dymuno ennill Tystysgrif Cymorth Cyntaf Ambiwlans Sant Ioan. Weithiau mae'n rhaid iddo ddefnyddio ei sgiliau cymorth cyntaf. Mae cymorth cyntaf yn gofyn i chi wneud eich gorau a phwyso a mesur y risgiau. Y rheol euraid yw 'peidiwch â gwneud unrhyw niwed'. Mae hyn yn golygu 'peidiwch â'ch niweidio eich hun' hefyd. Ni fyddai o gymorth i'r claf pe bai Morris yn ei frifo ei hun. Rhaid iddo drin y claf yn hyderus heb gynhyrfu. Rhaid iddo ddilyn nifer o ganllawiau:

- asesu'r sefyllfa yn gyflym, gan roi sylw i'w ddiogelwch ei hun, diogelwch y claf a diogelwch pawb sydd wrth law, a galw am gymorth priodol.
- penderfynu hyd y bo modd pa anaf neu afiechyd sy'n effeithio ar y claf.
- rhoi triniaeth gyflym, briodol a digonol mewn trefn blaenoriaeth synhwyrol.
- trefnu i'r claf gael ei symud i'r ysbyty neu i ofal person priodol.
- aros gyda'r claf hyd nes ei roi yng ngofal person priodol.
- llunio a throsglwyddo adroddiad a rhoi cymorth pellach os oes angen.

9 Pam na ddylai Morris roi cymorth cyntaf hyd nes iddo wybod ei bod hi'n ddiogel iddo wneud hynny?

10 A allwch chi feddwl am DDWY sefyllfa lle y gallai Swyddog Cymorth Cyntaf gael ei frifo wrth roi cymorth?

11 Beth y dylai Morris ei wneud yn gyntaf ar ôl cyrraedd lleoliad damwain?

12 Pam mae'n rhaid i Morris drin y claf yn hyderus a pheidio â chynhyrfu?

Cwestiynau adolygu

1 Mae Elin wedi cael gwaith dros y gwyliau. Bydd hi'n defnyddio chwistrellwr i chwistrellu chwyn. Mae'r swydd yn gofyn iddi:

- gymysgu tun o chwynladdwr gwenwynig â dŵr o bibell mewn bacpac plastig.
- cario'r bacpac ar draws caeau a thros ffensys.
- chwistrellu'r chwynladdwr ar y chwyn.

Mae'r swydd yn talu'n dda, ond mae Elin yn poeni am ddiogelwch y gwaith.

(a)   Mae'r chwynladdwr yn wenwynig. Pa risgiau sy'n gysylltiedig â gwneud pob cam o swydd Elin?   [3]

(b)   Pa offer diogelwch y dylai Elin eu defnyddio yn eich barn chi?   [3]

(c)   Pa wybodaeth y dylai Elin ei chael gan y ffermwr cyn derbyn y swydd?   [2]

2 Swyddog Cymorth Cyntaf gydag Ambiwlans Sant Ioan yw Morris. Mae'n cael ei alw i ddamwain mewn labordy ysgol. Mae Philip wedi agor ei fraich ar wydr wedi'i dorri.

(a)   Eglurwch y drefn y bydd Morris yn ei dilyn wrth ymdrin â digwyddiad cymorth cyntaf.   [6]

(b)   Disgrifiwch y cymorth cyntaf sylfaenol y dylai Morris ei roi.   [4]

(c)   Disgrifiwch rai anafiadau cyffredin eraill a all ddigwydd mewn labordy ysgol.   [4]

(ch) Penderfynodd Philip ei fod eisiau bod yn Swyddog Cymorth Cyntaf hefyd. Enwch ddau gorff sy'n hyfforddi Swyddogion Cymorth Cyntaf ac ymchwiliwch iddynt trwy fynd i'w gwefannau   [2]

1 Cyflwyno sgiliau gwyddonol

CYFLAWNI TASGAU YMARFEROL

Cynnwys

Aseiniadau a gweithgareddau ymarferol sy'n gysylltiedig â'r adran hon:

Mae'r adran hon yn berthnasol iddynt i gyd.

Defnyddiwch y canlynol i gadw llygad ar eich cynnydd.

Uned 1

Byddwch chi'n:

- gwybod sut i ddarllen dull gweithredu safonol a'i ddefnyddio gw. tud. 12–15

- gallu gwneud archwiliad Iechyd a Diogelwch o'ch ardal waith gw. tud. 13–15

- gallu gwneud asesiad risg gw. tud. 13–15

- gallu dilyn cyfarwyddiadau gw. tud. 12–15

- gallu adnabod cyfarpar labordy safonol gw. tud. 16

- gallu trefnu eich ardal waith a chael y cyfarpar priodol gw. tud. 16–18

- gallu graddnodi offer gw. tud. 17

- gallu gwneud arsylwadau a mesuriadau manwl gywir gan ddefnyddio cyfarpar priodol, gan gynnwys cyfarpar logio data gw. tud. 17–18

- adnabod ffynonellau cyfeiliorni a sut i wneud eich arbrofion yn fwy dibynadwy gw. tud. 20–1

- gallu cyflwyno data ar sawl ffurf gw. tud. 20–3

- gallu gwneud cyfrifiadau syml gw. tud. 21

- gallu dadansoddi a dehongli canlyniadau gw. tud. 23

- gallu gwerthuso ymchwiliadau ac awgrymu gwelliannau. gw. tud. 23

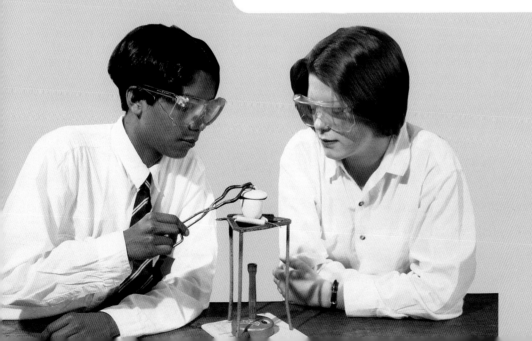

1.3 Dilyn dulliau gweithredu safonol

Mae Lowri a Sara yn mynd ar brofiad gwaith

Mae Lowri a Sara ar fin dechrau profiad gwaith. Byddan nhw'n treulio pythefnos yn gweithio gydag Andy y cigydd yn ei siop. Maen nhw'n gwybod bod yn rhaid iddynt fod yn gyfrifol iawn wrth weithio mewn siop o'r fath. Mae glanweithdra a thrafod cig yn gywir yn hynod o bwysig. Mae'n hanfodol nad yw unrhyw gwsmeriaid yn cael gwenwyn bwyd. Mae'n dweud wrth y merched fod ganddo ddulliau gweithredu safonol yn ei siop. **Dulliau gweithredu safonol** yw cyfarwyddiadau y mae'n rhaid i bawb yn y siop eu dilyn.

Mae Andy yn egluro bod holl staff y siop wedi cytuno ar y dulliau gweithredu safonol. Cawsant eu hysgrifennu'n benodol ar gyfer ei siop ef i sicrhau y bydd unrhyw staff newydd yn gwybod beth yn union i'w wneud a sut i'w wneud yn gywir. Mae'n dweud wrthynt fod yr holl gwmnïau mawr yn defnyddio dulliau gweithredu safonol, yn enwedig os ydyn nhw'n gwneud ymchwil ac yn cynnal arbrofion ymarferol. Trwy ddefnyddio dulliau gweithredu safonol, mae pobl eraill sy'n gweld y canlyniadau yn gwybod yn union sut y cafodd yr arsylwadau a'r mesuriadau eu gwneud.

Mae Andy yn dweud wrth y merched fod gan y siop ddull gweithredu safonol ar gyfer pob un o'r canlynol:

- defnyddio cyfarpar peryglus, megis y sleisiwr bacwn;
- trafod cig amrwd heb ei goginio;
- trafod cig wedi'i goginio;
- glanhau arwynebau gwaith a chyfarpar.

1.3 Dilyn dulliau gweithredu safonol

Dulliau gweithredu safonol yn y labordy

Wrth ddilyn dull gweithredu safonol, dyma'r pethau y dylech eu gwneud bob tro.

1 Darllen y cyfarwyddiadau. Darllenwch y cyfarwyddiadau'n ofalus a sicrhewch eich bod yn eu deall. Os oes rhywbeth nad ydych chi'n ei ddeall, gofynnwch bob amser. Mae'n llawer mwy diogel gofyn cwestiynau syml na dechrau ac yna gwneud camgymeriad difrifol.

2 Cynnal archwiliad Iechyd a Diogelwch o'r ardal waith. Peidiwch byth â dechrau hyd nes ei bod hi'n ddiogel gwneud hynny. Pan fyddwch chi'n cynnal arbrawf yn yr ysgol, bydd eich athrawon yn sicrhau bod y labordy'n ddiogel cyn i chi ddechrau. Sawl gwaith maen nhw wedi dweud wrthych am roi eich bagiau o dan y bwrdd fel na fydd neb yn baglu drostynt?

3 Gwneud asesiad risg. I gyflawni asesiad risg rhaid i chi feddwl am beth allai fynd o'i le a beth y byddech chi'n ei wneud pe bai hynny'n digwydd. Rhaid i athrawon wneud asesiadau risg bob tro y gwnewch arbrawf ymarferol. Os yw'r arbrawf yn cynnwys defnyddio llosgydd Bunsen, rhaid iddynt wybod ble mae tap y prif gyflenwad nwy a beth i'w wneud os bydd rhywun yn ei losgi ei hun.

4 Casglu'r defnyddiau a'r cyfarpar y mae eu hangen arnoch. Pan fyddwch chi'n cynnal arbrawf yn yr ysgol, yn gyntaf oll casglwch y cyfarpar y mae ei angen a pharatowch yr ardal waith. Mae braidd yn hwyr i chi benderfynu bod angen rhywbeth arall arnoch hanner ffordd trwy arbrawf. Mae gwaith arbrofol da a diogel yn gofyn am gynllunio da.

5 Dilyn y cyfarwyddiadau un cam ar y tro. Ar ôl i chi ddarllen a deall y cyfarwyddiadau, dylech eu dilyn un cam ar y tro. Peidiwch â cheisio eu darllen ac yna gwneud popeth o'r cof. Mae'n bosibl y byddwch chi'n gwneud rhywbeth o'i le neu yn y drefn anghywir.

6 Gwneud arsylwadau neu fesuriadau manwl gywir. Dylech wneud y rhain yn ofalus bob tro a'u cofnodi. Fe fyddwch chi'n siŵr o'u hanghofio fel arall! Sicrhewch eich bod yn dewis offer priodol sy'n ddigon trachywir ar gyfer yr arbrawf. Does dim pwynt dewis silindr mesur 500 cm^3 os ydych chi eisiau mesur 0.5 cm^3 o ddŵr.

7 Adnabod ffynhonnell cyfeiliornad a gwneud yr arbrawf eto os oes angen. Bydd hyd yn oed y gwyddonwyr mwyaf gofalus yn gwneud camgymeriadau. Ond gall gwyddonydd da weld y pethau sy'n gwneud y canlyniadau'n llai manwl nag y dylent fod. Yna byddan nhw'n ceisio gwella'r arbrawf i gael canlyniadau mwy cywir y tro nesaf. Os plotiwch eich canlyniadau fel graff, chwiliwch am bwyntiau sy'n bell o'r llinell ffit orau. Gall y rhain ddangos ble mae camgymeriadau'n cael eu gwneud.

Mae hefyd yn syniad da gwneud arbrofion sawl gwaith a chyfrifo cymedr (cyfartaledd) eich canlyniadau. Bydd hyn yn gwneud eich canlyniadau'n llawer mwy dibynadwy.

1.3 Dilyn dulliau gweithredu safonol

Dulliau gweithredu safonol yn siop cigydd Andy

Defnyddio'r sleisiwr bacwn

Mae Andy yn gofyn i Lowri a Sara ysgrifennu dull gweithredu safonol ar gyfer defnyddio'r sleisiwr bacwn. Dyma eu dull gweithredu safonol nhw:

- Darllenwch y cyfarwyddiadau ar gyfer defnyddio'r sleisiwr bacwn. Maen nhw ar y wal uwchben y peiriant.

- Sicrhewch fod yr ardal o gwmpas y sleisiwr yn glir ac nad oes dim byd ar y llawr a allai wneud i chi faglu a syrthio ar y peiriant. Gwnewch yn siŵr eich bod yn gwybod ble mae'r blwch cymorth cyntaf a pheidiwch byth â defnyddio'r sleisiwr os ydych chi ar eich pen eich hun yn y siop.

- Gwnewch yn sicr fod y sleisiwr bacwn wedi'i ddiffodd pan nad ydych chi'n ei ddefnyddio a bod y plwg wedi'i dynnu o'r soced. Sicrhewch fod y llafn yn lân a bod y gard yn gweithio'n berffaith.

Rhaid i chi ddilyn dulliau gweithredu safonol wrth ddefnyddio'r sleisiwr bacwn.

- Sicrhewch fod y bacwn yn hwylus wrth law a bod gennych ddigon o bapur lapio.

- Yn awr rydych chi'n barod i ddechrau.

  Golchwch eich dwylo. Rhowch y bacwn ar y peiriant. Cadarnhewch fod y gard ar gau. Cychwynnwch y peiriant. Torrwch y sleisiau.

- Dangoswch y sleisen gyntaf i'r cwsmer i sicrhau bod y trwch yn iawn. Gellir gosod y deial ar ochr y peiriant i'r trwch sydd ei angen.

Rhannwch ddalen o bapur A4 trwy dynnu llinell fertigol i lawr y canol, neu defnyddiwch y patrymlun isod. Labelwch yr ochr chwith 'Dulliau gweithredu safonol' a rhestrwch bob un o'r dulliau gweithredu sydd ar dudalen 13. Labelwch yr ochr dde 'Defnyddio sleisiwr bacwn'. Edrychwch ar ddull gweithredu safonol Lowri a Sara a chopïwch bob datganiad trwy ei ysgrifennu wrth ymyl y rhestr o ddulliau gweithredu safonol ar yr ochr dde.

Mae'r un cyntaf wedi'i wneud i chi.

Dulliau gweithredu safonol	Defnyddio sleisiwr bacwn
1 Darllenwch y cyfarwyddiadau	Maen nhw ar y wal uwchben y peiriant
2	....
3	....
....	....

1 Awgrymwch sut y gallech wella dull gweithredu safonol Lowri a Sara.

2 Pam mae Andy yn defnyddio dull gweithredu safonol ar gyfer ei sleisiwr bacwn?

Pwyso'r bacwn

Mae Andy yn dweud wrth y myfyrwyr fod yn rhaid iddynt bwyso'r cig er mwyn cyfrifo faint i godi ar y cwsmer. Mae'r merched yn gofyn sut mae Andy yn sicrhau bod ei glorian yn gywir. Mae'n dweud wrthynt fod y glorian yn cael ei harchwilio'n rheolaidd gan Arolygydd Pwysau a Mesurau. Mae gan yr arolygydd set o bwysynnau manwl gywir. Mae'n rhoi'r pwysynnau ar glorian Andy. Os yw'r glorian yn anghywir gall gael ei **graddnodi** fel ei bod yn darllen y pwysynnau'n fwy cywir.

1.3 Dilyn dulliau gweithredu safonol

Yn ôl yn labordy'r ysgol

Mae Lowri a Sara'n sylweddoli y dylent ddefnyddio'r hyn a ddysgant yn ystod eu profiad gwaith wrth gynnal arbrofion yn labordy'r ysgol hefyd. Mae'r athro'n egluro bod gwyddonwyr sy'n gweithio i gwmnïau yn defnyddio dulliau gweithredu safonol i sicrhau eu bod yn dilyn yr un drefn bob amser. Trwy ddefnyddio dulliau gweithredu safonol, mae pobl eraill sy'n gweld y canlyniadau yn gwybod yn union sut y cafodd yr arsylwadau a'r mesuriadau eu gwneud.

Meddyliwch am arbrawf a wnaethoch chi'n ddiweddar lle bu'n rhaid i chi fesur rhywbeth.

Eich tasg fydd ysgrifennu dull gweithredu safonol ar gyfer yr arbrawf. Defnyddiwch yr un penawdau ag yn y gweithgaredd blaenorol ac ysgrifennwch wrth ymyl pob pennawd yr hyn y mae angen i chi ei ystyried.

Edrychwch ar y pwyntiau canlynol. Byddan nhw'n eich helpu i ysgrifennu eich dull gweithredu safonol.

Rhestr wirio ar gyfer ysgrifennu dulliau gweithredu safonol

Sicrhewch fod y deunydd wrth law ar gyfer ysgrifennu'r cyfarwyddiadau. Byddai hyn yn gyfle da i chi ymarfer eich sgiliau prosesu geiriau.

- **Gwnewch archwiliad Iechyd a Diogelwch o'r lle dan sylw.** Disgrifiwch unrhyw beryglon megis defnyddiau rhydd ar y llawr neu fagiau'n cael eu gadael mewn lleoedd peryglus.

- **Gwnewch asesiad risg.** Er enghraifft, beth allai fynd o'i le gyda'r arbrawf a beth y byddech chi'n ei wneud pe bai hyn yn digwydd? Beth y byddech chi'n ei wneud pe bai tân? Ble mae'r pecyn cymorth cyntaf ac a oes cymorth ar gael os bydd ei angen arnoch? Pa ddillad a chyfarpar diogelwch y mae eu hangen arnoch? Copïwch a chwblhewch y tabl isod.

ASESIAD RISG					
Enw'r sawl sy'n gwneud y gweithgaredd					
Math o waith ymarferol					
Dyddiad y caiff ei wneud					
Defnydd/dull gweithredu	Perygl	Beth allai fynd o'i le	Rhagofalon diogelwch	Os bydd damwain	Risg (uchel/ canolig/isel)

- **Rhestrwch yr offer y mae eu hangen ar gyfer yr arbrawf**

- **Ysgrifennwch y cyfarwyddiadau.** Ysgrifennwch restr fanwl o'r camau y mae angen eu dilyn.

- **Arsylwadau neu fesuriadau.** Pa arsylwadau neu fesuriadau manwl gywir y dylid eu gwneud? Pa offer y dylid eu defnyddio?

- **Nodwch ffynonellau cyfeiliorni.** Sut y dylid gwerthuso'r arbrawf? Beth y gellir ei wneud, os oes angen, i'w wneud yn fwy dibynadwy?

1.4 Trafod cyfarpar a defnyddiau gwyddonol

Y daith faes

Mae Lowri a Sara ar fin mynd ar daith faes gyda'r ysgol i lyn lleol. Byddan nhw'n casglu dŵr er mwyn gwneud dadansoddiad cemegol yn ôl yn y labordy. Byddan nhw hefyd yn monitro sut mae'r tymereddau ar arwyneb a gwaelod y llyn yn newid yn ystod y dydd: byddan nhw'n eu mesur yn y bore pan fydd yn oer, ganol dydd yng ngwres yr haul, ac yn ystod y prynhawn.

Mae'r myfyrwyr yn mynd ar daith faes.

Dewis y cyfarpar

Mae Lowri a Sara yn ystyried pa fath o gyfarpar sydd ei angen i gyflawni'r ddwy dasg hyn.

Mae'r athro'n dangos gwahanol ddarnau o gyfarpar iddynt.

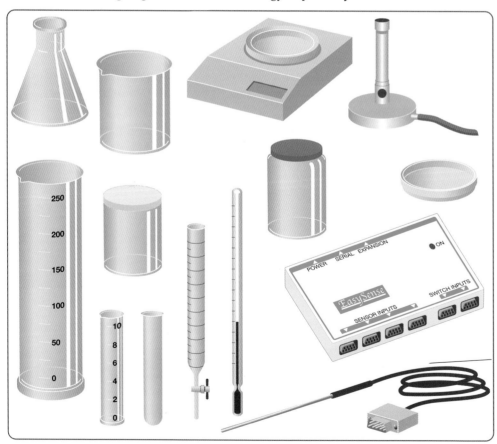

Pa gyfarpar sydd ei angen ar Lowri a Sara?

① Edrychwch ar y lluniau o wahanol fathau o gyfarpar. Gwnewch restr o'r cyfarpar y dylai Lowri a Sara ei ddewis i fynd ar y daith faes.

1.4 Trafod cyfarpar a defnyddiau gwyddonol

Ger y llyn

Maen nhw'n cytuno y bydd Lowri'n gosod y cyfarpar i fesur y tymheredd ar arwyneb y dŵr ac y bydd Sara'n casglu samplau o ddŵr i'w dadansoddi yn labordy'r ysgol.

Mesur y tymheredd

Mae Lowri wedi penderfynu y bydd hi'n defnyddio chwiliedydd tymheredd a logiwr data i gymryd darlleniadau o dymheredd arwyneb y dŵr. Mae hi'n gosod y logiwr data i ddarllen y tymheredd bob 30 eiliad.

2 (a) Ydych chi'n meddwl bod Lowri wedi dewis ysbaid amser dda i gymryd y darlleniadau?

    (b) Awgrymwch ac eglurwch pa ysbaid amser y byddech chi'n ei dewis.

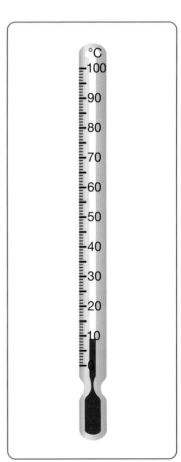

Y logiwr data a'r chwiliedydd tymheredd.

Mae Sara'n gollwng y chwiliedydd tymheredd i'r dŵr.

Mae Lowri'n cysylltu'r chwiliedydd tymheredd â'r logiwr data ac mae Sara'n gollwng y chwiliedydd i'r dŵr. Mae Lowri'n sylwi bod ei darlleniad cyntaf yn dweud bod tymheredd y dŵr yn 60°C. Mae hi'n gwybod bod hyn yn llawer rhy gynnes ac mae hi'n sylweddoli nad yw hi wedi graddnodi ei hoffer. Yn ffodus mae hi wedi dod â thermomedr 0-100°C gyda hi. Mae hi'n defnyddio hwn i fesur y tymheredd ar arwyneb y dŵr.

3 Edrychwch ar y thermomedr. Beth yw tymheredd arwyneb y llyn?

Mae Lowri'n tynnu'r chwiliedydd tymheredd allan o'r dŵr ac yn gosod y logiwr data i ddarllen yr un tymheredd ag sy'n cael ei ddangos ar y thermomedr.

4 Eglurwch pam y dylai Lowri fod wedi gadael y chwiliedydd yn y dŵr wrth raddnodi ei chyfarpar.

Mae Lowri'n rhoi'r chwiliedydd yn y dŵr ac yn ei raddnodi'n gywir y tro hwn. Mae hi'n rhoi'r chwiliedydd ychydig o dan yr arwyneb ac mae'r logiwr data yn dechrau cofnodi'r data ar ysbeidiau sefydlog.

Dyma'r hyn a welodd Lowri pan ddarllenodd y tymheredd ar ei thermomedr.

1.4 Trafod cyfarpar a defnyddiau gwyddonol

Casglu samplau

Mae Sara'n casglu rhai samplau o ddŵr o'r llyn i'w dadansoddi. Mae hi'n rhoi 5 cm³ o ddŵr y llyn mewn deg gwahanol diwb sbesimen. Mae hi'n cymryd yr holl samplau o arwyneb y dŵr.

5 (a) Pa silindr mesur y dylai Sara ei ddefnyddio, 250 cm³ neu 10 cm³, i fesur y cyfeintiau? Eglurwch eich ateb.

(b) Pe bai pibed raddedig 5 cm³ ar gael, a fyddech chi'n dewis hon? Eglurwch eich ateb.

Cymerodd Sara y sampl o arwyneb y llyn yn weddol hawdd. Ond nid yw hi'n siŵr sut i gymryd sampl o'r gwaelod. Yn ffodus, dim ond 50 cm yw dyfnder y llyn.

6 Awgrymwch sut y gallai Sara ddefnyddio jar â chaead sgriw i gael sampl o ddŵr o waelod y llyn.

7 Pa asesiad risg y dylai athro/athrawes Lowri a Sara fod wedi'i wneud cyn i'r merched ddechrau gweithio ger y llyn?

Yn ôl yn labordy'r ysgol

Dyma'r graffiau a argraffodd y merched o'r logiwr data i ddangos tymheredd y dŵr ar wyneb ac ar waelod y llyn.

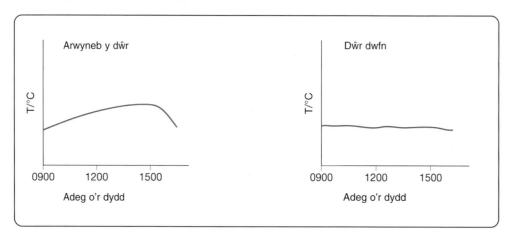

8 Pa un sy'n dangos y newid mwyaf mewn tymheredd, dŵr ar wyneb y llyn neu ddŵr ar waelod y llyn?

9 Awgrymwch pam mae tymheredd arwyneb y dŵr ar ei fwyaf yn y prynhawn.

1.4 Trafod cyfarpar a defnyddiau gwyddonol

Y labordy patholeg (ASTUDIAETH ACHOS)

Mae Peter yn gyfrifol am labordy patholeg mewn ysbyty mawr. Rhaid iddo sicrhau bod pawb yn y labordy yn gweithio'n ddiogel ac yn gywir.

gw. Rhoddwr gwaed, tud. 112

Ei dasg gyntaf yn y bore yw rhestru'r holl brofion y mae angen eu gwneud a threfnu'r rhai brys yn gyntaf. Mae'n darganfod faint o samplau gwaed y bydd yn rhaid eu profi'r diwrnod hwnnw. Caiff y mwyafrif o samplau gwaed eu harchwilio i ddarganfod y grŵp gwaed ac i gyfrif nifer y celloedd coch a gwyn yn y gwaed. Y dasg nesaf yw trefnu i'r staff wneud profion biopsi ar samplau o feinwe.

Tasg arall yw mesur faint o gyffur sydd mewn sampl o waed os oes amheuaeth bod rhywun wedi cymryd gormod o gyffuriau.

Mae argyfyngau'n torri ar draws gwaith Peter. Heddiw, rhaid i dîm Peter archwilio hylif o feingefn claf a all fod yn dioddef o lid yr ymennydd. Byddan nhw'n ei allgyrchu, ei staenio ac yna ei archwilio o dan ficrosgop.

Rhaid i Peter sicrhau hefyd fod pawb yn y labordy yn gweithio'n ddiogel. Rhaid iddynt gael eu gwarchod rhag unrhyw germau yn samplau'r cleifion a rhag unrhyw beryglon o'r cemegion sy'n cael eu defnyddio yn y profion. Mae'r dulliau gweithredu diogel yn cynnwys gwisgo dillad gwarchod, defnyddio cypyrddau diogelwch microbiolegol a gwneud gwahanol weithgareddau mewn gwahanol rannau o'r labordy. Rhaid i bawb hefyd ddilyn y rheolau iechyd sylfaenol, hynny yw, peidio â bwyta nac yfed yn y labordy. Hyd yn oed ar ôl cwblhau'r holl brofion, caiff y defnyddiau eu rhoi mewn ffwrn aerglos i'w diheintio ag ager dan wasgedd uchel i sicrhau nad oes unrhyw risg pellach.

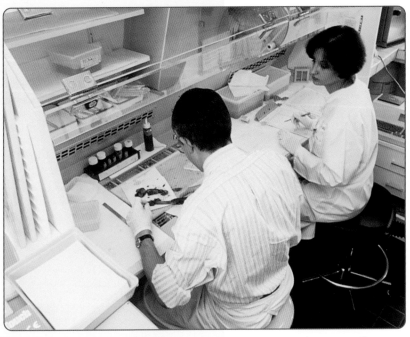

Mae Peter ac Ann yn profi samplau o feinwe.

gw. Cadw bwyd, tud. 94

10 Eglurwch pam mae'n rhaid gwybod beth yw grŵp gwaed rhywun cyn gwneud unrhyw lawdriniaeth.

11 Darganfyddwch sut mae allgyrchydd yn gweithio a pham mae'n ddefnyddiol.

12 Eglurwch sut mae ffwrn aerglos yn sicrhau nad oes unrhyw risg pellach oddi wrth samplau.

13 Darganfyddwch beth yw ystyr 'profion biopsi'.

14 Edrychwch ar y ffotograff o Peter ac Ann yn gweithio yn y labordy patholeg.

   (a) Eglurwch pam maen nhw'n gwisgo menyg rwber.

   (b) Llawr teils sydd yn y labordy. Eglurwch pam mae llawr teils mewn labordy patholeg yn well na llawr carped.

   (c) Bydd Peter ac Ann yn gwirio canlyniadau ei gilydd. Awgrymwch pam.

1.5 Cofnodi a dadansoddi data gwyddonol

Mae Hamid a Gwilym yn cynnal arbrawf

Mae Hamid a Gwilym yn cynllunio ac yn cynnal arbrawf. Eu nod yw darganfod a yw myfyrwyr sydd wedi cael fitaminau'n rheolaidd gan eu rhieni yn dalach na myfyrwyr sydd wedi cael deiet cyffredin. Maen nhw'n penderfynu dewis nifer o fyfyrwyr ar hap o'u grŵp blwyddyn. Bydd y ddau ohonynt yn cynnal yr arbrawf ar wahân. Ar ddiwedd yr ymchwiliad, byddan nhw'n cyfrifo cymedr (cyfartaledd) eu canlyniadau.

Mesur a chofnodi'r data

Mae Hamid a Gwilym yn penderfynu mesur taldra'r myfyrwyr mewn metrau, yn gywir i ddau le degol. Maen nhw'n dylunio ffurflen i gofnodi'r data.

Dyma'r math o gyfarpar a ddefnyddiodd Hamid a Gwilym i fesur taldra.

FFURFLEN GOFNODI

I DDARGANFOD A YW FITAMINAU ATODOL YN EFFEITHIO AR DALDRA

Enw ....

Taldra mewn metrau yn gywir i ddau le degol ....

Gwryw neu fenyw ....

A ydy'n cymryd fitaminau atodol bob dydd? ....

Os ydy, am faint y bu'n eu cymryd? ....

Rhestrwch y fitaminau a'r dosiau a gymerir ....

....

....

1.5 Cofnodi a dadansoddi data gwyddonol

Dull gweithredu safonol Hamid a Gwilym

Mae'r bechgyn yn penderfynu defnyddio dull gweithredu safonol i gymryd y mesuriadau i sicrhau bod eu canlyniadau'n fwy dibynadwy.

1 Dewis 100 myfyriwr ar hap o'r grŵp blwyddyn.

2 Gofyn i bob myfyriwr dynnu ei esgidiau.

3 Gofyn i'r myfyriwr sefyll yn syth yn erbyn y wal.

4 Gostwng y bar hyd nes ei fod yn gorffwys ar ben y myfyriwr.

5 Cymryd darlleniad yn gywir i ddau le degol.

6 Gofyn i bob myfyriwr ateb y cwestiynau ar y ffurflen gofnodi

Mae'n cymryd amser maith i Hamid a Gwilym gymryd y mesuriadau a chofnodi'r holl ddata. Dyma ffrwyth eu gwaith.

Enw'r myfyriwr	Taldra (metrau)	Yn cymryd/ddim yn cymryd fitaminau
John	1.55	Ydyw
Mared	1.32	Nac ydyw
Reshma	1.48	Ydyw
Sioned	1.72	Nac ydyw

Rhan o dabl Gwilym

❶ Awgrymwch sut y gallai Hamid a Gwilym wella eu dull gweithredu safonol ar gyfer yr ymchwiliad.

Maen nhw'n sylweddoli nad yw'r data yn y tabl yn glir nac yn hawdd ei ddeall. Mae angen iddynt arddangos y data ar fformat gwahanol. Yn gyntaf rhaid iddynt gyfrif faint o fyfyrwyr sydd ar bob taldra gwahanol.

❷ Dyluniwch dabl y gallai Hamid a Gwilym ei ddefnyddio i storio'r wybodaeth hon.

Gwneud gwaith cyfrifo rhifiadol

Mae Hamid a Gwilym yn sylweddoli bod yn rhaid iddynt drawsnewid eu rhifau'n ganran. Mae arbrofion gwyddonol yn aml yn gofyn i chi wneud cyfrifiadau rhifiadol syml.

❸ Roedd gan dri allan o bum deg o fyfyrwyr daldra o 1.48 metr ac roeddent yn cymryd fitaminau. Pa ganran o'r myfyrwyr a oedd yn 1.48 metr o daldra ac yn cymryd fitaminau?

(Awgrym: Rhannwch nifer y myfyrwyr â 50 a lluoswch â 100.)

1.5 Cofnodi a dadansoddi data gwyddonol

Arddangos canlyniadau

Mae Hamid a Gwilym eisiau arddangos eu canlyniadau fel y gall pobl eraill eu deall yn haws.

Defnyddir **siartiau bar** pan fydd data wedi'u rhannu'n grwpiau pendant. Mae pob bar yn dangos nifer y bobl mewn grŵp. Edrychwch ar y siart bar ar y dde. Mae'n dangos nifer y bobl ym mhob grŵp gwaed. Nid oes rhaid i'r barrau fod mewn unrhyw drefn arbennig.

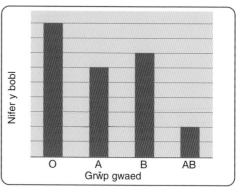

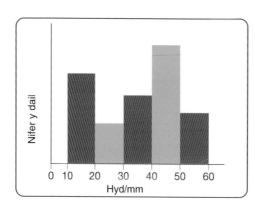

Defnyddir **histogramau** apan yw'r amrediad o ddata'n ddi-dor heb unrhyw fylchau pendant rhwng diwedd un mesuriad a dechreuad mesuriad arall. Edrychwch ar yr histogram ar y chwith. Mae'n dangos hyd dail ar goeden. Mae rhai dail yn fyr ac eraill yn hir. Ond mae amrediad o wahanol hydoedd rhwng y ddau eithaf hyn.

Mae **pictogramau** yn defnyddio lluniau i roi gwybodaeth. Mae pob symbol yn cynrychioli grŵp o bethau – deg broga yn yr achos hwn. Mae'r pictogram ar y dde yn dangos meintiau cymharol tair gwahanol boblogaeth o frogaod.

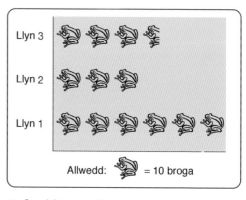

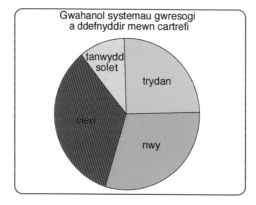

Defnyddir **siartiau cylch** i gymharu meintiau grwpiau gwahanol mewn ffordd weledol. Mae hon yn ffordd dda o ddangos sut mae grwpiau sy'n amrywio o ran maint yn cymharu â'i gilydd.

Caiff yr onglau ar gyfer pob sector o'r siart cylch eu cyfrifo fel hyn:

$$\frac{\text{canran o'r cyfanswm}}{100} \times 360°$$

1.5 Cofnodi a dadansoddi data gwyddonol

Rydym ni'n defnyddio **graffiau** os oes dwy set o ddata. Os byddwch chi'n mesur tymheredd bicer o ddŵr i ddangos pa mor gyflym y bydd yn oeri, gallwch ddangos hyn ar graff. Dylech ddangos yr amser ar yr echelin lorweddol a'r tymheredd ar yr echelin fertigol.

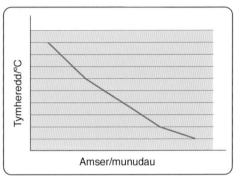

Yn yr achos hwn, amser yw'r newidyn annibynnol. Tymheredd yw'r newidyn dibynnol.

4 Awgrymwch pa un o'r dulliau hyn y byddech chi'n ei ddefnyddio i arddangos canlyniadau Hamid a Gwilym. Rhowch reswm dros eich dewis.

Dadansoddi canlyniadau

Mae Hamid a Gwilym yn penderfynu defnyddio siartiau bar i arddangos eu canlyniadau.

Dyma eu graffiau.

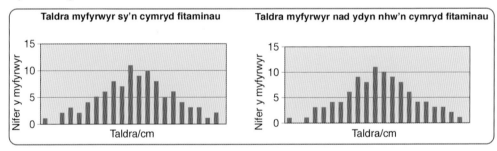

Y cam nesaf yw dadansoddi a dehongli eu canlyniadau.

5 Cymharwch y ddau siart. Pa gasgliadau y gallwch ddod o hyd iddynt trwy edrych ar y canlyniadau?

Gwerthuso

I werthuso eu gwaith, rhaid iddynt edrych yn ôl ar yr hyn a wnaethant yn yr arbrawf.

6 Beth yn eich barn chi oedd pwyntiau da yr arbrawf?

7 Pa ffynonellau anghywirdeb a allai fod yn y mesuriadau a gymerwyd ganddyn?

Mae Hamid a Gwilym yn sylweddoli y gallant wella ac estyn eu hymchwiliad i'w wneud yn fwy manwl gywir a dibynadwy.

8 Edrychwch ar y rhestr ganlynol ac eglurwch sut y gallent ddefnyddio pob pwynt i wella eu harbrawf.

- Defnyddio grŵp mwy o fyfyrwyr.
- Dewis myfyrwyr sy'n cymryd yr un dosiau o'r un fitaminau.
- Defnyddio myfyrwyr o'r un rhyw.

Cwestiynau adolygu

1 Mae Ranjit a Reshma newydd ddechrau eu cwrs TGAU mewn Gwyddoniaeth Gymhwysol. Byddan nhw'n gwneud eu profiad gwaith mewn ffatri sy'n cynhyrchu paent.

Un o'u dyletswyddau yw cymysgu paent o wahanol liwiau.

(a)   Disgrifiwch y camau mewn dull gweithredu safonol y byddai'n rhaid iddynt ei ddilyn wrth gymysgu'r paentiau.   *[7]*

(b)   Awgrymwch pam mae angen dilyn dull gweithredu safonol.   *[2]*

2 Mae Rhun a Rhian yn hoffi losin â gorchudd siwgr. Y losin glas yw hoff losin Rhun. Mae Rhun eisiau gwybod pa liwiau bwyd y mae'r gwneuthurwr yn eu defnyddio i wneud y losin glas.

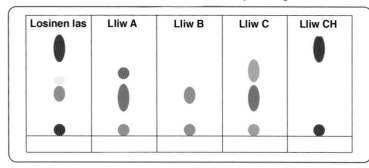

Defnyddiodd Rhian y losinen a rhai llifynnau bwyd i wneud cromatogram.

(a) (i)   Awgrymwch pam y cynhwysodd Rhian gromatogram o losinen las.   *[2]*

(ii)   Awgrymwch sut y dewisodd Rhian y llifynnau A, B, C ac CH.   *[1]*

(b)   Yn eich barn chi pa lifynnau bwyd sy'n cael eu ddefnyddio yn y losinen las?   *[2]*

(c)   Nid oedd Rhian yn hollol hapus â'r canlyniadau. Awgrymwch sut y gallai hi sicrhau bod canlyniadau'r arbrawf yn fanwl gywir.   *[2]*

3 Mae Owain yn cynnal arolwg. Mae'n ceisio darganfod amlder y gwahanol liwiau llygaid sydd gan y myfyrwyr yn ei ysgol.

Dyma'r data a gasglodd.

Lliw llygaid		Y nifer mewn sampl o 200
Glas golau		10
Llwydlas		60
Llwydwyrdd		50
Gwyrdd		30
Brown golau		30
Brown tywyll		20

(a)   Arddangoswch y data a gasglodd Owain trwy ddefnyddio:

(i)   siart bar

(ii)   pictogram

(iii)   siart cylch.   *[6]*

(b)   Pa ganran o sampl Owain oedd â llygaid brown tywyll?   *[1]*

(c)   Mae lliwiau llygaid yn tueddu i fod rhwng un lliw a lliw arall. Awgrymwch ddull y gallai Owain fod wedi'i ddefnyddio i roi llygaid pob unigolyn yn un o'r categorïau uchod.   *[1]*

2 Organebau byw

Y GELL AR WAITH

Cynnwys

Aseiniadau a gweithgareddau ymarferol sy'n gysylltiedig â'r adran hon:

Microsgopeg.

Defnyddio microsgop golau

Osmosis mewn meinwe byw

Edrych ar gromosomau

Defnyddiwch y canlynol i gadw llygad ar eich cynnydd.

Uned 1

Byddwch chi'n:

- deall sut i wneud sleid staenedig dros dro a defnyddio microsgop golau i'w harchwilio gw. tud. 27

- cyflwyno data mewn tablau gw. tud. 31, 35

- dadansoddi a dehongli canlyniadau gw. tud. 29, 31, 35

- gwerthuso ymchwiliadau. gw. tud. 29, 31

Uned 2

Byddwch chi'n:

- enwi cynhyrchion defnyddiol y gellir eu gwneud o bethau byw gw. tud. 26–9

- gwybod bod gwlân, sidan, cotwm, lledr a llawer o gynhyrchion fferyllol a llifynnau yn dod o organebau byw gw. tud. 26–9

- disgrifio'r gell fel nodwedd gyffredin pob organeb a gwybod am nodweddion tebyg celloedd planhigion a chelloedd anifeiliaid gw. tud. 26–7

- egluro sut mae sylweddau'n mynd i mewn i gelloedd ac yn eu gadael trwy dryllediad ac osmosis gw. tud. 30–7

- deall nodweddion etifeddol a pham rydych chi'n unigryw gw. tud. 38–41

- disgrifio sut mae celloedd yn ymrannu trwy fitosis wrth dyfu gw. tud. 43

- disgrifio sut mae celloedd yn ymrannu trwy feiosis i gynhyrchu gametau gw. tud. 44

- gwybod am etifeddiad monocroesryw. gw. tud. 46–9

Celloedd dynol o leinin y foch.

Celloedd planhigyn yn cynnwys cloroplastau.

2.1 Celloedd

Ffibrau cotwm, wedi'u chwyddhau 630 o weithiau.

Carys y dylunydd dillad

Dylunydd dillad yw Carys. Mae hi'n dylunio dillad i siopau adwerthu mawr. Fel rhan o'i gwaith, rhaid iddi wybod am briodweddau defnyddiau er mwyn gwneud yn siŵr eu bod yn ddigon cryf ar gyfer ei dyluniadau. Mae hi eisiau sicrhau na fydd ei dillad yn disgyn yn ddarnau.

Mae rhai o'r ffibrau a ddefnyddir gan Carys, megis cotwm, yn dod o blanhigion. Daw eraill, megis lledr, o anifeiliaid.

O beth mae ffibrau dillad yn cael eu gwneud?

Mae **gwlân** yn cael ei wneud o ffibrau anifail tebyg i'n gwallt. Mae **sidan** yn cael ei wneud o ffilamentau a gynhyrchir gan wyfynod y pryf sidan. Mae **cotwm** yn cael ei wneud o ffibrau planhigion sy'n gelloedd tenau hir. Mae **lledr** yn cael ei wneud o grwyn anifeiliaid, sydd wedi'u ffurfio o haenau lawer o gelloedd.

Mae pob peth byw wedi'i wneud o **gyfansoddion cemegol** – proteinau, carbohydradau (siwgrau a startsh) a brasterau. Uned sylfaenol pob peth byw yw'r **gell**.

Mae **pilen** denau allanol gan gelloedd. Mae'r bilen hon yn rheoli beth sy'n mynd i'r gell ac yn ei gadael. Y tu mewn i'r gell y mae'r **cytoplasm**, sylwedd tebyg i jeli lle mae'r holl adweithiau cemegol sy'n angenrheidiol ar gyfer bywyd yn digwydd.

Mae'r cytoplasm yn cynnwys:

gw. Etifeddiad, tud. 46

- cnewyllyn, sy'n cario gwybodaeth etifeddol mewn cod

- llawer o fitocondria, lle mae egni'n cael ei ryddhau

- llawer o ribosomau, lle mae proteinau megis ensymau'n cael eu gwneud

- un neu ragor o **wagolynnau**, sy'n cynnwys cellnodd dyfrllyd.

Mae mitocondria a ribosomau yn fach iawn a rhaid defnyddio electronmicrosgop pwerus i'w gweld.

1 Pa ran o gell sy'n rheoli beth sy'n mynd i mewn iddi ac yn ei gadael?

2 Pa ran o gell sy'n cario gwybodaeth wedi'i chodio?

3 Ble mae'r holl adweithiau cemegol mewn cell yn digwydd?

Mae celloedd planhigion ychydig yn wahanol i gelloedd anifeiliaid. Gan nad yw'r mwyafrif o blanhigion yn symud lawer, nid oes rhaid i'w celloedd fod mor hyblyg; ond rhaid iddynt fod yn gryf. Mewn celloedd planhigion mae'r **gellfur** allanol wedi'i wneud o gellwlos. Carbohydrad cymhleth yw cellwlos. Mae ei adeiledd cemegol yn ei wneud yn wydn a chryf.

Gall planhigion wneud eu bwyd eu hunain trwy broses o'r enw ffotosynthesis. I wneud hyn, mae celloedd planhigion yn cynnwys ffurfiadau gwyrdd arbennig o'r enw **cloroplastau**

Hefyd mae gan blanhigion wagolynnau mawr sy'n llawn o gellnodd.

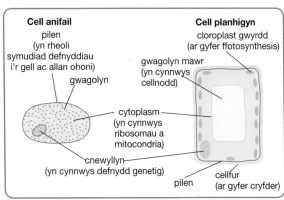

Cell anifail
pilen
(yn rheoli symudiad defnyddiau i'r gell ac allan ohoni)
gwagolyn
cytoplasm (yn cynnwys ribosomau a mitocondria)
cnewyllyn (yn cynnwys defnydd genetig)

Cell planhigyn
cloroplast gwyrdd (ar gyfer ffotosynthesis)
gwagolyn mawr (yn cynnwys cellnodd)
pilen
cellfur (ar gyfer cryfder)

Celloedd anifeiliaid a phlanhigion.

4 Nodwch DRI gwahaniaeth rhwng celloedd planhigion a chelloedd anifeiliaid.

5 Awgrymwch pam mae celloedd planhigion yn wahanol i gelloedd anifeiliaid.

2.1 Celloedd

Edrych ar gelloedd **GWEITHGAREDD**

Mae gan gelloedd sawl siâp a maint gan eu bod yn cyflawni gwahanol dasgau arbenigol.

Mae'n hawdd edrych ar gelloedd nionyn. Pan dorrwch fwlb nionyn yn ei hanner fe welwch nifer o haenau. Gallwch dorri stribed tenau o gelloedd oddi ar un o'r haenau a'i roi ar sleid wydr. Bydd ychwanegu staen megis hydoddiant Schultze yn dangos cynnwys y gell mewn gwahanol liwiau. Yna caiff arwydryn tenau ei osod yn ofalus ar y celloedd. Rhaid ymarfer gwneud hyn er mwyn osgoi cael swigod aer. Nid yw'r celloedd hyn yn cynnwys cloroplastau.

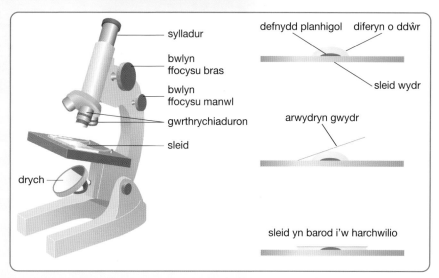

Labels: sylladur, bwlyn ffocysu bras, bwlyn ffocysu manwl, gwrthrychiaduron, sleid, drych, defnydd planhigol, diferyn o ddŵr, sleid wydr, arwydryn gwydr, sleid yn barod i'w harchwilio

Defnyddio microsgop i edrych ar gelloedd.

6 Pam nad yw celloedd bwlb nionyn yn cynnwys cloroplastau?

Gydag ymarfer, mae'n hawdd rhwygo stribedi tenau o gelloedd o ddail prifet neu fynawyd y bugail. Bydd rhai o'r celloedd yn cynnwys cloroplastau.

Gallwch ddefnyddio microsgop i edrych ar **ficro-organebau**. Gallwch archwilio burum trwy roi diferyn o feithriniad burum ar sleid wydr ac ychwanegu dŵr. Defnyddir burum i fragu alcohol a gwneud bara. Mae'n hawdd dod o hyd i blanhigion gwyrdd syml o'r enw algâu mewn pyllau. Gellir gweld eu celloedd o dan y microsgop.

Oherwydd y rheolau Iechyd a Diogelwch ar gyfer trafod meinweoedd anifail, mae'n well edrych ar sleidiau o gelloedd anifail sydd wedi cael eu paratoi eisoes. Mae yna amrywiaeth ryfeddol o gelloedd anifail. Mae nerfgelloedd yn hir a thenau ac maen nhw'n cario ysgogiadau nerfol. Disgiau crwn yw celloedd coch y gwaed. Mae gan gelloedd sy'n leinio'r bibell wynt flew mân.

Gellir gweld rhai ffyngau trwy ficrosgop. Os defnyddiwch chwyddhad uchel, fe welwch nad yw'r corff wedi'i rannu'n gelloedd unigol. Ffwng a ddefnyddir i wneud y cyffur penisilin yw *Penicillium*. Mae **cynhyrchion fferyllol** eraill yn cael eu gwneud o bethau byw hefyd.

7 Pam y defnyddiwn ficrosgopau i edrych ar gelloedd?

8 Pam mae sleidiau ac arwydrau wedi'u gwneud o wydr clir?

9 Pam y caiff staeniau eu hychwanegu weithiau wrth archwilio celloedd?

10 Eglurwch pam na chaniateir i chi gael gwaed dynol a'i archwilio o dan ficrosgop.

11 Dychmygwch fod eich ysgol yn cynnal diwrnod agored i'r Ysgol Gynradd leol. Dyluniwch a gwnewch arddangosfa ddeniadol i ddangos gwahanol fathau o gelloedd planhigion ac anifeiliaid. Fe gewch chi ddefnyddio defnyddiau megis edafedd neu linyn lliw, papur sidan, clai modelu, mwydion papur o amgylch balŵn, ac edau'n cysylltu rhannau o gelloedd â'u labeli.

Gwirio gair

Organeb sydd mor fach fel bod angen microsgop i'w gweld yw **micro-organeb**.

gw. Mathau o ficro-organebau, tud. 86

Gwirio galr

Cyffuriau a chemegion eraill a ddefnyddir mewn meddygaeth yw **cynhyrchion fferyllol**.

2.1 Celloedd

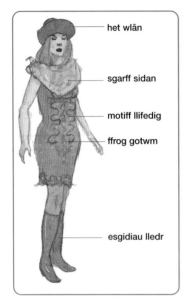

het wlân

sgarff sidan

motiff llifedig

ffrog gotwm

esgidiau lledr

Daw'r defnyddiau crai ar gyfer llawer o'n dillad o blanhigion ac anifeiliaid.

Defnyddio planhigion ac anifeiliaid

Ffabrigau

Wrth ddylunio dillad, mae'n well gan Carys ddefnyddio defnyddiau naturiol megis gwlân, sidan, cotwm a lledr yn hytrach na neilon, reion a pholyester sy'n cael eu gweithgynhyrchu.

Mathau o ffibrau yw gwlân a chotwm. Mae sidan wedi'i ffurfio o ffilamentau, a meinwe trwchus wedi'i ffurfio o lawer o gelloedd yw lledr.

Mae Carys yn defnyddio gwlân (o ddefaid) i wneud defnyddiau trwchus i gadw pobl yn gynnes. Mae gan wlân ffibrau llac, felly mae'n ynysydd da.

⑫ Pam mae adeiledd gwlân yn ei wneud yn ynysydd da?

Mae ffibrau cotwm (o'r planhigyn cotwm) yn denau ac wedi'u pacio'n dynn, felly mae cotwm yn ynysydd gwael ac yn helpu i gadw pobl yn oer.

Bydd Carys weithiau'n defnyddio defnydd sidan drud. Daw ffilamentau sidan o gocynau'r gwyfyn sidan. Maen nhw'n eithriadol o fain ac yn gwneud defnydd tenau iawn sy'n cadw pobl yn oer.

Croen anifeiliaid megis gwartheg, ceirw a'r cangarŵ yw lledr. Defnyddiwn ledr pan fydd angen gorchudd gwydn a diddos arnom.

Llifynnau

Mae planhigion megis y nionyn, cen a saffrwm yn cynnwys llawer o wahanol bigmentau lliw. Caiff y rhain eu hechdynnu i'w defnyddio fel **llifynnau** i staenio defnyddiau.

Defnyddiai'r Hen Frythoniaid blanhigyn o'r enw glaslys i gael llifyn glas llachar i liwio eu cyrff. Bydd llifynnau synthetig wedi'u gwneud o gol-tar yn cael eu defnyddio'n aml yn lle'r llifynnau naturiol hyn gan eu bod yn rhoi dewis ehangach o liwiau.

Geiriau allweddol

- **cell**
- **cellfur**
- **cloroplastau**
- **cotwm**
- **cyfansoddion cemegol**
- **cynhyrchion fferyllol**
- **cytoplasm**
- **gwagolyn**
- **gwlân**
- **lledr**
- **llifynnau**
- **pilen**
- **sidan**

Ffeithiau allweddol

Copïwch a chwblhewch y brawddegau trwy ddewis y gair cywir o'r rhestr o eiriau allweddol. Gellir defnyddio pob gair fwy nag unwaith.

1 Mae pob organeb fyw wedi'i gwneud o _____ _____.

2 Mae uned sylfaenol organebau byw yn cael ei galw'n _____.

3 Mae gan bob cell _____ allanol sy'n amgylchynu'r _____ sy'n debyg i jeli.

4 Mae celloedd planhigion yn wahanol i gelloedd anifeiliaid oherwydd bod ganddynt _____ trwchus allanol a _____ mawr. Mae gan lawer ohonynt _____ hefyd.

5 Mae anifeiliaid yn rhoi defnyddiau megis _____, _____ a _____ i ni.

6 Mae planhigion yn rhoi'r defnydd _____ i ni, yn ogystal â phigmentau ar gyfer _____ a _____ _____ megis penisilin.

Sut y gellir profi ffabrigau Carys ASTUDIAETH ACHOS

Mae'n bwysig i Carys fod y dillad y mae hi'n eu dylunio yn gysurus, yn edrych yn ddeniadol ac yn para'n dda. Oherwydd bod gan wahanol ddefnyddiau wahanol briodweddau, mae angen iddi wybod sut y byddan nhw'n ymddwyn ar ôl cael eu gwneud yn ddillad sy'n dilyn ei dyluniadau.

Bydd gwyddonwyr yn ymchwilio i briodweddau gwahanol ddefnyddiau. Gall Carys gael gwybodaeth am y priodweddau hyn trwy astudio canlyniadau profion gwyddonol o'r fath.

Un briodwedd bwysig y mae ganddi ddiddordeb ynddi yw pa mor bell y gall defnyddiau gael eu hymestyn ac eto dychwelyd i'w hyd gwreiddiol. Mae hyn yn ddefnyddiol ar gyfer dillad sy'n gorchuddio'r penelinoedd a'r pengliniau gan y bydd yn rhwystro'r dillad rhag colli eu siâp.

Mae'n bosibl eich bod chi wedi gwneud arbrawf tebyg i'r un sy'n cael ei wneud gan wyddonwyr i ddarganfod sut mae defnyddiau'n ymestyn a pha mor dda y maen nhw'n adennill eu hyd.

Mae myfyriwr yn cysylltu stribedi tenau o bedwar defnydd gwahanol wrth fwrdd. Mae'r stribedi i gyd o'r un hyd a lled. Mae pwysynnau cyfartal yn cael eu clymu wrth bob stribed. Mae'r llun yn dangos y canlyniadau.

Trwy gynyddu'r pwysau, mae'n bosibl mesur pa mor bell y bydd pob stribed yn ymestyn cyn cael ei ymestyn yn barhaol.

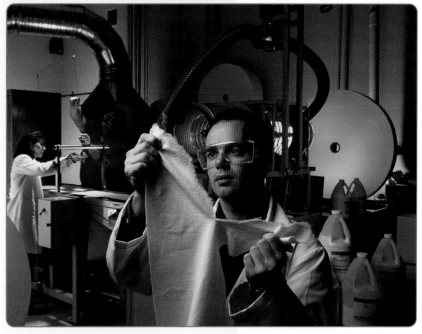

Profi ffabrigau.

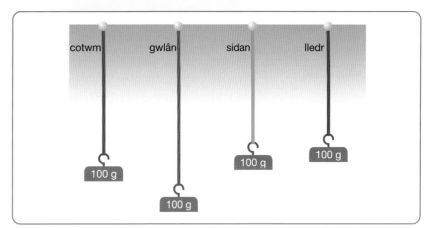

Profi pa mor bell y mae ffabrigau'n ymestyn.

13 Eglurwch sut y gwnaeth y myfyriwr yn siŵr bod yr arbrawf yn brawf teg.

14 Pa ddefnydd a ymestynnodd (a) leiaf, (b) fwyaf, cyn ymestyn yn barhaol?

15 Eglurwch pam yr ymestynnodd y gwlân yn fwy na'r cotwm, cyn ymestyn yn barhaol.

16 Gan ddefnyddio'r wybodaeth o'r arbrawf, eglurwch pam mae gwlân yn ddefnydd delfrydol ar gyfer siwmperi.

17 Eglurwch pam mae lledr yn ddefnydd addas ar gyfer esgidiau.

18 Disgrifiwch sut y gellir defnyddio'r arbrawf i brofi effaith glaw ar elastigedd gwahanol ddefnyddiau.

2.2 Trylediad

Luigi y cogydd

Luigi y cogydd.

Cogydd yw Luigi ac mae e'n hoffi coginio gartref hefyd. Yn anffodus nid yw ei deulu'n hoffi arogl llysiau'n coginio.

Mae ei wraig wedi prynu llosgydd sy'n llosgi olew persawrus i berarogli'r tŷ. Mae'r plant eisiau gwybod sut mae'r arogl hyfryd o'r llosgydd yn lledu trwy'r gegin gyfan.

olew persawrus yn arnofio ar ddŵr

cannwyll

Mae'r llosgydd olew yn gwneud i'r ystafell arogli'n hyfryd.

Sut mae trylediad yn gweithio?

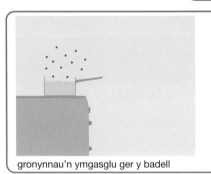

gronynnau'n ymgasglu ger y badell

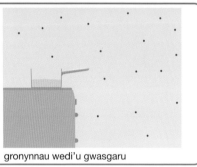

gronynnau wedi'u gwasgaru

Symudiad moleciwlau.

Mae'r moleciwlau mewn hylif neu nwy yn symud i bob cyfeiriad drwy'r adeg. **Symudiad ar hap** yw hyn. Ymhen amser, bydd moleciwlau hylif neu nwy yn lledu o le lle mae llawer o foleciwlau (**crynodiad uchel**) i le lle mae llai o foleciwlau (crynodiad isel).

Yn y diwedd bydd y moleciwlau wedi'u gwasgaru'n wastad trwy'r lle sydd ar gael. **Trylediad** yw'r enw ar y broses hon.

Mae'r moleciwlau sy'n cael eu rhyddhau wrth i Luigi goginio, ac o'r llosgydd olew, yn lledu i bob rhan o'r tŷ trwy drylediad.

Mae trylediad yn digwydd yn gyflymach mewn nwyon nag mewn hylifau oherwydd bod mwy o le rhwng y moleciwlau.

Dychmygwch ysgol gynradd lle mae'r merched yn dod allan o un drws a'r bechgyn allan o ddrws arall amser chwarae. I ddechrau, mae llawer o ferched yn ymgasglu o gwmpas un drws a llawer o fechgyn o gwmpas y drws arall. Yna maen nhw'n dechrau chwarae, gan redeg i bob man a newid cyfeiriad drwy'r adeg. Erbyn diwedd yr egwyl, mae'r bechgyn a'r merched wedi'u cymysgu â'i gilydd ar hyd a lled yr iard chwarae. Yn yr un ffordd, mae symudiadau ar hap y moleciwlau o goginio Luigi yn gwneud i'r moleciwlau dryledu i bob rhan o'r gegin.

① Gan ddefnyddio syniadau am foleciwlau persawr, eglurwch sut mae'r llosgydd olew persawrus yn gweithio.

② Eglurwch pam mae'r llosgydd yn gweithio'n well ar ôl cynnau'r gannwyll.

③ Nid yw mam Luigi, sy'n byw gyda nhw, yn hoffi'r llosgydd. Mae hi'n meddwl ei fod yn beryglus. Eglurwch sut y gallai'r llosgydd fod yn beryglus a disgrifiwch ffyrdd o'i wneud yn fwy diogel ei ddefnyddio.

④ Mae llawer o uwchfarchnadoedd yn cyflwyno persawr deniadol, megis arogl pobi bara, i'w systemau aerdymheru. Awgrymwch leoedd eraill lle y gallai persawr gael ei dryledu.

2.2 Trylediad

Trylediad mewn hylifau a nwyon `GWEITHGAREDD`

Mae'r llun yn dangos chwe stribed o bapur litmws coch wedi'u rhifo 1 i 6. Maen nhw wedi'u gludio ar du mewn clochen. Dangosydd yw papur litmws coch. Bydd yn troi'n las pan fydd alcali'n bresennol.

Rhoddir ychydig o ddiferion o hydoddiant amonia mewn dysgl ar ben bicer. Nwy alcalïaidd yw amonia. Gosodir y glochen dros y ddysgl o amonia. O fewn ychydig o eiliadau mae peth o'r papur litmws coch yn troi'n las.

5 Sut mae'r amonia wedi cyrraedd y papur litmws?

6 Pa stribedi o bapur litmws a fydd yn troi'n las yn gyntaf?

7 Disgrifiwch sut y gellid defnyddio'r arbrawf hwn i fesur cyflymder y trylediad. Defnyddiwch:

$$cyflymder = \frac{pellter/m}{amser/s}$$

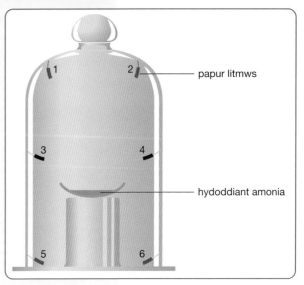

Arbrawf i ddangos trylediad.

Mae trylediad yn digwydd mewn planhigion hefyd

Mae pedair deilen fawr o lawryf yn cael eu trin â jeli petroliwm ac yna eu pwyso. Cânt eu hongian ar linyn fel y gwelwch yn y diagram a'u gadael am ddiwrnod. Yna cânt eu pwyso eto. Mae'r canlyniadau yn y tabl.

Deilen	Pwysau gwreiddiol/g	Pwysau terfynol/g	Pwysau a gollwyd/g
A	5.2	4.2	1.0
B	5.1	4.4	0.7
C	5.2	4.7	0.5
CH	5.3	4.9	0.4

Mae gan ddail dyllau mân o'r enw stomata (un = **stoma**) yn yr arwynebau isaf. Mae'r rhain yn gadael i nwyon, megis carbon deuocsid ac ocsigen, fynd i mewn a gadael trwy drylediad.

Gall dŵr o fewn y ddeilen anweddu a thryledu allan trwy'r stomata hyn. **Trydarthiad** yw'r enw ar y broses hon o golli dŵr.

Colli dŵr sy'n bennaf cyfrifol am unrhyw bwysau a gollir yn ystod yr arbrawf.

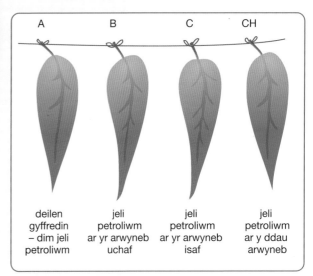

Dail wedi'u hongian i sychu.

8 Pa ddeilen, A, B, C neu CH, a gollodd y lleiaf o ddŵr? Eglurwch pam.

9 Pa ddeilen, A, B, C neu CH, a gollodd y mwyaf o ddŵr? Eglurwch pam.

10 Disgrifiwch DDWY ffynhonnell bosibl o gyfeiliornadau yn yr arbrawf hwn.

2.2 Trylediad

Mae trylediad yn bwysig i ni

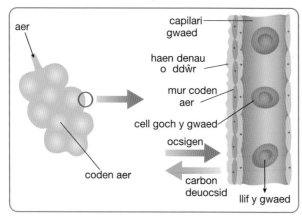

aer

capilari gwaed

haen denau o ddŵr

mur coden aer

cell goch y gwaed

ocsigen

coden aer

carbon deuocsid

llif y gwaed

Mae nwyon yn mynd i'ch gwaed ac yn ei adael trwy gyfnewid nwyol yn eich ysgyfaint.

Mae celloedd byw yn defnyddio ocsigen i ryddhau egni o fwyd. Pan anadlwch, mae aer sy'n cynnwys oddeutu 20 y cant o ocsigen yn mynd i mewn i'ch ysgyfaint ac i lawr at filiynau o godennau aer bach. Mae haen denau o ddŵr yn cadw leinin y codennau aer hyn yn llaith. Mae pibellau gwaed tenau yn amgylchynu'r codennau aer.

Oherwydd bod crynodiad uwch o ocsigen yn yr aer nag sydd yn y gwaed, mae ocsigen yn tryledu i'r gwaed. Ar yr un pryd, mae carbon deuocsid gwastraff yn tryledu allan o'r gwaed i mewn i'r codennau aer. Heb ddefnyddio unrhyw egni, mae ocsigen yn mynd i mewn i'ch gwaed ac mae carbon deuocsid yn ei adael trwy drylediad. **Cyfnewid nwyol** yw'r enw ar y broses hon.

Mae trylediad hefyd yn egluro sut mae bwyd wedi'i dreulio yn mynd i'ch gwaed.

bwyd wedi'i hydoddi (glwcos, asidau amino)

mur y coluddyn bach

pibell waed

mur y coluddyn bach

plasma gwaed

capilari gwaed

bwyd wedi'i hydoddi

llif y gwaed

Mae bwyd yn mynd o'ch coluddyn i'ch gwaed trwy drylediad.

11 Rhowch y gosodiadau hyn am drylediad a threuliad yn y drefn gywir.

A Mae crynodiad uchel o fwyd treuliedig yn y coluddyn bach.

B Felly mae'r moleciwlau bwyd bach yn tryledu trwy fur y coluddyn bach.

C Mae'r moleciwlau bwyd yn cael eu cario i ffwrdd yn y plasma gwaed.

Ch Mae bwyd yn cael ei dreulio gan ensymau yn y geg, y stumog a'r coluddion.

D Crynodiad isel iawn o foleciwlau bwyd sydd gan y gwaed sy'n cyrraedd y coluddyn bach.

Geiriau allweddol

crynodiad isel

crynodiad uchel

cyfnewid nwyol

stomata (unigol: stoma)

symud ar hap

trydarthiad

trylediad

Ffeithiau allweddol

Copïwch a chwblhewch y brawddegau trwy ddewis y gair cywir o'r rhestr o eiriau allweddol.

1 Mae holl foleciwlau nwy a hylif yn _____ _____ _____.

2 Mae'r holl foleciwlau'n lledu gan eu bod yn symud o _____ _____ i _____ _____.

Mae'r symudiad hwn yn cael ei alw'n _____.

3 Bydd anwedd dŵr yn tryledu o ddail planhigion trwy _____ trwy dyllau mân o'r enw _____.

4 Mae trylediad yn bwysig mewn treuliad a _____ _____.

2.2 Trylediad

Sychu dillad ⟨ASTUDIAETH ACHOS⟩

Mae caffi Luigi yn defnyddio llawer o lieiniau bwrdd. Ar ôl eu golchi, mae Luigi yn eu rhoi ar y lein i sychu.

Mae'n gwybod y byddan nhw'n sychu'n gyflym ar ddiwrnod sychu da.

Beth sy'n gwneud diwrnod sychu da?

Ar ddiwrnod sychu da mae gwynt cryf yn chwythu ac mae'r haul yn boeth. Mae'r gwynt a'r gwres yn gwneud i'r dŵr anweddu'n gyflym. Bydd y gronynnau dŵr yn symud allan o'r lliain ac i mewn i'r aer trwy drylediad. Bydd y gwres yn gwneud i'r moleciwlau symud yn gyflymach a bydd y gwynt yn eu chwythu i ffwrdd.

Bydd Luigi'n defnyddio peiriant sychu dillad i sychu'r llieiniau ar ddyddiau oer a gwlyb.

Diwrnod sychu da.

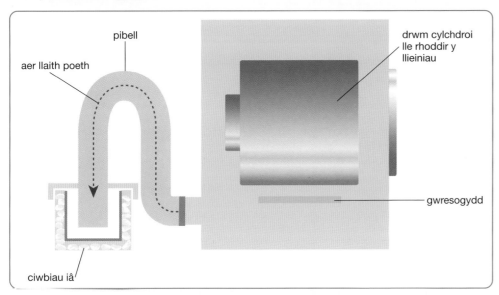

Peiriant sychu dillad.

Mae peiriannau sychu dillad yn gweithio trwy yrru aer cynnes trwy ddrwm sy'n cylchdroi. Mae'r aer llaith a chynnes, wrth ddianc, yn achosi lleithder yn yr ystafell, ac felly rhoddir awyrell aer yn y wal yn aml. Weithiau nid yw hyn yn bosibl, felly defnyddir cynhwysydd sy'n llawn o giwbiau iâ. Gall y dŵr gael ei wagio o'r cynhwysydd.

12 Eglurwch pam y bydd diwrnod gwlyb ac oer yn ddiwrnod gwael ar gyfer sychu'r llieiniau bwrdd.

13 Eglurwch pam y gall cynnydd mewn tymheredd gynyddu'r gyfradd dryledu.

14 Disgrifiwch sut mae peiriant sychu dillad yn gwneud i'r dŵr yn y llieiniau anweddu.

15 Sut y gall peiriant sychu dillad achosi lleithder mewn ystafell? Defnyddiwch y geiriau 'anweddu' a 'cyddwyso' yn eich ateb.

16 Disgrifiwch effaith y ciwbiau iâ ar yr aer llaith, cynnes sy'n dianc o beiriant sychu dillad.

2.3 Osmosis

Alys yn paratoi sglodion.

Alys, cogyddes dan hyfforddiant

Mae Alys yn cael ei rhyddhau am y diwrnod i weithio yng nghaffi Luigi. Mae hi'n hyfforddi i fod yn gogyddes. Mae hi wedi sylwi bod llysiau amrwd megis sglodion tatws yn mynd yn feddal a hyblyg pan fydd yn eu rhoi mewn dŵr hallt cryf.

Beth a ddigwyddodd i sglodion Alys?

Mae'r sglodion yn mynd yn feddal gan fod mwy o ddŵr yn eu gadael nag sy'n mynd i mewn iddynt. Math arbennig o drylediad o'r enw **osmosis** sy'n achosi hyn. Os rhoddir sglodion mewn dŵr pur, mae dŵr yn mynd i mewn i'r holl gelloedd trwy osmosis, gan wneud y sglodion yn galed ac anhyblyg. Os rhoddir y sglodion mewn dŵr hallt, mae dŵr yn gadael y celloedd, gan wneud y sglodion yn feddal a hyblyg.

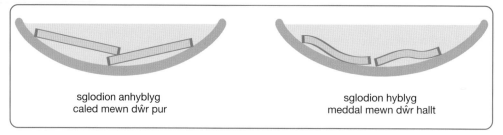

sglodion anhyblyg
caled mewn dŵr pur

sglodion hyblyg
meddal mewn dŵr hallt

Effaith dŵr hallt ar sglodion.

Gwirio gair ✓

Osmosis yw symudiad dŵr o hydoddiant gwan i hydoddiant cryfach trwy bilen.

Pilenni

Mae sawl gwahanol fath o bilen. Ni fydd y gorchudd polythen a ddefnyddir i bacio pethau yn gadael i ddim ddod drwodd ac mae'n atal dŵr. Mae gan seloffan a **thiwbin Visking** dyllau microsgopig sy'n gadael i ddŵr yn unig fynd drwodd.

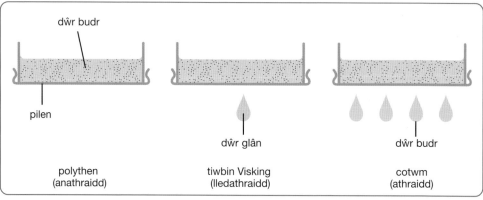

dŵr budr

pilen

polythen
(anathraidd)

dŵr glân

tiwbin Visking
(lledathraidd)

dŵr budr

cotwm
(athraidd)

Gwahanol fathau o bilenni.

Mae'r pilenni sy'n amgylchynu pob cell fyw yn **lledathraidd**, fel tiwbin Visking. Mae hyn yn golygu y gall rhai pethau fynd drwodd yn hawdd, bod eraill yn cael mwy o drafferth, ac na all pethau eraill fynd drwodd o gwbl.

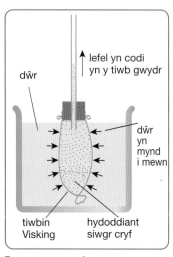

lefel yn codi yn y tiwb gwydr

dŵr

dŵr yn mynd i mewn

tiwbin Visking

hydoddiant siwgr cryf

Dangos osmosis.

gw. Celloedd, tud. 26

Dangos osmosis

Mae'r llun yn dangos sut mae osmosis yn gweithio. Rhoddir hydoddiant siwgr cryf megis syryp neu fêl mewn tiwbin Visking. Mae peth o'r dŵr o gwmpas yn mynd i mewn trwy osmosis. Mae'r cynnydd hwn yng nghyfaint y dŵr yn peri i lefel yr hydoddiant siwgr godi. Po gryfaf yw'r hydoddiant siwgr, uchaf i gyd y bydd y lefel yn codi yn y tiwb gwydr.

2.3 Osmosis

Arbrofi â sglodion tatws GWEITHGAREDD

Mae'n bwysig i gogyddion a'u cwsmeriaid nad yw llysiau megis tatws yn rhy feddal.

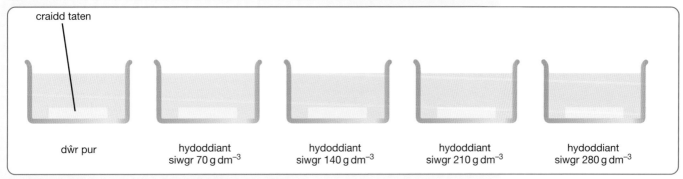

craidd taten

dŵr pur | hydoddiant siwgr 70 g dm⁻³ | hydoddiant siwgr 140 g dm⁻³ | hydoddiant siwgr 210 g dm⁻³ | hydoddiant siwgr 280 g dm⁻³

Creiddiau taten mewn gwahanol hydoddiannau o siwgr.

Arbrofodd Alys â chreiddiau tatws mewn gwahanol grynodiadau o hydoddiant siwgr. Mae'r hydoddiant siwgr yn cael yr un effaith â hydoddiant halen. Defnyddiodd dyllwr cyrc i gael pum craidd o daten fawr ac yna torrodd nhw i gyd i'r un hyd (7.0 cm). Rhoddodd un craidd ym mhob crynodiad o siwgr. Ar ôl dwy awr, mesurodd nhw i weld a oedd eu hyd wedi cynyddu neu wedi lleihau.

Canlyniadau Alys

Crynodiad/ g dm⁻³	Hyd gwreiddiol/cm	Hyd terfynol/cm	Newid mewn Hyd/cm
0			
70			
140			
210			
280			

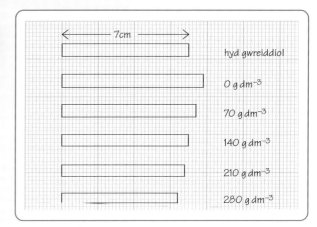

1 Copïwch y tabl a llenwch ganlyniadau Alice.

2 Lluniwch graff i ddangos cynnydd neu leihad mewn hyd yn ôl crynodiad o siwgr.

3 Pa graidd y cynyddodd ei hyd fwyaf? Beth allai fod wedi mynd i mewn i'r craidd i'w wneud yn hirach?

4 Pa graidd y lleihaodd ei hyd fwyaf? Beth allai fod wedi gadael y craidd i'w wneud yn fyrrach?

5 Arhosodd un craidd yr un hyd. Beth y mae hyn yn ei ddweud wrthych am y crynodiad o sylweddau hydoddedig y tu mewn ac y tu allan i'r craidd taten?

2.3 Osmosis

Egluro osmosis

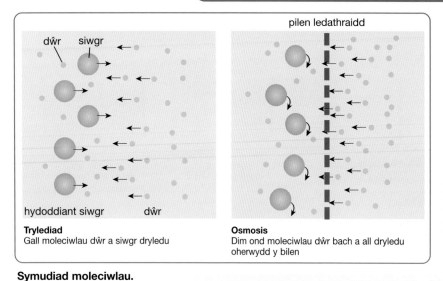

Symudiad moleciwlau.

Tryladiad
Gall moleciwlau dŵr a siwgr dryledu

Osmosis
Dim ond moleciwlau dŵr bach a all dryledu oherwydd y bilen

Mae dŵr yn mynd i mewn i gelloedd byw neu'n eu gadael trwy osmosis. Mae moleciwlau dŵr yn symud o fan lle mae llawer ohonynt i fan lle mae llai ohonynt. Mae gan hydoddiannau gwanedig fwy o foleciwlau dŵr na hydoddiannau crynodedig. Felly mewn osmosis mae dŵr yn mynd trwy bilen ledathraidd o hydoddiant gwanedig i hydoddiant crynodedig.

Heb bilen ledathraidd, bydd moleciwlau siwgr a moleciwlau dŵr yn tryledu. Os rhoddir pilen ledathraidd yn y ffordd, dim ond moleciwlau bach, megis dŵr (H_2O), a fydd yn tryledu trwyddi. Ni all moleciwlau mawr, megis siwgr ($C_{12}H_{22}O_{11}$), fynd trwy'r bilen gan eu bod yn rhy fawr. Enw a roddir ar osmosis weithiau yw 'tryladiad rhwystredig'.

Mae osmosis yn bwysig i anifeiliaid a phlanhigion

Mae gan anifeiliaid sy'n byw mewn dŵr croyw broblem os yw gormod o ddŵr yn mynd i'w cyrff trwy osmosis. Mae gan bysgod arennau i reoli'r cynnwys dŵr. Mae'r arennau'n cael gwared â dŵr dros ben.

6 Beth rydych chi'n meddwl fyddai'n digwydd i gelloedd pysgodyn pe bai gormod o ddŵr yn mynd i mewn iddynt trwy osmosis?

Mae'r arennau'n rheoli'r dŵr yn ein cyrff ac yn hidlo ein gwaed. Pan fydd pobl yn cael problemau gyda'u harennau, gellir defnyddio **dialysis** i hidlo eu gwaed.

Mae osmosis yn egluro hefyd sut mae dŵr yn mynd i mewn i wreiddiau planhigion. Gan fod llawer iawn o ddŵr y tu allan i gelloedd y gwreiddiau a chan fod pilen ledathraidd yn leinio pob cell, bydd dŵr yn mynd i mewn trwy osmosis. Bydd moleciwlau mawr o startsh a phroteinau yn aros y tu allan i'r celloedd, felly nid yw'r planhigyn yn colli'r bwyd y mae wedi'i storio.

Gwirio gair ✓

Mae **dialysis** yn gwahanu moleciwlau mawr oddi wrth ddŵr a moleciwlau bach, megis wrea, trwy ddefnyddio pilen ledathraidd.

Geiriau allweddol

dialysis
lledathraidd
osmosis
tiwbin Visking

Ffeithiau allweddol

Copïwch a chwblhewch y brawddegau trwy ddewis y gair cywir o'r rhestr o eiriau allweddol.

1 Mae dŵr yn mynd i mewn i gelloedd trwy'r gellbilen trwy _____ pan fo hydoddiant mwy gwanedig y tu allan i'r gell.

2 Mae pilenni mewn celloedd byw yn _____.

3 Gellir defnyddio pilenni artiffisial fel _____ _____, i ddangos osmosis.

4 Mae peiriannau arennau yn defnyddio _____ i gael gwared â chynhyrchion gwastraff, megis wrea, o'r gwaed.

2.3 Osmosis

Defnyddio osmosis ASTUDIAETH ACHOS

Mewn labordai gwyddoniaeth, rydym ni'n defnyddio 'osmosis gwrthdro' i gynhyrchu dŵr glân.

Rhoddir y dŵr budr dan wasgedd fel bod y moleciwlau dŵr bach yn cael eu gwthio trwy bilen ledathraidd. Mae'r bilen wedi'i gwneud o gellwlos asetad. Mae'r broses hon yn tynnu:

85% o'r halwynau;

95% o galsiwm carbonad;

95% o ronynnau solid;

100% o facteria.

Mae'r peiriant puro dŵr hwn yn defnyddio osmosis gwrthdro i gynhyrchu dŵr pur iawn yn y labordy.

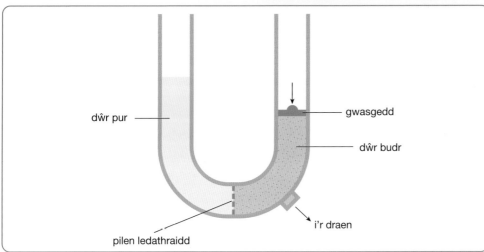

Sut mae peiriant puro dŵr yn gweithio.

Defnyddir y dŵr mewn arbrofion ac mae hefyd yn ddiogel ei yfed.

Mae'r broses hon yn debyg i'r ffordd y mae eich arennau'n gweithio. Mae'r gwaed sy'n mynd i mewn i'r arennau dan wasgedd, felly caiff sylweddau dieisiau eu gorfodi allan o'r gwaed ac i mewn i diwbynnau'r arennau. Mae'r troeth gwastraff yn ymgasglu yn y bledren cyn i'r corff gael gwared ag ef.

7 Pam y gall purwyr dŵr fod yn ddefnyddiol os caiff pibellau dŵr a charthffosiaeth eu torri yn ystod daeargryn?

8 Beth fydd yn digwydd yn eich barn chi os yw'r gwasgedd a gynhyrchir gan y pwmp yn rhy uchel?

9 Mae llawer o ddillad yn cael eu gwneud o ffabrigau arbennig sy'n gadael i'r dillad 'anadlu' a pharhau'n ddiddos. Edrychwch ar labeli dillad megis Gore-Tex a Berghaus i ddarganfod sut mae hyn yn gweithio.

2.4 Nodweddion

Dosbarth newydd Mrs Jones

Athrawes yw Anwen Jones. Bob blwyddyn mae hi'n dysgu dosbarth newydd. Bydd hi'n gwneud darluniau ohonynt i'w helpu i adnabod y disgyblion ac i gofio eu henwau.

Mae pob un o ddisgyblion Mrs Jones yn edrych yn wahanol.

Nodweddion

Gwirio gair

Mae gan bob organeb **nodweddion** arbennig sy'n ein helpu i wahaniaethu rhwng organebau.

Mae hi'n cofio Siôn oherwydd bod ganddo **nodweddion** arbennig megis gwallt coch, brychni haul a llygaid glas. Nid oes neb arall trwy'r byd sy'n edrych yr un fath â Siôn, er bod tua saith biliwn o bobl eraill yn byw ar y blaned. Gall nodweddion gael eu grwpio'n barau yn aml, er enghraifft, gwallt syth a gwallt cyrliog.

❶ Heblaw am liw gwallt, sawl pâr gwahanol arall o nodweddion sy'n cael eu dangos gan ddisgyblion Mrs Jones?

❷ Pwy sydd ag (a) gwallt golau, llygaid glas, dim brychni a chlustiau mawr?

  (b) gwallt golau, llygaid gwyrdd, dim brychni a chlustiau bach?

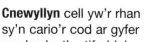 gw. Celloedd, tud. 26

Gwirio gair

Cnewyllyn cell yw'r rhan sy'n cario'r cod ar gyfer gwybodaeth etifeddol.

Beth yw rôl celloedd?

Mae pob peth byw wedi'i wneud o gelloedd.

Mae'r wybodaeth am **nodweddion** etifeddol pobl yn cael ei chario yng nghnewyllyn pob un o'u celloedd. Mae'r wybodaeth am liw llygaid yn cael ei chario ym mhob cnewyllyn, hyd yn oed yng nghelloedd y trwyn! Ond defnyddir y wybodaeth hon yng nghelloedd y llygaid yn unig; mae wedi'i 'diffodd' yn y celloedd eraill.

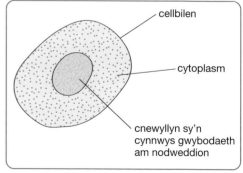

Cnewyllyn y gell sy'n cario'r wybodaeth etifeddol.

2.4 Nodweddion

Darganfod gwahaniaethau | GWEITHGAREDD

Mae rhai o'ch nodweddion yn deillio o'r wybodaeth yng nghnewyllyn eich celloedd. Caiff y rhain eu trosglwyddo i chi gan eich rhieni: rydych chi'n eu **hetifeddu**.

Mae nodweddion eraill yn dibynnu ar bethau eraill, megis deiet neu ymarfer.

Nid yw'r nodweddion hyn yn cael eu hetifeddu a dywedir eu bod yn cael eu hachosi gan yr **amgylchedd**.

❸ Edrychwch ar ddisgybl arall yn eich dosbarth. Gwnewch restr o'r nodweddion y mae wedi'u hetifeddu a rhestr arall o'r nodweddion nad yw wedi'u hetifeddu.

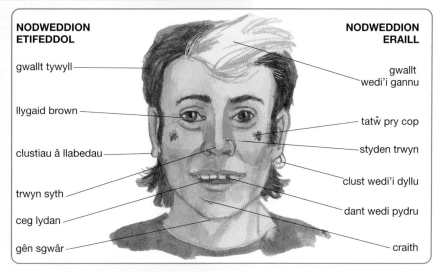

NODWEDDION ETIFEDDOL
- gwallt tywyll
- llygaid brown
- clustiau â llabedau
- trwyn syth
- ceg lydan
- gên sgwâr

NODWEDDION ERAILL
- gwallt wedi'i gannu
- tatŵ pry cop
- styden trwyn
- clust wedi'i dyllu
- dant wedi pydru
- craith

A ydych chi'n ei adnabod?

Gallwn weld bod nodweddion afalau yn amrywio. Mae maint, lliw, arogl a siâp afalau Golden Delicious, Cox's Orange Pippin a Bramley yn wahanol er eu bod i gyd yn afalau. Mae'r blas yn hollol wahanol hefyd. Mae hyn yn rhoi dewis i ni pan fyddwn ni'n prynu afalau.

Mae'n well defnyddio tabl i wneud y gymhariaeth hon.

❹ Lluniwch dabl i ddangos cymaint o wahaniaethau â phosibl rhwng y tri math hyn o afal.

Trwy eu bwyta, gallwch ddarganfod sut flas sydd arnynt, a ydyn nhw'n galed neu'n feddal wrth eu brathu, a oes ganddynt groen tenau neu drwchus, neu a ydyn nhw'n troi'n frown yn gyflym.

Mae'r holl wahaniaethau hyn yn bwysig. Pe bai organebau fel afalau i gyd yn union yr un fath, byddai'n rhaid iddynt gael yr un amodau i dyfu a bydden nhw'n agored i'r un plâu ac afiechydon. Mae hyn yn wir hefyd am bethau byw eraill.

❺ Awgrymwch pam mae uwchfarchnadoedd yn gwerthu sawl math o afal. Ewch i'ch uwchfarchnad leol a gwnewch restr o'r holl fathau o afal ac o ble maen nhw'n dod. (Cofiwch gael caniatâd yr uwchfarchnad.)

❻ A fydd yr un blas ar afal Golden Delicious a gafodd ei dyfu yn Lloegr ac un a gafodd ei dyfu yn Ffrainc? Eglurwch eich ateb.

Mae llawer gwahanol fath o afal.

2.4 Nodweddion

Cromosomau

Hen fam-gu, mam-gu, mam a mab.

Mae pedair cenhedlaeth yn y teulu hwn. Mae ganddynt i gyd nodweddion cyffelyb. Mae'r gor-ŵyr yn wahanol mewn un ffordd bwysig. Mae ef yn fachgen ac mae'r wybodaeth sy'n ei wneud yn fachgen yn cael ei chario ym mhob cell o'i gorff.

Os caiff cell ei staenio â llifyn a'i harchwilio o dan ficrosgop, fe welwn **gromosomau** bach, tebyg i edafedd, o fewn y cnewyllyn. Mae'r cromosomau wedi'u trefnu'n barau. Mae 46 cromosom (23 pâr) yng nghelloedd gwrywod a benywod dynol.

Os caiff y cromosomau mewn cell sy'n ymrannu eu staenio, gallwn eu gweld yn glir â microsgop golau.

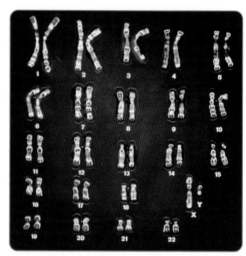

Cromosomau dynol.

Mae gan un pâr o gromosomau, y **cromosomau rhyw**, swyddogaeth arbennig. Mewn merched mae'r cromosomau rhyw hyn yn union yr un fath ac rydym ni'n eu galw yn gromosomau **XX**. Mewn bechgyn mae maint y cromosomau'n wahanol ac rydym ni'n eu galw yn gromosomau **XY**. Mae'r llun ar y chwith yn dangos cromosomau dynol. Yn y llun ar y dde mae'r cromosomau wedi'u haildrefnu. Yn y modd hwn, gall technegydd weld a oes unrhyw broblemau.

7 A yw'r cromosomau hyn yn perthyn i ddyn neu fenyw?

I atal twyllo yn y Gemau Olympaidd, bydd prawf rhyw yn cael ei roi i'r athletwyr trwy archwilio'r cromosomau yng nghelloedd y foch. Gall y gwibwyr gwryw gorau guro'r gwibwyr benyw gorau gan eu bod yn gryfach yn gorfforol.

8 Edrychwch ar y canlyniadau gorau yn Niwrnod Chwaraeon eich ysgol a chymharwch yr amserau a'r pellterau ar gyfer bechgyn a merched.

9 Defnyddiwch wefan i gymharu canlyniadau gorau dynion a menywod mewn gwahanol gampau yn y Gemau Olympaidd.

10 Ym mha gampau y mae dynion a merched yn cystadlu â'i gilydd? Awgrymwch pam mae hyn yn bosibl.

2.4 Nodweddion

Defnyddio E-ffit i adnabod troseddwyr ASTUDIAETH ACHOS

Fel Mrs Jones, mae angen i Bill Newstead allu adnabod wynebau. Mae Bill yn Swyddog Adnabod Wynebau yn heddlu Gorllewin Swydd Efrog. Gwaith Bill yw holi pobl sy'n dystion i droseddau. Rhaid iddo gael gwybodaeth werthfawr heb arwain na chamarwain y tystion.

Mae Bill yn defnyddio'r system E-ffit. Mae hon yn defnyddio cronfa ddata fwyaf y byd o steiliau gwallt, nodweddion wyneb a chyfwisgoedd fel hetiau a sbectol haul i greu delweddau. Gall greu tua 32 miliwn o wynebau unigol. Os oes angen gwybodaeth ar Bill am wallt troseddwr posibl, bydd yn gofyn am y lliw, hyd, math, rhesen, steil, taclusrwydd a thrwch, gan ddangos pob amrywiad posibl ar sgrin gliniadur. Rhaid diweddaru'r gronfa ddata'n rheolaidd i gynnwys steiliau gwallt diweddaraf pêl-droedwyr a sêr pop! Caiff pob cam yn y broses o greu'r ddelwedd ei gofnodi rhag ofn iddi gael ei herio yn y llys.

Bill Newstead yn defnyddio'r system E-ffit.

Mae Bill yn chwarae rhan allweddol mewn adnabod troseddwyr posibl a dileu pobl ddieuog o'r ymholiadau.

11 Edrychwch ar y ddelwedd E-ffit am tua munud. Yna gorchuddiwch hi a cheisiwch ddisgrifio'r person trwy restru nodweddion ei wyneb.

Os ydych wedi rhestru 10 peth, rydych chi wedi gwneud yn dda, ond mae gan y system E-ffit filoedd o nodweddion yn ei chronfa ddata.

Mae Heddlu Gorllewin Swydd Efrog wedi datblygu system arall yn ddiweddar o'r enw VIPER (*Video Identification Parade Electronic Recording*). Gall yr heddlu wneud ffilm fideo o'r sawl sydd dan amheuaeth ac yna dewis nifer o bobl debyg yr olwg o'r miloedd o ddelweddau sydd wedi'u storio ar y gronfa ddata VIPER. Mae rheng fideo (*video parade*) yn cael ei chreu o'r detholiad hwn fel nad oes angen i dystion fynd i reng adnabod draddodiadol.

Delwedd E-ffit.

Ffeithiau allweddol

Copïwch a chwblhewch y brawddegau trwy ddewis y gair cywir o'r rhestr o eiriau allweddol.

1 Rydym ni'n edrych yn wahanol i'n gilydd oherwydd bod gennym wahanol _____.

2 Mae nodweddion megis lliw llygaid, sy'n dibynnu ar wybodaeth o'n rhieni, yn _____.

3 Mae nodweddion eraill nad ydyn nhw'n etifeddol yn cael eu hachosi gan ein _____.

4 Mae gwybodaeth am ein nodweddion yn cael ei chario yng _____ pob cell.

5 Mae'r cnewyllyn yn cynnwys ffurfiadau tebyg i edafedd o'r enw _____.

6 Mae cromosomau arbennig o'r enw _____ _____ yn penderfynu a yw rhywun yn wryw neu'n fenyw.

7 Mae gan wrywod gromosomau rhyw _____ ac mae gan fenywod gromosomau rhyw _____.

Geiriau allweddol

amgylchedd

cnewyllyn

cromosomau

cromosomau rhyw

etifeddol

nodweddion

XX

XY

2.5 Celloedd yn ymrannu

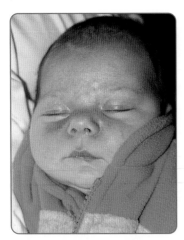

Dafydd yn bythefnos oed.

Gwirio gair ✓

Rhan o gromosom sy'n cynnwys y cod ar gyfer nodwedd benodol yw **genyn**.

Mae Dafydd yn cael ei eni

Pan nad oedd Dafydd ond ychydig o funudau oed, aeth y nyrsys ati i gofnodi ei hyd a'i bwysau.

Dechreuodd fywyd fel wy ffrwythlonedig microsgopig a thyfodd yn gyflym yng nghroth ei fam am 40 wythnos.

Bydd yn parhau i dyfu hyd nes iddo gyrraedd tua 18 oed.

Sut y bydd Dafydd yn tyfu? **GWEITHGAREDD**

Mae pob peth byw yn tyfu. Bydd taldra Dafydd yn dibynnu ar y **genynnau** y mae wedi'u hetifeddu gan ei rieni. Bydd ei ddeiet a negeseuwyr cemegol yn ei gorff o'r enw hormonau yn effeithio arno hefyd.

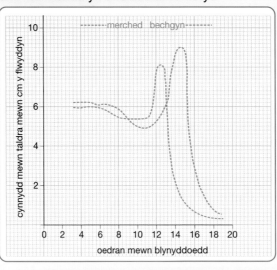

Mae merched a bechgyn yn tyfu ar wahanol gyfraddau ar wahanol adegau.

Wrth i Dafydd dyfu bydd yn darganfod ei fod:

- tua'r un taldra â'r mwyafrif o'r merched yn ei ddosbarth yn yr ysgol gynradd;

- yn llai na'r mwyafrif o'r merched yn ei ddosbarth ym mlwyddyn 7 yn yr ysgol uwchradd;

- yn dalach na'r mwyafrif o'r merched yn ei ddosbarth ym mlwyddyn 11 yn yr ysgol uwchradd.

Mae'r graff yn dangos gwybodaeth fwy manwl gywir.

❶ Beth yw'r cynnydd mwyaf mewn taldra a ddangosir gan (a) merched, (b) bechgyn?

❷ Pryd mae (a) merched, (b) bechgyn yn tyfu gyflymaf?

Gallech gynnal arolwg o daldra cyfartalog y myfyrwyr mewn gwahanol ddosbarthiadau trwy'r ysgol.

Byddai marchogion yr oesoedd canol yn gwisgo arfwisg amddiffynnol. Mae'r arfwisgoedd hyn yn dangos bod y marchogion tua 168 cm (5 troedfedd 6 modfedd) o daldra. Taldra cyfartalog milwr modern yw tua 183 cm (6 throedfedd).

❸ Beth sydd wedi achosi'r cynnydd hwn mewn taldra cyfartalog?

❹ Awgrymwch pam mae'n bosibl nad taldra yw'r ffordd orau o fesur twf dynol.

2.5 Celloedd yn ymrannu

Twf a mitosis

Mae celloedd y croen yn byw am ychydig o ddyddiau'n unig. Cânt eu hadnewyddu'n barhaus wrth i'r celloedd allanol gael eu rhwbio i ffwrdd. Caiff y croen ei niweidio'n aml, felly mae angen celloedd newydd i'w drwsio. Mae angen celloedd croen newydd arnom wrth i ni dyfu hefyd.

Cynnydd mewn maint yw **twf**. Er mwyn tyfu rhaid cael cynnydd yn nifer y celloedd.

Mae celloedd yn gwneud copïau ohonynt eu hunain trwy ymrannu'n ddwy. Yr enw ar y broses hon o **gellraniad** yw **mitosis**. Mae'r celloedd newydd **yn unfath** â'i gilydd a'r gell wreiddiol. Mae hyn yn golygu y bydd y celloedd croen newydd yn union yr un fath â'r gell groen wreiddiol.

Gallwn dyfu gwreiddiau nionyn trwy roi bwlb nionyn mewn ffiol fel bod rhan isaf y bwlb yn unig yn cyffwrdd â'r dŵr. O dan amodau cynnes a llaith bydd gwreiddiau'n ymffurfio mewn rhyw bythefnos. Gellir defnyddio pen marcio i wneud marciau cytbell ar wreiddyn. Caiff y pellterau rhwng y marciau eu mesur bob diwrnod i ddarganfod ble mae'r twf mwyaf yn digwydd.

I ddarganfod beth sy'n digwydd y tu mewn i gelloedd wrth iddynt ymrannu, bydd angen i chi ddefnyddio microsgop i edrych ar gelloedd sydd wedi cael eu staenio.

Mae mitosis yn digwydd yn y camau canlynol.

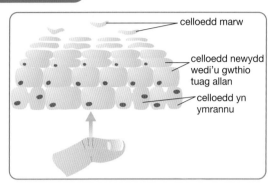

Mae celloedd croen yn cael eu rhwbio i ffwrdd yn barhaus a'u hadnewyddu.

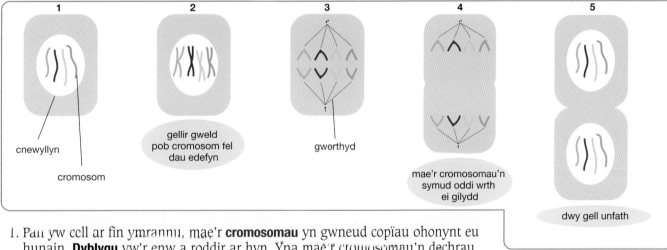

1 — cnewyllyn — cromosom

2 — gellir gweld pob cromosom fel dau edefyn

3 — gwerthyd

4 — mae'r cromosomau'n symud oddi wrth ei gilydd

5 — dwy gell unfath

Mewn mitosis, mae celloedd yn ymrannu i wneud dwy gell unfath.

1. Pan yw cell ar fin ymrannu, mae'r **cromosomau** yn gwneud copïau ohonynt eu hunain. **Dyblygu** yw'r enw a roddir ar hyn. Yna mae'r cromosomau'n dechrau dod yn weladwy o fewn y cnewyllyn.

2. Gellir gweld y cromosomau'n gliriach yn awr. Mae gan bob cromosom ddau edefyn. Mae'r bilen o amgylch y cnewyllyn yn diflannu.

3. Mae'r cromosomau'n eu trefnu eu hunain ar draws canol y gell ac ynghlwm wrth y **werthyd**.

4. Mae'r werthyd yn cyfangu, gan dynnu'r cromosomau oddi wrth ei gilydd.

5. Mae pilenni newydd yn datblygu o amgylch pob set o gromosomau, ac mewn celloedd planhigion mae cellfur newydd yn tyfu, gan ffurfio dwy epilgell newydd. Mae'r celloedd newydd hyn yr un fath â'r gell wreiddiol ac â'i gilydd. Mae ganddynt yr un cyfuniad o enynnau yn eu cromosomau.

Gwirio gair ✓

Ffurfiadau yng nghnewyllyn cell sy'n edrych fel edafedd yw **cromosomau**. Maen nhw'n cario gwybodaeth enetig wedi'i chodio.

gw. Celloedd, tud. 26

2.5 Celloedd yn ymrannu

Meiosis

Mae'r mwyafrif o blanhigion ac anifeiliaid yn atgenhedlu'n rhywiol. Mae atgenhedliad rhywiol yn creu unigolyn newydd. Bydd gan yr unigolyn hwn gymysgedd o nodweddion ei rieni. Gyda lwc byddwch chi'n etifeddu harddwch un rhiant a deallusrwydd y llall!

Caiff sbermau (neu baill mewn planhigion) a chelloedd wy eu cynhyrchu gan fath o gellraniad a elwir yn **feiosis**.

Mae gan y mwyafrif o gelloedd dynol 23 pâr o gromosomau, gan roi cyfanswm o 46 o gromosomau. Y nifer diploid o gromosomau yw hwn.

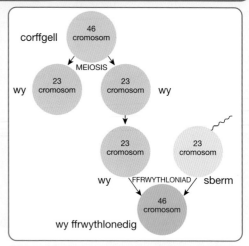

Mae meiosis yn cynhyrchu gametau sydd â 23 chromosom yn unig.

gw. Nodweddion, tud. 38

Meiosis.

Mae wyau a sbermau'n wahanol. Y rhain yw'r celloedd rhyw neu'r **gametau**. Mae ganddynt hanner y nifer o gromosomau. Y nifer haploid o gromosomau yw hwn. Maen nhw'n cael un cromosom yn unig o bob pâr. Mae gan gell wy ddynol 23 yn unig o gromosomau unigol. Mae gan gell sberm yr un nifer. Pan gaiff y gell wy ei ffrwythloni gan sberm, bydd gan y gell wy ffrwythlonedig 46 cromosom (23 pâr).

Pe na bai cromosomau'n cael eu haneru fel hyn cyn ffrwythloniad, byddai'r wy ffrwythlonedig yn cynnwys dwbl y nifer o gromosomau sydd gan gorffgell gyffredin. Ar ôl ychydig o genedlaethau, byddai ein holl gelloedd yn llawn o gromosomau!

Mae meiosis yn wahanol i fitosis mewn sawl ffordd.

1. Mae meiosis yn ymwneud ag atgenhedliad rhywiol, hynny yw, gwneud gametau a elwir yn wyau a sbermau (neu baill).

2. Mewn meiosis, mae gan gelloedd newydd hanner y nifer o gromosomau ag sydd gan y celloedd gwreiddiol. Mae ganddynt un set, nid dwy.

3. Mewn meiosis, mae'r cromosomau'n cordeddu, yn torri ac yn ailuno. Mae hyn yn golygu eu bod yn awr yn cario gwahanol gyfuniad o enynnau, gan wneud pob unigolyn newydd yn unigryw.

4. Mewn meiosis, cynhyrchir pedair cell newydd, nid dwy.

⑤ Gwnewch dabl i ddangos y gwahaniaethau rhwng mitosis a meiosis.

⑥ Gwnewch arddangosiad mawr ar wal i egluro'r prosesau hyn, gan ddefnyddio darnau o linyn lliw i gynrychioli cromosomau.

2.5 Celloedd yn ymrannu

Gellir cynnal profion cyn geni Dafydd ASTUDIAETH ACHOS

Mae mam a thad Dafydd eisiau sicrhau y bydd yn iach pan gaiff ei eni. Un o'r profion y gellir ei wneud arno yw amniosentesis. Mae'n cael ei wneud 16 i 20 wythnos ar ôl i fenyw feichiogi.

Er bod y prawf yn syniad da, mae yna broblem. Mae un ym mhob cant o brofion yn arwain at erthylu'r ffoetws (caiff y baban ei eni cyn ei fod yn ddigon mawr i oroesi). Mae'n benderfyniad anodd i rieni Dafydd ei wneud. A ddylent fentro er mwyn sicrhau bod Dafydd yn iach? Neu a ddylent obeithio am y gorau a pheidio â gwneud dim?

Yn ystod y prawf, mae nodwydd yn cael ei rhoi yn abdomen y fam. Mae'r nodwydd yn tynnu peth o'r hylif amniotig sy'n amgylchynu'r ffoetws i mewn i chwistrell. Bydd yr hylif yn cynnwys rhai o gelloedd y ffoetws.

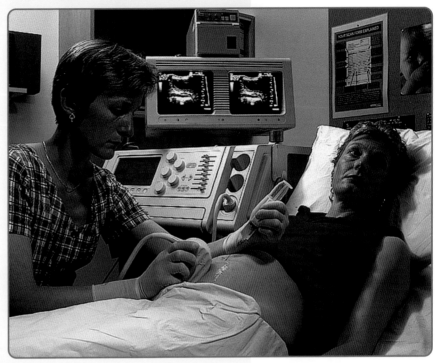

Archwilio'r ffoetws.

Yna caiff y celloedd eu tyfu am sawl diwrnod. Tynnir ffotograffau o'r celloedd a'u chwyddo. Caiff y ffotograffau eu torri'n ddarnau a'u haildrefnu i gynhyrchu 'caryoteip' o holl gromosomau'r ffoetws.

gw. Nodweddion, tud. 38

Ffeithiau allweddol

Copïwch a chwblhewch y brawddegau trwy ddewis y gair cywir o'r rhestr o eiriau allweddol. Gellir defnyddio pob gair fwy nag unwaith.

1 Mae proses o'r enw _____ yn creu celloedd newydd.

2 Wrth i gelloedd ymrannu, mae ymddygiad y _____ yn bwysig gan mai nhw sy'n cario _____.

3 Mae mitosis yn gysylltiedig â _____ ac mae meiosis yn gysylltiedig ag _____ _____.

4 Mewn mitosis, mae'r cromosomau'n gwneud copïau ohonynt eu hunain trwy _____. Mae _____ ar siâp côn yn cael eu ffurfio. Mae'r gell newydd yr un fath yn union â'r gell wreiddiol.

5 Mae wyau a sbermau'n cael eu galw'n _____. Maen nhw'n cael eu cynhyrchu trwy'r broses o gellraniad a elwir yn _____, nid trwy _____. Maen nhw'n cynnwys un set o _____. Mae corffgelloedd cyffredin yn cynnwys dwy set o _____.

Geiriau allweddol

atgenhedliad rhywiol

cellranlad

cromosomau

dyblygu

gametau

genynnau

gwerthydau

meiosis

mitosis

twf

2.6 Etifeddiad

Rysáit ar gyfer bodau dynol

Athro gwyddoniaeth yw Winston King. Mae'n egluro wrth ei ddosbarth fod miloedd o wyddonwyr ar hyd a lled y byd wedi bod yn ymchwilio i'r dilyniant o enynnau mewn celloedd dynol er mwyn datrys ein 'cod genynnol'.

Mae Winston yn rhoi llawer o wahanol ryseitiau teisen i'r myfyrwyr: teisen siocled, ffrwythau, sinsir. Mae pob rysáit yn ddilyniant unigryw o gyfarwyddiadau. Mae'n dweud wrth y myfyrwyr fod gan bob bod dynol, yn yr un ffordd, set unigryw o gyfarwyddiadau a ddefnyddir i wneud y person hwnnw.

Y cod genynnol

Mae'r cyfarwyddiadau ar gyfer gwneud bod dynol yn cael eu cario gan y cromosomau ym mhob cell. Mae'r cromosomau wedi'u gwneud o enynnau sy'n cario'r cyfarwyddiadau cod. Y cyfarwyddiadau hyn sy'n ffurfio ein cod **genynnol**.

gw. Celloedd yn ymrannu, tud. 42

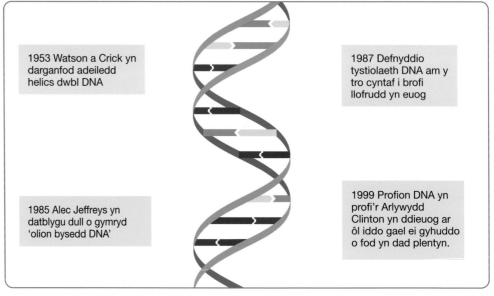

1953 Watson a Crick yn darganfod adeiledd helics dwbl DNA

1987 Defnyddio tystiolaeth DNA am y tro cyntaf i brofi llofrudd yn euog

1985 Alec Jeffreys yn datblygu dull o gymryd 'olion bysedd DNA'

1999 Profion DNA yn profi'r Arlywydd Clinton yn ddieuog ar ôl iddo gael ei gyhuddo o fod yn dad plentyn.

Adeiledd helics dwbl DNA.

Yn 1944, sylweddolodd Oswald Avery fod cemegyn o'r enw **asid deocsiriboniwclëig** (DNA – *deoxyribonucleic acid*) yn ein cromosomau'n cario'r cod genynnol hwn.

Yn 1953, darganfyddodd James Watson a Francis Crick adeiledd cemegol DNA: mae DNA wedi'i ffurfio o ddwy gadwyn gyfochrog wedi'u dirdroi i ffurfio **helics dwbl**. Mae'n edrych fel ysgol ddirdro, a ffyn yr ysgol sy'n cario'r cyfarwyddiadau wedi'u codio. Adroddir hanes y darganfyddiad pwysig hwn yn eu llyfr *The double helix*.

Gallech ddysgu am godau pwysig eraill hefyd, megis Cod Morse a signalau digidol ym myd ffotograffiaeth a theledu.

2.6 Etifeddiad

Tyfu hadau tomato   GWEITHGAREDD

Mae'r myfyrwyr wedi dysgu am wahanol nodweddion planhigion ac anifeiliaid. Maen nhw'n gwybod y gall nodweddion gael eu grwpio'n barau yn aml, er enghraifft, llygaid glas neu frown, gwallt tywyll neu olau.

Maen nhw'n penderfynu edrych ar etifeddiad mewn planhigion. Byddan nhw'n tyfu hadau tomato sydd i'w cael mewn pecyn offer geneteg.

Mathau a oedd yn bridio'n bur oedd y rhiant-blanhigion. Felly roedd y rhiant-blanhigion â choesynnau gwyrdd yn cario gwybodaeth genetig am goesynnau gwyrdd yn unig. Roedd y rhiant-blanhigion â choesynnau porffor yn cario gwybodaeth genetig am goesynnau porffor yn unig. Ar ôl i ffrwythloni ddigwydd rhwng y rhieni hyn, cafodd yr hadau eu casglu. Yr hadau hyn a oedd yn y pecyn offer. Plannodd y myfyrwyr 100 o'r hadau.

1 Pa amodau y dylent eu defnyddio i sicrhau egino cyflym?

Ar ôl deg diwrnod, edrychodd y dosbarth ar y canlyniadau.

Roedd gan yr holl blanhigion goesynnau gwyrdd.

Y planhigion tomato a dyfodd o'r rhiant-hadau.

Dangosodd hyn fod coesynnau gwyrdd yn **drech** na choesynnau porffor a bod coesynnau porffor yn **enciliol** i goesynnau gwyrdd.

Roedd y pecyn offer geneteg hefyd yn cynnwys hadau a gasglwyd adeg atgynhyrchu'r genhedlaeth gyntaf hon, y genhedlaeth F1.

Felly eginodd y myfyrwyr 100 o'r hadau tomato hyn. Ar ôl deg diwrnod arall, gwelsant fod gan rai o'r planhigion tomato goesynnau gwyrdd a bod gan eraill goesynnau porffor. Cawsant ou cyfrif, a darganfyddwyd bod y genhedlaeth hon, y genhedlaeth F2, yn cynnwys 74 o goesynnau gwyrdd a 24 o goesynnau porffor. Roedd dau hedyn heb egino.

Gan fod tua thair gwaith yn fwy o goesynnau gwyrdd nag o goesynnau porffor, mae hyn yn rhoi cymhareb o dri gwyrdd i un porffor. Y **gymhareb fonocroesryw** yw'r enw a roddir ar y gymhareb hon.

Y planhigion tomato a dyfodd o'r hadau F₁.

2 Gwnewch boster wal mawr o'r canlyniadau hyn i ddangos beth a ddigwyddodd yn ystod yr arbrawf. Os gwnewch yr ymchwiliad hwn, gallech ddefnyddio camera digidol yr ysgol i gofnodi'r canlyniadau.

2.6 Etifeddiad

Gregor Mendel

Roedd dosbarth Winston King eisiau esboniad o'r canlyniadau a gawsant wrth dyfu'r planhigion tomato.

Cawsant wybod bod Gregor Mendel wedi gwneud ymchwil yn 1860 i etifeddiad gwahanol nodweddion mewn pys gardd ac wedi darganfod deddfau sylfaenol etifeddiad.

Heddiw defnyddir darganfyddiadau modern am gromosomau, genynnau a DNA i egluro ei ganlyniadau.

Mae'r diagramau'n dangos sut y gallwn ddefnyddio symbolau i egluro canlyniadau'r arbrofion â'r hadau tomato. Mae'r llythyren G yn cynrychioli'r **alel** (ffurf ar enyn) ar gyfer coesynnau gwyrdd. Alel trechol ydyw.

Mae g yn y diagram yn cynrychioli'r alel ar gyfer coesynnau porffor, sef yr alel enciliol.

> ### Gwirio gair ✓
>
> Fersiynau gwahanol o enyn yw **alel**. Ar gyfer pob nodwedd, rydych chi'n etifeddu un alel gan bob rhiant ar bâr o gromosomau.

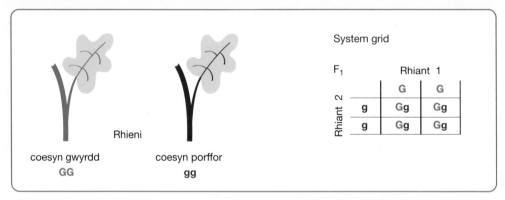

Y genhedlaeth F₁.

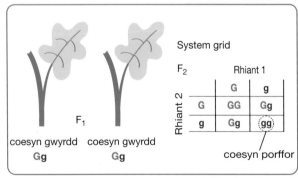

Y genhedlaeth F₂.

Pan fydd y planhigyn yn cynhyrchu gametau (wyau a phaill), bydd yr alelau hyn yn cael eu gwahanu. Yn ystod ffrwythloniad byddan nhw'n cael eu cyfuno ar hap.

Gallwch ddefnyddio grid i ddarganfod beth sy'n digwydd.

Mae'r genhedlaeth F1 i gyd yn Gg ac mae ganddynt goesynnau gwyrdd. Dywedwn fod y planhigion hyn yn **heterosygaidd** gan eu bod yn cynnwys dau alel gwahanol ar gyfer lliw coesyn.

❸ Pam roedd coesynnau gwyrdd gan yr holl blanhigion F₁?

Mae'r genhedlaeth F₂ yn dangos cymhareb o dri choesyn gwyrdd i un porffor. Y gymhareb 3:1 hon yw'r gymhareb fonocroesryw.

Un math yn unig o alel (GG) sydd gan rai o'r planhigion â choesyn gwyrdd. Hefyd un math yn unig o alel ar gyfer lliw coesyn (gg) sydd gan yr holl blanhigion â choesyn porffor. Mae'r ddau yn **homosygaidd**.

2.6 Etifeddiad

Project y Genom Dynol   ASTUDIAETH ACHOS

Er 1985, bu miloedd o wyddonwyr ar hyd a lled y byd yn gweithio ar Broject y Genom Dynol.

Eu nodau yw:

- adnabod pob un o'r 30,000 o enynnau dynol;

- darganfod dilyniant y cemegion mewn DNA dynol, sef y cod genynnol dynol;

- creu cronfa ddata gyfrifiadurol o'r holl wybodaeth;

- ystyried y materion moesegol, cyfreithiol a chymdeithasol a all ddeillio o'u hymchwil.

Cafodd drafft cyntaf eu gwaith ei gyhoeddi ym mis Mehefin 2000. Dywedodd Arlywydd UDA a Phrif Weinidog y DU mai hwn oedd 'y map mwyaf rhyfeddol a gynhyrchwyd erioed'.

Erbyn hyn, gallwn ddweud ar ba gromosomau y mae'r genynnau sy'n achosi afiechydon.

Yn y dyfodol, byddwn ni'n gallu defnyddio'r wybodaeth hon i drin neu atal amrywiaeth eang o afiechydon. Ond mae llawer o bobl yn poeni y gellid ei chamddefnyddio. Mae eraill yn credu bod yn rhaid i'r wybodaeth fod ar gael i amryw o bobl ei defnyddio.

Os yw'n hysbys fod cod genynnol rhywun yn cynnwys rhai nodweddion dieisiau neu niweidiol, gallai fod yn anodd iddynt gael yswiriant meddygol neu swydd barhaol.

Cromosom dynol.

cromosom 7
Mae ffibrosis codennog yn peri i ormod o fwcws gael ei gynhyrchu.

cromosom 4
Mae clefyd Huntington yn achosi niwed cynyddol i'r nerfau.

cromosom 11
Mae anaemia cryman-gell yn achosi haemoglobin annormal.

cromosom X
Mae haemoffilia yn achosi diffyg ffactor ceulo gwaed.

1 2 3 4 5
6 7 8 9 10 11 12
13 14 15 16 17 18 19 20
21 22 XX

Erbyn hyn gall y genynnau sy'n achosi rhai afiechydon etifeddol gael eu lleoli ar gromosomau dynol.

4 A ydych chi'n meddwl y dylai'r holl wybodaeth hon am godau genynnol fod ar gael i bawb?

Ffeithiau allweddol

Copïwch a chwblhewch y brawddegau trwy ddewis y gair cywir o'r rhestr o eiriau allweddol.

1 Mae rhannau o gromosomau o'r enw _____ yn cario'r wybodaeth enynnol o fewn cnewyllyn pob cell.

2 Mae cyfarwyddiadau wedi'u codio ar gromosomau yn ffurfio ein _____ _____.

3 Mae asid deocsiriboniwclëig, neu _____, yn edrych fel ysgol wedi'i dirdroi gan ei fod yn ffurfio _____ _____.

4 Rydym ni'n galw genynnau ar gyfer yr un nodwedd yn _____.

5 Mewn bodau dynol, mae llygaid brown yn _____ na llygaid glas, mae llygaid glas yn _____ i lygaid brown.

6 Pan fo gan organeb ddau alel unfath ar gyfer nodwedd, dywedwn ei bod yn _____ ar gyfer y nodwedd honno. Pan fo'r alelau yn wahanol, dywedwn fod yr organeb yn _____.

7 Mae'r gymhareb 3:1 yn cael ei galw'n _____ _____.

Geiriau allweddol

alelau

cod genynnol

cymhareb fonocroesryw

DNA

enciliol

genynnau

helics dwbl

heterosygaidd

homosygaidd

trech

Cwestiynau adolygu

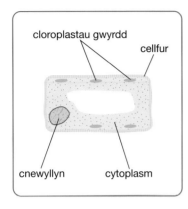

cloroplastau gwyrdd

cellfur

cnewyllyn   cytoplasm

1 Mae gwyddonwyr yn darganfod planhigyn newydd. Maen nhw'n edrych trwy ficrosgop ar un o'i chelloedd (gweler y diagram).

   (a) Edrychwch ar y diagram ac enwch DDAU ffurfiad sydd i'w cael mewn celloedd planhigion yn unig ac eglurwch swyddogaeth y ffurfiadau hyn. [2]

   (b) Enwch DDAU ffurfiad sydd i'w cael mewn celloedd planhigion a chelloedd anifeiliaid. [2]

2 Mae'r planhigyn yn rhyddhau persawr.

   Eglurwch sut mae'r persawr yn cyrraedd trwynau'r gwyddonwyr. [3]

3 Mae'r gwyddonwyr yn rhoi rhai o'r celloedd mewn gwahanol hydoddiannau.

   Beth yn eich barn chi fyddai'n digwydd i'r celloedd planhigion mewn:

   (a) dŵr [2]

   (b) hydoddiant halen cryf? [2]

4 Gan ddefnyddio microsgop, mae'r gwyddonwyr yn astudio'r bilen sy'n amgylchynu'r cytoplasm.

   (a) Pa enw a roddir i'r math hwn o bilen? [1]

   (b) Eglurwch swyddogaeth y bilen hon. [2]

   (c) Disgrifiwch sut y byddech chi'n paratoi'r celloedd i'w gwylio o dan ficrosgop. [3]

5 Mae'r gwyddonwyr yn penderfynu cynnal arbrofion bridio ar anifail.

   Copïwch a chwblhewch y brawddegau canlynol, gan ddefnyddio rhai o'r geiriau hyn:

cromosomau, cytoplasm, F_1, gametau, heterosygaidd, XX, XY.

   Mae nodweddion yr organeb hon yn cael eu cario ar y _____ o fewn y cnewyllyn.

   Mae'r celloedd atgenhedlu, o'r enw _____, yn cynnwys un set yn unig o gromosomau.

   Maen nhw'n meddwl ei bod yn organeb fenyw gan fod ei chromosomau rhyw yn _____. [4]

6 Ymchwiliodd y gwyddonwyr i dwf planhigyn. Dangosir eu canlyniadau yn y tabl.

Amser mewn wythnosau	Cynnydd mewn hyd/cm ar 10°C	Cynnydd mewn hyd/cm ar 20°C
1	0.5	0.7
2	0.6	0.8
3	0.5	1.0
4	0.5	1.0

   (a) Pa fath o gellraniad sy'n gysylltiedig â thwf? [1]

   (b) Faint dyfodd y planhigyn mewn pedair wythnos ar 10°C? [1]

   (c) Awgrymwch pam mae gwahaniaeth rhwng y cyfraddau twf ar 10°C a 20°C. [2]

2 Organebau byw

BWYD A FFERMIO

Cynnwys

Gweithgareddau ymarferol sy'n gysylltiedig â'r adran hon:

Rasio mwstard a berwr

Startsh mewn dail

Planhigion, anifeiliaid a'u hamgylchedd

Defnyddiwch y canlynol i gadw llygad ar eich cynnydd.

Uned 1

Byddwch chi'n:

- deall sut i wneud sleid staenedig dros dro a defnyddio microsgop golau i'w harchwilio gw. tud. 53

- dadansoddi a dehongli canlyniadau gw. tud. 54, 57, 58, 63

- gwerthuso ymchwiliadau. gw. tud. 57

Uned 2

Byddwch chi'n:

- deall sut mae planhigion yn gwneud eu bwyd trwy ffotosynthesis gw. tud. 53–9

- gwybod bod angen mwynau o'r pridd ar blanhigion gw. tud. 60–3

- gwybod pam mae angen nitradau a magnesiwm ar blanhigion gw. tud. 61

- gwybod am ffermio organig a ffermio dwys gw. tud. 64–71

- gwybod beth yw rheolaeth fiolegol gw. tud. 69

- deall a disgrifio'r broses o fridio detholus gw. tud. 72–5

- dysgu am beirianneg genetig. gw. tud. 76–9

Uned 3

Byddwch chi'n:

- deall sut i gynyddu cynnyrch planhigyn gw. tud. 54–5, 60–3

- deall y cysylltiad rhwng yr amgylchedd ac ymddygiad a thwf organebau. gw. tud. 52–71

2.7 Ffotosynthesis

Pwysigrwydd bod yn wyrdd

Y ganolfan arddio.

Mae Elwyn yn gweithio mewn canolfan arddio. Mae'n deall sut mae planhigion yn cynhyrchu eu bwyd. Mae hyn yn gwneud planhigion yn wahanol i anifeiliaid. Yn ystod ei astudiaethau dysgodd fod adweithiau cymhleth yn digwydd mewn planhigion gwyrdd wrth iddynt gynhyrchu bwyd. **Ffotosynthesis** yw'r enw ar y broses hon.

Proses ffotosynthesis

Gwirio gair

Sylwedd sy'n rhoi lliw i gelloedd planhigyn yw **pigment**.

 gw. Celloedd, tud. 26

 gw. Osmosis, tud. 34

Gwirio gair

Celloedd hir a thenau wedi'u tewychu â chemegyn o'r enw lignin yw celloedd **sylem**.

 gw. Cyfnewid nwyon, tud. 56

Gwirio gair

Catalydd biolegol sy'n cyflymu adweithiau mewn celloedd yw **ensym**.

Dim ond planhigion sy'n meddu ar bigmentau arbennig sy'n gallu cyflawni ffotosynthesis. Mae gan gelloedd planhigion gwyrdd **gloroplastau** sy'n cynnwys pigmentau **cloroffyl** gwyrdd. Felly mae'r rhan fwyaf o'r celloedd yn y dail a rhai o'r celloedd yn y coesyn yn edrych yn wyrdd. Mae **pigmentau** eraill megis caroten (oren) a ffycoerythrin (coch) i'w cael mewn planhigion hefyd.

Mae angen carbon deuocsid a dŵr ar gyfer ffotosynthesis. Er mai 0.04 y cant yn unig o'r aer sy'n garbon deuocsid, mae hyn yn ddigon ar gyfer ffotosynthesis. Mae carbon deuocsid yn mynd i mewn i ddail planhigion trwy dyllau bach iawn yn y dail o'r enw **stomata**. Mae dŵr yn mynd i'r gwreiddflew sydd ar wreiddiau planhigion trwy osmosis ac yn cael ei gario i fyny'r coesyn mewn celloedd **sylem** arbenigol. Mae'r diagram yn dangos sut mae'r defnyddiau hyn yn mynd i mewn i'r planhigyn.

Mae nifer o adweithiau'n digwydd yn y cloroplastau.

- Defnyddir egni o olau haul i hollti dŵr yn atomau hydrogen ac ocsigen.
- Gall yr ocsigen gael ei ddefnyddio yn y planhigyn ar gyfer resbiradaeth, neu gall gael ei ryddhau ar gyfer resbiradaeth mewn anifeiliaid.
- Caiff yr hydrogen ei gyfuno â **charbon deuocsid**, gan ddefnyddio nifer o **ensymau** i gynhyrchu glwcos.
- Gall y planhigyn ddefnyddio'r glwcos i dyfu ac i'w atgyweirio ei hun, neu bydd yn ei storio fel gronynnau startsh anhydawdd yn y celloedd.

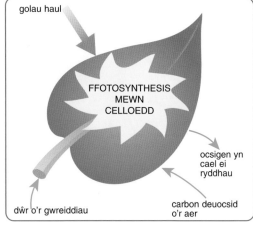

Y defnyddiau angenrheidiol ar gyfer ffotosynthesis.

Yr hafaliad cyffredinol ar gyfer ffotosynthesis yw

$$\text{carbon deuocsid} + \text{dŵr} \xrightarrow[\text{cloroffyl}]{\text{golau haul}} \text{glwcos} + \text{ocsigen}$$

$$6CO_2 + 6H_2O \longrightarrow C_6H_{12}O_6 + 6O_2$$

2.7 Ffotosynthesis

Edrych y tu mewn i gelloedd taten GWEITHGAREDD

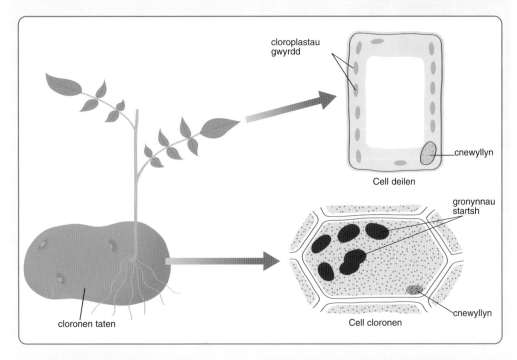

cloroplastau gwyrdd

cnewyllyn

Cell deilen

gronynnau startsh

cnewyllyn

Cell cloronen

cloronen taten

Y tu mewn i blanhigyn tatws.

Bydd dail planhigyn tatws yn ffotosyntheseiddio yn ystod yr haf, gan gynhyrchu llawer o glwcos. Bydd y glwcos yn cael ei droi'n startsh a'i storio yn y gloronen i barhau drwy'r gaeaf.

Mae'n hawdd archwilio'r celloedd mewn cloronen o dan ficrosgop. Gallwch ddefnyddio tyllwr cyrc i dorri craidd o'r gloronen ac yna torri tafellau tenau a'u rhoi ar sleid. Os ychwanegwch hydoddiant ïodin, bydd y startsh yn troi'n ddu. Mae'r diagram uchod yn dangos sut mae'r celloedd yn edrych.

Mae'n fwy anodd cael celloedd o ddail tatws. Trwy blygu deilen, ac yna rhwygo'r ddau hanner, gallwch gael stribed tenau o gelloedd. Rhoddir y stribed hwn ar sleid gyda diferyn o ddŵr, a bydd arwydryn ar ben y celloedd yn cadw popeth yn ei le. Mewn rhai celloedd, mae'n anodd gweld unrhyw fanylion. Os tynnwch yr arwydryn ac ychwanegu hydoddiant ïodin, bydd unrhyw ronynnau o startsh yn troi'n ddu.

Yn ystod y gaeaf, ychydig o ffotosynthesis sy'n digwydd, felly dim ond cloronen y planhigyn tatws sy'n goroesi. Y rhesymau am hyn yw fod:

• y tymheredd yn rhy isel i ensymau ffotosynthesis weithio'n effeithiol;

• y dŵr yn aml wedi'i rewi fel nad yw ar gael i'r planhigyn;

• oriau'r dydd yn brin a thanbeidrwydd y golau'n isel, fel nad oes llawer o olau haul.

1 Mae gwyddonwyr yn ceisio datblygu planhigion sydd â mwy o gloroplastau yn eu celloedd. Eglurwch sut y byddai hyn yn cynhyrchu planhigion gwell.

2 Mae'r daten yn un o'r planhigion sy'n storio bwyd o dan y ddaear. Gwnewch restr o blanhigion eraill sy'n storio bwyd fel hyn. Rhannwch nhw yn rhai sy'n cael eu bwyta gan bobl a rhai sydd ddim. Er enghraifft, dydym ni ddim yn bwyta bylbiau cennin Pedr.

2.7 Ffotosynthesis

Dewis planhigyn ar gyfer Sul y Mamau.

Tyfu planhigion o hadau

Mae Elwyn yn tyfu rhai planhigion o hadau. Mae eisiau i'r planhigion hyn fod yn barod ar yr adeg iawn ar gyfer achlysuron arbennig megis Sul y Mamau. Mae hyn yn gofyn am lawer o wybodaeth a chynllunio. Os bydd y planhigion yn blodeuo'n rhy gynnar neu'n rhy hwyr, bydd yn colli llawer o arian. I wneud ei waith yn iawn, rhaid i Elwyn ddeall sut mae hadau'n tyfu. Eginiad yw'r enw ar y broses hon.

Eginiad a thwf

Mae hadau'n cynnwys storfa fawr o fwyd ynghyd ag embryo a fydd yn tyfu'n blanhigyn newydd. Mae Elwyn yn ymchwilio i eginiad. Mae'n egino hadau india corn ac yn eu tyfu o dan amodau gwahanol.

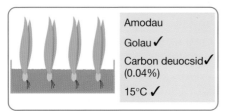

Amodau
Golau ✔
Carbon deuocsid ✔ (0.04%)
15°C ✔

A Tyfodd yr hadau india corn yn blanhigion iach a gwyrdd.

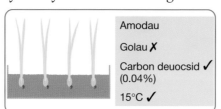

Amodau
Golau ✗
Carbon deuocsid ✔ (0.04%)
15°C ✔

B Tyfodd yr hadau india corn yn blanhigion talach ond roeddent yn felyn gyda choesynnau tenau.

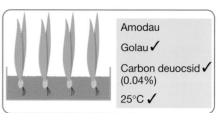

Amodau
Golau ✔
Carbon deuocsid ✔ (0.04%)
25°C ✔

C Tyfodd yr hadau india corn yn blanhigion tal, gwyrdd ac iach yn gyflym iawn.

Gellir cynyddu cyfradd ffotosynthesis trwy:

- gynyddu'r lefel o garbon deuocsid yn yr aer;
- cynyddu'r golau sydd ar gael;
- cynyddu'r tymheredd.

gw. Cyfnewid nwyon, tud. 56

3 Pam mae'r planhigion yn swp B yn felyn?

4 Pa ffactorau a wnaeth i'r planhigion yn swp C dyfu'n gyflym?

5 Mae Elwyn yn penderfynu defnyddio gwresogydd paraffin wrth dyfu rhai planhigion mewn tŷ gwydr. Rhowch ddau reswm pam y bydd y planhigion hyn yn tyfu'n dal ac yn iach yn gyflym iawn.

Geiriau allweddol

carbon deuocsid

cloroffyl

cloroplastau

ensymau

ffotosynthesis

pigment

stomata (unigol: stoma)

sylem

Ffeithiau allweddol

Copïwch a chwblhewch y brawddegau trwy ddewis y gair cywir o'r rhestr o eiriau allweddol.

1 Mae celloedd planhigion yn gwneud bwyd trwy broses _____.

2 Mae ffurfiadau gwyrdd arbennig o'r enw _____ yn cyflawni'r broses hon. Mae'r lliw gwyrdd yn cael ei achosi gan _____ o'r enw _____.

3 Mae nwyon yn mynd i mewn i ddeilen ac yn ei gadael trwy agoriadau arbennig o'r enw _____.

4 Mae dŵr yn teithio i fyny'r coesyn mewn celloedd _____ arbenigol.

5 Mewn ffotosynthesis, defnyddir yr egni o olau haul i hollti dŵr. Caiff hydrogen o'r dŵr ei gyfuno â _____ _____ gan ddefnyddio llawer o _____.

2.7 Ffotosynthesis

Tyfu planhigion iach

Mae Elwyn yn mwynhau gofalu am y planhigion yn y ganolfan arddio. Oherwydd bod cymaint o wahanol blanhigion i ofalu amdanynt, rhaid iddo fod yn gyfarwydd â'r amodau tyfu gwahanol sy'n angenrheidiol ar eu cyfer. Mae'r cwsmeriaid yn gwybod ei fod yn arbenigwr ac maen nhw'n mynd ato i gael cyngor.

Mae llawer o wybodaeth ddefnyddiol ar labeli planhigion i helpu'r prynwr i sicrhau y byddan nhw'n tyfu ac yn edrych yn dda.

Mae Elwyn yn rhoi cyngor i bobl ar yr amodau gwahanol y mae eu hangen ar blanhigion, ond mae'n awgrymu hefyd y dylent astudio'r cyngor ar y labeli.

Mae Elwyn yn mwynhau gweithio yn y ganolfan arddio.

Cactws clustiau cwningen
Opuntia microdasys

Angen llawer o olau.
Yn hoffi amodau cynnes.
Bydd gormod o ddŵr yn gwneud iddo bydru.
Nid oes angen llawer o wrtaith.
Yn tyfu'n araf.
Gall y pigau frifo'r croen felly rhaid eu trafod â gofal.

Aspidistra wrymiog
Aspidistra eliator

Yn hoffi cysgod.
Angen amodau claear i dyfu'n dda.
Nid oes angen llawer o ddŵr.
Nid oes angen llawer o wrtaith.
Golchi'n rheolaidd i dynnu llwch.

Cansen fud
Diffenbachia amoena

Yn hoffi peth cysgod.
Angen amodau cynnes.
Yn tyfu'n gyflym ac mae angen llawer o wrtaith.
Angen llawer o ddŵr.
Rhaid gwisgo menyg wrth drafod y planhigyn hwn; os bydd y nodd yn cyffwrdd â'r gwefusau neu'r tafod bydd yn achosi chwydd poenus.

6. Pa blanhigyn y dylai cwsmer ei brynu ar gyfer ystafell wydr? Eglurwch eich dewis.

7. Pa blanhigion a fyddai'n goroesi cael eu hesgeuluso am ychydig o wythnosau? Eglurwch eich dewis.

8. Mae plant bach gan ŵr a gwraig sy'n prynu planhigion. Pa blanhigion na ddylent eu prynu? Eglurwch pam.

9. Eglurwch pam mae angen rhoi llawer o wrtaith i rai planhigion.

10. Pam y bydd tynnu'r llwch o'r dail yn helpu'r planhigion i ffotosyntheseiddio?

2.8 Cyfnewid nwyon

Tanc pysgod Ali

Mae Ali'n cadw pysgod trofannol. Ar ôl ychydig o fisoedd mae rhai o'r pysgod yn edrych yn sâl. Mae Ali'n mynd i'r siop anifeiliaid anwes i gael cyngor. Mae Lindsay, sy'n gweithio yn y siop, yn dweud wrth Ali y dylai hi roi planhigion byw yn y tanc yn lle'r rhai plastig. Bydd y planhigion hyn yn darparu **ocsigen** ac yn defnyddio'r **carbon deuocsid** sy'n cael ei gynhyrchu gan y pysgod.

Pysgod trofannol mewn siop anifeiliaid anwes.

Ffotosynthesis a resbiradaeth

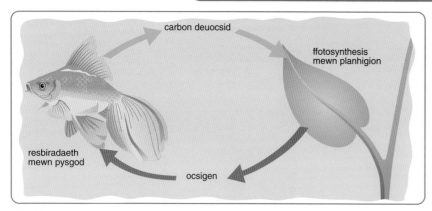

Rhaid i bysgod gael planhigion byw yn eu tanc i aros yn iach.

Mae **ffotosynthesis** a **resbiradaeth** yn helpu i gynnal amgylchedd iach yn y tanc. Mae Ali'n sylweddoli bod y pysgod a'r planhigion yn helpu ei gilydd.

Carbon deuocsid yw un o gynhyrchion gwastraff y pysgod. Defnyddir hwn gan y planhigion ac nid yw'n crynhoi yn y dŵr. Mae'r planhigion yn gwneud ocsigen, fel cynnyrch gwastraff ffotosynthesis. Felly bydd gan y pysgod gyflenwad da ohono i'w anadlu.

Yr hafaliadau cyffredinol ar gyfer resbiradaeth a ffotosynthesis yw:

Resbiradaeth

$$\text{glwcos} + \text{ocsigen} \rightarrow \text{carbon deuocsid} + \text{dŵr} + \text{egni}$$

$$C_6H_{12}O_6 + 6O_2 \rightarrow 6CO_2 + 6H_2O + \text{egni}$$

Ffotosynthesis

$$\text{carbon deuocsid} + \text{dŵr} \xrightarrow[\text{cloroffyl}]{\text{golau haul}} \text{glwcos} + \text{ocsigen}$$

$$6CO_2 + 6H_2O \longrightarrow C_6H_{12}O_6 + 6O_2$$

gw. Asthma, tud. 116

❶ Mae Lindsay yn dweud wrth Ali y dylai hi osod pwmp aer yn y tanc pysgod. Eglurwch sut y bydd hyn yn helpu'r pysgod.

❷ Beth sy'n eich taro chi ynghylch yr hafaliadau ar gyfer ffotosynthesis a resbiradaeth?

❸ Yn nhermau egni, cymharwch resbiradaeth a ffotosynthesis.

❹ Eglurwch pam y bydd resbiradaeth mewn planhigion yn arwain at dryledu carbon deuocsid allan o'r dail dim ond pan fydd hi'n dywyll.

2.8 Cyfnewid nwyon

Mae Ali'n cynnal arbrawf GWEITHGAREDD

Mae Ali'n penderfynu cynnal rhai arbrofion ar blanhigion ac anifeiliaid yn ei gwersi gwyddoniaeth.

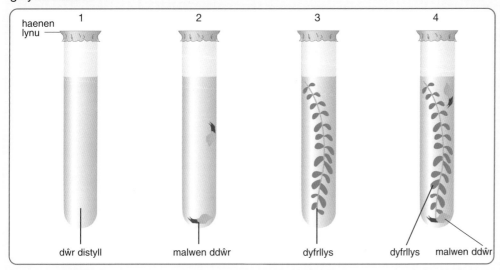

Arbrawf i ddangos sut mae planhigion ac anifeiliaid yn effeithio ar pH dŵr.

Mae hi'n paratoi pedwar tiwb sy'n cynnwys:

1. dŵr distyll yn unig;

2. malwod dŵr yn unig mewn dŵr distyll;

3. dyfrllys yn unig mewn dŵr distyll;

4. malwod dŵr a dyfrllys mewn dŵr distyll.

Mae hi'n gorchuddio top pob tiwb â haenen lynu ac yn tywynnu golau ar y pedwar tiwb am ychydig o oriau.

Yna mae hi'n defnyddio chwistrell i chwistrellu 2 cm³ o ddangosydd bromothymol glas i bob tiwb. Mae'r dangosydd yn dangos amodau asidig neu alcalïaidd (pH) trwy newid lliw. Mae Ali'n nodi lliwiau a pH pob tiwb ac yn tynnu'r dyfrllys a'r malwod o'r tiwbiau cyn i'r dangosydd effeithio arnynt. Yn ôl ei hathro gallai hi fod wedi defnyddio chwiliedydd pH manwl gywir i gael canlyniadau gwell.

Os oes digon o garbon deuocsid, bydd yn adweithio â'r dŵr i gynhyrchu asid o'r enw asid carbonig. Mae pH o lai na 7 yn dangos bod hydoddiant yn asidig, mae pH o dros 7 yn alcalïaidd, mae pH o 7 yn niwtral.

Mae Ali'n ysgrifennu ei chanlyniadau.

Tiwb 1   pH 6.5   Tiwb 2   pH 6   Tiwb 3   pH 7   Tiwb 4   pH 6.5

5 Disgrifiwch sut y ceisiodd Ali wneud ei harbrawf yn brawf teg.

6 Pam y tywynnodd Ali olau ar yr arbrawf?

7 Eglurwch pam y cafodd y tiwbiau eu gorchuddio â haenen lynu.

8 Eglurwch pam mai'r dŵr yn nhiwb 3 a oedd yn lleiaf asidig.

9 Eglurwch pam roedd gan y dŵr yn nhiwbiau 1 a 4 yr un pH.

2.8 Cyfnewid nwyon

Ffactorau cyfyngol

Os nad yw amodau megis golau, gwres a charbon deuocsid yn gywir, bydd y gyfradd ffotosynthesis yn cael ei lleihau neu ei *chyfyngu*.

Felly rydym ni'n galw'r amodau hyn yn **ffactorau cyfyngol**.

Mae gwyddonwyr wedi cynnal arbrofion i ddarganfod pa mor gyflym y gall ffotosynthesis ddigwydd a beth sy'n ei rwystro rhag mynd yn gyflymach.

Cafodd y gyfradd ffotosynthesis ei mesur wrth i danbeidrwydd y golau gynyddu.

Rhwng A a B, wrth i danbeidrwydd y golau gynyddu, cynyddodd y gyfradd ffotosynthesis hefyd.

Rhwng B ac C, er i danbeidrwydd y golau gynyddu, arhosodd y gyfradd ffotosynthesis yr un fath.

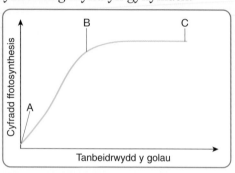

Felly roedd rhyw ffactor arall, megis tymheredd neu'r swm o garbon deuocsid, yn cyfyngu ar ffotosynthesis.

Yna cafodd y gyfradd ffotosynthesis ei mesur ar wahanol dymereddau wrth i danbeidrwydd y golau gynyddu.

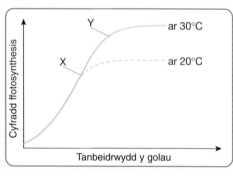

10   Beth yw'r ffactor cyfyngol yn X?

11   Awgrymwch beth a allai fod yn ffactor cyfyngol yn Y.

12   Mae Ali yn cadw ei thanc pysgod yn ei hystafell wely. Mae hi'n gosod tymheredd y dŵr ar 25°C. Mae hi'n cadw llawer o blanhigion yn y tanc. Awgrymwch un ffactor a allai gyfyngu ar dwf y planhigion.

Geiriau allweddol

carbon deuocsid

ffactorau cyfyngol

ffotosynthesis

ocsigen

resbiradaeth

Ffeithiau allweddol

Copïwch a chwblhewch y brawddegau trwy ddewis y gair cywir o'r rhestr o eiriau allweddol.

1 Yn ystod y dydd, mae planhigion gwyrdd yn defnyddio _____ _____ ac yn cynhyrchu _____. Yr enw ar y broses hon yw _____.

2 Mae planhigion gwyrdd hefyd yn defnyddio _____ i ryddhau egni o fwyd.

3 Gall golau, tymheredd a charbon deuocsid fod yn _____ _____ ar gyfer ffotosynthesis.

2.8 Cyfnewid nwyon

Cadw pysgod trofannol ASTUDIAETH ACHOS

Mae'r siop anifeiliaid anwes mor llwyddiannus fel bod Lindsay yn penderfynu gosod tanc pysgod arall.

Rhaid iddi feddwl am nifer o bethau.

Gwresogi. I gadw'r tanc ar dymheredd rhesymol, mae angen gwresogydd pum wat ar gyfer pob pedwar litr o ddŵr.

Nifer y pysgod. Mae angen pedwar litr o ddŵr ar gyfer pob dau gentimetr o bysgod i osgoi gorlenwi'r tanc.

Goleuo. Gellir cyfrifo maint y bwlb sydd ei angen i ddarparu golau rhesymol:

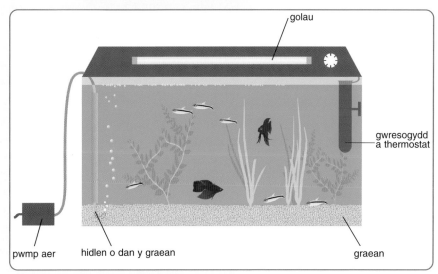

$$\frac{\text{hyd y pysgod yn y tanc mewn cm} \times 12}{\text{nifer yr oriau o olau/dydd}} = \text{maint y bwlb mewn watiau}$$

pH. Mae'n well cadw'r dŵr ar pH niwtral, rhwng 6.8 a 7.2.

Hidlo. Mae system hidlo o dan y graean yn gweithio trwy dynnu dŵr budr trwy'r graean. Mae bacteria yn torri'r gwaddod yn y graean i lawr. Mae hyn yn atal organebau sy'n achosi afiechydon rhag cronni yn y tanc.

Hoffai Lindsay gadw'r pysgod hyn yn y tanc:

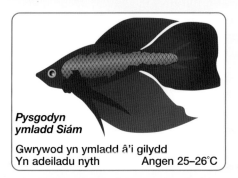

Pysgodyn ymladd Siám

Gwrywod yn ymladd â'i gilydd
Yn adeiladu nyth   Angen 25–26°C

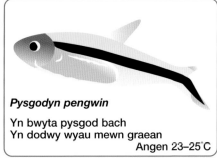

Pysgodyn pengwin

Yn bwyta pysgod bach
Yn dodwy wyau mewn graean
                          Angen 23–25°C

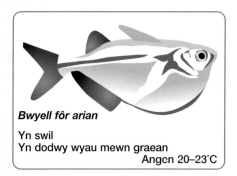

Bwyell fôr arian

Yn swil
Yn dodwy wyau mewn graean
                          Angen 20–23°C

Mae'r rheolwr yn dweud wrthi nad yw hyn yn syniad da.

13 Awgrymwch pam nad yw rheolwr Lindsay o blaid y syniad hwn.

Ar gyfer project, gallech ddarganfod llawer mwy o wybodaeth am gadw a bridio pysgod trofannol. Gallech seilio'r project ar:

- ddewis maint y tanc;
- darganfod faint o bysgod i'w cadw, pa fath a'u maint;
- cyfrifo'r gost o osod tanc pysgod;
- cyfrifo'r costau rhedeg (gwresogi, goleuo, bwydo);
- datblygu rhaglen fridio reoledig ar gyfer un math o bysgodyn.

2.9 Mwynau

Sut roedd planhigion yn tyfu ym marn yr Hen Roegwyr

Flynyddoedd maith yn ôl, credai'r Groegwyr a'r Rhufeinwyr mai pethau yn y pridd yn unig a oedd yn gyfrifol am dwf planhigion.

Tuag 1600, aeth Jan van Helmont ati i brofi bod hyn yn anghywir. Tyfodd helygen fach mewn pot a rhoddodd ddŵr iddi am bum mlynedd. Cafodd y goeden a'r pridd eu gwahanu a'u pwyso. Roedd y goeden wedi ennill 75 kg ond nid oedd y pridd wedi colli ond 0.0275 kg.

Erbyn heddiw rydym ni'n gwybod bod y goeden wedi ennill pwysau trwy wneud ei fwyd ei hun trwy ffotosynthesis.

Nid camgymeriadau wrth bwyso a oedd yn gyfrifol am y ffaith bod y pridd wedi colli pwysau. Roedd gwreiddiau'r helygen wedi cymryd **mwynau** o'r pridd. Gellir rhoi'r mwynau hyn yn ôl ar ffurf **gwrtaith**.

Felly roedd y Groegwyr a'r Rhufeinwyr yn rhannol gywir: mae planhigion yn defnyddio rhai pethau sydd yn y pridd.

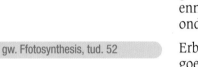
gw. Ffotosynthesis, tud. 52

gw. Cyfnewid nwyon, tud. 56

Gwirio gair ✓

Sylwedd sy'n cael ei ychwanegu at bridd i wneud i blanhigion dyfu'n well yw **gwrtaith**.

Sut mae planhigion yn tyfu ym marn gwyddonwyr modern

Mae planhigion yn tynnu symiau bach o fwynau o'r pridd. Rhaid i ffermwyr roi'r mwynau hyn yn ôl. Gallant ddefnyddio gwrtaith naturiol megis tail anifeiliaid neu wrtaith artiffisial.

Gellir defnyddio cynhyrchion gwastraff anifeiliad fel gwrtaith naturiol.

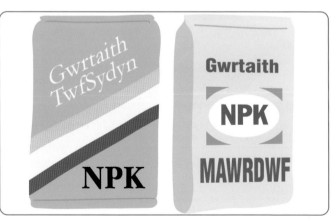

Mae gwrteithiau artiffisial yn cynnwys cyfansoddion o nitrogen (N), ffosfforws (P) a photasiwm (K).

Gwrtaith naturiol. Mae gwrteithiau'n dod o blanhigion ac anifeiliaid marw yn ogystal ag o wastraff anifeiliaid. Mae bacteria a ffyngau'n gwneud i'r rhain bydru, gan ailgylchu'r mwynau

Gwrtaith artiffisial. Y gwrtaith cyntaf i gael ei wneud mewn ffatri oedd uwchffosffad (*superphosphate*) yn 1842. Cafodd ei wneud trwy ychwanegu asid sylffwrig at esgyrn. Yn 1919, ar ôl y Rhyfel Byd Cyntaf, dechreuodd llawer o ffatrïoedd wneud gwrteithiau o'r nitradau y buasent yn eu defnyddio i wneud ffrwydron yn ystod y rhyfel.

2.9 Mwynau

Tyfu tomatos iach
GWEITHGAREDD

Mae gwyddonwyr wedi darganfod bod angen cryn dipyn o rai elfennau (macrofaetholion) ar blanhigion ac ychydig bach o elfennau eraill (microfaetholion).

Trwy eu gwreiddiau ac ar ffurf cyfansoddion wedi'u hydoddi mewn dŵr y bydd planhigion yn cael llawer o elfennau. Er enghraifft, nitrogen fel nitradau (NO_3) a ffosfforws fel ffosffadau (PO_4).

Hefyd mae angen carbon, ocsigen a hydrogen ar blanhigion. Daw'r rhain o garbon deuocsid (CO_2) ac ocsigen (O_2) o'r aer ac o ddŵr (H_2O) o'r pridd.

Mae'r darluniau'n dangos canlyniadau arbrawf â phlanhigion tomato. Nid yw rhai mwynau ar gael i'r planhigion.

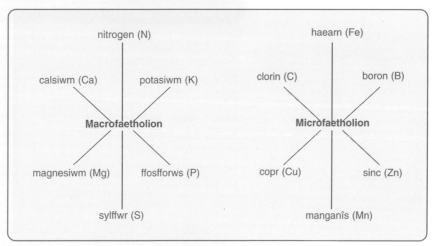

Mwynau sydd eu hangen ar blanhigion.

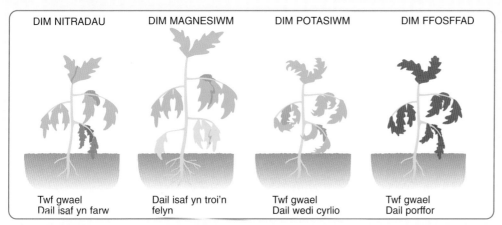

Effeithiau diffyg mwynau ar dwf planhigion.

Defnyddir **nitradau** i gynhyrchu protein, felly bydd prinder yn achosi twf gwael. Mae angen **potasiwm** a **ffosffadau** hefyd ar gyfer twf iach. Mae **magnesiwm** yn ffurfio rhan o foleciwlau cloroffyl, felly bydd prinder yn golygu bod llai o gloroffyl yn cael ei wneud a bod y dail yn felyn.

Bydd ffermwyr yn defnyddio llawer o wrtaith o'r enw NPK, wedi'i enwi ar ôl y tair elfen y mae'n eu cynnwys: nitrogen (N), ffosfforws (P) a photasiwm (K).

Edrychwch ar y label ar botel o wrtaith ar gyfer planhigion tŷ a rhestrwch y mwynau sydd ynddo.

❶ Mae Manon yn tyfu tomatos. Mae hi'n darganfod bod angen gwrtaith sy'n cynnwys llawer o nitrogen pan yw'r planhigion yn ifanc. Awgrymwch pam.

❷ Mae tad Manon wedi bod yn tyfu tomatos yn ei dŷ gwydr am flynyddoedd lawer. Mae ei gnwd wedi bod yn lleihau o flwyddyn i flwyddyn. Pa gyngor y dylai Manon ei roi iddo i'w helpu i gael twf gwell?

2.9 Mwynau

Cludiant actif

gw. Trylediad, tud. 30 ac
Osmosis, tud. 34

Mae trylediad ac osmosis yn egluro sut mae nwyon a dŵr yn mynd i bethau byw.

Mae'r siart bar yn dangos sut mae planhigion dŵr yn crynhoi mwynau yn eu celloedd.

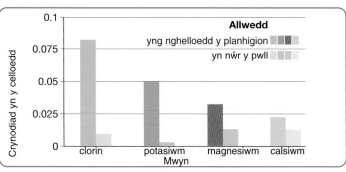

Mae planhigion yn dethol mwynau.

Nid oedd gwyddonwyr yn gwybod sut yr oedd planhigion yn amsugno mwynau hyd 1938, pan ddarganfyddwyd bod cynnydd ym mewnlifiad mwynau yn mynd law yn llaw â chynnydd yn y gyfradd resbiradu. Roedd hyn yn golygu bod **egni**'n cael ei ddefnyddio i gymryd mwynau i fyny

Yn ogystal, sylweddolodd gwyddonwyr y gallai planhigion ddethol mwynau penodol ac amsugno gwahanol fwynau mewn gwahanol feintiau.

Rydym ni'n gwybod erbyn hyn fod mewnlifiad mwynau'n digwydd trwy broses o'r enw **cludiant actif**.

gw. Celloedd, tud. 26

Mae cludyddion ym mhilen y gell yn symud mwynau i'r gell, er gwaethaf y ffaith bod y crynodiad o fwynau yn y gell yn uwch na'r crynodiad y tu allan. Dyma pam mae angen egni.

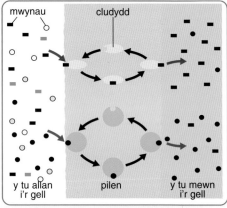

Sut mae cludiant actif yn gweithio.

3 Mae gwyddonwyr wedi darganfod bod un mwyn weithiau'n arafu mewnlifiad mwyn arall. Defnyddiwch y wybodaeth yn y diagram i egluro sut y gallai hyn ddigwydd.

Bwyd yn y gofod

Un o broblemau teithio yn y gofod yw darparu bwyd ar gyfer teithiau sy'n para am flynyddoedd. Mae gwyddonwyr wedi ceisio tyfu planhigion gwyrdd bach o'r enw algâu. Caiff gwrteithiau eu cyflenwi'n awtomatig i'r algâu wrth iddynt dyfu. Ar ôl tyfu am ychydig o wythnosau, caiff yr algâu eu cynaeafu a'u bwyta.

4 Awgrymwch o ble y gallai'r gwrteithiau ddod.

5 Ym mha ffordd arall (heblaw am ddarparu bwyd) y gallai'r algâu hyn fod yn ddefnyddiol i ofodwyr. (Awgrym: cyfnewid nwyon mewn planhigion ac anifeiliaid.)

6 Awgrymwch pam mai algâu, ac nid planhigion eraill megis bresych, yw'r planhigion gorau i'w tyfu yn y gofod.

7 Dyluniwch gyfarpar y gellir ei ddefnyddio i dyfu a chynaeafu algâu mewn llong ofod.

2.9 Mwynau

Arbrawf Rothamsted ⟨ASTUDIAETH ACHOS⟩

Yn 1843, ar ôl llawer iawn o ddadlau ynghylch defnyddio gwrteithiau, sefydlwyd arbrawf ar Stad Rothamsted. Mae gwrteithiau'n cynnwys nitrogen (N), ffosfforws (P) a photasiwm (K) wedi cael eu defnyddio ar gnydau gwenith a thatws yn yr un caeau ers tua 160 o flynyddoedd.

Canlyniadau arbrawf Rothamsted.

N	P	K	Gwenith	Tatws
0	0	0	1.69	9.47
96	0	0	3.68	8.3
0	77	107	2.04	16.63
96	77	107	6.6	38.57

Table header: Gwrtaith a ychwanegwyd/kg ha^{-1} (N, P, K); Cynnyrch cnwd/tunnell fetrig ha^{-1} (Gwenith, Tatws)

Mae angen nitrogen, ffosfforws a photasiwm i gynhyrchu cnwd da o wenith.

Dangosodd yr arbrawf fod angen gwrteithiau'n cynnwys y tri mwyn ar wenith a thatws er mwyn cynhyrchu cnwd da. Mae nitrogen yn gwneud i ddail dyfu'n dda. Mae ffosfforws yn helpu'r gwreiddiau i dyfu. Mae angen potasiwm ar gyfer twf cyffredinol a ffotosynthesis ac i helpu'r planhigion i wrthsefyll afiechydon.

Os defnyddir gormod o wrtaith, caiff ei olchi i afonydd a llynnoedd. Mae hyn yn gwneud i'r algâu gwyrdd sy'n byw yno dyfu'n gyflym. Wrth i'r algâu farw a phydru defnyddir yr ocsigen yn y dŵr, ac mae anifeiliaid fel pysgod yn marw. **Ewtroffigedd** yw'r enw ar y broses hon.

gw. Ffermio dwys, tud. 64

8 Awgrymwch pam y byddai defnyddio gwrtaith nitrogen yn unig yn cynhyrchu cnwd llai o datws na defnyddio dim gwrtaith o gwbl.

9 Eglurwch pam na chafodd unrhyw wrtaith ei roi ar un cae yn arbrawf Rothamsted.

10 Awgrymwch ffactorau eraill, ar wahân i wrtaith, a allai effeithio ar gnydau o datws a gwenith.

11 Lluniwch linell amser o ddyddiadau'n ymwneud â gwrteithiau.

Ffeithiau allweddol

Copïwch a chwblhewch y brawddegau trwy ddewis y gair cywir o'r rhestr o eiriau allweddol.

1 Er bod planhigion yn defnyddio ffotosynthesis i wneud bwyd, mae angen _____ arnynt i dyfu'n iach. Mae'r rhain yn cael eu cyflenwi gan _____.

2 Mae angen y mwyn _____ ar gloroffyl ac mae angen _____ i wneud proteinau.

3 Dau fwyn pwysig arall sydd eu hangen ar gyfer tyfiant iach yw _____ a _____.

4 Mae mwynau'n cael eu cymryd i fyny o ddŵr yn y pridd trwy _____ _____. Mae angen _____ ar gyfer hyn, sy'n cael ei ryddhau trwy resbiradaeth.

Geiriau allweddol

cludiant actif

egni

ffosffadau

gwrteithiau

magnesiwm

mwynau

nitradau

potasiwm

2.10 Ffermio dwys

Sut y câi bwyd ei dyfu ers talwm

Ffermio yn yr oes a fu.

Defnyddiai ein hynafiaid ddulliau 'torri a llosgi' i dyfu cnydau. Byddent yn clirio rhan o goedwig trwy dorri'r coed i lawr a'u llosgi. Tyfai cnydau'n dda yn y pridd a oedd yn cynnwys llawer o fwynau o'r lludw. Ar ôl ychydig o flynyddoedd byddai'r cnydau'n dirywio a byddai'r bobl yn symud i le arall ac yn dechrau eto.

Pan oedd y poblogaethau'n fach, gweithiai hyn am ganrifoedd lawer.

Yn fwy diweddar, gyda'r cynnydd mewn poblogaeth, mae'r mwyafrif o wledydd yn defnyddio dulliau **ffermio dwys**.

Sut rydym ni'n tyfu bwyd heddiw

Ffermio modern.

Mae ffermio dwys yn defnyddio llawer iawn o:

- wrteithiau artiffisial i sicrhau cynnyrch mawr a chnydau iach;
- **chwynladdwyr** i ladd planhigion dieisiau;
- **plaleiddiaid** i ladd anifeiliaid dieisiau megis pryfed dinistriol;
- **ffwngleiddiaid** i ladd ffyngau sy'n achosi afiechydon mewn planhigion.

Mae tua 70 o wahanol sylweddau parod ar gael i ffermwyr cyfoes.

gw. Mwynau, tud. 60

1 Pe baech chi'n byw'n agos iawn at gaeau fferm, beth fyddai'r peryglon posibl i'ch iechyd?

Yn 1970 byddai pobl yn y DU yn gwario 25 y cant o'u hincwm ar fwyd, ond heddiw y ffigur yw 10 y cant. Mae ffermio dwys a gwelliannau eraill mewn technegau ffermio yn golygu bod ffermwyr yn cynhyrchu mwy o fwyd yn rhatach.

Gan fod ffermio dwys yn defnyddio llawer iawn o gemegion, gall llygredd fod yn broblem. Gall cadw nifer mawr o anifeiliaid, megis ieir a moch, mewn amodau cyfyng olygu bod afiechydon yn lledu'n gyflym. Mae llawer o wrychoedd wedi cael eu tynnu i lawr i greu caeau mawr lle gellir defnyddio dyrnwyr medi anferth. Mae hyn wedi dinistrio cynefinoedd pwysig ar gyfer planhigion ac anifeiliaid. Hefyd mae llawer o bobl yn credu mai dulliau ffermio dwys a oedd yn gyfrifol am BSE mewn gwartheg ac am ledu clwy'r traed a'r genau yn 2001.

gw. Mathau o ficro-organebau, tud. 86

2.10 Ffermio dwys

Lefelau egni wrth gynhyrchu bwydydd (GWEITHGAREDD)

Mae cynhyrchu bwydydd yn ymwneud â **throsglwyddo egni.**.

Mewn ffotosynthesis, mae planhigion yn defnyddio egni goleuni i gynhyrchu bwyd. Mae planhigion yn cael eu bwyta gan anifeiliaid fel gwartheg.

gw. Ffotosynthesis, tud. 52

Mae'r diagram yn dangos sut mae 125 kJ yn unig o'r 3056 kJ mewn glaswellt yn cael ei ddefnyddio gan fuwch i dyfu.

1022 kJ o golledion gwres

125 kJ ar gyfer twf

3056 kJ o egni mewn 1m²

1909 kJ o wastraff

Trosglwyddo egni.

Mae hyn yn ffordd aneffeithlon iawn o drosglwyddo egni!

❷ Cyfrifwch yr effeithlonrwydd hwn, gan ddefnyddio'r fformiwla:

$$\text{effeithlonrwydd} = \frac{\text{egni a ddefnyddir ar gyfer twf (allbwn)}}{\text{egni a gyflenwir (mewnbwn)}} \times 100\%$$

Mewn ffermio dwys, mae'r golled egni hon yn cael ei lleihau trwy:

- atal anifeiliaid eraill rhag bwyta'r glaswellt;
- cadw'r anifeiliaid yn agos at ei gilydd mewn siediau arbennig

Bydd mwy o egni'n cael ei arbed trwy:

- ddefnyddio pryfleiddiaid i atal afiechydon a allai arafu twf y gwartheg;
- defnyddio chwynladdwyr i rwystro chwyn rhag cystadlu am fwynau.

❸ Eglurwch sut mae cadw anifeiliaid megis gwartheg gyda'i gilydd mewn siediau yn arbed egni.

❹ Pa broblemau a allai godi os caiff gwartheg eu cadw mewn siediau am gyfnodau hir?

Mae anifeiliaid bach, fel ieir, yn addas ar gyfer ffermio dwys. Cânt eu cadw mewn cewyll o'r enw batrïau. Nid oes ganddynt lawer o le i symud, felly maen nhw'n gwastraffu llai o egni. Caiff eu deiet ei reoli'n llym i gael y cynnydd mwyaf posibl mewn pwysau neu'r nifer mwyaf posibl o wyau.

Mae llawer o bobl yn erbyn 'ffermio batri' gan eu bod yn credu ei fod yn greulon. Mae'n well ganddynt brynu wyau sy'n dod o ieir buarth gan eu bod nhw'n byw bywyd mwy naturiol. Cânt eu cadw mewn caeau ac maen nhw'n cysgu mewn cytiau.

❺ Defnyddiwch y Rhyngrwyd i gael rhagor o wybodaeth am ffermio batri. Cynhyrchwch daflen i ddangos y dadleuon o blaid ac yn erbyn y dull hwn o gadw ieir.

2.10 Ffermio dwys

Tai gwydr

 gw. Symudiad dan reolaeth, tud. 267

Mae ffermio dwys yn defnyddio tai gwydr mawr yn aml. Yn y tai gwydr hyn mae systemau awtomatig yn sicrhau'r amodau gorau posibl ar gyfer twf planhigion.

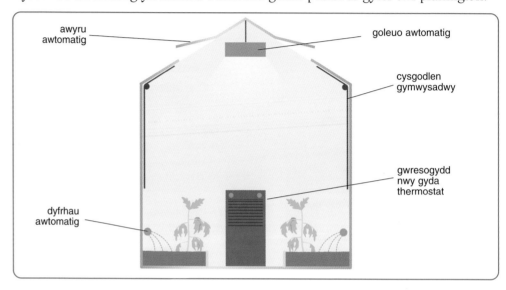

Systemau awtomatig mewn tŷ gwydr.

6 Pa amodau sy'n cael eu rheoli'n awtomatig yn y tŷ gwydr hwn?

I leihau costau, caiff twnelau polythen hir eu defnyddio yn lle tai gwydr drud weithiau. Gellir defnyddio tractorau bach yn y twnelau hyn i helpu i drin a chasglu'r cnwd.

Algâu gwyrdd yn ffurfio llysnafedd trwchus ar wyneb pwll llonydd.

Ni ddylai ffermwyr roi mwy na 210 kg o nitrogen o wrtaith ar hectar o dir. Os byddan nhw'n defnyddio mwy na hyn, mae llawer ohono'n mynd yn wastraff trwy ddraenio i mewn i byllau, llynnoedd ac afonydd.

Mae'r gwrtaith yn cael yr un effaith mewn dŵr ag ar dir. Mae'n annog twf planhigion. Mae'r algâu gwyrdd microsgopig yn y dŵr yn tyfu ac yn atgynhyrchu mor gyflym fel bod y dŵr yn edrych fel cawl pys. Wrth iddynt farw, mae'r broses o bydru yn defnyddio llawer iawn o'r ocsigen yn y dŵr. Mae'r prinder ocsigen hwn yn lladd y rhan fwyaf o'r anifeiliaid yno, gan gynnwys pysgod. Ewtroffigedd yw'r enw ar hyn ac mae'n broblem fawr mewn llynnoedd ar draws y byd.

 gw. Rhoddwr gwaed, tud. 112

 gw. Dadansoddi cemegol, tud. 196

Mae defnyddio lefel uchel o wrtaith nitrogen yn cael effaith ddrwg arall. Gall peth ohono fynd i'n dŵr yfed. Mae Cyfarwyddeb gan yr Undeb Ewropeaidd yn argymell na ddylai fod mwy na 25 mg o nitrad ym mhob litr o ddŵr, gan fod bacteria yn troi nitradau yn nitraid yn hawdd. Mae nitraid yn cyfuno â'r haemoglobin yng nghelloedd coch y gwaed, gan ei atal rhag cyfuno ag ocsigen. Gall hyn fod yn angheuol i fabanod.

Dangosir cynnwys mwynol dŵr potel ar y label. Gallech edrych ar wahanol fathau o ddŵr potel a chymharu'r cynnwys mwynol, yn enwedig y nitradau. Gallech hefyd gysylltu â'r awdurdod dŵr lleol i ddarganfod y lefel o nitradau yn eich dŵr yfed.

2.10 Ffermio dwys

Gwyrth pysgod yn y diffeithdir   ASTUDIAETH ACHOS

Mae pysgod yn werthfawr fel ffynhonnell protein yn ein deiet. Mae gorbysgota a llygredd wedi lleihau'r stociau o bysgod ym Môr y Gogledd.

Erbyn heddiw mae llawer o ffermydd pysgod yn magu eogiaid a phenfreision mewn llynnoedd môr a baeau cysgodol yn y DU. Caiff twf y pysgod ei reoli'n ofalus trwy eu cadw mewn cewyll mawr a'u bwydo â phelenni bwyd crynodedig. Mae cadw ysglyfaethwyr allan a defnyddio cyffuriau i reoli afiechydon yn lleihau colledion.

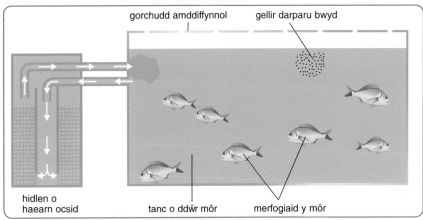

Cael gwared â gwastraff gwenwynig o danc mewn fferm bysgod.

Prif broblem y math hwn o ffermio dwys yw'r gwastraff a gynhyrchir gan y pysgod. Mae bacteria yn troi'r gwastraff hwn yn hydrogen sylffid gwenwynig. Os caiff hwn ei bwmpio'n ôl i'r tanciau pysgod, bydd yn lladd yr holl bysgod. Mae'r Athro Mike Krom ym Mhrifysgol Leeds wedi datblygu system rybuddio ar gyfer y cemegyn hwn. Gwnaeth ei ymchwil ar fferm bysgod yng nghanol diffeithdir Israel.

Mae'r dŵr yn mynd dros leiniau bach sydd wedi'u gorchuddio â haearn ocsid oren. Mae hwn yn adweithio ag unrhyw hydrogen sylffid gwenwynig, gan gynhyrchu haearn ocsid du. Mae canfodydd oleusensitif yn ymateb i'r newid ac yn stopio'r pwmp rhag rhoi'r gwastraff gwenwynig yn ôl yn y tanc. Caiff dŵr glân ei bwmpio i'r tanc yn lle hynny.

Mewn cynllun peilot, cynhyrchodd yr Athro Krom ferfogiaid y môr yn pwyso 0.5 kg yr un mewn blwyddyn mewn tanc bach. Bydd arbrofion pellach yn cael eu cynnal yn Israel a Groeg gyda thanciau sy'n dal 2400 o bysgod.

7 Eglurwch pam y gallai ffermio pysgod fod yn bwysig i wlad fel Israel lle mae llawer o ddiffeithdir.

8 Disgrifiwch yr amodau y gellir eu rheoli'n hawdd ar fferm bysgod.

9 Eglurwch pam y gall ffermio pysgod fod yn gynhyrchiol iawn.

10 Awgrymwch sut y gall ffermio pysgod wneud niwed i'r amgylchedd.

Ffeithiau allweddol

Copïwch a chwblhewch y brawddegau trwy ddewis y gair cywir o'r rhestr o eiriau allweddol.

1 Mae ffermwyr yn defnyddio dulliau _____ _____ i geisio cynhyrchu mwy o fwyd.

2 Maen nhw'n defnyddio _____ i ladd planhigion dieisiau, _____ i ladd plâu dieisiau, a _____ i ladd ffyngau dieisiau.

3 Mae _____ _____ yn digwydd rhwng planhigion ac anifeiliaid wrth i anifeiliaid fwyta'r planhigion.

4 Gall llygredd o wrteithiau achosi _____ mewn llynnoedd. Mae'r ocsigen yn y dŵr yn cael ei ddefnyddio, ac mae'r pysgod yn marw.

Geiriau allweddol

chwynladdwyr

ewtroffigedd

ffermio dwys

ffwngleiddiaid

plaleiddiaid

trosglwyddo egni

2.11 Ffermio organig

Rhandir Sam

Sam yn gweithio ar ei rhandir.

Mae rhandir gan Sam. Mae hi'n defnyddio dulliau ffermio organig i dyfu llysiau a ffrwythau. Mae hi eisiau gwybod beth yn union sydd yn ei bwyd.

Nid yw Sam yn defnyddio cemegion parod fel plaleiddiaid, chwynladdwyr, ffwngleiddiaid a gwrteithiau artiffisial. Mae hi'n sylweddoli y bydd ei rhandir yn llai cynhyrchiol gan y bydd rhai o'i chnydau'n cael eu bwyta gan blâu fel malwod a phryfed gwyrddion neu eu lladd gan afiechydon fel clwy'r gwraidd mewn bresych.

Ond ni fydd angen iddi brynu unrhyw gynhyrchion parod. Mae hi'n gwybod am ddulliau eraill o reoli plâu.

Rheoli plâu heb ddefnyddio plaleiddiaid

Mae Sam yn gwybod am beryglon defnyddio plaleiddiaid. Maen nhw'n lladd pryfed defnyddiol fel y fuwch goch gota a gwenyn, yn ogystal â phryfed niweidiol fel pryfed gwyrddion.

❶ Eglurwch sut mae pryfed fel gwenyn yn ddefnyddiol.

❷ Enwch ddau bryfyn defnyddiol arall a dau bryfyn niweidiol arall. Eglurwch ym mha ffordd y maen nhw'n ddefnyddiol neu'n niweidiol i gnydau.

Mae Sam yn gwybod y gall pryfleiddiaid grynhoi mewn **cadwynau bwydydd**.

Gwirio gair ✔

Mae **cadwyn fwyd** yn dangos sut mae egni'n cael ei drosglwyddo o blanhigion i lysysyddion (bwytawyr planhigion) ac yna i gigysyddion (bwytawyr cig).

Mae pryfleiddiaid yn crynhoi wrth symud trwy gadwyn fwyd.

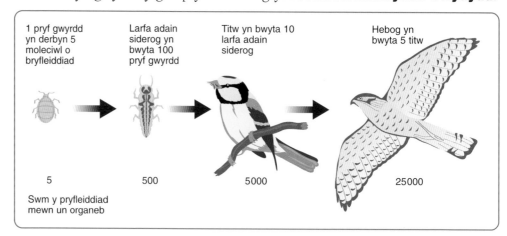

1 pryf gwyrdd yn derbyn 5 moleciwl o bryfleiddiad	Larfa adain siderog yn bwyta 100 pryf gwyrdd	Titw yn bwyta 10 larfa adain siderog	Hebog yn bwyta 5 titw
5	500	5000	25000

Swm y pryfleiddiad mewn un organeb

Gall pryfleiddiaid gyrraedd lefelau uchel iawn mewn ysglyfaethwyr fel hebogiaid, gan leihau nifer yr wyau a gynhyrchant neu hyd yn oed eu lladd.

Er i bryfleiddiad o'r enw DDT gael ei wahardd dros ugain mlynedd yn ôl, mae gwyddonwyr yn dal i ddarganfod lefelau uchel o'r cemegyn mewn anifeiliaid hiroes, megis yr arth wen a'r morfil.

2.11 Ffermio organig

Rheolaeth fiolegol

Mae pryfed gwyrddion yn broblem i lawer o arddwyr a ffermwyr. Maen nhw'n sugno'r nodd o goesynnau planhigion ifanc, gan effeithio ar eu twf. Tyfant yn gyflym iawn, gan gymryd deg diwrnod yn unig i ddod yn oedolyn. Gall pob pryf gwyrdd aeddfed gynhyrchu pedwar pryf gwyrdd bob dydd. Ar ôl wythnos, bydd y pryfed gwyrddion newydd hyn yn atgenhedlu hefyd.

Dros 70 mlynedd yn ôl, daeth ffermwr o Hampshire o hyd i larfâu pryfed gwyrddion a oedd yn ddu eu lliw. Anfonodd nhw i ganolfan ymchwil garddwriaethol. Darganfyddodd gwyddonwyr fod y larfâu, yn lle troi'n bryfed gwyrddion, yn troi'n wenyn meirch bach. Roedd gwenynen o'r enw *Encarsia formosa* wedi defnyddio'r larfâu i gario ei hwyau ei hun. Ar ôl i'r wyau ddeor, roedd y gwenyn meirch ifanc wedi bwyta larfâu'r pryfed gwyrddion.

Ysglyfaethwr yw'r wenynen a'i **hysglyfaeth** yw larfâu pryfed gwyrddion. Mae gwyddonwyr wedi defnyddio'r darganfyddiad hwn i ddatblygu dull naturiol o reoli plâu. Mae'r diddordeb diweddar mewn **ffermio organig** yn golygu bod y **dull rheoli biolegol** hwn yn boblogaidd erbyn hyn.

Gallwch dyfu planhigion tomato mewn cewyll un metr sgwâr wedi'u gwneud o lenni les, fel y dangosir yn y diagram. Mae'n hawdd tyfu'r planhigion o hadau, a gallwch ddod o hyd i bryfed gwyrddion yn yr ardd yn ystod y gwanwyn a'r haf.

Gall pryfed gwyrddion roi genedigaeth i bedwar pryf gwyrdd bob dydd.

llen les

planhigyn tomato

agoriad

Defnyddio rheolaeth fiolegol i amddiffyn planhigion tomato.

Ar ôl i'r planhigion fod yn y cawell am wythnos, rhowch y pryfed gwyrddion i mewn trwy'r agoriad. Yna rhowch gardiau sy'n cynnwys y wenynen feirch barasitig yn ei chyfnod cynnar (gellir eu cael mewn canolfannau garddio) yn y cawell.

Ar ôl wythnos arall, tynnwch un ddeilen domato allan. Gan ddefnyddio lens llaw, cyfrwch nifer y larfâu du (y rhai y mae'r wenynen feirch wedi effeithio arnynt) a nifer y larfâu lliw golau (y rhai nad yw'r wenynen feirch wedi effeithio arnynt). Gwnewch y samplu hwn dros gyfnod o sawl wythnos i ddarganfod pa mor dda y mae'r dull rheoli biolegol hwn yn gweithio.

2.11 Ffermio organig

Cynhyrchu ar raddfa fawr

Nod ffermio organig yw creu system o gynhyrchu bwyd o blanhigion ac anifeiliaid sy'n drugarog ac yn gyfeillgar i'r amgylchedd.

Er bod ffermio organig yn defnyddio 2.3 y cant yn unig o dir amaethyddol y Deyrnas Unedig, mae'n cynyddu'n gyflym.

Yn ôl yr uwchfarchnadoedd, bu cynnydd o 55% yn y galw am gynnyrch organig rhwng 2000 a 2001. Mae arolygon yn dangos bod pobl yn y DU yn credu bod ffermio organig yn darparu bwyd iachach a mwy blasus sy'n cael ei gynhyrchu mewn ffordd nad yw'n niweidio'r amgylchedd.

Y gred yw y bydd ffermio organig yn fwy cyffredin na ffermio dwys erbyn 2020.

I fod yn ffermwr organig, rhaid i chi:

 gw. Mwynau, tud. 60

- ailgylchu tail anifail a gwastraff o gnydau i ddarparu'r mwynau sydd eu hangen ar gyfer tyfiant iach;

- defnyddio systemau cylchdroi cnydau i sicrhau nad yw afiechydon yn crynhoi yn y pridd;

- defnyddio planhigion fel meillion i roi nitradau yn ôl yn y pridd: gall cnepynnau arbennig ar eu gwreiddiau 'sefydlogi' nitrogen o'r aer i greu cyfansoddion nitrogen yn y planhigyn;

- defnyddio dulliau naturiol megis cyflwyno ysglyfaethwyr i reoli plâu;

- defnyddio offer llaw neu fecanyddol i reoli chwyn;

- amrywio amserau plannu hadau i osgoi adegau pan yw plâu yn fwy niferus;

- osgoi straen a chreulondeb i anifeiliaid fferm a gwarchod bywyd gwyllt a chynefinoedd naturiol.

Mae'r cnepynnau ar wreiddiau meillion yn 'sefydlogi' nitrogen o'r aer fel y gall y planhigyn ei ddefnyddio i wneud proteinau.

Ewch i'ch uwchfarchnad leol a rhestrwch y mathau o ffrwythau a llysiau sydd ar gael. Cymharwch brisiau cynnyrch organig â phrisiau cynnyrch traddodiadol. A oes gwahaniaeth pris? Ystyriwch pam.

❸ Lluniwch dabl i gymharu manteision ac anfanteision ffermio dwys a ffermio organig.

2.11 Ffermio organig

Compostio gwastraff — ASTUDIAETH ACHOS

Bob blwyddyn, bydd miliynau o dunelli o wastraff o geginau a gerddi yn mynd i mewn i'n biniau sbwriel ac yn cael eu cludo i safleoedd tirlenwi.

Mae llawer o awdurdodau lleol, megis Cynghorau Sir Caerdydd a Gwynedd, yn annog pobl i gompostio gwastraff trwy gynnig biniau compost am bris gostyngedig. Mae Cydgysylltydd Cymorth Compost gan Gyngor Gwynedd.

Mae defnyddiau megis crwyn llysiau, toriadau lawnt, dail, carpion papur a hyd yn oed blew anifeiliaid anwes yn ddelfrydol ar gyfer compostio. **Bacteria** aerobig sy'n achosi'r broses bydru, felly mae angen **ocsigen**, dŵr a gwres. Mae organebau bach eraill, megis mwydod, yn helpu i dorri'r defnydd i lawr hefyd.

Ar ôl ychydig o fisoedd, dylai'r **compost** fod yn frown tywyll a briwsionllyd heb unrhyw arogl annifyr.

Bydd yn llawn mwynau a gall gael ei ychwanegu at y pridd i wneud yr ardd yn fwy cynhyrchiol a deniadol. Bydd hyn hefyd yn helpu i wagio biniau sbwriel gorlawn. Mae gan Sam un o'r biniau compost hyn ar ei rhandir.

Darganfyddwch a yw eich awdurdod lleol chi yn annog compostio. Os nad ydyw, ysgrifennwch lythyr i dynnu sylw at y manteision. Dyluniwch daflen, y gellid ei ddosbarthu o ddrws i ddrws, i annog pobl i gompostio gwastraff o'r gegin. Amgaewch y daflen gyda'ch llythyr.

Arbedwch wastraff - gnewch gompost

BINIAU COMPOST ar WERTH

CARDIFF CAERDYDD

Sad 8 a Sul 9 Mawrth
Canolfan Ailgylchu Gwastraff Tai Bessemer Close

Gwen 21 a Sad 22 Mawrth
Pafiliwn Bowls Parc y Rhath
(ger y cyrtiau tennis)

Sad 10 a Sun 11 Mai
Canolfan Hamdden Y Dwyrain
Llanrhymni

POB 10AM - 3PM

Dim ond £5 tra bo rhai ar gael

Er mwyn annog compostio gartref rydyn ni'n cynnig biniau compostio am £5 yr un yn unig.

Mae cynghorau'n annog pobl i gompostio gwastraff o'r ardd.

Gwynedd gynaladwy

CYDGYSYLLTYDD CYMORTH COMPOST

Cyflog NJC pwynt 22: £18,907 pro rata
21 awr yr wythnos
Lleoliad: Porthmadog

Rôl
Datblygu rhwydwaith compostio gartref yng Ngwynedd, drwy drefnu dulliau i recriwtio a hyfforddi gwirfoddolwyr i hyrwyddo a darparu cyngor ar gompostio gartref. Bydd y fenter gyffrous hon, y gyntaf o'i bath yng Nghymru, ac yn seiliedig ar y "Brif Raglen Gompostio" yn Lloegr.

Gwirio gair

Micro-organebau ungellog yw **bacteria** (unigol: bacteriwm).

Cyfle am yrfa newydd?

Ffeithiau allweddol

Copïwch a chwblhewch y brawddegau trwy ddewis y gair cywir o'r rhestr o eiriau allweddol. Gellir defnyddio pob gair fwy nag unwaith.

1 Ni ddefnyddir unrhyw chwynladdwyr, plaleiddiaid, ffwngleiddiaid na gwrteithiau mewn _____ _____.

2 Gall pryfleiddiaid grynhoi yn y gwahanol anifeiliaid mewn _____ _____.

3 Un enghraifft o _____ _____ yw'r wenynen feirch *Encarsia*.

4 Mae'r wenynen feirch hon yn bwyta larfâu pryfed gwyrddion: _____ ydyw. Y pryfed gwyrddion yw ei _____.

5 Gellir rhoi gwastraff cegin a gardd mewn bin _____ i bydru.

6 Organebau byw fel _____. sy'n gwneud i wastraff bydru. Mae angen _____ ar gyfer resbiradaeth aerobig.

Geiriau allweddol

bacteria (unigol: bacteriwm)

cadwyn fwyd

compost

ffermio organig

ocsigen

rheolaeth fiolegol

ysglyfaeth

ysglyfaethwr

2.12 Bridio detholus

Mae Manon yn mynd i glybio

Bydd Manon yn mynd i glybio yn y dref nos Sadwrn. Bydd hi'n cymryd oesoedd i wisgo ei dillad ffasiynol gorau ac i ymbincio ond mae hi'n gwybod ei bod hi'n werth yr ymdrech er mwyn cael amser da. Mae'n drueni nad yw rhai o'r bechgyn yn gwneud cymaint o ymdrech â hi i edrych yn dda.

Yn wahanol i fodau dynol, y gwryw yw'r un sy'n gwneud yr ymdrech yn y mwyafrif o rywogaethau o anifeiliaid gwyllt. Mae'r gwrywod yn datblygu nodweddion arbennig ac arddangosiadau caru i sicrhau mai eu genynnau nhw sy'n cael eu trosglwyddo i'r genhedlaeth nesaf. Mae paun sy'n dangos ei blu lliwgar yn olygfa ysblennydd, yn enwedig i beunes.

Y paun sy'n gwisgo'r plu hardd.

Amrywiad

Nododd Charles Darwin, yn ei astudiaethau enwog ar esblygiad, fod anifeiliaid yn wahanol i'w gilydd. Efallai fod pob un paun yn edrych yn debyg ond maen nhw'n amrywio o ran maint, pwysau, galwadau a lliw. Oherwydd yr **amrywiad** hwn, mae rhai peunod yn fwy deniadol nag eraill i'r peunesod. Y peunod hyn sy'n denu'r mwyaf o beunesod ac sydd felly'n cynhyrchu mwy o epil, a fydd hefyd yn dangos y nodweddion hyn. Dros lawer o genedlaethau, mae plu cynffon peunod wedi mynd yn fwy a mwy rhwysgfawr. Mae lliw'r peunesod ar y llaw arall yn ddigon dinod.

gw. Etifeddiad, tud. 46

Gwirio gair ✓

Yn ôl damcaniaeth **dethol naturiol**, organebau sydd wedi ymaddasu orau i'w hamgylchfyd a fydd yn goroesi.

Mae ein gwybodaeth o geneteg yn cefnogi damcaniaeth **dethol naturiol** Darwin.

Weithiau bydd amodau'n newid ac ni fydd anifeiliaid yn gallu goroesi mwyach.

1 A allwch chi enwi'r anifeiliaid isod, sydd bellach yn ddiflanedig? Gwnewch waith ymchwil i ddarganfod enwau anifeiliaid eraill sydd wedi mynd yn ddiflanedig neu sydd dan fygythiad o ddiflannu.

Mae'r holl anifeiliaid hyn wedi mynd yn ddiflanedig.

Mae bodau dynol yn cadw llawer o anifeiliaid fel cathod, cŵn, defaid, geifr, ceirw a buchod. Mae'r anifeiliaid **dof** hyn wedi cael eu defnyddio ar gyfer bwyd, hela, dillad ac amddiffyn. Filoedd lawer o flynyddoedd yn ôl, dechreuodd ffermwyr ddewis cadw anifeiliaid unigol. Byddent yn anwybyddu'r rhai bach a gwan ac yn cadw'r rheiny a oedd yn meddu ar nodweddion defnyddiol, megis defaid â blew mân, buchod â chynnyrch llaeth uchel ac ieir a oedd yn dodwy llawer o wyau. Yr anifeiliaid hyn yn unig a gâi eu defnyddio ganddynt i fridio. Dyma ddechreuad **bridio detholus**.

2.12 Bridio detholus

Ffermio modern GWEITHGAREDD

Mae ffermwyr modern yn dal i ddatblygu technegau bridio detholus.

Mae buwch Jersey yn cynhyrchu cymharol ychydig o laeth hufennog iawn.

Mae buwch Ffrisia'n cynhyrchu llawer iawn o laeth, ond nid yw'n hufennog iawn.

Mae buwch Jersey yn cynhyrchu swm cymharol fach o laeth hufennog iawn. Mae buwch Ffrisia yn cynhyrchu llawer iawn o laeth sydd ychydig yn hufennog.

Mae Mr Llywelyn, ffermwr llaeth, yn defnyddio'r ddau fath hyn o fuwch i gynllunio ei raglen fridio. Mae'n:

- dewis y buchod Ffrisia sy'n cynhyrchu'r mwyaf o laeth;

- dewis y buchod Jersey sy'n cynhyrchu'r llaeth mwyaf hufennog;

- croesfridio teirw â'r buchod hyn;

gw. Nodweddion, tud. 38

- dewis o blith y croesfridiau hyn fuchod unigol sy'n cynhyrchu llawer iawn o laeth hufennog.

2 Eglurwch pam y bydd cynllun Mr Llywelyn yn cymryd nifer o flynyddoedd.

Nid yw **croesfridio** yn gweithio'n dda weithiau. Mae croesfridio asyn gwryw â cheffyl benyw (caseg) yn cynhyrchu mul. Mae mulod yn gryfach o lawer na'u dau riant ac maen nhw'n cael eu defnyddio i gario pecynnau trwm mewn amodau anodd. Ond gan nad yw cromosomau'r mul yn gallu ffurfio parau wrth i gametau gael eu cynhyrchu, mae mulod yn anffrwythlon ac ni allant fridio.

gw. Celloedd yn ymrannu, tud. 42

3 Awgrymwch pa anifeiliaid sy'n rhieni i'r croesfridiau 'sebasyn' a 'teiglew'.

4 Dyluniwch boster i gyhoeddi bod croesfrid newydd wedi'i ddarganfod. Gwnewch lun o'ch anifail newydd a rhowch enw iddo.

Gall rhaglenni bridio detholus achosi problemau. Ni fyddai nodweddion **enciliol** niweidiol yn goroesi'n naturiol fel rheol. Ond gall bridwyr anifeiliaid ddewis cadw'r nodweddion hyn, megis clustiau hir iawn mewn cwningod neu goesau eithriadol o fyr mewn cŵn. Gall bridio detholus arwain at lai o amrywiad, a gall amrywogaethau o blanhigion ac anifeiliaid ddiflannu o'r blaned o ganlyniad.

gw. Etifeddiad, tud. 46

2.12 Bridio detholus

Dewis

Mae Manon yn hoffi tyfu tomatos. Mae hi'n edrych ar becynnau o hadau ac yn gweld bod llawer gwahanol fath o blanhigyn tomato. Mae'r dewis yn ei drysu'n lân.

Mae hi'n penderfynu gofyn i'w holl ffrindiau pa fath y maen nhw'n ei hoffi.

Copïwch beth o'r wybodaeth am y tri gwahanol fath o domato a ddangosir uchod. Yna gwnewch arolwg ymhlith eich ffrindiau i ddarganfod pa un sydd orau ganddynt a nodwch reswm dros eu dewis. Gallai tomatos bach a melys fod yn well gan rai; gallai tomatos mawr sy'n rhoi cnwd trwm fod yn well gan eraill.

Gydag amrywiaeth mor eang o wahanol nodweddion mewn planhigion, mae ffermwyr wedi defnyddio technegau bridio detholus. Maen nhw wedi dethol planhigion sy'n:

- tyfu'n gyflymach ac yn aeddfedu'n gynharach, er enghraifft, grawnfwydydd;
- cynnig persawr, blas neu liw arbennig, er enghraifft, mefus;
- tyfu'n fwy ac yn gryfach, er enghraifft, bresych;
- gallu gwrthsefyll afiechyd, er enghraifft, gwenith sy'n gwrthsefyll ffwng;
- rhewi'n dda, er enghraifft, ysgewyll;
- para'n hir ar silffoedd y siop, er enghraifft, letys.

Geiriau allweddol

amrywiad

bridio detholus

croesfridio

dethol naturiol

dofi

enciliol

Ffeithiau allweddol

Copïwch a chwblhewch y brawddegau trwy ddewis y gair cywir o'r rhestr o eiriau allweddol. Gellir defnyddio pob gair fwy nag unwaith.

1 Yn ei ddamcaniaeth _____ _____ tynnodd Charles Darwin sylw at bwysigrwydd _____ .

2 Filoedd o flynyddoedd yn ôl, dechreuodd pobl gadw anifeiliaid a'u _____ .

3 Trwy ddewis nodweddion dymunol a bridio ohonynt, mae ffermwyr yn defnyddio _____ _____ .

4 Mae bridio rhwng gwahanol amrywogaethau'n cael ei alw'n _____ .

5 Gall bridio detholus beri i nodweddion _____ gronni, gan arwain at leihad mewn _____ .

2.12 Bridio detholus

Sut y daeth cennin Pedr i Brydain (ASTUDIAETH ACHOS)

Bydd rhai ohonoch yn gyfarwydd â'r llinellau hyn:

'When all at once I saw a crowd,

A host, of golden daffodils'

William Wordsworth 1770–1850

Cafodd y bylbiau cennin Pedr gwreiddiol eu cyflwyno i Brydain gan y Rhufeinwyr ac mae tua 200 o wahanol amrywogaethau erbyn hyn. Mae'n debyg fod y cennin Pedr a welodd Wordsworth yn Ardal y Llynnoedd yn amrywogaeth o *Narcissus*. Maen nhw'n fyr, gan dyfu i uchder o ryw 15 cm. Mae ganddynt flodau cain bach. Maen nhw'n dal i dyfu yng nghyffiniau Ullswater yn Ardal y Llynnoedd.

Narcissus pseudonarcissus.

THE TIMES 19 MAWRTH 2002

Cennin Pedr Wordsworth dan fygythiad

Gan Russell Jenkins

MAE gelyn yn bygwth y llu o gennin Pedr euraid sy'n dawnsio yn awelon Ardal y Llynnoedd ac a fu'n gymaint o ysbrydoliaeth i William Wordsworth.

Mae'r bylbiau gwreiddiol, y credir iddynt gael eu cyflwyno i Brydain gan y Rhufeinwyr, mewn perygl o gael eu halogi ac, efallai, eu goresgyn gan y mathau llawer cryfach a mwy o gennin Pedr sydd ar werth mewn canolfannau garddio.

Rhoddwyd cyngor arbenigol i'r Ymddiriedolaeth Genedlaethol i weithredu ar frys i atal croesbeillio ar raddfa a fyddai'n gweddnewid harddwch barddonol yr hen lonydd a gwrychoedd enwog yn ddim mwy na gardd faestrefol ddel.

Bu'r carped o gennin Pedr gwyllt yn atyniad mawr i ymwelwyr byth ers i Wordsworth a'i chwaer Dorothy gerdded ar hyd dyffryn Ullswater 200 mlynedd yn ôl a dod ar eu traws ger Bae Glencoyne. Ysbrydolwyd y bardd gan yr olygfa i gyfansoddi ei gerdd *Daffodils*.

Mae'r gorchudd o gennin Pedr yn llawer teneuach heddiw nag yn nyddiau Wordsworth, ac erbyn hyn mae'n well gan lawer o ymwelwyr fynd i Dora's Field yn Rydal lle gallant weld sioe fwy ysblennydd. Gallai bygythiad *Narcissus "Carlton"* i *Narcissus pseudonarcissus* wneud rhagor o ddrwg i'r atyniad.

Y cyntaf i'n rhybuddio am y bygythiad oedd Jan Dalton, llywydd Cymdeithas y Cennin Pedr, a sylwodd fod cennin Pedr gardd yn ennill tiriogaeth ar draul y rhai gwyllt. Mae ef wedi annog yr Ymddiriedolaeth i gael gwared â'r bylbiau estron.

Mae pobl leol yn poeni y gallai amrywogaethau cyffredin o gennin Pedr, megis *Narcissus* 'Carlton', gystadlu â hi ac y gallai ddiflannu o ganlyniad. Hefyd gallai fod croesbeillio rhwng y ddwy amrywogaeth a allai greu amrywogaethau newydd a mwy byth o gystadleuaeth.

Ffynnodd y cennin Pedr a welodd Wordsworth oherwydd eu bod yn hoffi hinsawdd glaear, gwlyb a gwyntog. Dywed rhai pobl nad yw tynged y blodau'n bwysig gan nad oeddent yn blanhigion brodorol i ddechrau. Mae rhai gwyddonwyr yn credu na fyddan nhw'n goroesi yn Ardal y Llynnoedd wrth i'r hinsawdd gynhesu.

Narcissus 'Carlton'.

5 A ydych chi'n meddwl y dylid gwarchod y cennin Pedr a welodd Wordsworth? Rhowch eich rhesymau.

6 Awgrymwch sut y gellir gwarchod y cennin Pedr os penderfynir gwneud hyn.

7 Pam mae rhai pobl yn credu nad yw'n werth gwarchod y cennin Pedr hyn?

2.13 Peirianneg genetig

Cyfaill ynteu gelyn?

Dechreuwyd gwerthu cnydau bwyd a'u genynnau wedi'u haddasu (cnydau GM) yn 1996, ond mae'r ddadl ynghylch manteision ac anfanteision y cnydau hyn wedi parhau hyd heddiw.

 gw. Bridio detholus, tud. 72

Mae rhai pobl yn credu nad yw'r dechnoleg newydd hon yn ddim mwy na math o fridio detholus a'i bod yn hollol ddiogel. Maen nhw'n credu y gallai'r bwyd ychwanegol a gynhyrchir fwydo poblogaeth y byd. A gallai darganfyddiadau meddygol newydd, sy'n defnyddio organebau GM, arbed miloedd o fywydau.

Mae pobl eraill o'r farn y gallai cnydau GM wneud drwg mawr i'r amgylchedd. Maen nhw'n credu nad ydym ni'n llwyr ddeall y peryglon tymor hir. Hefyd, byddai datblygiadau meddygol yn codi cwestiynau moesegol. Pwy a ddylai ac na ddylai gael ei drin gan ddefnyddio'r dechnoleg newydd hon?

Y defnydd cynyddol o gnydau GM

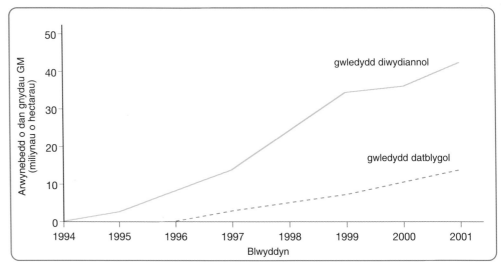

Mae arwynebedd y tir sydd o dan gnydau GM wedi cynyddu'n gyflym er 1994, fel y dangosir gan y graff. Yn 2001, roedd y cnydau hyn yn tyfu ar bron 55 miliwn hectar o dir y byd.

Mae nifer o wefannau'n dangos ble mae cnydau GM yn cael eu profi yn y DU.

1 Awgrymwch pam yr arafodd plannu cnydau GM mewn gwledydd diwydiannol yn 1999.

2 Awgrymwch pam mae gwahaniaeth rhwng gwledydd diwydiannol a gwledydd datblygol o ran arwynebedd y tir sydd o dan gnydau GM.

2.13 Peirianneg genetig

Casglu tystiolaeth

GWEITHGAREDD

Mae Darren a Shareen yn darllen am beirianneg genetig. I ddechrau maen nhw'n casglu toriadau papur newydd am beirianneg genetig a'u rhoi ar hysbysfwrdd yn y labordy.

Maen nhw'n rhannu'r toriadau yn rhai sy'n cefnogi defnyddio technegau GM a rhai sydd yn erbyn.

Gan ddefnyddio gwybodaeth o'r adran hon, y Rhyngrwyd a llyfrgell yr ysgol, ychwanegwch ragor o wybodaeth i gefnogi pob ochr i'r ddadl. Darganfyddwch a oes safle profi cnydau GM yn eich ardal a gofynnwch am wybodaeth. Gofynnwch i'ch athro neu athrawes drefnu dadl lle gallwch gyflwyno ffrwyth eich ymchwil.

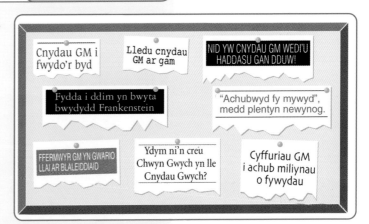

Y wyddoniaeth y tu ôl i beirianneg genetig

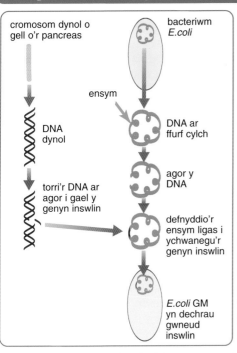

Mae cromosomau yng nghnewyll celloedd yn cynnwys DNA. Mae'r DNA hwn yn cario'r cod genynnol ar gyfer organebau byw.

Gall gwyddonwyr gymryd un genyn o DNA organeb a'i roi yn DNA organeb arall wrth iddi ddatblygu. Mae hyn yn creu organeb **drawsgenig** sy'n cynnwys y genyn newydd.

Ni all pobl sy'n dioddef o ddiabetes gynhyrchu digon o inswlin yn y pancreas. Byddan nhw fel rheol yn cael pigiad dyddiol o inswlin, felly mae angen cyflenwad mawr ohono. Erbyn heddiw, mae'n bosibl defnyddio bacteria sydd wedi cael eu creu trwy ddulliau peirianneg genetig i gynhyrchu inswlin dynol ar raddfa fawr. Maen nhw'n atgynhyrchu'n gyflym iawn, gan ffurfio biliynau o facteria newydd o fewn ychydig o oriau.

gw. Etifeddiad, tud. 46

gw. Diabetes, tud. 132

Y prif gamau mewn peirianneg genetig yw:

- **dethol** un o nodweddion organob;

- tynnu neu **arunigo**'r genyn hwnnw o'r DNA trwy ddefnyddio ensymau arbennig. Rhaid bod yn ofalus iawn wrth wneud hyn i sicrhau na symudir genynnau eraill hefyd;

- weithiau, copïo neu **ddyblygu**'r genyn;

- **mewnosod** neu roi'r genyn newydd yn DNA organeb arall. Defnyddir ensym arbennig i agor y DNA yn gyntaf.

Mae rhai pobl o'r farn y gallai'r broses hon achosi effeithiau anhysbys, gan ei bod yn ymyrryd â DNA yr organeb wreiddiol. Maen nhw'n credu y gallai organebau newydd a pheryglus gael eu creu.

2.13 Peirianneg genetig

Mae'r ddadl yn parhau

Nid oes angen chwistrellu cnwd o india corn GM mor aml â chnwd o india corn cyffredin.

Mae cnydau GM wedi'u haddasu mewn un o ddwy ffordd fel rheol.

- Gallant oddef **chwynladdwyr**. Mae hyn yn golygu y gall ffermwyr chwistrellu'r caeau i ladd chwyn heb effeithio ar y cnwd.

- Maen nhw'n cael eu haddasu i gynnwys genyn tocsin bacteriol (genyn Bt). Caiff y genyn hwn ei fewnosod o facteriwm. Yna gall y cnydau GM gynhyrchu'r tocsinau bacteriol sy'n gweithredu fel **plaleiddiad** 'mewnol' sy'n atal difrod gan bryfed. Mae hyn yn osgoi'r gost a'r perygl o ddefnyddio plaleiddiaid.

Ym mis Medi 2000, cafodd pobl UDA eu dychryn gan benawdau yn y wasg. Roedd genynnau amrywogaeth o india corn wedi cael eu haddasu i gynnwys genyn Bt. Pan sylweddolwyd y gallai achosi alergeddau dynol, cafodd ei gymeradwyo ar gyfer porthiant anifeiliaid yn unig. Ond daethpwyd o hyd i'r india corn hwn mewn 'taco shells', bwyd cyflym poblogaidd yn America. Er na ddaeth unrhyw adweithiau alergaidd i'r amlwg, nid oedd yn glir sut roedd yr india corn GM wedi mynd i fwyd dynol. Nid yw'r amrywogaeth hon ar werth bellach.

Mae planhigion cotwm Bt yn boblogaidd yn China: mae 20 y cant o'r cnwd wedi'i addasu'n enetig.

Mae defnyddio cotwm GM wedi arwain at ostyngiad o 80 y cant yn y defnydd o blaleiddiaid gwenwynig. Felly nid oes cymaint o ddifrod i'r amgylchedd gan nad yw plaleiddiaid yn crynhoi mewn cadwynau bwydydd.

Trwy ddefnyddio dulliau peirianneg genetig, llwyddodd gwyddonwyr Americanaidd i greu planhigyn tomato a allai oroesi mewn dŵr hallt iawn. Byddai hyn yn ei gwneud hi'n bosibl tyfu tomatos mewn rhannau newydd o'r byd. Fodd bynnag, yn 2002, darganfyddodd gwyddonwyr Prydeinig fod rhai planhigion tomato yn gallu goddef dŵr hallt a bod eraill yn dda am ei gadw allan. Trwy groesfridio, cynhyrchwyd planhigyn tomato a oedd cystal â'r tomato GM. Nid oedd angen ateb 'technoleg uwch'.

Mae peirianneg genetig wedi cael ei defnyddio hefyd i:

- gynyddu gallu planhigion i wrthsefyll afiechydon neu hinsawdd anffafriol;

- addasu micro-organebau i gynhyrchu cemegion ar raddfa fawr, er enghraifft, inswlin;

- cael ffrwythau i aeddfedu heb fynd yn feddal;

- atgyweirio diffygion genetig;

- addasu calonnau moch i'w trawsblannu mewn bodau dynol heb gael eu gwrthod;

- gwneud organebau a all gynhyrchu hormonau twf dynol.

2.13 Peirianneg genetig

Papur o boplys

ASTUDIAETH ACHOS

Mae tîm rhyngwladol o ymchwilwyr ym Mhrifysgol Dundee wedi bod yn brysur. Mae'r tîm wedi cynhyrchu'r papur cyntaf i gael ei wneud o goed GM. Cafodd y coed poplys eu tyfu ar sawl safle ym Mhrydain a Ffrainc.

Mae gwneuthurwyr papur yn wynebu dwy brif broblem. Un yw sut i dorri'r cemegyn lignin i lawr. Lignin sy'n gwneud coed yn galed a chryf. Mae angen alcalïau nerthol i wneud hyn. Os bydd yr alcalïau hyn yn cael eu rhyddhau i'r amgylchfyd gallant lygru afonydd a llynnoedd a dinistrio pethau byw.

Problem arall yw cannu ffibrau'r pren fel y bydd y papur yn edrych yn wyn. Defnyddir clorin at y pwrpas hwn. Nwy gwenwynig yw clorin ac mae'n adweithio'n hawdd i wneud asid hydroclorig. Gall hwn hefyd achosi problemau amgylcheddol.

Cafodd genynnau'r poplys eu haddasu fel bod y lignin yn hawdd ei dorri i lawr. Nid oedd angen defnyddio cymaint o alcali a chlorin ac roedd yn bosibl cynhyrchu mwy o bapur.

Mae'n ymddangos nad yw'r poplys wedi cael unrhyw effaith ar y bywyd gwyllt sy'n byw gerllaw a bod y fenter felly'n llwyddiant mawr.

Mae gwneud papur yn bwnc diddorol. Darganfyddwch sut i wneud eich papur eich hun. Defnyddiwch y Rhyngrwyd i ymchwilio i hanes defnyddio planhigion i wneud papur.

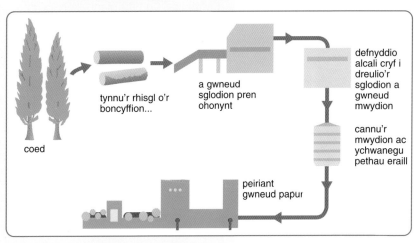

tynnu'r rhisgl o'r boncyffion...

a gwneud sglodion pren ohonynt

defnyddio alcali cryf i dreulio'r sglodion a gwneud mwydion

cannu'r mwydion ac ychwanegu pethau eraill

peiriant gwneud papur

coed

Y broses gwneud papur.

❸ Mae lignin y coed poplys GM yn hawdd ei dorri i lawr. Awgrymwch sut y gallai hyn fod yn broblem i'r coed.

❹ Mae rhai gwyddonwyr yn poeni am yr effaith bosibl ar goed poplys naturiol sy'n tyfu gerllaw. Awgrymwch pam.

Ffeithiau allweddol

Copïwch a chwblhewch y brawddegau trwy ddewis y galr cywir o'r rhestr o eiriau allweddol.

1 Cnwd y mae ei _____ _____ _____ yw cnwd GM.

2 Y prif gamau mewn peirianneg genetig yw:

(a) _____ nodwedd sydd ei hangen;

(b) _____ y genyn sydd ei angen;

(c) cynhyrchu rhagor o gopïau trwy _____;

(ch) rhoi'r genyn newydd yn y DNA trwy _____.

3 Gall cnydau GM oddef _____ fel nad yw chwynladdwyr yn eu lladd, neu gellir gwneud iddynt gynhyrchu _____ i osgoi difrod gan bryfed.

4 Mae gan organeb _____ DNA sy'n cynnwys genyn o organeb wahanol.

Geiriau allweddol

arunigo

chwynladdwr

dethol

dyblygu

genynnau wodi'u haddasu

mewnosod

pryfleiddiad

trawsgenig

Cwestiynau adolygu

1 Mae Neil yn tyfu planhigion tomato mewn bag tyfu.

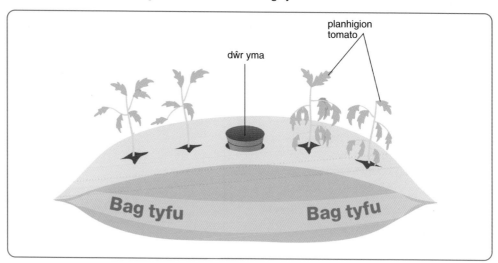

Copïwch a chwblhewch y cyfarwyddiadau canlynol. Defnyddiwch y geiriau hyn:

ffosffadau   ffotosynthesis   golau   magnesiwm   mwynau   tymheredd

• Sicrhewch nad yw'r pridd yn sychu oherwydd bod angen dŵr ar blanhigion ar gyfer_____.

• Nid oes angen ychwanegu gwrtaith ychwanegol i ddechrau gan fod y pridd yn cynnwys llawer o _____.

• Bydd angen digonedd o _____ar y cloroplastau yng nghelloedd y planhigion.

• Wrth i'r ffrwythau tomato ddatblygu, dylech ychwanegu gwrtaith sy'n cynnwys _____ a _____.

• Os defnyddiwch y bag tyfu hwn mewn tŷ gwydr gallwch reoli amodau megis _____. [6]

2 Mae'r cyfarwyddiadau'n nodi y gall rhai ffactorau cyfyngol arafu cyfradd ffotosynthesis.

(a)   Eglurwch beth a olygir gan yr ymadrodd 'ffactorau cyfyngol'. [2]

(b)   Eglurwch pa ffactorau cyfyngol a all fod ar waith. [2]

3 Mae Neil yn awyddus i dyfu'r tomatos mewn ffordd organig.

(a) Beth yw ystyr 'ffermio organig'? [2]

(b) Pam mae llawer o bobl yn credu bod ffermio organig yn cynhyrchu gwell bwyd? [1]

(c) Awgrymwch sut y gellir defnyddio dulliau organig i reoli:

  (i) chwyn   (ii) plâu ar anifeiliaid   (iii) plâu ar blanhigion [3]

4 Defnyddir peirianneg genetig i gynhyrchu cnydau GM ac mewn meddygaeth. Mae Gari yn cefnogi peirianneg genetig. Mae Neil yn ei herbyn. Pa ddadleuon y gall Gari a Neil eu defnyddio i gefnogi eu safbwyntiau? [4]

2 Organebau byw

Cynnwys

Aseiniadau a gweithgareddau ymarferol sy'n gysylltiedig â'r adran hon:

Ymchwilio i ficro-organebau;

Cynhyrchu iogwrt o laeth.

Hir oes i'r fresychen

Micro-organebau, llaeth ac iogwrt

Ymchwilio i sut mae gwrthfiotigau'n gweithio

Defnyddiwch y canlynol i gadw llygad ar eich cynnydd.

Uned 1

Byddwch chi'n:

- dysgu sut y defnyddir burum yn y diwydiant bragu gw. tud. 82–5

- gwneud gwaith cyfrifo syml. gw. tud. 90, 95

Uned 2

Byddwch chi'n:

- gwybod sut y gellir defnyddio micro-organebau i wneud bwyd a moddion gw. tud. 82–5

- gwybod am wahanol fathau o ficro-organebau megis bacteria, ffyngau a firysau gw. tud. 86–9

- gwybod y gall micro-organebau achosi clefydau a gwybod am rai enghreifftiau gw. tud. 90–3

- disgrifio dulliau o atal heintio a halogi gw. tud. 94–7

- deall sut y gall imiwneiddio ein gwarchod ni ac anifeiliaid eraill rhag micro-organebau niweidiol gw. tud. 98–101

- gwybod y gall rhai bacteria, ond nid firysau, gael eu lladd gan wrthfiotigau. gw. tud. 102–5

Uned 3

Byddwch chi'n:

- deall bod angen amodau arbennig ar ficro-organebau i dyfu'n dda. gw. tud. 84

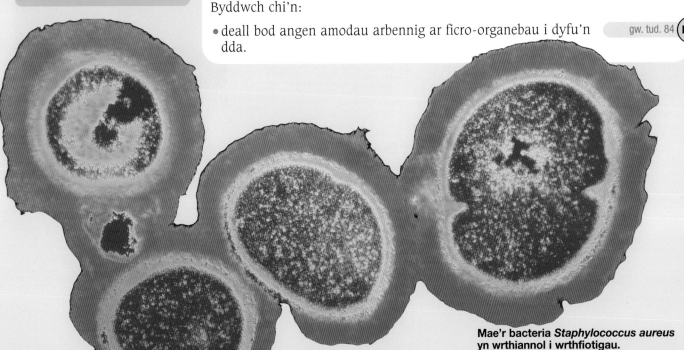

Mae'r bacteria *Staphylococcus aureus* yn wrthiannol i wrthfiotigau.

2.14 Eplesiad

Bragdy Brains.

Bragdy Brains

Cafodd cwmni bragu Brains ei sefydlu yn 1882 gan Samuel Arthur Brain a'i ewythr Joseph. Mae bragdy Brains yng Nghaerdydd ac mae cwrw yn dal i gael ei wneud yno. Yr hyn sy'n gwneud y broses o wneud cwrw yn bosibl yw micro-organeb o'r enw burum. Ffwng ungellog yw **burum** sy'n byw trwy fwydo ar siwgr. Mae'r burum yn torri'r siwgr i lawr yn **alcohol** a **charbon deuocsid**. **Eplesiad** yw'r enw a roddir ar y broses hon.

Y broses fragu

Brag

Maltos yw enw'r siwgr a ddefnyddir gan y burum. Mae maltos yn cael ei gynhyrchu pan fydd hadau haidd yn cael eu mwydo mewn dŵr ac yn dechrau egino.

Mae **ensymau** yn yr hadau haidd gwlyb (brag) yn cael eu hactifadu ac yn troi'r startsh sydd wedi'i storio yn yr hadau yn faltos i ddarparu egni ar gyfer egino. Gall bragdai mawr fel yr un yng Nghaerdydd gynhyrchu sypiau mawr o frag ar y tro. Caiff y brag ei falu'n flawd bras o'r enw mâl sy'n cael ei gymysgu â dŵr poeth. Yna caiff y breci (yr hylif) ei echdynnu.

Mae hopys yn rhoi blas chwerw i gwrw.

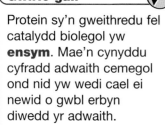

Hopys

Er mwyn rhoi i gwrw ei flas arbennig, caiff hopys eu hychwanegu. Planhigyn dringo yw'r hopysen sy'n cynhyrchu hadau ar ffurf côn. Caiff y rhain eu casglu a'u sychu cyn eu hychwanegu at y cwrw. Maen nhw'n rhoi blas chwerw i'r cwrw.

1 Awgrymwch pam mae cwrw'n cael ei alw'n 'chwerw' weithiau.

Bragu'r cwrw

Mae hopys yn cael eu hychwanegu at y breci ac mae'r cymysgedd yn cael ei ferwi. Yna caiff yr hylif ei dynnu a'r burum ei ychwanegu. Mae'r cymysgedd yn cael ei adael i eplesu. O fewn ychydig o ddyddiau bydd y burum wedi cynhyrchu'r ddiod feddwol yr ydym ni'n ei galw'n gwrw.

Dylunio siart llif

GWEITHGAREDD

Mae gwyddonwyr yn defnyddio siartiau llif i symleiddio prosesau cymhleth. Edrychwch ar yr astudiaeth achos ar dudalen 85 ar gyfer Bragdy Mansfield. Fe welwch siart llif. Mae'n egluro'r broses gymhleth o gynhyrchu cwrw.

Proses arall sy'n defnyddio burum yw gwneud bara. Mae'r lluniau isod yn dangos yr holl gamau yn y broses hon. Ond dydyn nhw ddim yn y drefn gywir. Mae'r labeli'n gryno ac nid oes unrhyw saethau'n eu cysylltu.

Dychmygwch eich bod chi'n ben pobydd. Rydych chi eisiau cynhyrchu siart llif i ddysgu pobwyr dan hyfforddiant sut mae crasu bara. Defnyddiwch y lluniau i gynhyrchu taflen yn dwyn y teitl 'Sut mae gwneud bara da'. Dylai eich taflen gynnwys siart llif gydag esboniadau ysgrifenedig.

Mae'n bosibl y bydd angen i chi ymchwilio i sut mae bara'n cael ei wneud.

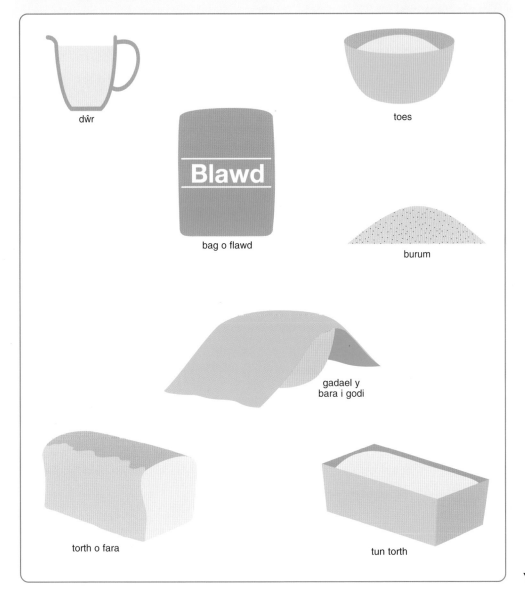

dŵr

toes

Blawd

bag o flawd

burum

gadael y bara i godi

torth o fara

tun torth

Y camau wrth wneud bara.

2.14 Eplesiad

Sicrhau'r amodau iawn

Wrth wneud cwrw, mae'n bwysig cael yr amodau'n iawn. Mae Bragdy Brains yn cymryd gofal mawr i reoli ffactorau megis tymheredd. Mae safon y cwrw yn dibynnu ar fod mor ofalus â phosibl.

Tymheredd

Gan fod burum yn organeb fyw, mae'n well ganddo fyw mewn amgylchedd nad yw'n rhy oer ac nad yw'n rhy boeth. Dylai **tymheredd** yr eplesu fod rhwng 15°C a 25°C.

Os yw'r tymheredd yn rhy uchel, bydd yr ensymau yn y burum yn cael eu dadnatureiddio a fyddan nhw ddim yn gweithio.

Os yw'r tymheredd yn rhy isel, bydd yr adweithiau yn digwydd yn araf iawn.

2 Os gallwch, ceisiwch wneud cwrw ar dri thymheredd gwahanol: 10°C, 23°C a 65°C. Disgrifiwch pa mor gyflym rydych chi'n meddwl y bydd eplesu'n digwydd ar y tri thymheredd gwahanol.

Dŵr

Mae angen dŵr ar gyfer eplesu. Y rheswm am hyn yw fod burum yn organeb fyw.

Absenoldeb aer

Mae burum yn resbiradu'r un fath â ni fel rheol. Mae'n torri siwgr i lawr ym mhresenoldeb **ocsigen**, i gynhyrchu carbon deuocsid a dŵr. Nid yw hyn yn ddefnyddiol iawn os ydym ni'n ceisio gwneud cwrw. Ond gall burum resbiradu heb ocsigen hefyd. Resbiradaeth anaerobig yw'r enw ar hyn.

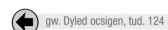
gw. Dyled ocsigen, tud. 124

gw. Dyled ocsigen, tud. 124

$$\text{siwgr (glwcos)} \longrightarrow \text{ethanol (alcohol)} + \text{carbon deuocsid}$$
$$C_6H_{12}O_6 \longrightarrow 2C_2H_5OH + 2CO_2$$

Rhoddir ychydig o ocsigen yn yr eplesydd wrth gychwyn y broses eplesu, ond mae'n bwysig nad yw unrhyw ocsigen yn mynd i'r llestr eplesu wedyn.

3 Eglurwch sut mae aerglo yn rhwystro ocsigen rhag cyrraedd y cymysgedd.

Hyd yn oed ar ôl gwneud y cwrw, mae'n bwysig cadw ocsigen i ffwrdd. Os bydd ocsigen yn mynd i'r llestr, bydd bacteria yn resbiradu trwy resbiradaeth aerobig ac yn troi'r alcohol yn finegr.

gw. Aerobeg, tud. 120

Geiriau allweddol

alcohol

burum

carbon deuocsid

catalydd

ensym

eplesiad

maltos

ocsigen

tymheredd

Ffeithiau allweddol

Copïwch a chwblhewch y brawddegau trwy ddewis y gair cywir o'r rhestr o eiriau allweddol. Gellir defnyddio pob gair fwy nag unwaith.

1 Mae bragwyr yn defnyddio _____ i drawsnewid y startsh mewn haidd yn faltos.

2 _____ biolegol yw ensym.

3 Yn ystod _____ mae burum yn trawsnewid _____ yn _____ _____ a _____.

4 Mae _____ yn gweithio orau ar _____ rhwng 15 a 25°C.

5 Mae'n bwysig rhwystro _____ rhag cyrraedd y burum, neu bydd yr alcohol yn troi'n finegr.

Bragdy Brains

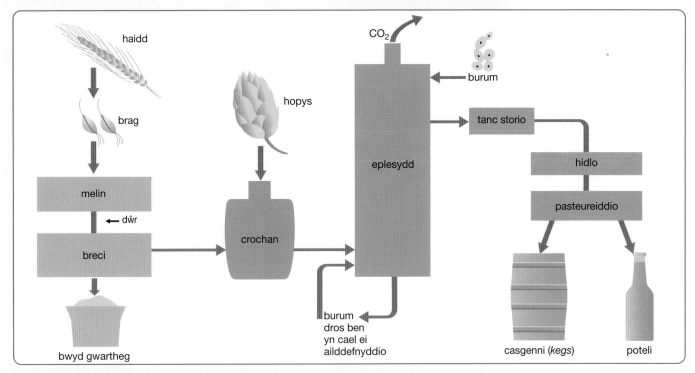

Siart llif yn dangos y broses fragu.

Copïwch y siart llif sy'n dangos sut mae'r bragdy'n gwneud cwrw, neu defnyddiwch y copi uchod a helaethwch ef.

Ychwanegwch y labeli canlynol at y diagram.

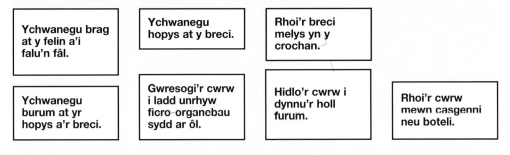

4. Disgrifiwch pryd mae ensymau'n cael eu defnyddio i wneud y cwrw.

5. Awgrymwch pam na fyddai'n syniad da cael burum byw yn y cwrw yn y gasgen seliedig.

6. Eglurwch pam nad oes angen i'r bragdy brynu burum ffres o gwbl.

7. Eglurwch i beth y gellir defnyddio'r burum dros ben.

8. Meddyliwch am y materion Iechyd a Diogelwch sy'n gysylltiedig â gwneud cwrw. Gwnewch restr ohonynt

Rydym ni'n defnyddio eplesiad i wneud llawer o bethau eraill. Er enghraifft, gellir defnyddio dulliau tebyg i wneud iogwrt, gwin a gwrthfiotigau. Hefyd defnyddir eplesu gan facteria neu ffyngau i wneud proteinau, megis ensymau, at ddefnydd diwydiannol.

2.15 Mathau o ficro-organebau

Clwy'r traed a'r genau

Llety gwely a brecwast Wendy a Gerry ar gyrion Gweunydd Gogledd Efrog.

Roedd Wendy a Gerry yn bryderus. Roedd hi'n ddechrau haf 2001 ac roeddent yn berchen ar dŷ ar gyrion Gweunydd Gogledd Efrog lle'r oedd ganddynt fusnes gwely a brecwast bach. Mewn blwyddyn gyffredin byddai llu o gerddwyr ac ymwelwyr wedi trefnu aros gyda nhw. Ond nid oedd hon yn flwyddyn gyffredin. Ychydig o wythnosau ynghynt roedd **clwy'r traed a'r genau** wedi taro'r ardal. Cafodd y ffyrdd i'r pentref eu cau a gwaharddwyd ymwelwyr rhag mynd yno. Gwyddai Wendy a Gerry y byddai eu busnes gwely a brecwast mewn trafferth ariannol ddifrifol heb ymwelwyr. Roeddent yn gwybod hefyd fod y clefyd yn ymosod ar wartheg a defaid a bod micro-organeb o'r enw **firws** yn ei achosi.

Beth yw micro-organebau?

Pethau byw bach iawn yw **micro-organebau**. Maen nhw mor fach fel na allwn ni eu gweld â'n llygaid. Rhaid defnyddio microsgop nerthol i'w hastudio.

 gw. Gwrthfiotigau, tud. 102

Er eu bod yn fach iawn, mae rhai micro-organebau yn ddefnyddiol iawn i ni. Gallwn eu defnyddio i wneud proteinau, bara, cwrw, gwin a iogwrt. Gallant ddarparu cyffuriau, megis gwrthfiotigau. Ond mae micro-organebau eraill yn achosi clefydau. Maen nhw'n gyfrifol am lawer o boen a dioddefaint. Clefyd arall a achosir gan ficro-organeb yw **tarwden y traed** (*athlete's foot*). Ond nid firws sy'n achosi'r clefyd hwn ond math arall o ficro-organeb o'r enw **ffwng** (lluosog: **ffyngau**).

Parasitiaid yw'r enw ar ficro-organebau sy'n byw y tu mewn i bethau byw eraill neu arnynt ac sy'n gwneud drwg iddynt. Parasitiaid yw firws clwy'r traed a'r genau a'r ffwng sy'n achosi tarwden y traed.

1 Awgrymwch pam y cymerodd amser maith i bobl ddarganfod micro-organebau.

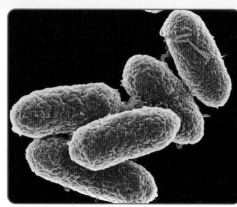

Bacteria Salmonella, wedi'u chwyddo × 109 000.

2.15 Mathau o ficro-organebau

Clwy'r traed a'r genau: y lladdfa (2001) GWEITHGAREDD

Mae'r DU yn rhydd o glwy'r traed a'r genau fel rheol. Ar ôl darganfod y clefyd yn 2001, penderfynwyd mai'r ffordd orau o'i drechu oedd lladd yr holl anifeiliaid a oedd yn dioddef ohono. Hyd yn oed os nad oedd anifeiliaid yn dioddef o'r clefyd, byddent yn cael eu lladd os oedd unrhyw amheuaeth eu bod mewn cysylltiad ag anifail heintiedig.

Mae'r tabl yn dangos faint o anifeiliaid a gafodd eu lladd yn ystod yr epidemig.

Clwy'r traed a'r genau – rhai ffeithiau diddorol (o www.defra.gov.uk).

Math o anifail	Anifeiliaid ar ffermydd heintiedig	Anifeiliaid ar ffermydd cyfagos	Cysylltiadau peryglus eraill	Anifeiliaid dan amheuaeth o ddioddef o'r clefyd	Cyfanswm yr anifeiliaid a laddwyd
Gwartheg	299 684	196 199	79 224	13 490	588 597
Defaid	977 511	992 192	1 372 790	108 499	3 450 992
Moch	21 941	52 163	68 288	2498	144 890
Geifr	791	713	670	293	2467
Ceirw	28	578	413	3	1022
Eraill	494	1848	6	3	2351
Cyfanswm	**1 300 449**	**1 243 693**	**1 521 391**	**124 786**	**4 190 319**

Nid yw clwy'r traed a'r genau yn lladd yr anifail bob tro. Mae llawer ohonynt yn gwella, heb unrhyw effeithiau tymor hir. Hefyd mae brechlyn ar gael i ddiogelu gwartheg rhag y clefyd. Mae gwledydd Ewropeaidd sy'n rhydd o'r clefyd yn gwrthod mewnforio cig o wledydd lle mae'r clefyd yn broblem.

gweler Imiwneiddio, tud. 98

1 Os nad yw clwy'r traed a'r genau yn angheuol bob amser, awgrymwch pam yr aeth y llywodraeth i'r fath drafferth i gael gwared ag ef.

2 Nodwch faint o anifeiliaid a oedd wedi cael eu lladd erbyn diwedd epidemig 2001.

3 Er nad yw ceirw yn cael eu cadw ar ffermydd fel rheol, bydd Wendy a Gerry yn eu gweld yn aml ger eu cartref. Awgrymwch pam y cafodd 1022 ohonynt eu lladd.

4 Awgrymwch beth yw ystyr y pennawd 'Cysylltiadau peryglus eraill' yn y tabl.

2.15 Mathau o ficro-organebau

Mathau o ficro-organebau

Gwirio gair ✓

DNA yw'r cemegyn sy'n cynnwys y cod ar gyfer gwneud celloedd byw.

Bacteria

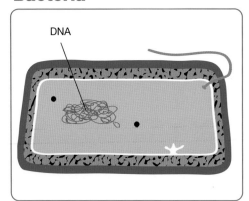

DNA

Cell facteriol.

Mae gan **facteriwm** (lluosog: **bacteria**) un gell. Mae bacteria yn llawer symlach nag anifeiliaid a phlanhigion. Er enghraifft, nid oes ganddynt gnewyllyn. Mae eu **DNA** yn y cytoplasm, byth mewn cnewyllyn.

Gall bacteria atgynhyrchu'n gyflym iawn. Gall rhai ohonynt ymrannu bob 20 munud. Mae hyn yn golygu y gall un bacteriwm luosi i greu miliynau o facteria eraill o fewn ychydig o oriau.

gw. Eplesiad, tud. 82

Ffyngau

Yn wahanol i facteria, gall fod gan **ffwng** (lluosog: **ffyngau**) lawer o gelloedd. Yn wahanol i blanhigion, nid oes unrhyw gloroffyl mewn ffyngau. Mae hyn yn golygu bod yn rhaid iddynt fyw ar bethau eraill oherwydd na allant wneud eu bwyd eu hunain. Ffwng ungellog yw burum.

Ffwng sy'n achosi'r clefyd **tarwden y traed**. Mae'r ffwng yn tyfu ar y feinwe feddal a llaith rhwng bysedd traed pobl. Mae'r mwyafrif o ffyngau'n bwydo ar organebau marw ond mae rhai, fel ffwng tarwden y traed, yn bwydo ar feinwe ddynol. Mae'r ffwng yn secretu ensymau sy'n treulio meinwe eich croen ac yn ei amsugno i'r ffwng.

6 Awgrymwch pam mae'n bwysig i chi olchi eich traed bob dydd.

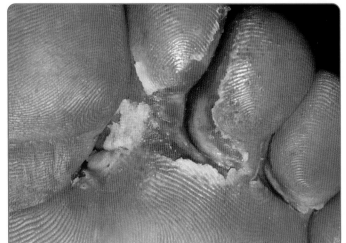

Tarwden y traed.

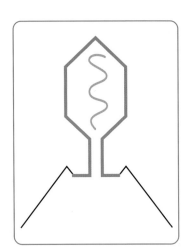

Firws – mae'r math hwn yn ymosod ar facteria yn hytrach na phlanhigion neu anifeiliaid.

Firysau

Mae firysau'n llawer llai na bacteria a ffyngau. Maen nhw mor fach, fel ei bod hi'n amhosibl eu gweld â microsgop golau hyd yn oed. Maen nhw'n byw trwy fynd i mewn i gelloedd eraill a gwneud i'r celloedd hyn wneud rhagor o gopïau o'r firws. Ar ôl i'r celloedd lenwi â firysau, byddan nhw'n torri ar agor gan ryddhau'r firysau i ymosod ar fwy byth o gelloedd.

2.15 Mathau o ficro-organebau

Epidemig clwy'r traed a'r genau yn 2001 (ASTUDIAETH ACHOS)

Roedd busnes gwely a brecwast Wendy a Gerry wrth ymyl fferm. Roeddent yn poeni'n fawr y byddai'r clefyd yn cyrraedd y fferm. Roeddent yn gwybod bod clwy'r traed a'r genau yn heintus iawn a'i fod yn cael ei ledaenu wrth i anifeiliaid a phobl gario'r firws o un fferm i fferm arall. Ar ôl i fferm gael ei heintio, bu'n rhaid lladd yr holl anifeiliaid arni ac ar y ffermydd cyfagos. Yna byddai cyrff yr anifeiliaid yn cael eu llosgi ar danau enfawr. Er mwyn atal y clefyd rhag lledu, cafodd y ffyrdd at y pentref eu cau. Dim ond y pentrefwyr a gâi ddefnyddio'r ffyrdd. Cyn mynd i mewn i'r pentref, byddai'n rhaid iddynt chwistrellu olwynion eu ceir â diheintydd.

Cafodd yr holl lwybrau troed yn yr ardal eu cau, gan atal cerddwyr rhag mynd ar y gweunydd. Aeth bron blwyddyn heibio cyn i Wendy a Gerry allu agor eu busnes gwely a brecwast eto i ymwelwyr.

7 Eglurwch pam y byddai'r anifeiliaid ar ffermydd cyfagos yn cael eu lladd pan fyddai clwy'r traed a'r genau yn cyrraedd fferm.

8 Eglurwch pam y cafodd cyrff yr anifeiliaid a laddwyd eu llosgi.

9 Eglurwch pam roedd yn rhaid i Wendy a Gerry chwistrellu olwynion eu car wrth fynd i mewn i'r pentref.

10 Cafodd y clefyd ei ledaenu o fferm i fferm gan wartheg a cherbydau. Awgrymwch ffyrdd eraill y gallai'r firws fod wedi cael ei ledaenu.

11 Eglurwch pam y cafodd yr holl lwybrau troed ar Weunydd Gogledd Efrog eu cau i gerddwyr.

Ffeithiau allweddol

Copïwch a chwblhewch y brawddegau trwy ddewis y gair cywir o'r rhestr o eiriau allweddol.

1 Math o _____ yw burum a ddefnyddir yn y diwydiannau bragu a phobi.

2 Clefyd mewn anifeiliaid a achosir gan _____ yw _____ _____ _____.

3 Clefyd mewn pobl a achosir gan ffwng yw _____ _____ _____.

4 Mae _____ yn fath arall o organeb.

5 Mae _____ sy'n achosi niwed yn cael ei alw'n _____ weithiau.

6 Cemegyn sy'n cynnwys y cod genynnol yw _____ .

Geiriau allweddol

bacteria (unigol: bacteriwm)

clwy'r traed a'r genau

DNA

firws

ffwng

micro-organeb

parasit

tarwden y traed

2.16 Micro-organebau'n lledaenu

gw. Mathau o ficro-organebau, tud. 86

Gwirio gair

Os bydd clefyd yn effeithio ar lawer o bobl yr un pryd, dywedwn fod **epidemig** wedi torri allan.

Gwirio gair

Bydd **mwtaniadau** yn digwydd pan fydd y cod DNA yn newid.

Gwirio gair

Os yw rhywun yn **imiwn**, mae'n golygu y gall wrthsefyll gael ei heintio gan ficro-organeb sy'n achosi clefyd.

Epidemig ffliw 1918

Yn ystod dyddiau olaf y Rhyfel Byd Cyntaf, dechreuodd epidemig newydd o'r ffliw ledaenu ar draws y byd. Pandemig yw'r enw a roddir ar **epidemig** sy'n lledaenu o wlad i wlad i bedwar ban byd.

Firws sy'n achosi'r ffliw.

Mae firws y ffliw yn mwtanu

Yn anffodus i ni, gall firws y ffliw esblygu a newid adeiledd ei haen allanol o brotein. **Mwtaniadau** yw'r enw ar y newidiadau hyn. Bob tro mae hyn yn digwydd, mae'n golygu na all ein cyrff ein hamddiffyn rhag y ffliw bellach, a gallwn ddal y clefyd eto. Am y rheswm hwn, er y gallwn ddod yn **imiwn** i glefydau fcl **polio**, ni allwn ddod yn imiwn i glefydau fel y ffliw neu'r annwyd cyffredin.

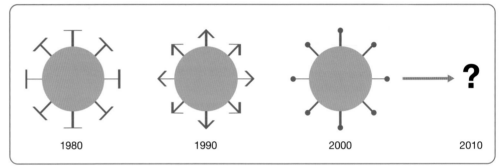

1980   1990   2000   2010

Mae firws y ffliw yn mwtanu.

Mewn rhai rhannau o'r byd roedd y gyfradd marwolaethau yn 1918 yn eithriadol o uchel. Mewn rhannau o Affrica ac India, cododd y gyfradd marwolaethau i un person ym mhob ugain, ac mewn rhai rhannau anghysbell o Awstralia, bu farw hanner y boblogaeth.

Bu farw mwy o bobl o'r ffliw nag a laddwyd yn ystod y Rhyfel Byd Cyntaf. Yn anarferol, pobl yn y grwpiau oedran iau, rhwng 15 a 40 oed, oedd y rhan fwyaf o'r rheiny a fu farw. Fel rheol mae'r ffliw yn effeithio ar bobl ifanc iawn a hen iawn.

Yr epidemig yn 1918 oedd yr un gwaethaf erioed. Bu farw un o bob dau gant o bobl Lloegr a Chymru o'r clefyd.

1. Darganfyddwch faint o ddisgyblion sydd yn eich ysgol. Cyfrifwch faint o'r rhain a allai fod wedi marw o'r ffliw pe bai hi'n 1918.

2. Awgrymwch pam y cafodd y ffliw lai o effaith ar hen bobl nag ar bobl ifancach.

3. Eglurwch pam mae pobl sy'n cael pigiad rhag y ffliw yn cael pigiad newydd bob blwyddyn.

2.16 Micro-organebau'n lledaenu

Y ffliw yn Ewrop — GWEITHGAREDD

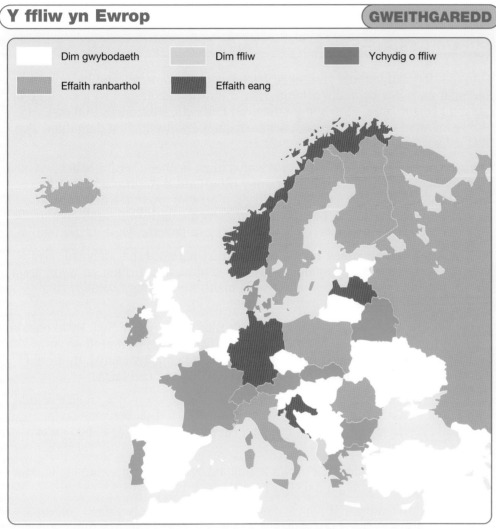

| | Dim gwybodaeth | | Dim ffliw | | Ychydig o ffliw |
| | Effaith ranbarthol | | Effaith eang |

Map yn dangos effaith firws y ffliw yn Ewrop ym mis Ebrill 2002 (o FluNet, WHO)

4 Defnyddiwch atlas o Ewrop i ddod o hyd i ddeg o'r gwledydd sydd ar y map uchod. Lluniwch siart bar i ddangos effaith firws y ffliw yn y gwledydd hyn.

5 Mae'r map yn rhoi'r argraff bod effaith y ffliw yn newid rhwng ffin un wlad a ffin gwlad arall. A ydych chi'n meddwl bod hyn yn ddisgrifiad manwl o beth sy'n digwydd mewn gwirionedd?

6 Mae'r prifwynt yn Ewrop yn dod o'r de-orllewin. Awgrymwch un rheswm pam roedd gwledydd fel Iwerddon a Phortiwgal wedi cofnodi lefelau isel o'r ffliw.

7 Mae angen gwybodaeth fanwl gywir i greu map fel hwn. Awgrymwch sut y gallai gwlad fel y DU gasglu gwybodaeth am nifer yr achosion o'r ffliw sy'n digwydd ar adeg benodol

Cafodd y map ei gynhyrchu gan Fudiad Iechyd y Byd (WHO).

Defnyddiwch y Rhyngrwyd i ddarganfod rhagor o wybodaeth am waith y corff hwn.

2.16 Micro-organebau'n lledaenu

Sut mae clefydau'n cael eu lledaenu

Gan fod clefydau heintus yn cael eu hachosi gan ficro-organebau bach iawn (germau yw'r enw cyffredin arnynt), mae'n hawdd iddynt gael eu lledaenu o un person i berson arall. Mae hyn yn digwydd heb i chi sylweddoli. Dim ond yn ddiweddarach, pan ddechreuwch deimlo'n sâl, y byddwch chi'n darganfod eich bod chi wedi dal y clefyd.

Defnynnau yn yr awyr. Caiff llawer o glefydau eu lledaenu wrth i bobl besychu a thisian. Mae hyn yn arbennig o wir am y ffliw. Caiff **defnynnau** bach o ddŵr eu gollwng o'r trwyn a'r geg. Mae miloedd o germau ym mhob defnyn. Mae'r defnynnau dŵr hyn yn cael eu cario yn yr awyr a gall rhywun arall eu hanadlu i mewn. Mae **twbercwlosis**, clefyd a achosir gan facteria, yn lledaenu fel hyn.

gw. Gwrthfiotigau, tud. 102

Llwch. Mae'r micro-organebau sy'n achosi rhai clefydau, megis anthracs, yn gallu cynhyrchu sborau. Mae'r rhain yn wydn iawn a gallant oroesi am gyfnod maith mewn amgylchedd sych a llychlyd.

Cyffyrddiad. Gellir lledaenu'r ffliw trwy gyffyrddiad. Bydd pobl yn chwythu eu trwyn ac yna'n cyffwrdd â rhywun arall ac yn trosglwyddo'r firws iddynt. Yn ôl arbenigwyr iechyd, un ffordd dda o atal y ffliw yw golchi eich dwylo'n rheolaidd.

Mae tisian a phesychu yn lledaenu clefydau.

Ymgarthion. Mae llawer o ficro-organebau'n byw yn eich coludd. Gall rhai o'r rhain, megis firws polio, fod yn beryglus iawn. Dyma pam mae'n bwysig i chi olchi'ch dwylo ar ôl bod yn y toiled.

Anifeiliaid. Gall rhai clefydau mewn anifeiliaid gael eu trosglwyddo i bobl. Mae ambell enghraifft o bobl yn dal clwy'r traed a'r genau.

gw. Rhoddwr gwaed, tud. 112

Gwaed. Rhaid i feddygon a nyrsys ddefnyddio menig tafladwy wrth ymdrin â chlaf sy'n gwaedu. Mae'r Gwasanaeth Trallwyso Gwaed Cenedlaethol yn cymryd gofal arbennig i sicrhau nad oes unrhyw glefydau heintus yn y gwaed a roddir i gleifion. Rhannu nodwyddau hypodermig yw un o achosion mwyaf cyffredin heintiadau gwaed ymysg pobl sy'n defnyddio cyffuriau. Mae hyn wedi cyfrannu at ledaeniad cyflym clefydau megis hepatitis ac AIDS.

Geiriau allweddol

defnynnau

epidemig

imiwn

mwtanu

polio

twbercwlosis

Ffeithiau allweddol

Copïwch a chwblhewch y brawddegau trwy ddewis y gair cywir o'r rhestr o eiriau allweddol. Gellir defnyddio pob gair fwy nag unwaith.

1 Gall micro-organebau gael eu lledaenu gan _____ yn yr awyr, llwch, cyffyrddiad, ymgarthion, anifeiliaid a gwaed.

2 Mae _____ yn enghraifft o glefyd a all gael ei ddal o ymgarthion.

3 Os cawn lawer iawn o achosion o glefyd dywedwn fod gennym _____. Mae'r rhain yn digwydd yn aml gan fod micro-organeb wedi _____.

4 Clefyd sy'n effeithio ar yr ysgyfaint yw _____ ac mae'n cael ei ledaenu gan facteria mewn _____.

5 Os ydych chi'n _____ i glefyd, mae'n golygu na fyddwch yn cael y clefyd hwnnw.

2.16 Micro-organebau'n lledaenu

Project 1918

Datrys dirgelwch pandemig gwaethaf yr 20fed ganrif

Yn 1918 cafodd chwe mwynwr a oedd yn byw yn nhref anghysbell Longyearbyen yn Norwy eu lladd gan y ffliw. Cafodd eu cyrff eu claddu ym mynwent Svalbard. Y peth anarferol am y beddau yw fod y ddaear yno wedi'i rhewi'n barhaol. Mae hyn yn golygu bod eu cyrff wedi cael eu rhewi ers bron 90 mlynedd.

Er nad oes unrhyw gofnodion meddygol o'r cyfnod, mae sôn am y digwyddiad yn nyddiaduron un o beirianwyr y cwmni mwyngloddio.

Yn 1997, cafodd y cyrff eu harchwilio gan yr Athro Kirsty Duncan a thîm o wyddonwyr a oedd yn chwilio am y firws a laddodd y mwynwyr. Roeddent yn awyddus i arunigo'r firws er mwyn gallu astudio ei DNA. Byddai hyn yn rhoi gwybodaeth bwysig iddynt am y firws ac yn eu galluogi i gynhyrchu triniaeth fwy effeithiol ar gyfer y clefyd modern.

Meddai'r Athro Duncan, 'Rydym ni'n ddiolchgar iawn i deuluoedd y dynion ifanc a phobl Svalbard a Norwy. Project hynod o anodd yw hwn. Credaf fod gorweddfan derfynol rhywun yn gysegredig ac na ddylid aflonyddu ar gorff yn ystod ei orffwys hir. Yr unig reswm fy mod i'n gallu parhau â'r project yw fod gen i argyhoeddiad cryf y daw rhywbeth da o drychineb 1918. Efallai y byddwn ni o'r diwedd yn dysgu cyfrinachau 1918 ac yn eu defnyddio i wella iechyd pobl drwy'r byd.'

Mynwent Svalbard.

gw. Etifeddiad, tud. 46

8 Awgrymwch pam roedd yr Athro Duncan yn cael y profiad yn un anodd iawn.

9 Eglurwch pam y bu'n rhaid i'r bobl a agorodd y beddau wisgo siwtiau diogelwch biolegol.

10 Dychmygwch mai chi yw un o berthnasau'r dynion marw. Ysgrifennwch dudalen ar gyfer eich dyddiadur yn egluro sut roeddech chi'n teimlo ynghylch codi corff eich perthynas at bwrpas ymchwil gwyddonol. Ceisiwch gynnwys rhesymau dros eich hapusrwydd yn ogystal â'ch tristwch.

11 Awgrymwch pam y gallai firws y ffliw fod wedi caol oi gadw hcb ci newid yn naear rewedig y fynwent.

2.17 Cadw bwyd

Andy y cigydd

Mae gan Andy siop gig. Mae'n cadw'r siop yn lân iawn. Mae'n gwybod ei bod hi'n bwysig iddo ef a'i staff gynnal safonau hylendid uchel iawn.

Mae gan siopau cig fel un Andy broblem arbennig gan eu bod yn gwerthu cig ffres a chig wedi'i goginio.

Sicrhau bod cig yn ddiogel

Cig ffres

Cig heb ei goginio yw cig ffres. Hyd yn oed os yw wedi cael ei drafod yn ofalus iawn mae'n debyg y bydd wedi cael ei **halogi** ag amryw o facteria. Ond os caiff y cig ei drafod a'i goginio'n iawn, ni fydd y bacteria hyn yn fygythiad i iechyd y bobl sy'n ei fwyta.

Gwirio gair

Ystyr **halogi** yw gwneud yn fudr neu lygru.

Cig ffres.

Cig wedi'i goginio

Cigoedd wedi'u coginio yw cigoedd fel ham. Maen nhw wedi cael eu coginio a'u paratoi fel y gall y cwsmer eu bwyta'n syth. Gan na fydd y cig hwn yn cael ei goginio eto, mae'n hynod o bwysig sicrhau nad yw'n cael ei halogi â bacteria o'r cig ffres.

Ar ôl cau'r siop bob nos, mae'n bwysig i Andrew lanhau'r holl gyfarpar a'r wynebau gweithio.

Cigoedd wedi'u coginio.

Gw. Mathau o ficro-organebau, tud. 86

❶ Eglurwch pam mae'n bwysig sicrhau nad yw cigoedd wedi'u coginio, fel ham, yn cael eu halogi â bacteria niweidiol.

❷ Pam mae'n bwysig i Andy lanhau'r wynebau gweithio bob nos?

❸ Sut y gallai bacteria o gig ffres halogi'r cigoedd wedi'u coginio yn siop Andy? Rhestrwch gymaint o ffyrdd ag y gallwch.

2.17 Cadw bwyd

Sut i osgoi gwenwyn bwyd   GWEITHGAREDD

Daw'r darn canlynol o daflen ar gyfer pobl sy'n gweithio mewn lleoedd sy'n gwerthu bwyd. Mae'n egluro pwysigrwydd **hylendid**.

Gwenwyn bwyd – sut i'w osgoi

Mae gwenwyn bwyd yn cael ei achosi pan fydd micro-organebau'n tyfu ar fwyd sydd wedi cael ei adael mewn amodau gwael. Mae'r microbau'n cynhyrchu cemegion sy'n gwneud i ni deimlo'n sâl ac maen nhw'n achosi afiechyd a dolur rhydd. Un o achosion cyffredin gwenwyn bwyd yw traws-halogiad. Gall bwyd heb ei goginio, fel cig a chyw iâr, adael miliynau o facteria ar wynebau gweithio. Yna os rhoddir bwydydd eraill, fel cigoedd wedi'u coginio, ar yr wynebau, bydd bacteria yn eu halogi. Mae bacteria yn tyfu ac yn lluosi'n gyflym yn yr amodau cynnes. Felly pan fydd rhywun yn bwyta'r bwyd, bydd yn cymryd llawer iawn o facteria gwenwyn bwyd i mewn i'r corff. I sicrhau nad yw hyn yn digwydd, dylai bwydydd wedi'u coginio a heb eu coginio gael eu paratoi ar wynebau gweithio gwahanol bob amser. Rhaid i weithwyr siop olchi eu dwylo bob tro ar ôl bod yn trafod cig amrwd. Dylai bwydydd parod gael eu storio mewn lle oer, er enghraifft mewn oergell, i rwystro'r bacteria rhag lluosi. Ni ddylai unrhyw fwyd sy'n weddill ar ôl prydau gael ei aildwymo gan fod hyn yn rhoi cyfle i'r bacteria i luosi. Gellir osgoi gwenwyn bwyd. Trwy ddilyn rhagofalon syml a synhwyrol, gallwn sicrhau nad yw gwenwyn bwyd yn digwydd.

Nid yw'r daflen hon yn tynnu sylw pobl. Mae'n debyg y byddai llawer o weithwyr siop yn ei thaflu i ffwrdd yn hytrach na'i darllen.

- Dyluniwch boster yn seiliedig ar y wybodaeth yn y daflen a allai gael ei rhoi yn siop Andy i'w atgoffa ef a'i staff sut i drafod bwyd yn gywir. Cadwch eich poster yn syml er mwyn cyfleu'r neges yn effeithiol. Defnyddiwch liwiau trawiadol i'w wneud yn fwy diddorol.

- Ar daflen o bapur A4, gwnewch gynllun o siop cigydd. Labelwch bob un o'r cownteri yn y siop i ddangos y gwahanol gynhyrchion a fydd yn cael eu cadw arnynt. Ceisiwch feddwl am gyfleusterau eraill y byddai eu hangen yn y siop a lluniadwch y rhain ar eich cynllun.

4. Os yw'r amodau'n ddelfrydol, gall bacteria luosi ar fwyd yn gyflym iawn. Dychmygwch fod Andy yn gadael ychydig o ham wedi'i goginio dros nos ar gownter cynnes yn y siop. Gall rhai bacteria ym rannu'n ddau bob 20 munud. Os yw un bacteriwm yn halogi'r ham, cyfrifwch faint o facteria a fydd ar yr ham erbyn y bore, 12 awr yn ddiweddarach.

2.17 Cadw bwyd

Sut mae Andy yn cadw ei siop yn lân

Mae Andy yn defnyddio gwahanol ddulliau i sicrhau nad yw'r cigoedd wedi'u coginio yn cael eu halogi â bacteria o'r cigoedd ffres

Defnyddio wynebau gweithio ar wahân

Gellir osgoi traws-halogiad trwy sicrhau nad yw'r ddau fath o gig byth yn dod i gyffyrddiad â'i gilydd. Os defnyddiwch wynebau ar wahân ar gyfer cig ffres a chig wedi'i goginio, ni all unrhyw facteria sydd ar yr wyneb gweithio ar ôl i'r cig ffres gael ei baratoi gyffwrdd â'r cig wedi'i goginio.

Diheintyddion

Cemegion sy'n lladd bacteria yw **diheintyddion** Rydym ni'n eu defnyddio ar wynebau gweithio a lloriau i sicrhau bod unrhyw facteria'n cael eu lladd. Defnyddir glanweithyddion hefyd i lanhau'r holl wynebau. Ni chânt eu defnyddio i lanhau'r dwylo gan eu bod yn rhy gryf a gallent wneud drwg i'r croen.

Mae **antiseptigion** yn debyg i ddiheintyddion, ond maen nhw i'w cael hefyd mewn hylifau golchi dwylo. Mae llawer o elïau golchi dwylo yn cynnwys antiseptigion. Maen nhw'n sicrhau bod y dwylo'n edrych yn lân a bod llai o facteria arnynt. Mae hyn yn ddefnyddiol iawn i bobl sy'n trafod bwyd.

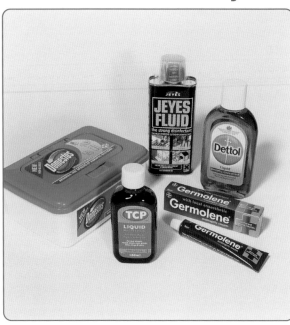

Diheintyddion ac antiseptigion.

Diheintio

Byddai'n annifyr pe bai ein cyllyll a ffyrc yn drewi o ddiheintydd. Felly byddwn ni'n glanhau'r rhain mewn dŵr sebonllyd poeth fel rheol. Ond gellir eu **diheintio** hefyd trwy eu rhoi mewn dŵr berw. Mae gan ddŵr berw dymheredd uchel a bydd yn lladd bacteria mewn ychydig o funudau.

Hylendid personol

Mae Andy yn gwybod ei bod hi'n hollbwysig i'w staff olchi eu dwylo'n drwyadl ar ôl bod yn y toiled. Hylendid personol da yw hyn.

Geiriau allweddol
antiseptigion
diheintio
diheintyddion
halogi
hylendid

Ffeithiau allweddol

Copïwch a chwblhewch y brawddegau trwy ddewis y gair cywir o'r rhestr o eiriau allweddol.

1 Mae _____ personol yn bwysig iawn gan ei fod yn helpu i atal bwyd rhag cael ei _____ â micro-organebau.

2 Cemegion sy'n lladd micro-organebau yw _____ a _____.

3 Mae defnyddio tymheredd uchel i ladd micro-organebau'n cael ei alw'n _____.

Mae Andy'n cael tystysgrif   ASTUDIAETH ACHOS

Andy yn ei siop.

Mae'r arolygwr iechyd cyhoeddus yn ymweld ag Andy. Gwaith yr arolygwr yw sicrhau bod yr holl fwyd sy'n cael ei werthu yn y siop yn ddiogel ei fwyta.

Mae'r arolygwr yn archwilio'r siop i weld pa mor lân a thaclus ydyw. Mae hyn yn arbennig o bwysig mewn siop fel un Andy. Gall bacteria fridio ar unrhyw ddarnau o gig sy'n cael eu gadael yma ac acw. Yna gallai'r bacteria hyn heintio'r bwyd glân sydd ar werth i'r cyhoedd. Gallai hyn arwain at achos difrifol o wenwyn bwyd.

Mae'r arolygwr hefyd yn archwilio'r toiledau i sicrhau eu bod yn addas a bod cyfleusterau ymolchi ar gael i staff Andy. Mae'n hynod o bwysig i'r staff olchi eu dwylo cyn dechrau gwerthu bwyd i'r cwsmeriaid. Mae'r arolygwr yn gwneud yn siŵr bod cigoedd wedi'u coginio yn cael eu cadw ar wahân i'r wynebau gweithio a'r cyfarpar a ddefnyddir ar gyfer ymdrin â chig amrwd.

Mae'r arolygwr yn fodlon iawn ar siop Andy. Mae Andy yn cael tystysgrif i ddweud bod ei siop wedi cael ei harchwilio a'i bod yn iawn ei defnyddio.

5 Eglurwch pam mae Andy yn cyflogi dau weithiwr yn ei siop – un i drafod cig amrwd yn unig ac un i drafod cigoedd wedi'u coginio yn unig.

6 Eglurwch pam mae'n rhaid i bob siop fwyd gael cyfleusterau toiled ac ymolchi da i'w staff.

7 Gwnewch waith ymchwil i ddarganfod rhagor am waith arolygwyr iechyd cyhoeddus a beth y maen nhw'n ei wneud pan fyddan nhw'n mynd i siopau bwyd a thai bwyta.

8 Awgrymwch pam mae Andy a'i staff yn gwisgo hetiau wrth iddynt weithio yn y siop.

9 Disgrifiwch y gwahaniaethau rhwng antiseptigion a diheintyddion. Eglurwch pa un y byddai Andy yn ei ddefnyddio mewn gwahanol sefyllfaoedd.

2.18 Imiwneiddio

Gwirio gair

Mae **brechlyn** yn eich diogelu rhag cael clefyd.

Mae Elis yn cael pigiad

Mae mam a thad Elis yn bryderus gan fod yr amser wedi dod iddo gael ei imiwneiddio rhag y frech goch, y dwymyn doben (clwy'r pennau) a rwbela. Bydd yn rhaid rhoi pigiad o'r **brechlyn MMR** iddo. **Brechu** neu **imiwneiddio** yw'r enw a roddir ar y broses hon.

A ddylai Elis gael ei frechu?

Mae ei fam a'i dad yn gwybod bod rhai pobl yn meddwl y gall y brechlyn gael sgil effeithiau difrifol megis awtistiaeth. Mae rhai plant sy'n datblygu awtistiaeth yn cael trafferth cyfathrebu â phobl eraill. Nid yw mam a thad Elis eisiau i hyn ddigwydd i'w baban nhw.

Enw arall ar rwbela yw'r 'frech Almaenig'. Nid yw hwn yn glefyd difrifol fel rheol ac mae'r symptomau'n diflannu'n gyflym. Ond os bydd mam yn dal rwbela yn ystod misoedd cynnar beichiogrwydd, gall y clefyd achosi niwed difrifol i'r baban yn y groth. Am y rheswm hwn, mae'n arbennig o bwysig i ferched gael eu brechu rhag rwbela.

Mae mam a thad Elis yn penderfynu dysgu rhagor am y brechlyn.

Maen nhw'n gwybod bod clefydau fel y frech goch a'r dwymyn doben yn gallu bod yn ddifrifol iawn ac achosi niwed parhaol. Gall y frech goch achosi nam parhaol ar y clyw. Gall y dwymyn doben fod yn boenus iawn a pheri anffrwythlondeb mewn dynion fel na allant gael plant.

Ac er bod rhai pobl yn credu bod y brechlyn yn achosi awtistiaeth, maen nhw'n gwybod bod astudiaethau helaeth wedi cael eu gwneud heb ddarganfod unrhyw dystiolaeth o hyn.

Er mor anodd y penderfyniad, maen nhw'n penderfynu mynd ag Elis i gael ei frechu â'r brechlyn MMR.

❶ Am beth y mae'r llythrennau MMR yn sefyll?

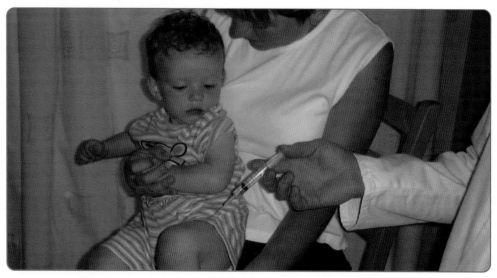

Mae Elis yn cael ei frechu.

Er nad yw Elis yn mwynhau cael y pigiad yn ei forddwyd, mae'n ei anghofio'n gyflym ac yn ddigon siriol mewn dim o dro!

O blaid ac yn erbyn

GWEITHGAREDD

Cyn penderfynu a ddylai Elis gael y brechiad, gwnaeth ei fam a'i dad restr o'r rhesymau dros ac yn erbyn gwneud hyn.

- Efallai y byddai'r brechiad yn brifo.

- Mae'n amser maith ers yr epidemig diwethaf o'r clefydau hyn yn y DU a bydd gallu'r boblogaeth i'w gwrthsefyll yn isel.

- Os caiff llawer o blant fel Elis eu brechu, mae llai o bosibilrwydd y bydd epidemig yn dechrau.

- Rydym ni wedi darllen honiadau mewn rhai papurau newydd y gallai plant ddatblygu awtistiaeth ar ôl cael y brechiad.

- Os bydd plentyn yn dal y frech goch, gall gael nam parhaol ar y clyw.

- Os bydd gwraig yn dal rwbela yn ystod misoedd cynnar beichiogrwydd, gall y baban gael ei eni'n fyddar a dall. Felly gallai rwbela effeithio ar ein plentyn nesaf.

- Mae'n bosibl na fydd y brechlyn yn gweithio ac y bydd Elis yn cael y clefydau beth bynnag.

- Mae'r ystadegau'n dangos ei bod hi'n llawer mwy diogel cael y brechiad na chymryd y risg o ddal y clefyd.

- Nid yw'r clefydau hyn yn ddifrifol fel rheol; maen nhw'n anghyfleus yn fwy na dim.

- Gall y dwymyn doben (clwy'r pennau) wneud dynion yn anffrwythlon.

- Nid oes unrhyw dystiolaeth bendant bod y brechlyn yn achosi awtistiaeth.

Lluniwch dabl gyda dwy golofn, a rhowch y penawdau O BLAID ac YN ERBYN.

Copïwch y pwyntiau uchod o'r rhestr ac ysgrifennwch nhw yn y golofn gywir yn eich tabl.

Cynhyrchu taflen

Defnyddiwch y pwyntiau i ddylunio taflen y gellid ei rhoi i rieni sy'n ceisio penderfynu a ddylai eu plentyn gael ei frechu â'r brechlyn MMR.

I wneud eich taflen, defnyddiwch ddalen o bapur A4 sydd wedi cael ei phlygu'n dair rhan.

Defnyddiwch liw i'w gwneud yn ddiddorol. Cadwch y neges yn syml.

Cynhyrchu taflen.

2.18 Imiwneiddio

Beth sy'n digwydd i Elis pan gaiff ei imiwneiddio?

Fel rheol mae brechlynnau'n cynnwys ffurf ddiniwed ar y clefyd. Gall hon weithiau fod yn ffurf wan neu farw ar y bacteriwm neu'r firws. Weithiau gall fod yn ddarn bach o'r micro-organeb. Imiwneiddio yw'r enw ar y broses hon ac mae'n ein gwneud ni'n **imiwn** i'r clefyd. Mae hyn yn golygu na fyddwn ni'n datblygu'r clefyd hyd yn oed os byddwn ni'n dod i gysylltiad â'r micro-organeb.

Pan fydd Elis yn cael ei frechu, nid yw ei gorff yn gwybod bod y micro-organeb yn ddiniwed. Mae'n adweithio fel pe bai ef newydd gael ei heintio â micro-organeb byw a pheryglus. Mae celloedd gwyn y gwaed yng nghorff Elis yn dechrau ymosod ar y goresgynwyr. Mae rhai o'r celloedd hyn yn ymosod ar y micro-organebau ac yn eu hamlyncu, yn eithaf tebyg i beth sy'n digwydd mewn rhai gemau cyfrifiadur.

Mae celloedd gwyn eraill yn ymosod ar y micro-organebau trwy gynhyrchu cemegyn o'r enw **gwrthgorff**. Rôl penodol iawn sydd gan bob gwrthgorff. Mae pob un wedi cael ei lunio i ymosod ar un math o ficro-organeb a dim un arall. Mae rhai gwrthgyrff yn peri i'r micro-organebau lynu wrth ei gilydd fel ei bod hi'n haws i'r celloedd gwyn ymosod arnynt.

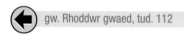
gw. Rhoddwr gwaed, tud. 112

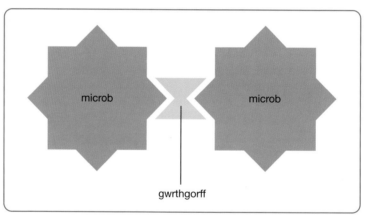

Gwrthgorff yn glynu dwy ficro-organeb wrth ei gilydd.

❷ Awgrymwch pam nad ydym ni'n cael brechiad o'r micro-organeb fyw fel rheol.

❸ Copïwch y llun ac ychwanegwch ragor o wrthgyrff i ddangos sut y gallent wneud i fwy byth o ficro-organebau lynu wrth ei gilydd

Bydd yn cymryd sawl diwrnod cyn y bydd Elis yn dechrau cynhyrchu gwrthgyrff a fydd yn ei amddiffyn rhag y tair micro-organeb sy'n achosi'r frech goch, y dwymyn doben a rwbela. Felly ni fydd yn imiwn i'r clefydau hyn am beth amser eto. Nid yw brechiad yn rhoi imiwnedd ar unwaith rhag clefydau.

Pan fydd plant yn dal y clefydau go iawn, byddan nhw'n mynd yn sâl. Bydd y corff mewn ras i gynhyrchu gwrthgyrff i ddinistrio'r micro-organebau cyn iddynt luosi ac achosi niwed i'r corff. Mae'n llawer gwell i Elis gael ei frechu fel bod y gwrthgyrff yn barod yn llif ei gwaed. Byddan nhw'n lladd y micro-organebau wrth iddynt ddod i mewn i'r corff cyn i symptomau'r clefyd ymddangos hyd yn oed.

Nyrs mewn meddygfa

ASTUDIAETH ACHOS

Nyrs yw Elin ac mae'n gweithio i feddyg teulu. Mae hi'n gwybod pa mor bwysig yw sicrhau bod plant ifanc yn cael eu brechu rhag MMR. Gan fod cymaint o rieni yn poeni am y brechiad, mae hi'n cael mwy o bobl nag erioed yn gofyn am gyngor. Mae hi'n gwybod bod rhieni'n cael trafferth wrth benderfynu a ddylent adael i'w plant gael y brechiad. Mae rhai rhieni'n penderfynu cael y tri brechiad ar wahân. Ond mae Elin yn gwybod nad oes unrhyw dystiolaeth sy'n dangos bod hyn yn fwy diogel. Ei theimlad hi yw mai'r brechlyn MMR yw'r polisi gorau o hyd.

4 Eglurwch pam nad yw brechiad yn rhoi imiwnedd ar unwaith rhag clefydau a pham y bydd yn cymryd peth amser i imiwnedd llawn ddatblygu.

5 Penderfynwch a fyddech chi'n gadael i'ch plentyn eich hun gael ei frechu â'r brechlyn MMR. Astudiwch beryglon y clefydau a'r brechlyn. Eglurwch sut y daethoch i'ch penderfyniad, gan roi rhesymau.

6 Mae'r graff yn dangos nifer yr achosion o'r frech goch yn y DU. Ym mha flwyddyn y cafodd plant yn y DU eu himiwneiddio gyntaf rhag y frech goch yn eich barn chi? Eglurwch eich ateb.

7 Awgrymwch pam y gall fod yn syniad drwg i'r corff gael gormod o frechiadau ar yr un pryd.

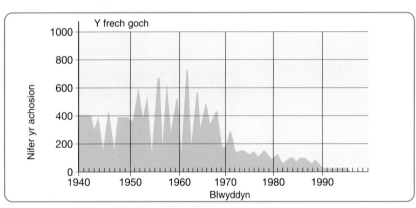

Achosion o'r frech goch yn y DU o 1940 hyd y 1990au.

Ffeithiau allweddol

Copïwch a chwblhewch y brawddegau trwy ddewis y gair cywir o'r rhestr o eiriau allweddol. Gellir defnyddio pob gair fwy nag unwaith.

1 Pan yw pobl yn cael clefyd, maen nhw'n cynhyrchu _____ sy'n ymosod ar y _____ sy'n achosi'r clefyd.

2 Gall _____ neu _____ ddefnyddio _____ wedi'i wneud o ficro-organebau marw sy'n cael ei chwistrellu i'r corff ac yn gwneud iddo gynhyrchu gwrthgyrff.

3 Ar ôl i chi wneud gwrthgyrff, rydych chi'n _____ i'r micro-organebau.

4 Caiff y mwyafrif o fabanod yn y DU eu brechu neu eu _____ rhag _____.

Geiriau allweddol

brechlyn

brechu

gwrthgyrff

imiwn

imiwneiddio

micro-organebau

MMR

2.19 Gwrthfiotigau

Y cyffuriau gwyrthiol

Mae'r rhan fwyaf ohonom sy'n byw heddiw yn ffodus iawn nad oes llawer o glefydau heintus i'n gwneud ni'n sâl neu ein lladd. Nid oedd hyn bob amser yn wir. Flynyddoedd yn ôl, roedd bywydau pobl yn llawer byrrach a byddai llawer ohonynt yn marw o glefydau difrifol. Un o'r rhesymau dros ein hiechyd da heddiw yw ein bod ni'n cael brechiadau i'n diogelu rhag y mwyafrif o glefydau niweidiol. Cawn y brechiadau hyn yn blant ifanc fel rheol.

Y frech goch, y dwymyn doben a rwbela

Yn y DU mae'r mwyafrif o rieni'n penderfynu diogelu eu plant rhag y tri chlefyd hyn trwy fynd â nhw i gael brechiad pan ydyn nhw'n ifanc. Mae pob pigiad yn cynnwys brechlyn a fydd yn amddiffyn y plentyn rhag y tri chlefyd. Mae'r brechiad yn cael ei alw'n frechlyn triphlyg, neu MMR.

gw. Imiwneiddio, tud. 98

Twbercwlosis (TB) neu'r ddarfodedigaeth

Bydd y mwyafrif o blant yn cael eu brechu rhag twbercwlosis pan fyddan nhw yn yr ysgol uwchradd, ym Mlwyddyn 9 fel rheol. Mewn rhai rhannau o'r DU, caiff babanod eu brechu. Afiechyd difrifol iawn sy'n effeithio ar yr ysgyfaint yw **twbercwlosis** a gall arwain at farwolaeth. Mae'n anodd ei drin ac yn anodd iawn gwella rhai ffurfiau newydd ar yr afiechyd.

gw. Micro-organebau'n lledaenu, tud. 90

Polio

Bydd y rhan fwyaf o blant yn cael eu brechu rhag y clefyd hwn cyn gadael ysgol. Rhoddir y brechlyn i'r plant ar lwmp o siwgr ac nid fel pigiad. Mae'r brechlyn yn ein diogelu rhag **polio**, clefyd a all niweidio nerfau a pharlysu rhannau o'r corff yn barhaol.

Pan nad yw brechlynnau'n gweithio

Hyd yn oed ar ôl cael eich brechu rhag llawer o glefydau, gallwch gael eich taro'n sâl gan heintiad. Os bydd hyn yn digwydd, gallwch helpu eich corff i ymladd y clefyd trwy gael presgripsiwn am gyffuriau gan eich meddyg.

Un math o gyffur a gymerwn yn aml i ymladd salwch yw gwrthfiotigau. Mae gwrthfiotigau yn gyffuriau sy'n dod o **ficro-organebau**. Cafodd y gwrthfiotig cyntaf ei wneud o ffwng. Ei enw yw penisilin. Cafodd ei ddarganfod gan wyddonydd o'r enw Alexander Fleming yn 1928.

gw. Mathau o ficro-organebau, tud. 86

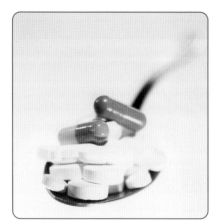

Tabledi a chapsiwlau gwrthfiotig.

Sut mae gwrthfiotigau'n gweithio `GWEITHGAREDD`

Cafodd arbrawf ei gynnal i ddarganfod pa mor gyflym y mae gwrthfiotigau'n gweithio.

Cafodd rhai **bacteria** eu tyfu mewn cynhwysydd. Ar ôl deg awr, cafodd peth penisilin ei ychwanegu.

Mae'r graff yn dangos nifer y bacteria dros gyfnod o amser.

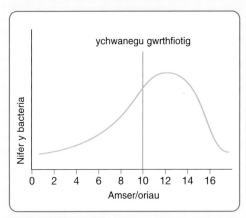

Graff o dwf bacteria.

❶ Copïwch y graff a thynnwch linell arall i ddangos sut y byddai'n edrych pe bai'r gwrthfiotig heb gael ei ychwanegu.

❷ Awgrymwch pam na wnaeth y nifer o facteria ostwng yn syth.

Fis yn ddiweddarach, roedd y gwyddonydd ar fin cael gwared â'r cynhwysydd. Er syndod iddo, sylwodd fod y bacteria unwaith eto'n tyfu yn y cynhwysydd. Roedd yn amau bod y bacteria wedi datblygu gwrthiant i'r penisilin: roeddent wedi newid fel nad oeddent bellach yn cael eu dinistrio gan y cyffur.

Mae'r llun yn dangos nifer y bacteria normal a nifer y bacteria gwrthiannol ar ddechrau'r arbrawf.

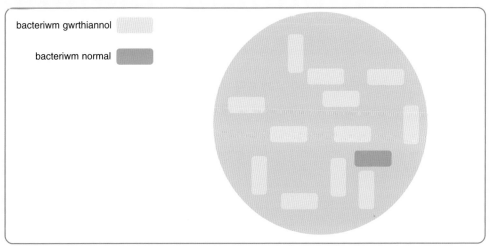

Tynnwch y llun eto, ond y tro hwn dangoswch nifer y bacteria normal a nifer y bacteria gwrthiannol ar ddiwedd yr arbrawf.

2.19 Gwrthfiotigau

Pan nad yw gwrthfiotigau'n gweithio

gw. Mathau o ficro-organebau, tud. 86

Er i wrthfiotigau gael eu galw'n gyffuriau gwyrthiol, dydyn nhw ddim yn gweithio ar bob math o glefyd. Er eu bod yn lladd bacteria, dydyn nhw ddim yn cael unrhyw effaith o gwbl ar glefydau a achosir gan **firysau**. Mae'r tabl yn dangos rhai clefydau cyffredin a pha fath o ficro-organeb sy'n eu hachosi.

Bacteria	Firysau
niwmonia	dolur annwyd
gwenwyn bwyd *salmonella*	y ffliw
heintiadau croen o ganlyniad i *Staphylococcus aureus*	polio
twbercwlosis	y dwymyn doben (clwy'r pennau)
y pas	y frech goch
tonsillitis	rwbela

Achosion clefydau.

3 Pa glefydau y byddai meddyg yn defnyddio gwrthfiotigau i'w trin?

Dyma pam na fydd eich meddyg yn rhoi gwrthfiotigau i chi at annwyd. Yn lle hynny, bydd yn dweud wrthych am fynd adref, cadw'n gynnes ac yfed digon o hylifau. Ni fydd gwrthfiotigau'n gallu gwella annwyd gan mai firws sy'n ei achosi.

Ond weithiau, pan fydd annwyd arnoch, bydd bacteria yn manteisio ar eich cyflwr gwan ac yn heintio eich ysgyfaint a'ch brest hefyd. Pan fydd hyn yn digwydd, bydd eich meddyg yn caniatáu i chi gael gwrthfiotigau gan eu bod yn helpu i ladd y bacteria sy'n achosi'r heintiad eilaidd. Un bacteriwm sy'n gallu achosi heintiadau eilaidd yw *Staphylococcus aureus*.

Geiriau allweddol

bacteria

firysau

gwrthfiotigau

micro-organebau

polio

twbercwlosis

Ffeithiau allweddol

Copïwch a chwblhewch y brawddegau trwy ddewis y gair cywir o'r rhestr o eiriau allweddol. Gellir defnyddio pob gair fwy nag unwaith.

1 Dau glefyd y gallwch gael eich brechu rhagddynt yw _____ a _____.

2 Mae _____ yn gemegion a gynhyrchir o rai _____.

3 Gallant ladd _____ ond nid _____.

4 Mae hyn yn golygu y bydd meddyg yn rhoi _____ ar gyfer clefydau a achosir gan facteria ond nid _____.

2.19 Gwrthfiotigau

Syr Alexander Fleming

ASTUDIAETH ACHOS

Ganwyd Syr Alexander Fleming yn 1881. Hyfforddodd fel meddyg yn Ysbyty St Mary's yn Llundain. Un diwrnod, roedd yn tyfu bacteria ar ddysgl Petri pan sylwodd fod llwydni (ffwng) o'r enw *Penicillium* wedi halogi'r ddysgl.

Byddai'r rhan fwyaf o bobl wedi taflu'r ddysgl i ffwrdd a dechrau eto, ond sylwodd Fleming nad oedd unrhyw facteria o gwmpas y llwydni. Sylweddolodd fod y llwydni'n cynhyrchu rhywbeth a oedd yn lledu i'r agar ac yn lladd y bacteria. Y darganfyddiad hwn a arweiniodd at gynhyrchu'r gwrthfiotig cyntaf, sef penisilin.

Galwyd penisilin yn gyffur gwyrthiol oherwydd iddo achub bywydau miloedd o filwyr a gafodd eu hanafu yn ystod yr Ail Ryfel Byd. Mae'n sicr y byddai'r milwyr wedi marw heb y penisilin.

Ond yn ystod y blynyddoedd diwethaf mae'r sefyllfa wedi newid. O ganlyniad i orddefnyddio penisilin a gwrthfiotigau eraill, mae bacteria wedi datblygu gwrthiant i'r cyffuriau. Erbyn hyn mae rhai bacteria na all unrhyw wrthfiotig hysbys eu lladd. Felly mae'n anodd iawn i feddygon drin cleifion sydd wedi'u heintio â'r bacteria hyn.

Syr Alexander Fleming.

4 Dychmygwch mai chi yw Syr Alexander Fleming. Ysgrifennwch adroddiad yn eich dyddiadur sy'n egluro'r hyn a welsoch a sut roeddech chi'n teimlo ar ddiwrnod eich darganfyddiad mawr.

5 Eglurwch pam na ddylai eich meddyg roi gwrthfiotigau i chi at annwyd.

6 Mae anifeiliaid yn ogystal â bodau dynol yn dioddef o heintiadau a achosir gan firysau a bacteria. Heintiad mewn gwartheg yw clwy'r traed a'r genau. Firws sy'n ei achosi. A ydych chi'n meddwl y dylai ffermwyr ddefnyddio gwrthfiotigau i drin y clefyd?

7 Mae rhai gwrthfiotigau wedi cael eu defnyddio i wneud i anifeiliaid fferm dyfu'n gyflymach. A yw hyn yn ffordd dda o ddefnyddio gwrthfiotigau yn eich barn chi?

Cwestiynau adolygu

1   Mae Sali'n gwneud cwrw fel rhan o arbrawf. Mae hi'n defnyddio micro-organeb o'r enw burum. Enwch dri sylwedd arall y bydd eu hangen arni i wneud cwrw.   [3]

2   Mae Bragdy Brains yn bragu cwrw. Proses gymhleth yw hon. Lluniwch siart llif i ddangos y broses o wneud cwrw ym Mragdy Brains.   [6]

3   Clefyd a achosir gan firws yw clwy'r traed a'r genau. Enwch ddau wahanol fath arall o ficro-organeb a'r clefydau a achosir ganddynt.   [4]

4   Edrychwch ar y lluniau. Pa fath o ficro-organeb y mae pob un yn ei gynrychioli? [3]

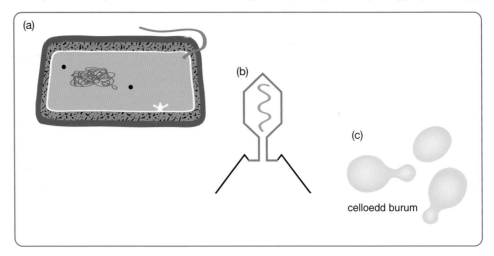

5   Mae John yn cael y ffliw. Mae'n ceisio darganfod rhagor o wybodaeth amdano. Nid yw'n gwybod beth yw ystyr y geiriau canlynol. Eglurwch ystyr y geiriau i John.

   (a)   parasit

   (b)   epidemig

   (c)   pandemig

   (ch) mwtaniad   [4]

6   Gall y ffliw gael ei ledaenu gan heintiad defnynnau wrth i rywun disian. Disgrifiwch y ffyrdd y gall clefydau eraill gael eu lledaenu.   [3]

7   Cigydd yw Andy. Eglurwch pam mae'n cadw cigoedd wedi'u coginio a chigoedd amrwd ffres ar wahân yn ei siop.   [2]

8   Mae Mair yn coginio cyw iâr. Disgrifiwch sut y dylai baratoi a choginio'r cyw iâr i osgoi cael gwenwyn bwyd pan fydd hi'n ei fwyta.   [3]

9   Gall cemegion gael eu defnyddio i ladd micro-organebau. Gwnewch restr o'r gwahanol fathau o gemegyn a ddefnyddir i wneud hyn ac eglurwch sut y caent eu defnyddio.   [3]

10 Mae gan Bob antiseptigion a gwrthfiotigau yn ei gwpwrdd moddion. Eglurwch y gwahaniaeth rhwng antiseptig a gwrthfiotig a dywedwch pryd y dylid defnyddio pob un.   [2]

11 Mae Elis yn cael ei frechu rhag y frech goch, y dwymyn doben a rwbela. Eglurwch sut mae'r brechiad yn ei amddiffyn rhag cael y clefydau hyn.   [3]

2 Organebau byw

SUT MAE EICH CORFF YN GWEITHIO

Cynnwys

Gweithgareddau ymarferol sy'n gysylltiedig â'r adran hon:

Planhigion, anifeiliaid a'u hamgylchedd

Ymarfer a chyfraddau adfer

Defnyddiwch y canlynol i gadw llygad ar eich cynnydd.

Uned 1

Byddwch chi'n:

- cyflwyno data mewn graffiau — gw. tud. 129

- dadansoddi a dehongli canlyniadau, a gwneud cyfrifiadau syml. — gw. tud. 121–3, 125, 126–7

Uned 2

Byddwch chi'n:

- gwybod am adeiledd y galon ddynol a system cylchrediad y gwaed — gw. tud. 108–11

- gwybod sut mae'r galon a system cylchrediad y gwaed yn gweithio — gw. tud. 108–11

- gwybod beth yw gwaed a beth y mae'n ei wneud — gw. tud. 112–15

- gwybod sut mae bodau dynol yn anadlu — gw. tud. 116–19

- gwybod sut mae resbiradaeth aerobig yn rhoi egni i ni — gw. tud. 120–3

- disgrifio sut mae resbiradaeth anaerobig yn gweithio heb ocsigen — gw. tud. 124–7

- disgrifio sut mae bodau dynol yn cynnal tymheredd corff cyson — gw. tud. 128–31

- gwybod sut y cedwir lefelau o glwcos yn y gwaed yn gyson. — gw. tud. 132–5

Uned 3

Byddwch chi'n:

- deall effaith rhai gweithgareddau corfforol ar y corff — gw. tud. 120–7

- deall sut mae derbynyddion yn y corff yn ymateb i symbyliad — gw. tud. 136–7

- disgrifio sut mae niwronau'n trawsyrru gwybodaeth — gw. tud. 138

- disgrifio sut mae effeithyddion yn peri ymateb i symbyliad — gw. tud. 139

- deall bod penisilin ac aspirin yn cael eu defnyddio fel moddion — gw. tud. 140

- deall sut mae bacteria yn datblygu gwrthiant i wrthfiotigau — gw. tud. 140

- deall y defnydd o gyffuriau cymdeithasol, megis tybaco ac alcohol — gw. tud. 142–3

- deall goblygiadau meddygol camddefnyddio cyffuriau anghyfreithlon a chymdeithasol — gw. tud. 141

- deall sut mae cyffuriau newydd yn cael eu profi. — gw. tud. 144

2.20 Trawiad ar y galon

Trawiad Gerallt

Mae Gerallt yn sâl. Mae ef yn yr uned gofal dwys yn yr ysbyty. Ychydig o oriau yn ôl roedd Gerallt yn teimlo'n ffit ac iach. Yna sylwodd ei fod yn cael trafferth anadlu a bod poen yn ei frest, gwddf a breichiau. Roedd Gerallt yn cael trawiad ar y galon.

Mae'r meddygon yn dweud wrth Gerallt ei fod yn lwcus y tro hwn. Ond i leihau'r perygl o gael trawiad arall, rhaid iddo newid ei ffordd o fyw: dim ysmygu, bwyta llai o fraster ac ymarfer mwy.

Mae Gerallt yn cytuno ac yn penderfynu darganfod mwy am beth a ddigwyddodd i'w galon.

Cylchrediad y gwaed

Mae Gerallt yn darganfod bod y gwaed yn ei gorff yn llifo y tu mewn i diwbiau o'r enw pibellau gwaed. Mae rhai o'r rhain mor fach fel y byddai angen microsgop arno i'w gweld. **Capilarïau** yw'r rhain ac maen nhw'n mynd â gwaed i bob cell yn y corff. Gwaith y galon yw pwmpio'r gwaed trwy'r **rhydwelïau** i'r capilarïau. Mae **gwythiennau** yn cysylltu'r capilarïau yn ôl i'r galon.

gw. Rhoddwr gwaed, tud. 112

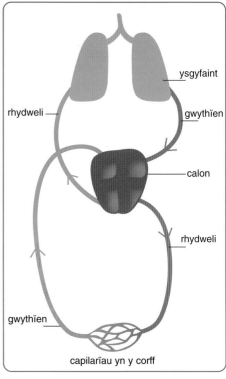

System cylchrediad gwaed Gerallt.

ysgyfaint
rhydweli
gwythïen
calon
rhydweli
gwythïen
capilarïau yn y corff

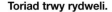
Toriad trwy rydweli.

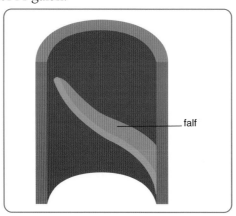
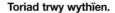
falf

Toriad trwy wythïen.

Mae rhydwelïau yn cario gwaed o'r galon.

Mae ganddynt furiau elastig cyhyrog trwchus i wrthsefyll pwysedd uchel y gwaed.

Pibellau gwaed cul â muriau tenau yw capilarïau. Mae'r muriau tenau yn gadael i ocsigen a glwcos fynd o'r gwaed i gelloedd y corff. Mae carbon deuocsid yn mynd o'r corffgelloedd i'r gwaed.

Mae'r gwythiennau'n dychwelyd y gwaed i'r galon.

Gan fod pwysedd y gwaed yn isel iawn yma, mae gan y gwythiennau furiau tenau a **falfiau** i rwystro'r gwaed rhag llifo'n ôl.

2.20 Trawiad ar y galon

Archwiliad iechyd Gerallt GWEITHGAREDD

Cymryd pwysedd gwaed Gerallt.

Mae'r nyrs yn cymryd pwysedd gwaed Gerallt. Mae hi'n dweud wrth Gerallt fod ei bwysedd gwaed yn '150 dros 95'. Mae'r ffigur '150' yn dweud wrth y nyrs beth yw'r pwysedd yng ngwaed Gerallt wrth i gyhyr y galon gyfangu.

1 Awgrymwch beth yw ystyr y ffigur '95'.

Mae'n bosibl bod gan eich athro neu athrawes ddarn o gyfarpar electronig y gallwch ei ddefnyddio i brofi pwysedd eich gwaed. Rhowch gynnig ar gymryd eich pwysedd gwaed cyn ac ar ôl ymarfer. Nodwch unrhyw wahaniaethau a welwch.

Gofynnwch i rai o'ch athrawon a allwch chi gymryd eu pwysedd gwaed.

Pa wahaniaethau a welwch rhwng eu pwysedd gwaed nhw a phwysedd gwaed pobl ifancach?

Yna mae Gerallt yn cael ei gysylltu â pheiriant sy'n cynhyrchu electrocardiogram (ECG). Llun yw hwn sy'n dangos sut mae'r ysgogiad trydanol sy'n peri i galon Gerallt guro yn lledaenu trwy ei galon.

ECG normal ECG Gerallt

ECG Gerallt.

2 Edrychwch ar ECG Gerallt. Disgrifiwch unrhyw wahaniaethau rhwng hwn ac un normal.

3 A ydych chi'n meddwl bod curiad calon Gerallt yn normal?

Mae'r meddyg yn dweud wrth Gerallt bod cyhyr ei galon wedi dioddef peth niwed ond, os bydd yn cymryd gofal, y dylai ymadfer a gallu byw bywyd normal.

2.20 Trawiad ar y galon

Beth a ddigwyddodd i galon Gerallt?

Mae Gerallt eisiau gwybod beth yn union a ddigwyddodd i'w galon.

Calon Gerallt

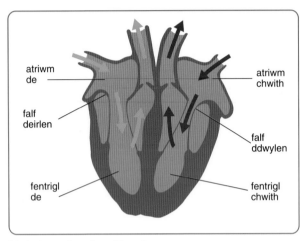

Toriad trwy'r galon ddynol.

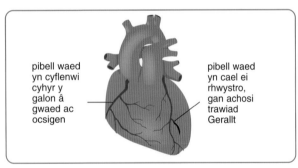

Pibellau gwaed sy'n cyflenwi cyhyr y galon.

Dau bwmp cysylltiedig sy'n gorwedd ochr yn ochr yw calon Gerallt. Mae un ochr ei galon yn pwmpio gwaed i'w ysgyfaint i godi ocsigen a chael gwared â charbon deuocsid, ac yna'n ôl eto. Mae ochr arall ei galon yn pwmpio gwaed yr holl ffordd o gwmpas ei gorff. Mae'r cylchrediad dwbl hwn yn golygu y gellir cynnal gwasgedd uwch yn y pibellau gwaed, sy'n cynyddu cyfradd llif y gwaed i'r meinweoedd.

Mae'r gwaed yn mynd i'r galon trwy'r **atria** (unigol: **atriwm**). Yna mae'n cael ei bwmpio i'r **fentriglau**, cyn iddo adael y galon eto. Mae falfiau'n rhwystro'r gwaed rhag llifo i'r cyfeiriad anghywir.

Mae Gerallt yn darganfod, er bod ei galon yn llawn o waed, fod ganddi bibell waed fach sy'n cario gwaed i gyhyr y galon. Mae hon yn cyflenwi cyhyr y galon ag ocsigen a glwcos. Dywed y meddyg wrtho i rwystr ddatblygu'n un o ganghennau'r bibell waed hon. Oherwydd hyn, nid oedd rhan o gyhyr ei galon yn cael unrhyw waed, a bu farw'r rhan honno o'r cyhyr.

4 Mae difrifoldeb y trawiad yn dibynnu ar ble mae'r rhydweli'n cael ei chau. Beth fyddai wedi digwydd yn eich barn chi pe bai'r rhydweli wedi cael ei chau'n uwch i fyny na'r man lle mae'n rhannu?

Mae Gerallt yn cael ei ryddhau o'r ysbyty. Mae'n rhoi'r gorau i ysmygu ac yn gwneud mwy o ymarfer. Mae hyd yn oed ci Gerallt yn cael budd o'r holl gerdded ychwanegol y mae'n gorfod ei wneud.

Geiriau allweddol	Ffeithiau allweddol
atriwm (lluosog: atria) **capilarïau** **falfiau** **fentrigl** **gwythiennau** **rhydwelïau** **system cylchrediad y gwaed**	Copïwch a chwblhewch y brawddegau trwy ddewis y gair cywir o'r rhestr o eiriau allweddol. Gellir defnyddio pob gair fwy nag unwaith. **1** Mae gwaed yn cael ei gario o'r galon trwy _____. **2** Mae gwaed yn cael ei gario i'r corffgelloedd trwy diwbiau bach iawn o'r enw _____ cyn cael ei ddychwelyd i'r galon trwy _____. **3** Mae'r galon a'r pibellau gwaed yn ffurfio _____ _____ _____. **4** Mae gan wythiennau _____ i atal gwaed rhag mynd y ffordd anghywir. **5** Mae gwaed o'r corff a'r ysgyfaint yn llifo i mewn i _____ y galon ac yn cael ei bwmpio i'r _____.

2.20 Trawiad ar y galon

William Harvey

William Harvey oedd y gwyddonydd cyntaf i awgrymu bod gan y corff dynol **system cylchrediad gwaed**. Bu'n byw o 1578 i 1657. Sylwodd fod gwaed yn teithio trwy bibellau gwaed o'r enw rhydwelïau a gwythiennau.

Nid oedd microsgopau wedi cael eu dyfeisio eto, ond dyfalodd yn gywir fod pibellau gwaed llawer llai yn cysylltu'r rhydwelïau a gwythiennau â'i gilydd.

Efallai fod hyn yn swnio fel synnwyr cyffredin i ni heddiw, ond bryd hynny roedd pobl yn dal i ddilyn damcaniaethau Galen a fu'n byw 1000 o flynyddoedd cyn i Harvey gael ei eni. Credai Galen fod gwaed yn llifo o'r naill ochr i'r galon i'r ochr arall, heb fynd trwy'r miloedd o bibellau gwaed bach y tu mewn i organau'r corff. Nid oedd yn sylweddoli mai'r gwaed a oedd yn gyfrifol am gludo defnyddiau i bob rhan o'r corff.

Rhagfynegodd Harvey yn gywir fod capilarïau yn bodoli. Dangosodd hefyd fod gan wythiennau falfiau i rwystro gwaed rhag llifo'n ôl. Rhoddodd rwymyn tynhau o amgylch braich un o'i gleifion a gallai weld y falfiau'n sefyll allan wrth i'r rhwymyn geisio wthio'r gwaed yn ôl.

William Harvey.

Mae'r galon a'r pibellau gwaed yn ffurfio **system cylchrediad y gwaed**.

5 Awgrymwch pam nad oedd Galen yn sylweddoli bod pibellau gwaed bach yn cario'r gwaed yn organau'r corff.

6 Awgrymwch pam mae falfiau i'w cael mewn gwythiennau ond nid mewn rhydwelïau.

7 Awgrymwch pam mae meddyg Gerallt wedi dweud wrtho am fwyta llai o fraster a gwneud mwy o ymarfer.

8 Mae ysmygu'n gwneud y gwaed yn fwy gludiog ac felly'n fwy tebygol o geulo. Awgrymwch pam mae ysmygwyr yn llawer mwy tebygol o gael trawiad.

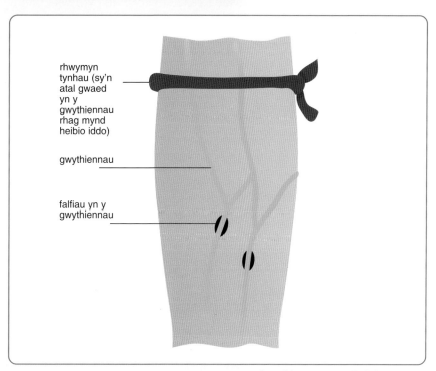

rhwymyn tynhau (sy'n atal gwaed yn y gwythiennau rhag mynd heibio iddo)

gwythiennau

falfiau yn y gwythiennau

Gwythiennau yn y fraich.

2.21 Rhoddwr gwaed

Rhoi gwaed

Mae Michael a Nia eisiau rhoi gwaed. Maen nhw wedi bod yn meddwl am fod yn rhoddwyr gwaed ers peth amser ond erioed wedi cael yr amser rywsut. Maen nhw'n cysylltu â'r Gwasanaeth Gwaed Cenedlaethol ac yn darganfod bod sesiwn yn neuadd y pentref ymhen pythefnos. Mae'r Gwasanaeth yn anfon gwybodaeth iddynt am waed a sut mae'n cael ei ddefnyddio.

Beth y mae gwaed yn ei wneud?

Hylif yw gwaed sy'n **cludo** (cario) sylweddau fel ocsigen, carbon deuocsid, bwyd a hormonau o amgylch y corff.

Gall gwaed hefyd amddiffyn y corff rhag micro-organebau niweidiol.

Gall gwaed geulo a selio clwyfau yn y corff i atal rhagor o waed rhag cael ei golli.

Cydrannau gwaed

Plasma yw'r enw ar ran hylifol y gwaed. Lliw melyn golau yw hwn ac mae'n cynnwys dŵr yn bennaf. Mae sylweddau megis bwyd, carbon deuocsid, hormonau ac wrea (sylwedd gwastraff a gynhyrchir gan y corff) wedi'u hydoddi ynddo.

Mae **celloedd coch y gwaed** yn cario ocsigen i bob rhan o'r corff. Maen nhw'n ei gymryd o'r ysgyfaint ac yn ei gario i holl gelloedd y corff.

Mae'r celloedd coch yn cynnwys pigment coch o'r enw **haemoglobin**. Mae haemoglobin yn cyfuno ag ocsigen yn yr ysgyfaint i ffurfio **ocsihaemoglobin**. Ar ôl iddo gyrraedd celloedd sydd angen ocsigen, mae'n rhyddhau'r ocsigen ac yn troi'n ôl yn haemoglobin.

$$\text{haemoglobin} + \text{ocsigen} \rightleftharpoons \text{ocsihaemoglobin}$$

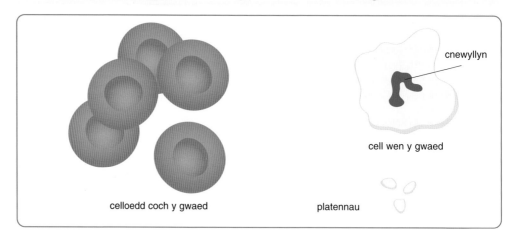

cnewyllyn

cell wen y gwaed

celloedd coch y gwaed

platennau

Mae gwaed yn cynnwys celloedd coch, celloedd gwyn a phlatennau.

Mae **celloedd gwyn y gwaed** yn amddiffyn eich corff rhag heintiadau. Gallant ddinistrio bacteria sy'n dod i mewn i'ch corff. Mae rhai ohonynt yn gwneud hyn trwy greu gwrthgyrff. Mae eraill yn cael gwared â meinwe farw a micro-organebau.

Darnau bach o gelloedd yw **platennau**. Maen nhw'n cynnwys cemegion sy'n gwneud i'r gwaed geulo os byddwch chi'n niweidio eich croen ac yn dechrau gwaedu. Mae'r dolchen yn atal rhagor o golli gwaed ac yn rhwystro bacteria rhag dod i mewn.

gw. Imiwneiddio, tud. 98

2.21 Rhoddwr gwaed

'Gnewch rywbeth rhyfeddol heddiw – rhowch waed'   GWEITHGAREDD

Ydych chi'n gwybod mai dim ond 6 y cant o'r bobl a all roi gwaed sy'n gwneud hynny?

Mae'r Gwasanaeth Gwaed Cenedlaethol yn chwilio am ragor o bobl i roi gwaed – pobl fel Michael a Nia.

Y broblem yn aml iawn yw fod pobl yn meddwl nad oes ganddynt mo'r amser neu y gallai frifo.

Dychmygwch eich bod chi'n gweithio i'r Gwasanaeth Gwaed Cenedlaethol. Mae angen i chi berswadio mwy o bobl i roi gwaed.

Mae'r daflen isod yn dod o lyfryn y Gwasanaeth Gwaed Cenedlaethol sy'n annog pobl i ddod yn rhoddwyr.

Beth sydd mor  am roi gwaed?

Pan roddwch waed, byddwch chi'n gwneud un o'r pethau mwyaf rhyfeddol y gallai unrhyw un freuddwydio amdano – achub bywyd.

Gallwch chi sicrhau bod rhywun yn cael trallwysiad y mae brys mawr amdano. Mae angen peintiau o waed ar gyfer rhai llawdriniaethau. Hefyd, mae'r cydrannau a geir o waed, megis plasma, yr un mor bwysig gan eu bod yn chwarae rhan allweddol mewn llawer o driniaethau megis trin llosgiadau neu atal heintiad.

Mae Diane Crawford wedi dioddef o glefyd Cryman-gell ar hyd ei hoes. Rhoddodd enedigaeth i ferch, Chi, ar ôl derbyn 19 uned o waed yn ystod ei beichiogrwydd. 'Mae rhoddwyr gwaed wedi rhoi cyfle i mi gael teulu,' medd Diane. 'Yn awr hoffwn wneud fy rhan i drwy annog mwy o bobl o gymunedau Affricanaidd a Charibïaidd i helpu pobl eraill fel fi drwy roi gwaed.'

Gan ddefnyddio'r ffeithiau canlynol, ac unrhyw ffeithiau eraill y gallwch ddod o hyd iddynt, dyluniwch eich taflen eich hun i annog pobl i roi gwaed. Gall y wefan www.blood.co.uk fod o gymorth i chi.

Ffeithiau pwysig:

- Dim ond 6 y cant o bobl sy'n gallu rhoi gwaed yn y DU sy'n gwneud hynny.
- Mae rhoi gwaed yn achub bywydau.
- Mae angen 10 000 o unedau o waed bob dydd.
- Mae angen 15 y cant yn fwy o waed ar ysbytai heddiw nag yr oedd ei angen bum mlynedd yn ôl.
- Mae rhai pobl sy'n meddwl na allant roi gwaed yn gallu gwneud mewn gwirionedd.
- Mae rhoi gwaed yn gwneud i chi deimlo'n dda amdanoch eich hun.

2.21 Rhoddwr gwaed

Taith y bag o waed

Ar ôl i'r gwaed gael ei gasglu, rhoddir rhif unigryw iddo ar ffurf cod bar. Mae hyn yn golygu y gall gwaed Michael a Nia gael ei olrhain yn ôl iddynt. Yna mae'r bag o waed yn cael ei gludo i un o Ganolfannau'r Gwasanaeth Gwaed Cenedlaethol.

Un peth sy'n digwydd yn y Ganolfan yw fod y rhan fwyaf o'r celloedd gwyn yn cael eu tynnu o'r gwaed. Defnyddir hidlen arbennig i hidlo'r celloedd gwyn. Mae hyn yn gwncud y gwaed yn fwy diogel i'r bobl a fydd yn ei dderbyn.

Rhoddir y gwaed mewn allgyrchydd. Peiriant sy'n troelli ar gyflymder mawr yw allgyrchydd. Mae'n gwahanu pethau trymach oddi wrth bethau ysgafnach. Mae hyn yn gorfodi'r gwaed i wahanu'n dair haen – celloedd coch, platennau a phlasma.

Yn olaf, rhoddir y gwaed, sy'n dal yn ei becyn plastig gwreiddiol, mewn peiriant sy'n gwasgu'r bag ac yn gwthio'r celloedd coch allan, gan adael y platennau. Gall y platennau o bedwar neu bump o roddwyr gael eu rhoi at ei gilydd i ddarparu un dos ar gyfer oedolyn. Mae cydrannau'r gwaed bellach yn barod i'w defnyddio.

1 Awgrymwch pam y rhoddir celloedd coch crynodedig i glaf ar ôl damwain, yn hytrach na'r gwaed cyfan.

Geiriau allweddol

anaemia

celloedd coch y gwaed

celloedd gwyn y gwaed

cludo

haemoglobin

hylif

ocsihaemoglobin

plasma

platennau

Ffeithiau allweddol

Copïwch a chwblhewch y brawddegau trwy ddewis y gair cywir o'r rhestr o eiriau allweddol. Gellir defnyddio pob gair fwy nag unwaith.

1 _____ yw gwaed sy'n _____ bwyd, ocsigen, carbon deuocsid, hormonau ac wrea o amgylch y corff.

2 Mae'r rhan hylifol o waed yn cael ei galw'n _____.

3 Mae gwaed yn cynnwys _____ _____ _____ _____ sy'n cario ocsigen, _____ _____ _____ _____ sy'n ein hamddiffyn ni rhag bacteria a _____ sy'n ceulo'r gwaed.

4 Mae celloedd coch y gwaed yn cynnwys _____ sy'n cyfuno ag ocsigen i ffurfio _____.

5 Os ydych chi'n dioddef o _____, nid oes digon o _____ yng nghelloedd coch eich gwaed.

2.21 Rhoddwr gwaed

Mae Michael a Nia yn cael y cerdyn coch (ASTUDIAETH ACHOS)

Mae Michael a Nia yn penderfynu rhoi gwaed.

Ar ôl iddynt gyrraedd neuadd y pentref, rhaid iddynt aros eu tro. Daw eu tro'n ddigon buan a gofynnir nifer o gwestiynau iddynt am y clefydau y maen nhw wedi'u cael yn y gorffennol, a ydyn nhw'n cymryd unrhyw foddion a chwestiynau personol am eu ffordd o fyw. Mae'n bwysig iawn bod y rhoddwr yn iach er mwyn sicrhau nad yw'r sawl sy'n derbyn y gwaed yn cael unrhyw niwed.

Ar ôl ateb yr holl gwestiynau, maen nhw'n cael prawf gwaed syml. Caiff y croen ei dyllu i ryddhau diferyn o waed. Rhoddir prawf ar y diferyn hwn i ddarganfod a ydyn nhw'n dioddef o anaemia.

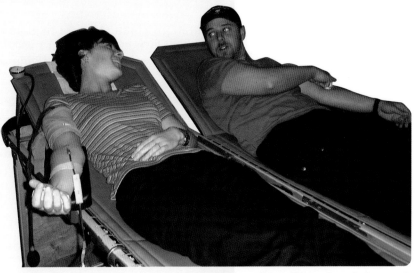

Nia a Michael yn rhoi gwaed.

Os yw rhywun yn dioddef o **anaemia** mae'n golygu nad oes digon o haemoglobin yng nghelloedd coch y gwaed.

Mae'r profion yn dangos bod popeth yn iawn ac felly maen nhw'n mynd i ystafell arall sy'n llawn o welyau troli. Gorweddant ar y gwelyau ac mae nyrs yn gofyn iddynt ai dyma eu tro cyntaf. Mae'r nyrs yn egluro beth fydd yn digwydd ac yna'n gosod cyffen enchwythadwy ar fraich uchaf y ddau. Caiff safle'r wythïen ei lanhau'n drwyadl cyn rhoi nodwydd yn y wythïen i gael y gwaed i lifo i fag. Mae Michael a Nia yn synnu pa mor hawdd a di-boen yw'r cyfan.

Mae'r nyrs yn cadw golwg ar bwysau'r bag ac ar ôl casglu digon o waed mae'r nodwydd yn cael ei thynnu. Ar ôl i system geulo'r rhoddwr wneud ei gwaith ac i dolchen fach ffurfio i atal gwaedu pellach, rhoddir plaster bach dros y man.

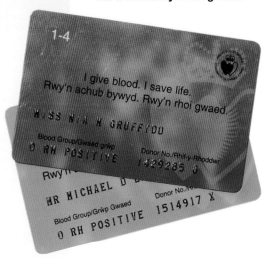

Cardiau rhoddwr Michael a Nia.

Mae Michael a Nia yn aros ar y gwelyau am ychydig i sicrhau nad oes unrhyw broblemau.

Ychydig o wythnosau wedyn mae eu cardiau coch yn cyrraedd. Mae'r rhain yn rhoi gwybodaeth am eu grwpiau gwaed

2 Awgrymwch pam na ddylai Nia roi gwaed os yw hi wedi cael ei chlustlau wedi'u tyllu'n ddiweddar.

3 Nodwch beth yw ystyr y gair 'anaemia'.

4 Awgrymwch pam na ddylai Michael roi gwaed os yw'n dioddef o anaemia.

5 Awgrymwch pam mae'n rhaid i bobl beidio â rhoi gwaed os ydyn nhw newydd gael hepatitis.

6 Awgrymwch pam mae'r nyrs yn pwyso'r bag o waed wrth gasglu'r gwaed.

7 Awgrymwch pam y cymerir tri sampl bach o waed hefyd.

2.22 Asthma

Mae gan Richard asthma

Daeth Richard i wybod bod ganddo asthma gyntaf pan gafodd drafferth anadlu. Pan fyddai'n ymarfer yn yr ysgol, sylwodd y byddai'n mynd allan o wynt ac yn dechrau gwichian. Aeth â'i rieni ag ef i weld y meddyg. Eglurodd y meddyg fod y tiwbiau sy'n mynd ag aer i'r ysgyfaint weithiau'n mynd yn gulach. Roedd hyn yn ei gwneud hi'n anodd iddo anadlu aer i mewn.

Sut mae Richard yn anadlu

Gwirio gair ✓

Coden aer â mur tenau yn yr ysgyfant yw **alfeolws** (lluosog: **alfeoli**).

Dangosodd y meddyg ddiagram o'r ysgyfaint i Richard. Tynnodd sylw at y **bronci** (unigol: **broncws**) a'r **bronciolynnau** ar y diagram ac eglurodd mai'r rhain oedd y tiwbiau a fyddai'n mynd yn llai yn ystod pwl o asthma. Dywedodd wrth Richard fod aer yn cael ei dynnu i mewn i'w ysgyfaint wrth iddo anadlu i mewn a bod ocsigen yn tryledu trwy fur ei godennau aer (**alfeoli**) i'w waed.

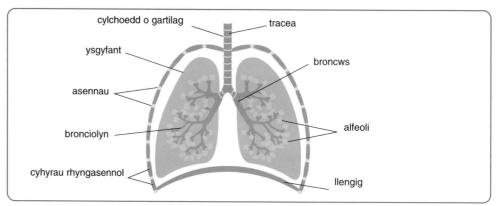

Mae eich ysgyfaint wedi'u lleoli yn eich **thoracs** (brest).

gw. Trylediad, tud. 30

Yr un pryd mae carbon deuocsid yn tryledu o'i waed i'w ysgyfaint. Felly wrth i Richard anadlu allan, mae'n cael gwared â'r carbon deuocsid gwastraff. Yr enw a roddir ar hyn yw **cyfnewid nwyol**.

Er mwyn gallu gwneud hyn i gyd, rhaid i'r alfeoli yn ei ysgyfaint:

• fod yn denau – i ganiatáu i ocsigen fynd drwodd;

• bod yn llaith – mae ocsigen yn mynd drwodd yn gyflymach mewn hydoddiant;

• bod ag arwynebedd arwyneb mawr – mae mwy o arwyneb i'r ocsigen dryledu drwodd i mewn i'r gwaed;

• bod â chyflenwad gwaed da – i gario'r ocsigen i bob rhan o'r corff fel y gall mwy ohono dryledu drwodd.

Mae Richard yn sylweddoli bod yr aer y mae'n ei anadlu allan yn wahanol i'r aer y mae'n ei anadlu i mewn. Gall deimlo ei fod yn gynhesach a bod mwy o leithder ynddo. Mae'r tabl yn dangos rhai gwahaniaethau eraill.

	Nitrogen	Ocsigen	Carbon deuocsid
Aer sy'n cael ei anadlu i mewn	79%	20%	0.04%
Aer sy'n cael ei anadlu allan	79%	16%	4%

❶ Pa ganran o'r ocsigen yn yr aer y mae ysgyfaint Richard yn ei amsugno?

Sut mae Richard yn anadlu   GWEITHGAREDD

Mae Richard eisiau gwybod sut mae aer yn mynd i mewn ac allan o'i ysgyfaint. **Anadlu** yw'r enw a roddir ar hyn.

Mae'n penderfynu gwneud model o'i ysgyfaint a'i frest. Mae'r diagram yn dangos sut y mae'n ei wneud.

Gwnewch gopi o fodel Richard gan ddefnyddio'r un cyfarpar ag a ddefnyddiodd ef. Bydd eich athro/athrawes wedi paratoi peth o'r cyfarpar i chi.

2 Pa ran o'r model sy'n cynrychioli ei:

(a) brest   (b) ysgyfaint
(c) tracea   (ch) llengig?

Gwthiwch y llen rwber yn ysgafn tuag at i fyny i gynyddu'r gwasgedd aer yn y jar.

3 Beth sy'n digwydd i gyfaint yr aer yn y jar gwydr pan wthiwch y rwber tuag i fyny?

4 Beth sy'n digwydd i'r balwnau?

5 Pam mae hyn yn digwydd yn eich barn chi?

Pinsiwch y llen rwber rhwng eich bawd a'ch mynegfys. Tynnwch y llen rwber i lawr yn ysgafn i leihau'r gwasgedd aer yn y jar.

6 Beth sy'n digwydd i gyfaint yr aer yn y jar gwydr pan dynnwch y rwber tuag i lawr?

7 Beth sy'n digwydd i'r balwnau?

8 Eglurwch pam mae hyn yn digwydd.

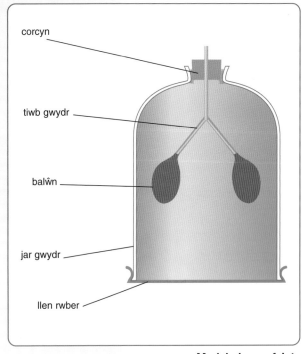

corcyn

tiwb gwydr

balŵn

jar gwydr

llen rwber

Model o'r ysgyfaint.

Nid yw modelau'n rhoi'r darlun llawn bob amser.

Pan fydd Richard yn anadlu i mewn ac allan mewn gwirionedd, nid ei **lengig** yn unig fydd yn symud i fyny ac i lawr. Bydd ei **asennau**'n symud hefyd. Wrth iddo fewnanadlu, caiff ei asennau eu tynnu tuag i fyny ac allan gan ei gyhyrau rhyngasennol (**cyhyrau'r asennau**). Bydd hyn yn cynyddu **cyfaint** ei ysgyfaint ac yn lleihau'r gwasgedd, gan beri i aer ddod i mewn. Wrth i Richard allanadlu, bydd ei lengig yn codi a bydd ei asennau'n dlsgyn.

Wrth i gyfaint yr ysgyfaint gynyddu, bydd y **gwasgedd** aer y tu mewn iddynt yn gostwng. Bydd y gwasgedd aer y tu allan i gorff Richard yn fwy nag y mae yn ei ysgyfaint, felly bydd aer yn rhuthro i mewn i'w ysgyfaint.

Mae'r cylchoedd o **gartilag** ym muriau'r bronciolynnau a'r bronci yn sicrhau nad ydyn nhw'n dymchwel wrth i'r gwasgedd aer ynddynt ostwng.

2.22 Asthma

Rheoli asthma Richard

Mae'r mwyafrif o arbenigwyr yn annog pobl asthmatig i gymryd cyfrifoldeb dros eu cyflwr eu hunain. Mae dioddefwyr yn cael eu dysgu sut a phryd i ddefnyddio'r cyffuriau.

Dyma ddyddiadur Richard.

Richard yn defnyddio ei Ventolin.

Mae'n ddiwrnod chwaraeon yn yr ysgol heddiw. Roeddwn i'n cael trafferth anadlu i mewn y bore 'ma. Rydw i'n defnyddio dau fath o gyffur i reoli fy asthma erbyn hyn. Enw un ohonyn nhw yw Becotide a bydda i'n cymryd hwn bob dydd: yn y bore a chyn mynd i'r gwely. Enw'r cyffur arall yw Ventolin a bydda i'n cymryd hwn pryd bynnag y bydda i'n fyr o wynt. Mae'r ddau gyffur yn cael eu darparu mewn mewnanadlwyr. Bydda i'n pwmpio'r mewnanadlydd i gael 'chwa' o foddion i lawr at fy ysgyfaint lle mae ei angen. Fe gymera i'r Becotide i rwystro ymosodiadau asthma rhag digwydd. Mae'n gwneud fy ysgyfaint yn llai sensitif i bethau a allai effeithio arnynt ac achosi ymosodiad. Dyma pam mae'n rhaid i mi ei gymryd bob dydd. Ond weithiau dydy hwn hyd yn oed ddim yn rhwystro ymosodiad ac yna bydda i'n cymryd y Ventolin i agor fy llwybrau anadlu fel y galla i anadlu'n iawn eto.

Teimlais i'n llawer gwell ar ôl defnyddio fy mewnanadlydd. Dylwn i fod yn iawn nawr ar gyfer diwrnod chwaraeon yr ysgol.

Geiriau allweddol

alfeoli (unigol: alfeolws)

anadlu

asennau

bronciolynnau

broncws (lluosog: bronci)

cartilag

cyfaint

cyfnewid nwyol

cyhyrau'r asennau

llengig

gwasgedd

tracea

thoracs

Ffeithiau allweddol

Copïwch a chwblhewch y brawddegau trwy ddewis y gair cywir o'r rhestr o eiriau allweddol. Gellir defnyddio pob gair fwy nag unwaith.

1 Mae'r ysgyfaint yn y frest neu'r _____.

2 Mae cael aer i mewn i ac allan o'r ysgyfaint yn cael ei alw'n _____.

3 Mae aer yn mynd i'r ysgyfaint trwy deithio i lawr y _____, _____ a _____.

4 Mae'r bronciolynnau yn ymrannu ac yn diweddu mewn codennau aer bach o'r enw _____.

5 Mae'r ysgyfaint yn caniatáu i _____ _____ ddigwydd.

6 Mae aer yn cael ei dynnu i mewn i'r ysgyfaint pan yw'r _____ yn gostwng, ac mae _____ _____ yn tynnu'r _____ tuag i fyny.

7 Mae hyn yn cynyddu _____ yr aer yn yr ysgyfaint ac yn lleihau'r _____ fel bod aer yn cael ei dynnu i mewn.

8 Mae cylchoedd o _____ yn cadw'r bronci ar agor pan yw'r gwasgedd mewnol yn gostwng.

2.22 Asthma

Dr Davies – meddyg teulu   ASTUDIAETH ACHOS

Meddyg teulu yw Dr Davies. Mae llawer o'i gleifion yn dioddef o asthma. Mae'n gwybod pa mor bwysig yw cadw llygad rheolaidd arnynt. Bydd yn defnyddio mesurydd anterth llif yn aml i wneud hyn. Mae ei gleifion yn anadlu i mewn yn ddwfn ac yn chwythu mor galed ag y gallant i mewn i'r mesurydd.

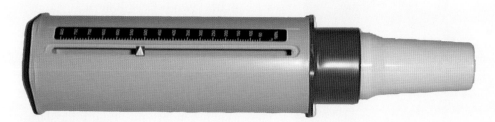

Mesurydd anterth llif.

Mae'r darlleniad ar y mesurydd yn dangos faint o aer y gall ei gleifion ei chwythu allan o'u hysgyfaint mewn un eiliad. Po uchaf y darlleniad, mwyaf iach yr ysgyfaint. Bydd Dr Davies yn cymharu'r darlleniad â siart sy'n dangos oedran a thaldra cleifion. Bydd hyn yn dangos a yw'r asthma yn effeithio ar yr ysgyfaint ac a yw'r moddion yn gweithio.

Ym marn Dr Davies dylai cleifion gael eu hannog i gymryd cyfrifoldeb dros eu cyflwr eu hunain. Gall asthma beryglu bywyd y dioddefwr. Ond mae'n gwybod y gall y mwyafrif o gleifion sy'n defnyddio eu meddyginiaeth yn llwyddiannus arwain bywydau iach a normal a chymryd rhan mewn amrywiaeth eang o weithgareddau corfforol.

Mae rhai cleifion yn poeni pan ddywedir bod yn rhaid iddynt ddefnyddio Becotide, gan ei fod yn steroid. Cyffuriau grymus yw steroidau. Ond mae Dr Davies yn dweud nad oes angen iddynt boeni. Gan fod y Becotide yn mynd yn syth i'r ysgyfaint, mae'r dos sydd ei angen yn fach iawn ac felly'n ddiogel.

9 Pam mae Dr Davies yn defnyddio mesurydd anterth llif?

10 Eglurwch pam mae Dr Davies yn annog ei gleifion i gymryd cyfrifoldeb dros eu cyflwr eu hunain.

11 Awgrymwch pam y gall asthma fod yn glefyd angheuol.

12 Pam mae Richard yn cymryd Becotide ddwywaith y dydd, ond Ventolin dim ond pan yw'n teimlo bod ei angen arno?

13 Awgrymwoh pam mao'r aer sy'n cael ei anadlu allan gan Richard yn gynhesach ac yn cynnwys mwy o leithder na'r aer y mae'n ei anadlu i mewn.

14 Eglurwch pam mae Richard yn cael trafferth anadlu yn ystod ymosodiad asthma.

15 Pam mae Dr Davies yn dweud wrth ei gleifion ei bod hi'n ddiogel iddynt gymryd steroid fel Becotide?

2.23 Aerobeg

Mae Dewi eisiau bod yn ffit

Nid yw Dewi'n cael digon o ymarfer.

Nid yw Dewi yn ffit iawn. Yn y gwaith mae'n treulio'r rhan fwyaf o'r dydd yn gweithio wrth ei ddesg.

Mae'n gwybod ei fod ychydig yn rhy drwm am ei oed gan nad yw'n bwyta'r math iawn o fwyd bob tro.

Mae Dewi'n gwybod y gall y dull hwn o fyw arwain at afiechyd. Mae'n sylweddoli bod angen iddo ddyfeisio cynllun ffitrwydd.

Mae'n penderfynu mynd i ddosbarth aerobeg i weld sut beth yw ef.

Resbiradaeth aerobig

Mae'r hyfforddwr aerobeg yn dweud wrth Dewi fod y carbohydradau yn ei fwyd yn cael eu torri i lawr gan dreuliad i ffurfio math o siwgr. Mae'r siwgr hwn, o'r enw **glwcos**, yn darparu'r holl egni y mae ei angen arno. Mae proses o'r enw **resbiradaeth aerobig**. yn rhyddhau'r egni hwn o'r glwcos. Mae'r broses hon yn digwydd y tu mewn i holl gelloedd Dewi, gan gynnwys celloedd ei gyhyrau. Yn ystod resbiradaeth mae'r **ocsigen** a anadlwch i mewn yn 'llosgi'r' glwcos. Mae hyn yn rhyddhau'r egni y mae ei angen ar eich corff. Mae hefyd yn cynhyrchu **carbon deuocsid**.

gw. Eplesiad, tud. 82

$$\text{glwcos} + \text{ocsigen} \longrightarrow \text{carbon deuocsid} + \text{dŵr} + \text{egni}$$

$$C_6H_{12}O_6 + 6O_2 \longrightarrow 6CO_2 + 6H_2O + \text{energy}$$

Mae'r hyfforddwr yn dweud wrth Dewi y bydd y dosbarth aerobeg yn ei wneud yn fwy ffit mewn tair ffordd.

- Bydd arwynebedd ei ysgyfaint yn cynyddu a bydd yn gallu amsugno ocsigen o'r aer yn gyflymach.

- Bydd ei galon yn mynd yn fwy ac yn gryfach a bydd yn gallu pwmpio gwaed sy'n cynnwys ocsigen a glwcos o amgylch ei gorff yn gyflymach.

- Bydd ei gyhyrau'n mynd yn fwy a bydd ganddynt gyflenwad gwaed gwell. Bydd hyn yn eu gwneud yn fwy effeithlon. Bydd yn eu galluogi i gael mwy o glwcos ac ocsigen ac i ryddhau'r egni'n gyflymach.

Mae Dewi'n sylweddoli y bydd ei gorff yn mynd yn fwy effeithlon wrth iddo fynd yn fwy ffit. Bydd hyn yn ei helpu i wneud gweithgareddau pob dydd. Bydd hefyd yn ei alluogi i ymarfer yn galetach am gyfnodau hirach o amser cyn blino.

Mae Dewi'n penderfynu rhoi cynnig ar aerobeg

2.23 Aerobeg

Faint o egni sydd mewn bwyd? GWEITHGAREDD

Mae Dewi'n gwybod bod yr egni mewn bwyd yn cael ei fesur mewn **cilojouleau**. Y broblem yw nad yw'n gwybod beth yw cilojoule (kJ) na faint o egni'n union y mae'n ei gynrychioli. Mae'n penderfynu cynnal arbrawf i gael yr atebion.

Mae'r hyfforddwr aerobeg wedi dweud wrth Dewi bod resbiradaeth yn debyg i losgi. Pan fyddwch chi'n bwyta carbohydradau, bydd eich corff yn eu 'llosgi' i ryddhau egni.

Mae Dewi'n penderfynu llosgi bwyd sy'n cynnwys carbohydradau a defnyddio'r gwres sy'n cael ei ryddhau i dwymo dŵr. Mae'n meddwl y bydd hyn yn dangos iddo faint o egni sydd yn y bwyd.

Mae'r diagram yn dangos arbrawf Dewi.

Dilynodd y drefn hon:

- rhoddodd 20 cm^3 o ddŵr mewn tiwb profi;

- mesurodd dymheredd y dŵr;

- daliodd greisionen datws mewn gefel fach a rhoi'r greisionen ar dân;

- daliodd y greisionen o dan y tiwb profi hyd nes iddi losgi'n llwyr;

- mesurodd dymheredd y dŵr eto. Roedd 25°C yn uwch.

1 Mae angen 4.2 J o egni gwres i beri cynnydd o 1°C yn nhymheredd 1 cm^3 o ddŵr. Sawl joule a oedd yn y greisionen yn eich barn chi?

2 Roedd Dewi'n meddwl nad oedd ei arbrawf mor fanwl ag y gallai fod. Sut y gallech wneud arbrawf Dewi yn fwy manwl gywir?

3 37°C yw tymheredd y corff fel rheol. Mae hyn bron bob amser yn gynhesach na'r aer o'ch cwmpas. O ble rydych chi'n meddwl y mae'r egni gwres ychwanegol yn dod i'ch cadw ar y tymheredd hwn?

4 Nodwch beth sy'n wahanol a beth sy'n debyg rhwng resbiradaeth a llosgi.

Gwirio gair ✓

Mesur o egni yn y system ryngwladol o unedau (SI) yw joule (J).
Mae 1000 joule (J)
      = 1 **cilojoule** (kJ)
Mae rhai pobl yn dal i ddefnyddio'r hen unedau, sef calorïau.

gw. Pŵer goleuo, tud. 244

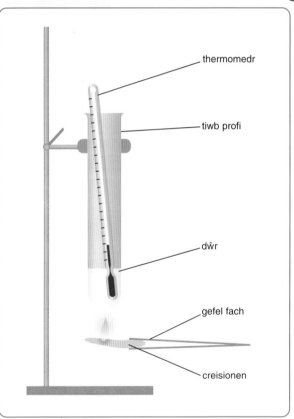

thermomedr

tiwb profi

dŵr

gefel fach

creisionen

Mesur yr egni mewn creisionen datws.

2.23 Aerobeg

Mae Dewi'n ymuno â dosbarth aerobeg

Dewi'n ymarfer.

Mae Dewi'n mynd i'w ddosbarth aerobeg cyntaf.

Mae'n penderfynu mesur curiad ei galon cyn cychwyn ac mae'n darganfod bod ei galon yn curo ar 78 curiad y funud. Mae'n dechrau dilyn yr hyfforddwr ac yn gwneud yr ymarferion dawnsio wedi'u gosod i gerddoriaeth. Cyn pen dim mae'n teimlo'n brin o anadl. Mae ei gyfradd anadlu wedi cynyddu ac mae'n anadlu'n ddyfnach. Mae Dewi yn penderfynu cael seibiant bach. Mae'n mesur curiad ei galon eto ac yn darganfod ei fod wedi cyflymu i 121 o guriadau'r funud.

Wrth iddo orffwys, mae Dewi yn edrych ar y poster ar y wal. Mae'n dangos y gwahaniaethau rhwng yr aer a anadlwn i mewn a'r aer a anadlwn allan.

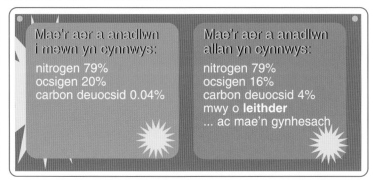

Mae'r aer a anadlwn i mewn yn cynnwys:

nitrogen 79%
ocsigen 20%
carbon deuocsid 0.04%

Mae'r aer a anadlwn allan yn cynnwys:

nitrogen 79%
ocsigen 16%
carbon deuocsid 4%
mwy o **leithder**
... ac mae'n gynhesach

5 Nodwch ddau reswm pam mae curiad calon Dewi wedi cyflymu yn ystod yr ymarfer.

6 Awgrymwch pam mae'r aer a anadlwch allan yn cynnwys mwy o garbon deuocsid a llai o ocsigen na'r aer a anadlwch i mewn.

7 Cyfrifwch ganran yr ocsigen yn yr aer sy'n cael ei amsugno gan y corff.

8 Awgrymwch pam yr anadlwch allan yr un maint yn union o nitrogen ag yr anadlwch i mewn.

Geiriau allweddol

carbon deuocsid

cilojouleau

glwcos

lleithder

ocsigen

resbiradaeth aerobig

Ffeithiau allweddol

Copïwch a chwblhewch y brawddegau trwy ddewis y gair cywir o'r rhestr o eiriau allweddol. Gellir defnyddio pob gair fwy nag unwaith.

1 Mae'r egni mewn bwyd yn cael ei fesur mewn _____.

2 Mae _____ yn adweithio â _____ i ryddhau egni.

3 Yr enw ar hyn yw _____ _____.

4 Mae'r nwy _____ _____ yn cael ei gynhyrchu yn ystod resbiradaeth.

5 Mae'r aer a anadlwn allan yn cynnwys mwy o _____ _____ a llai o _____ na'r aer a anadlwn i mewn.

6 Mae'r aer hefyd yn gynhesach na'r aer a anadlwn i mewn ac yn cynnwys mwy o _____.

Mesur ffitrwydd Dewi ASTUDIAETH ACHOS

Defnyddio sbiromedr.

Gellir defnyddio peiriant o'r enw sbiromedr i fesur anadlu. Mae'r llun yn dangos Dewi'n anadlu wrth iddo bedalu ar beiriant ymarfer. Mae'r aer y mae'n ei anadlu yn cael ei gasglu mewn bag. Yna mae'n cael ei ddadansoddi i weld beth sydd ynddo.

Mae'r cyfrifiadur hefyd yn cyfrifo faint o aer sy'n cael ei anadlu i mewn ac allan.

Gall y data gael eu dangos ar ffurf allbrint.

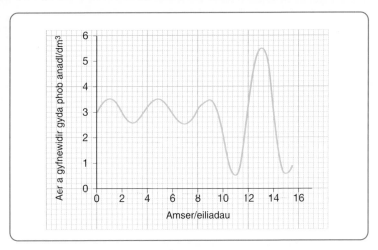

Allbrint y sbiromedr.

Cyfradd anadlu yw nifer yr anadliadau y funud. **Cyfaint cyfnewid** yw maint yr aer sy'n cael ei anadlu i mewn ac allan gyda phob anadl. **Cyfaint anadlol** yw'r cyfaint mwyaf o aer a all gael ei anadlu i mewn ac allan gyda phob anadl. **Cyfaint gweddillol** yw'r swm bach o aer sydd ar ôl yn yr ysgyfaint ar ôl i chi anadlu allan mor bell â phosibl.

9 Darganfyddwch gyfaint cyfnewid Dewi.

10 Darganfyddwch gyfaint anadlol Dewi.

11 Darganfyddwch gyfradd anadlu Dewi mewn anadliadau y funud.

12 Awgrymwch sut y bydd y graff yn newid ar ôl i Dewi fynychu'r dosbarth aerobeg am sawl wythnos.

2.24 Dyled ocsigen

Mae Wendy yn rhedeg marathon

Mae Wendy yn awyddus i redeg marathon i godi arian i elusen. Mae hi'n gwybod y bydd yn rhaid iddi gael hyfforddiant arbennig a bod yn ffit iawn cyn gallu rhedeg marathon.

Mae Wendy wedi clywed bod rhedwyr marathon yn bwyta llawer o garbohydrad cyn ras. Nid yw hi'n deall pam.

Mae hi'n penderfynu darganfod cymaint ag y gall hi am redeg marathon.

Mae Wendy yn hyfforddi ar gyfer marathon.

Resbiradaeth anaerobig

Ar ôl i Wendy redeg ei 100 metr cyntaf, bydd hi'n parhau i anadlu'n drwm ar ôl stopio. Mae'n ymddangos yn hollol resymol i fod yn anadlu'n drwm wrth redeg, ond nid yw hi'n deall pam mae hi'n dal i anadlu'n drwm am rai munudau wedyn. Mae hi'n gofyn i'w hyfforddwr ffitrwydd am esboniad.

Mae ei hyfforddwr yn dweud wrthi ei bod hi'n llosgi glwcos cydag **ocsigen** i ryddhau egni wrth iddi redeg. Mae hi'n defnyddio'r egni hwn i redeg. Yn anffodus, nid yw'r corff dynol wedi'i ddylunio'n ddigon da i gyflenwi'r holl ocsigen y mae ei angen ar Wendy. Er bod ei chyfradd anadlu'n cyflymu a'i chalon yn curo'n gyflymach, ni all y cyhyrau yn ei choesau gael digon o ocsigen i gwrdd â'u hanghenion. Mae hyn yn golygu y bydd y corff yn rhedeg allan o egni yn fuan ac yn stopio.

 gw. Aerobeg, tud. 120

Mae Wendy wedi drysu. Mae hi'n gwybod nad yw pobl sy'n rhedeg marathon ddim yn stopio. Gallant ddal ati am filltiroedd lawer.

Mae'r hyfforddwr yn dweud wrthi ei bod hi'n bosibl torri glwcos i lawr i ryddhau egni heb ddefnyddio ocsigen. **Resbiradaeth anaerobig** yw enw'r broses hon.

Mae Wendy wedi drysu fwy byth. Pam mae pobl yn trafferthu anadlu o gwbl os gellir torri glwcos i lawr heb ocsigen?

Dywed ei hyfforddwr wrthi na allwn wneud hyn ond am gyfnodau byr ar y tro. Y broblem yw fod llawer llai o egni'n cael ei ryddhau o'r glwcos (nid yw'r broses yn effeithlon iawn) a bod cynnyrch gwastraff o'r enw **asid lactig** yn cael ei gynhyrchu yn y cyhyrau.

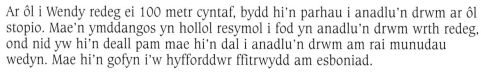

glwcos $\longrightarrow$ asid lactig + egni

Mae asid lactig yn gwneud i'ch cyhyrau frifo a gall hyn fod yn boenus iawn.

Ar ôl i chi stopio rhedeg, rhaid i chi ddal ati i anadlu'n ddwfn er mwyn amsugno digon o ocsigen i dorri'r asid lactig i lawr. I bob pwrpas, rydych chi'n talu'r ocsigen yn ôl. Yr enw ar hyn yw '**dyled ocsigen**'.

2.24 Dyled ocsigen

Mesur ffitrwydd

Prawf camu Harvard

Gellir defnyddio prawf ffitrwydd Harvard i ddarganfod pa mor ffit yr ydych chi. Mae'n gweithio trwy amseru cyfradd curiad y galon ar ôl i chi wneud peth ymarfer. Mae'r ymarfer yn cynnwys camu i fyny ac i lawr ar fainc am 300 eiliad.

Nesaf, gorffwyswch am funud, yna mesurwch gyfradd curiad eich calon am 30 eiliad.

Arhoswch am 30 eiliad, yna mesurwch gyfradd curiad eich calon am 30 eiliad arall.

Arhoswch am 30 eiliad arall, yna mesurwch gyfradd curiad eich calon am 30 eiliad arall.

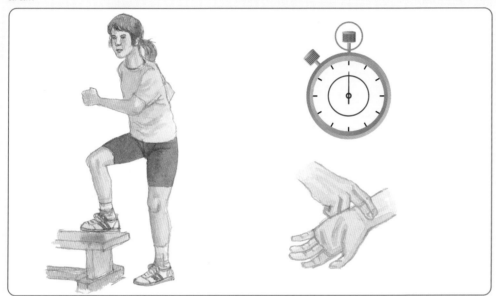

Gwneud prawf ffitrwydd Harvard.

Mae Wendy yn penderfynu darganfod pa mor ffit yw hi.

Mae hi'n gwneud y prawf ac yna'n defnyddio'r fformiwla ganlynol i gyfrifo ei ffitrwydd:

$$\frac{\text{amser a dreuliodd yn ymarfer} \times 100}{2 \times (\text{1af} + \text{2il} + \text{3ydd cyfrif curiad calon})}$$

Pan gymerodd Wendy y prawf gyntaf, ni allai ei wneud ond am 200 eiliad. Roedd ei chyfraddau curiad yn 65, 60 a 55.

Ei ffitrwydd yw $\dfrac{200 \times 100}{2 \times (65 + 60 + 55)} = \dfrac{20\,000}{360} = 56$

❶ Pa mor ffit yw Wendy?

Ar ôl cwblhau ei hyfforddiant, gallai gwblhau'r 300 eiliad ac roedd ei chyfraddau curiad yn 60, 55 a 50.

❷ Cyfrifwch ei ffitrwydd newydd. Pa mor ffit yw Wendy erbyn hyn?

Y rheswm dros anadlu'n gyflymach yn ystod ymarfer yw oherwydd bod yr ymennydd yn monitro'r lefel o **garbon deuocsid** yn y gwaed. Po uchaf y lefel o garbon deuocsid, cyflymaf i gyd y byddwch chi'n anadlu.

Graddfa ffitrwydd

90+ hynod o ffit

80+ ffit iawn

70+ ffit

60+ gweddol

llai na 60 ddim yn ffit

2.24 Dyled ocsigen

Mae Wendy yn paratoi ar gyfer y ras

Mae Wendy yn dechrau ei hyfforddiant trwy redeg pellterau byr. Bob dydd mae'n hi'n rhedeg ychydig ymhellach hyd nes y gall redeg sawl milltir heb seibiant.

Mae hi'n sylwi, wrth iddi fynd yn fwy ffit, ei bod hi'n gallu rhedeg yn bellach. Mae hi hefyd yn sylwi ei bod hi'n cymryd llai o amser iddi dalu ei dyled ocsigen yn ôl. Mae hi'n gwybod mai'r rheswm am hyn yw fod ei chalon a'i hysgyfaint yn mynd yn fwy, ac yn fwy effeithlon hefyd. Maen nhw'n darparu ocsigen a glwcos ar gyfer ei chyhyrau'n gyflymach.

Mae hi eisiau gwybod beth yw'r cyflymder mwyaf effeithlon ar gyfer rhedeg marathon a'i orffen yn yr amser gorau posibl.

Dywed ei hyfforddwr y bydd hi'n cynhyrchu gormod o asid lactig os bydd hi'n ceisio rhedeg yn rhy gyflym ac y bydd hi'n gorfod stopio oherwydd lludded cyhyrol. Rhaid iddi ddarganfod y cyflymder gorau i redeg heb beri i'r lefel o asid lactig yn ei chyhyrau godi'n rhy uchel.

Mae Wendy yn rhedeg ei marathon. Mae'r graff yn dangos y lefel o asid lactig yn ei gwaed.

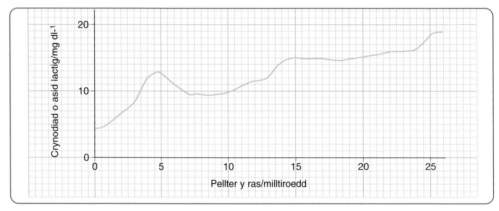

Lefelau asid lactig Wendy.

3 Awgrymwch beth a wnaeth Wendy ar ôl iddi redeg pum milltir.

4 Awgrymwch beth a wnaeth Wendy ychydig cyn diwedd y ras.

Geiriau allweddol

asid lactig

carbon deuocsid

ocsigen

dyled ocsigen

resbiradaeth anaerobig

Ffeithiau allweddol

Copïwch a chwblhewch y brawddegau trwy ddewis y gair cywir o'r rhestr o eiriau allweddol. Gellir defnyddio pob gair fwy nag unwaith.

1 Yn ystod ymarfer egnïol, mae cyhyrau'n torri glwcos i lawr heb _____.

2 Yr enw a roddir ar hyn yw _____ _____.

3 Mae resbiradaeth anaerobig yn cynhyrchu _____ _____ a all achosi lludded cyhyrol.

4 Yn y man, rhaid i'r asid lactig gael ei dorri i lawr gydag _____.

5 Mae talu'r ocsigen hwn yn ôl yn cael ei alw'n _____ _____.

6 Mae'r ymennydd yn monitro'r lefelau o garbon deuocsid yn y gwaed. Wrth i'r lefelau o _____ _____ godi, mae'r gyfradd anadlu'n codi hefyd.

2.24 Dyled ocsigen

A yw Wendy yn rhy drwm? (ASTUDIAETH ACHOS)

Cyn i Wendy ddechrau ymarfer, roedd hi'n meddwl ei bod hi ychydig dros ei phwysau. Os yw rhywun yn llawer rhy drwm, dywedwn ei fod yn ordew. Mae hyn yn digwydd pan yw'r corff yn storio gormod o fraster. Gall achosi problemau iechyd.

Mae hanner cilogram o fraster corff ychwanegol yn cynrychioli oddeutu 14 700 kJ o egni.

I ddarganfod a yw rhywun yn ordew, bydd meddygon yn defnyddio tablau sy'n cymharu pwysau a thaldra. Y broblem yw fod rhai pobl yn drymach na phobl eraill ond bod ganddynt lai o fraster. Gallai hyn ddigwydd i Wendy. Wrth iddi ymarfer bydd hi'n colli ei braster ond yn creu mwy o gyhyr. Gan fod cyhyr yn drymach na braster, gallai fynd yn fwy ffit ac ennill pwysau'r un pryd.

Dull gwell o fesur gordewdra yw **I**ndecs **M**às y **C**orff (IMC). Gellir ei gyfrifo fel a ganlyn.

$$IMC = \frac{\text{pwysau (mewn kg)}}{\text{taldra (mewn metrau) wedi'i sgwario}}$$

Er enghraifft, mae Wendy yn 1.70 metr o daldra ac mae hi'n pwyso 73 kg.

Ei IMC yw $\dfrac{73}{1.70 \times 1.70} = 25.3$

Math o gorff	IMC
o dan bwysau	< 18.5
cyffredin	18.5–24.9
dros bwysau	25.0–29.9
gordew	> 29.9

gw. Trawiad ar y galon, tud. 108

5 A yw Wendy y pwysau cywir?

6 Mae braster yn cynnwys 39 kJ y gram. Sawl cilojoule y byddai ei angen i chi ei losgi i golli 6 kg? (6 kg = 6000 g)

2.25 Cadw'n gynnes

Mae Paul yn cymryd rhan yng Nghynllun Gwobrau Dug Caeredin

Paul a'i ffrindiau'n dechrau ar eu taith gerdded hir.

Mae Paul yn dilyn cwrs awyr agored fel rhan o Gynllun Gwobrau Dug Caeredin. Er mwyn cael ei Fedal Aur, rhaid iddo fynd ar daith gerdded bum deg milltir o hyd ar draws tir garw. Mae'n gwybod y gall ddioddef o hypothermia os bydd y tywydd yn ddrwg. Mae'n penderfynu cael rhagor o wybodaeth am hypothermia cyn mynd ar y daith.

Hypothermia – y ffeithiau

Gwirio gair

Homeostasis yw'r enw a roddir ar unrhyw broses sy'n cadw tymheredd y corff, neu lefelau o sylweddau yn y gwaed, yn gyson.

gw. Diabetes, tud. 132

Tymheredd corff arferol Paul yw 37°C. Mae hyn fel rheol yn llawer cynhesach na'r aer o'i gwmpas (mae tymheredd ystafell gysurus oddeutu 20°C). Felly mae ef mewn perygl o oeri. Er mwyn cadw ei gorff ar 37°C, mae'n rhyddhau egni gwres yn gyson i'w gorff trwy'r broses o **resbiradaeth**. Mae cydbwysedd gofalus rhwng yr egni gwres sy'n cael ei ryddhau trwy resbiradaeth a pha mor gyflym y mae ei gorff yn colli'r egni gwres i'r amgylchedd

Mae cynnal tymheredd corff cyson o 37°C yn enghraifft o **homeostasis**.

Os bydd corff Paul yn colli egni gwres yn rhy gyflym, bydd tymheredd ei gorff yn gostwng a bydd yn dioddef o hypothermia. Gall hyn ddigwydd os ewch yn oer neu'n wlyb iawn ac os na allwch gynhesu. Gall hypothermia fod yn beryglus iawn. Mae pobl sy'n dioddef o hypothermia yn teimlo'n oer ac yn flinedig. Gallant fynd i gysgu, methu deffro, a marw.

Mae Paul yn sylweddoli y bydd yn rhaid iddo gymryd rhagofalon i sicrhau na fydd yn dioddef o hypothermia ar ei daith gerdded. Mae'n gwybod ei fod yn fwy tebygol o ddioddef o hypothermia os bydd yn gwlychu.

1 Awgrymwch pa fath o amodau tywydd a fyddai'n fwyaf peryglus i Paul.

2 Awgrymwch pa gyfarpar y dylai Paul ei bacio i osgoi cael hypothermia.

3 Awgrymwch pam y byddai'n syniad da i Paul gael rhagolygon y tywydd cyn gadael.

2.25 Cadw'n gynnes

Mesur hypothermia   GWEITHGAREDD

Tymheredd y corff

Thermomedr clinigol sy'n cael ei ddefnyddio i fesur tymheredd eich corff fel rheol. Gellir ei roi o dan eich cesail neu eich tafod.

Ffordd arall yw rhoi stribed sy'n sensitif i wres ar eich talcen. Mae'r lliw a ddangosir yn nodi beth yw eich tymheredd.

Os mesurwch eich tymheredd â thermomedr clinigol ac â stribed sensitif i wres, mae'n bosibl na fyddan nhw'n rhoi'r un canlyniad.

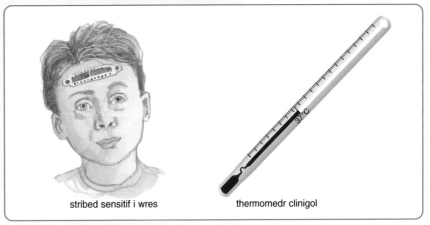

stribed sensitif i wres   thermomedr clinigol

Gellir defnyddio thermomedr clinigol neu stribed sensitif i wres i fesur tymheredd y corff.

4 Awgrymwch pam mae'n bosibl y bydd y ddau dymheredd yn wahanol.

Arbrawf hypothermia

Mae Paul eisiau gwybod pa mor debygol ydyw y bydd yn cael hypothermia os bydd yn gwlychu. Mae'n penderfynu defnyddio model i gynnal arbrawf.

Mae'n llenwi dwy botel blastig fawr â dŵr cynnes, yna'n rhoi thermomedr yn y ddwy botel cyn eu lapio mewn gwlân cotwm. Mae Paul yn gwlychu'r gwlân cotwm o amgylch un botel â dŵr ac yn gadael y gwlân cotwm am y llall yn sych. Mae'n mesur tymheredd y ddwy botel bob munud.

Dyma ganlyniadau Paul:

Amser/munudau	Tymheredd/°C	
	Potel sych	Potel wlyb
0	65	65
1	63	61
2	61	58
3	59	55
4	57	52
5	56	49
6	55	47

gwlyb   sych

Arbrawf i ddangos beth sy'n digwydd pan gewch eich gwlychu.

Lluniwch un graff sy'n dangos y ddwy set o ganlyniadau.

5 Nodwch pa botel a oerodd gyflymaf.

6 Eglurwch beth allai ddigwydd i Paul pe câi ei wlychu ar ei daith gerdded hir.

2.25 Cadw'n gynnes

Rheoli tymheredd y corff

Mae dwy broblem gan Paul. Os bydd yn mynd yn oer ac yn wlyb gall ei gorff golli gwres yn rhy gyflym a bydd yn dioddef o hypothermia. Ond os bydd hi'n ddiwrnod poeth, ac os bydd yn cerdded yn rhy gyflym, mae'n bosibl na fydd yn gallu colli gwres yn ddigon cyflym. Bydd ei gorff yn gorboethi a gall gael trawiad gwres.

Crynu. Os bydd Paul yn mynd yn rhy oer bydd yn dechrau crynu. Bydd hyn yn gwneud i'r cyhyrau yn ei gorff resbiradu'n gyflymach (llosgi mwy o danwydd) a chynhyrchu mwy o wres. Bydd hyn yn ei helpu i gadw'n gynnes.

Chwysu. Bydd hyn yn digwydd os yw Paul mewn perygl o orboethi. Mae'n gwneud i arwyneb ei groen fynd yn wlyb. Wrth i'r chwys **anweddu** mae'n tynnu gwres o'i groen. Dyma pam y teimlwch yn oer os eisteddwch ar ôl ymarfer caled sydd wedi gwneud i chi chwysu, hyd yn oed ar ddiwrnod cynnes. Mewn geiriau eraill, mae chwysu yn trosglwyddo gwres o'ch corff i'r amgylchedd.

Nid ydych fel rheol yn cerdded o gwmpas yn crynu neu'n chwysu, er bod y tymheredd o'ch cwmpas yn newid yn barhaus. Mae'r corff yn gwneud newidiadau bach i ba mor gyflym rydych chi'n colli gwres trwy gyfrwng **fasogyfyngiad** a **fasoymlediad**.

Os bydd tymheredd yr aer o'ch cwmpas yn cynyddu, bydd diamedr y pibellau gwaed bach yn y croen yn cynyddu (fasoymlediad). Bydd hyn yn caniatáu i ragor o waed lifo ger arwyneb y croen. Os oes gennych groen golau, bydd yn newid i liw pinc. Bydd y corff yn colli mwy o wres o'r croen cynnes. Byddwch chi'n oeri.

Os bydd tymheredd yr aer o'ch cwmpas yn disgyn, bydd y pibellau gwaed bach yn eich croen yn culhau (fasogyfyngiad). Bydd llai o waed yn llifo ger arwyneb y croen. Bydd croen golau yn mynd yn wynnach. Collir llai o wres o'r croen oer.

Mae'r canolfannyn thermoreoli yn eich ymennydd yn **monitro** tymheredd eich gwaed drwy'r adeg. Os bydd y tymheredd yn rhy uchel neu'n rhy isel, bydd yr ymennydd yn anfon negeseuon i roi'r mecanweithiau rheoli tymheredd hyn ar waith.

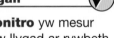

Gwirio gair

Ystyr **monitro** yw mesur neu gadw llygad ar rywbeth yn barhaus.

Geiriau allweddol

anweddiad

anweddu

crynu

chwysu

fasogyfyngiad

fasoymlediad

homeostasis

monitro

resbiradaeth

tymheredd

Ffeithiau allweddol

Copïwch a chwblhewch y brawddegau trwy ddewis y gair cywir o'r rhestr o eiriau allweddol. Gellir defnyddio pob gair fwy nag unwaith.

1 _____ arferol y corff dynol yw 37°C.

2 Mae gwres sy'n cael ei ryddhau o _____ yn cael ei ddefnyddio i gynnal tymheredd y corff.

3 Mae _____ yn rhyddhau mwy o wres wrth i'r cyhyrau resbiradu fwy.

4 Mae _____ yn oeri'r corff wrth i'r hylif _____ a thynnu gwres o arwyneb y croen.

5 Mae _____ a _____ yn newid y llif o waed i arwyneb y croen trwy newid diamedr y pibellau gwaed, gan reoli colli gwres.

6 Mae chwysu a chrynu yn cael eu rheoli gan yr ymennydd, sy'n _____ _____ y gwaed.

7 Mae cadw tymheredd eich corff yn gyson yn enghraifft o _____.

2.25 Cadw'n gynnes

Tîm Achub Mynydd Patterdale   ASTUDIAETH ACHOS

Mae Dave yn aelod o Dîm Achub Mynydd Patterdale. Gwirfoddolwyr yw aelodau'r tîm sy'n cael eu galw at ei gilydd os bydd argyfwng ar y bryniau. Nid yw Dave a'i dîm byth yn gwybod beth i'w ddisgwyl. Weithiau mae rhywun wedi mynd ar goll. Weithiau mae rhywun wedi cael damwain ac wedi brifo.

Dave ar waith.

Mae Dave yn gwybod y gall y bryniau fod yn lle peryglus. Mae'n gwybod hefyd pa mor bwysig ydyw i bobl sy'n cerdded ar hyd y bryniau ddefnyddio'r cyfarpar cywir. Mae bob amser yn syniad da cael rhagolygon y tywydd ymlaen llaw a sicrhau bod gan rywun gopi o'ch llwybr a'r amser y mae disgwyl i chi gyrraedd.

Mae pobl nad ydyn nhw'n cymryd rhagofalon priodol yn achosi llawer o ddamweiniau. Ar achlysuron o'r fath mae Dave yn cael ei alw allan ac mae'n rhaid i'r tîm weithredu ar frys. Byddan nhw'n ymarfer yn rheolaidd i sicrhau y gallant ddarparu'r gofal gorau mor gyflym ag y bo modd.

7 Awgrymwch sut y gellid cysylltu â Dave a'i dîm mewn argyfwng.

8 Yn eich barn chi, a ddylai pobl sy'n ymddwyn yn anghyfrifol ar y bryniau dalu am alw allan y Gwasanaeth Achub Mynydd?

9 Gwnewch restr o'r cyfarpar y dylai Paul ei roi yn ei ysgrepan cyn dechrau ar y daith.

2.26 Diabetes

Glyn a diabetes

Glyn gyda'i feddyg yn y feddygfa.

Nid oedd Glyn yn teimlo'n dda. Ers peth amser bu'n flinedig a swrth. Hefyd roedd syched arno o hyd a byddai'n mynd i'r toiled yn amlach nag arfer. Penderfynodd fynd i weld y meddyg.

Dywedodd ei feddyg wrtho ei bod hi'n bosibl bod ganddo **ddiabetes** (y clefyd siwgr). Ond i fod yn siŵr, byddai'n rhaid iddo wneud profion. Roedd Glyn wedi clywed am ddiabetes ond ni wyddai beth oedd. Dywedodd ei feddyg wrtho fod gan 1.4 miliwn o bobl yn y DU ddiabetes a bod disgwyl y byddai'r nifer hwn yn dyblu erbyn 2010. Yna eglurodd y meddyg beth yn union oedd diabetes.

Rheoli siwgr gwaed

Pan fyddwn ni'n bwyta bwyd, bydd peth ohono'n cael ei dorri i lawr yn y coludd i ffurfio siwgr o'r enw **glwcos**. Mae'r glwcos yn mynd i mewn i'n gwaed. Byddai'r corff yn hoffi derbyn cyflenwad cyson ac araf o glwcos, ond nid yw'n gweithio fel hyn.

Rydym ni'n tueddu i fwyta cryn dipyn o fwyd ar y tro ac yna i aros sawl awr cyn cael pryd arall. Felly mae tueed i lawer iawn o glwcos fynd i'r gwaed ar ôl pryd o fwyd. Mae'n anodd i'r corff reoli hyn.

Er mwyn gweithio'n gywir, mae angen lefel gyson o glwcos ar y corff. Os bydd y lefel yn y gwaed yn codi gormod neu'n disgyn gormod, gellir mynd i goma. Gall hyd yn oed arwain at farwolaeth.

Pan fydd glwcos yn mynd i'r gwaed ar ôl pryd o fwyd, caiff y glwcos dros ben ei storio yn yr iau fel sylwedd o'r enw **glycogen**. Mae hyn yn sicrhau nad yw'r glwcos yn y gwaed yn codi i lefelau peryglus. Rhwng prydau, wrth i lefel y glwcos yn y gwaed ddisgyn, mae glycogen yn yr iau yn cael ei droi'n ôl yn glwcos. Mae'n mynd i mewn i'r gwaed eto. Mae hyn yn sicrhau nad yw'r lefel o glwcos yn mynd yn rhy isel rhwng prydau.

Fel rheol mae'r corff yn rheoli'r lefel o glwcos yn y gwaed trwy ddefnyddio **hormon** o'r enw **inswlin**. Cynhyrchir yr inswlin mewn chwarren o'r enw **pancreas**. Mae'r hormon hwn yn gostwng y lefel o glwcos yn y gwaed mewn sawl ffordd wahanol.

Fel yn achos lefelau o ocsigen, carbon deuocsid a thymheredd, mae'n bwysig cadw lefel gyson o glwcos. Mae'r cydbwysedd hwn yn cael ei sicrhau trwy broses o'r enw homeostasis.

Y ffordd orau o ddeall homeostasis yw i chi feddwl am gar yn teithio ar 30 mya. I gyflymu mae angen cyflymydd ac i arafu mae angen brêc.

Inswlin yw'r brêc sy'n cadw'r lefelau o glwcos yn y gwaed i lawr.

Gwirio gair ✓

Sylwedd storio yw **glycogen** y gellir ei wneud o glwcos, neu ei newid yn glwcos, i'w ddefnyddio gan y corff.

Gwirio gair ✓

Negesydd cemegol yw **hormon** sy'n teithio i wahanol rannau o'r corff yn y gwaed.

Profi Glyn GWEITHGAREDD

Eglurodd y meddyg wrth Glyn y byddai ei droeth yn cynnwys glwcos pe bai'n dioddef o ddiabetes.

1 Pam rydych chi'n meddwl y byddai troeth Glyn yn cynnwys glwcos pe bai diabetes arno?

Profodd y meddyg droeth Glyn â *clinistix*. Ffon blastig yw hon gyda darn o bapur ar y pen sy'n newid lliw pan gaiff ei roi mewn troeth. Mae'r lliw yn dweud wrthych faint o glwcos sydd yn y troeth

2 Edrychwch ar y llun o'r *clinistix* a'r siart. A ydych chi'n meddwl bod gan Glyn ormod o glwcos yn ei droeth?

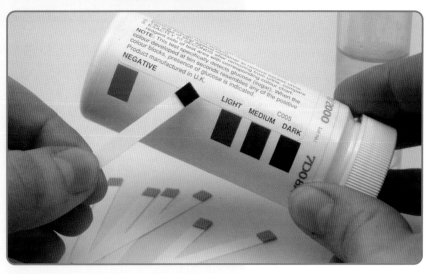

***Clinistix* a siart lliw.**

Penderfynodd y meddyg fod angen iddo wneud profion pellach i wneud yn siŵr. Cymerodd sampl o waed Glyn a'i brofi ar beiriant bach. Mae'r darlleniad ar y peiriant yn dangos faint o glwcos sydd yn y gwaed.

Mae'r darlleniad arferol ar gyfer glwcos yn y gwaed rhwng 4 a 7 mmol l^{-1}. Mae'r darlleniad yn achos Glyn ymhell dros 7.

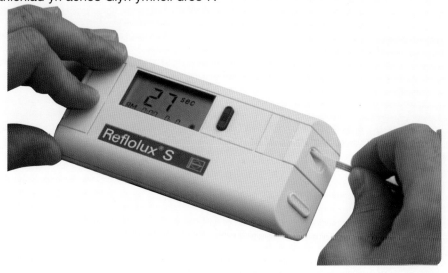

Peiriant profi gwaed Glyn.

3 Mae gan berson diabetig nad yw'n derbyn triniaeth lefelau glwcos sydd dros 7 mmol l^{-1}. A ydych chi'n dal i feddwl bod gan Glyn ddiabetes?

4 Chwiliwch am wybodaeth am y mathau o dabledi y gall pobl ddiabetig eu cymryd a sut maen nhw'n gweithio.

5 Mae gwahanol fathau o ddiabetes. Chwiliwch am wybodaeth am ddiabetes Math 1 a Math 2.

Gellir cael taflenni am ddiabetes o feddygfeydd neu ar y Rhyngrwyd yn www.diabetes.org.uk.

2.26 Diabetes

Rheoli diabetes Glyn

Mae Glyn eisiau gwybod sut y bydd y clefyd yn effeithio arno. Mae'r meddyg yn dweud wrtho fod yna dair prif ffordd o drin y clefyd.

Deiet

Gan fod y lefel o glwcos yn y gwaed yn codi ar ôl bwyta pryd o fwyd, ac yn disgyn rhwng prydau, mae'r meddyg yn dweud wrth Glyn am fwyta prydau llai, ond yn amlach. Bydd bwyta byrbrydau yn cyflenwi glwcos i'w wacd drwy'r adeg. Mae hyn yn well na bwyta un neu ddau o brydau mawr. Mae'n golygu y bydd yn rhaid i Glyn gynllunio amserau ei brydau a pheidio ag anghofio eu cymryd. Hefyd bydd yn rhaid iddo fesur y lefel o glwcos yn ei waed yn rheolaidd i sicrhau nad yw'n rhy uchel neu'n rhy isel.

Tabledi

Nid yw pancreas Glyn yn gwneud digon o inswlin. Mae Glyn yn meddwl y gallai gymryd tabledi inswlin. Protein yw inswlin.

6 Pam nad yw'n bosibl cymryd inswlin i mewn trwy lyncu tabledi?

(Awgrym: Meddyliwch am beth sy'n digwydd i'r proteinau a gymerwn i mewn gyda'n bwyd.)

Mae tabledi ar gael y gellir eu cymryd i wneud i'r pancreas weithio'n well neu i annog y corff i dynnu rhagor o siwgr o'r gwaed.

Glyn yn rhoi pigiad inswlin iddo'i hun.

Pigiadau inswlin

Gan nad yw pancreas Glyn yn cynhyrchu digon o inswlin, mae'n bosibl y bydd yn rhaid iddo gael pigiadau inswlin bob dydd.

7 Dywedir wrth Glyn y gall ymarfer rheolaidd helpu i reoli ei lefelau o glwcos.

Bydd bywyd yn wahanol i Glyn o hyn ymlaen.

8 Nodwch o ble mae'r glwcos yn y gwaed yn dod.

9 Eglurwch pam na all Glyn reoli'r lefel o glwcos yn ei waed heb gymorth meddygol.

10 Heblaw am glwcos, nodwch ddau beth arall y mae'n rhaid i'r corff eu cadw ar lefel gyson.

11 Eglurwch sut y gall pobl ddiabetig reoli'r lefel o glwcos yn eu gwaed.

Y dyfodol

Dywed meddyg Glyn wrtho fod pethau'n edrych yn dda at y dyfodol. Mae ymchwil newydd i fôn-gelloedd yn awgrymu y bydd hi'n bosibl atgyweirio ei bancreas ac y bydd yn gallu gwneud inswlin eto.

Celloedd a all droi'n unrhyw fath arall o gell yw bôn-gelloedd. Yn y dyfodol, efallai y bydd modd eu cyflwyno i bancreas Glyn a'u troi'n gelloedd sy'n gwneud inswlin.

2.26 Diabetes

Rebecca yr optegydd ASTUDIAETH ACHOS

Optegydd yw Rebecca. Mae'r mwyafrif o bobl yn meddwl mai unig waith optegwyr yw profi'r llygaid i weld a oes angen sbectol newydd ar gwsmeriaid. Ond maen nhw'n gwneud llawer mwy na hyn. Un peth y bydd Rebecca yn chwilio amdano wrth brofi llygaid cwsmer yw unrhyw dystiolaeth o ddiabetes. Bydd hi'n edrych yn ofalus ar gefn y llygad i weld beth yw cyflwr y pibellau gwaed.

Yr enw ar gefn y llygad yw'r retina. Mae llawer o bibellau gwaed bach yn cyflenwi gwaed iddo. Os yw rhywun yn dioddef o ddiabetes, mae'r pibellau gwaed yn gollwng a gellir gweld clytiau o waed yng nghefn y llygad. Os bydd Rebecca'n gweld hyn bydd hi'n llenwi 'ffurflen gyfeirio' ac yn dweud wrth y claf am fynd i weld y meddyg. Yna bydd y meddyg yn cynnal profion i ddarganfod a yw'n dioddef o ddiabetes mewn gwirionedd.

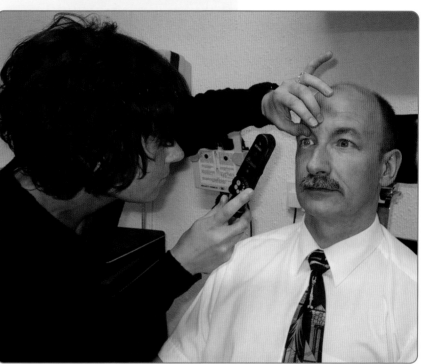

Rebecca'n chwilio am arwyddion o ddiabetes wrth brofi llygaid.

Mae optegwyr fel Rebecca'n llwyddo i ddarganfod llawer o achosion o ddiabetes mewn cleifion nad ydyn nhw'n gwybod bod y clefyd arnynt. Mae'n haws trin diabetes os caiff ei ddarganfod yn gynnar.

12 Awgrymwch pam mae'n rhaid i bobl ddiabetig gael profion llygaid a phrofion traed yn rheolaidd.

13 Eglurwch sut mae Rebecca'n gwybod bod gan un o'i chwsmeriaid ddiabetes a pham mae'n llenwi ffurflen gyfeirio.

Ffeithiau allweddol

Copïwch a chwblhewch y brawddegau trwy ddewis y gair cywir o'r rhestr o eiriau allweddol. Gellir defnyddio pob gair fwy nag unwaith.

1 Rhaid cadw'r lefel o _____ yn y gwaed yn gyson.

2 _____ yw _____ a gynhyrchir gan y _____ .

3 Nid yw person sy'n dioddef o _____ yn cynhyrchu digon o inswlin.

4 Gall inswlin gael ei bigo i waed person _____.

5 Bydd y dos o _____ yn dibynnu ar ddeiet ac ymarfer y person diabetig.

6 Mae proses o'r enw _____ yn cadw sylweddau yn y gwaed ar y lefelau cywir.

7 Mae gormodedd o glwcos yn y gwaed yn cael ei newid yn _____ sy'n cael ei storio yn yr iau.

Geiriau allweddol

diabetes

diabetig

glwcos

glycogen

homeostasis

hormon

inswlin

pancreas

2.27 Celloedd a chyfathrebu

Mae byw yn beryglus

Er mwyn goroesi, rhaid i ni gael gwybodaeth am yr hyn sy'n digwydd o'n cwmpas.

Dychmygwch geisio croesi ffordd brysur os ydych chi'n fyddar, yn ddall ac yn methu â theimlo dim. Byddai'n beth peryglus iawn ei wneud. Rydym ni'n llwyddo i oroesi gan fod ein hymennydd yn derbyn gwybodaeth o'n pum synnwyr: golwg, clyw, arogl, blas a chyffyrddiad. Y pum synnwyr hyn sy'n dweud wrthym beth sy'n mynd ymlaen yn y byd o'n cwmpas. Dim ond pan gollwn un o'n synhwyrau y sylweddolwn pa mor fregus rydym ni.

Derbynyddion synhwyro

Mae ein horganau synhwyro – ein clustiau, llygaid, tafod, trwyn a chroen – yn cynnwys celloedd derbyn sy'n monitro newidiadau yn y byd o'n cwmpas. Pan fydd rhywbeth yn yr amgylchedd yn newid, bydd y celloedd derbyn yn anfon gwybodaeth i'r ymennydd i gael ei phrosesu. Dyma pam y byddwn ni'n sylwi'n syth ar arogl neu sain newydd a all ein rhybuddio am bethau pwysig fel bwyd neu berygl.

1 Pa un o'r pum synnwyr sydd bwysicaf yn eich barn chi? Eglurwch eich ateb.

2 Pe gallech ddewis cael chweched synnwyr, beth fyddai?

Synnwyr arogl.

2.27 Celloedd a chyfathrebu

Mae nerfgelloedd yn sensitif

GWEITHGAREDD

Mae ein synhwyrau mor effeithiol wrth anfon gwybodaeth i'r ymennydd fel na all yr ymennydd ymdopi â'r holl ddata. Mae'n anwybyddu'r rhan fwyaf ohono ac yn canolbwyntio ar y pethau pwysig yn unig. Meddyliwch am y gadair rydych chi'n eistedd arni. Yn sydyn, gallwch ei theimlo o dan eich corff. Yn awr meddyliwch am yr esgidiau am eich traed a gallwch eu teimlo'n cyffwrdd â'ch bysedd. Er bod celloedd derbyn yn anfon y wybodaeth hon i'r ymennydd drwy'r adeg, mae'r ymennydd yn anwybyddu'r rhan fwyaf ohoni gan nad yw'n bwysig. Mae'n canolbwyntio ar y pethau sy'n wirioneddol bwysig, fel y data sy'n dod o'ch llygaid wrth i chi ddarllen y llyfr hwn.

Pa mor sensitif yw ein nerfau?

Bydd angen gweithio gyda phartner i wneud y gweithgaredd hwn.

Cymerwch gwmpas mesur ac agorwch y pwyntiau fel eu bod yn bum milimetr oddi wrth ei gilydd.

Sawl pwynt? Un neu ddau?

Gofynnwch i'ch partner edrych i ffwrdd ac yna gosodwch un neu ddau o'r pwyntiau'n dyner ar gefn llaw eich partner. Gofynnwch i'ch partner a yw'n teimlo un neu ddau bwynt yn cyffwrdd â'r croen.

I wneud yn siŵr nad yw'n dyfalu, gwnewch hyn sawl gwaith, weithiau ag un pwynt yn cyffwrdd ac weithiau â dau. Byddwch chi'n darganfod na all eich partner deimlo ond un pwynt, hyd yn oed pan fydd dau yn cyffwrdd â'r croen.

Agorwch y cwmpas yn raddol hyd nes bod eich partner yn gallu teimlo'r ddau bwynt bob amser.

Mesurwch y bwlch rhwng y pwyntiau a chofnodwch y data ar gopi o'r tabl isod. Gwnewch yr un peth ar gyfer rhannau eraill o'r croen.

Rhan o'r croen	Pellter rhwng y pwyntiau (mm)
cefn y llaw	
blaen bys	
elin (blaen y fraich)	
bôn braich	
gwar	

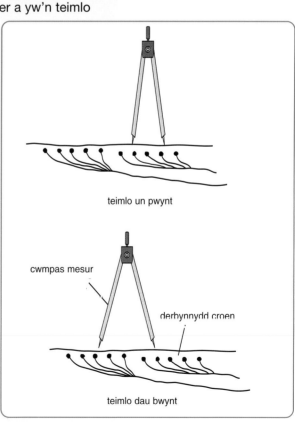

teimlo un pwynt

cwmpas mesur

derbynnydd croen

teimlo dau bwynt

Plotiwch eich canlyniadau fel siart bar.

3 Pa ran o'r croen sydd fwyaf sensitif? Awgrymwch pam.

Dim ond os yw'r cwmpas yn symbylu dau dderbynnydd gwahanol y gallwn deimlo dau bwynt.

4 Ym mha ran o'r corff y mae'r derbynyddion agosaf at ei gilydd?

2.27 Celloedd a chyfathrebu

Sut mae ein synhwyrau'n gweithio

Niwronau

Nerfgelloedd yw niwronau. Niwronau yw'r celloedd hiraf yn y corff. Mae rhai ohonynt dros fetr o hyd. Eu gwaith yw cario gwybodaeth o'r derbynyddion i'n hymennydd lle gall y data gael eu prosesu. Yna maen nhw'n cario cyfarwyddiadau o'r ymennydd i'r effeithyddion, neu gyhyrau'r corff, i wneud iddynt gyfangu.

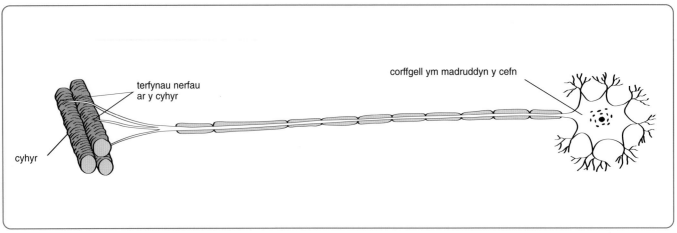

terfynau nerfau ar y cyhyr

corffgell ym madruddyn y cefn

cyhyr

Niwron.

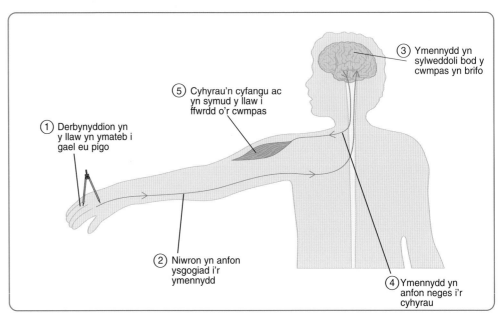

③ Ymennydd yn sylweddoli bod y cwmpas yn brifo

⑤ Cyhyrau'n cyfangu ac yn symud y llaw i ffwrdd o'r cwmpas

① Derbynyddion yn y llaw yn ymateb i gael eu pigo

② Niwron yn anfon ysgogiad i'r ymennydd

④ Ymennydd yn anfon neges i'r cyhyrau

Llwybr niwral.

⑤ Awgrymwch pam mae nerfgelloedd mor hir.

⑥ Gallwch brofi pa mor gyflym y mae eich niwronau'n gweithio trwy gynnal prawf amser adweithio. Chwiliwch am brawf amser adweithio (*reaction time test*) ar y Rhyngrwyd. Beth oedd eich amser adweithio a sut mae'n cymharu â gweddill y dosbarth?

2.27 Celloedd a chyfathrebu

Gweithio gyda niwronau

ASTUDIAETH ACHOS

Mae rhai nyrsys yn gweithio yn yr adran niwroleg mewn ysbyty. Weithiau byddan nhw'n profi cleifion sy'n dioddef o syndrom twnnel carpal. Mae'r afiechyd hwn yn codi pan gaiff y nerfau sy'n mynd trwy'r arddwrn eu cywasgu. Mae'n achosi poen, diffrwythder a goglais yn y dwylo.

Prawf syml a all helpu i ddarganfod syndrom twnnel carpal yw prawf Phalen. Mae'r claf yn symud ei arddwrn ar ongl lem am un funud. Bydd pobl sy'n dioddef o'r syndrom yn profi diffrwythder a goglais.

Triniaeth
Yng nghyfnodau cynnar yr afiechyd gall pobl wisgo rhwymyn cynnal i gyfyngu ar symudiad yr arddwrn.

Gall rhai cleifion gael eu trin ag uwchsain i leihau'r llid a'r poen.

Mewn achosion difrifol, gellir defnyddio llawfeddygaeth i leddfu pwysau ar y nerfau lle maen nhw'n mynd trwy'r arddyrnau.

Prawf Phalen ar gyfer syndrom twnnel carpal.

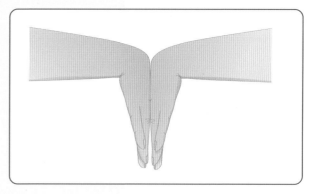

7 Beth yw syndrom twnnel carpal?

8 Eglurwch sut y gellir darganfod a yw claf yn dioddef ohono.

9 Eglurwch sut y gellir ei drin.

Ffeithiau allweddol

Copïwch a chwblhewch y brawddegau trwy ddewis y gair cywir o'r rhestr o eiriau allweddol. Gellir defnyddio pob gair fwy nag unwaith neu ddim o gwbl

1 Mae _____ yn yr organau synhwyro yn canfod newidiadau yn yr amgylchedd.

2 Mae gwybodaeth yn cael ei hanfon ar hyd _____ i'r ymennydd.

3 Mae'r ymennydd yn anfon cyfarwyddiadau i _____.

Geiriau allweddol

derbynyddion

effeithydd

nerfau

niwronau

2.28 Cyffuriau a'r corff

Beth yw cyffuriau?

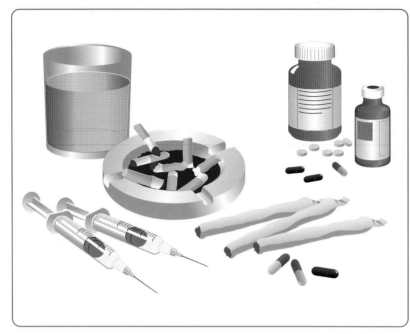

Mae cyffuriau'n amrywio'n fawr o ran maint a lliw.

Unrhyw gemegion sy'n newid y ffordd mae'r corff yn gweithio yw cyffuriau. Maen nhw i'w cael mewn bwyd (er enghraifft, caffein), gallant gael eu rhoi gan y meddyg (er enghraifft, gwrthfiotigau) a gellir eu defnyddio ar achlysuron cymdeithasol (er enghraifft, alcohol a thybaco). Gallant gael eu camddefnyddio hefyd, er enghraifft, cocên a heroin.

Mathau o gyffuriau

Mae gwahanol gyffuriau yn cael gwahanol effeithiau ar y corff. Gall rhai cyffuriau fod yn ddefnyddiol. Gallant leihau poen a llid a lladd bacteria sy'n ceisio niweidio'r corff. Gall cyffuriau eraill gael eu camddefnyddio. Maen nhw'n gwneud i ni deimlo'n dda am ychydig ond gallant wneud niwed difrifol i'n hiechyd a hyd yn oed ein lladd. Mae llawer ohonynt yn gaethiwus hefyd, sy'n golygu bod yn rhaid i'r defnyddiwr gymryd dosau mwy a mwy.

Math o gyffur	Enghraifft o'r cyffur
Gwrthlidiol	asbrin
Lleddfu poen	parasetamol
Gwrthfiotig	penisilin
Gwrthiselder	faliwm
Adloniant	nicotin
	tybaco
	barbitwradau
	heroin
	cocên
	alcohol

Enghreifftiau o wahanol gyffuriau.

Profi cyffuriau newydd

Rhaid profi cyffuriau meddygol newydd cyn gallu eu defnyddio ar gleifion. Yn gyntaf, rhaid iddynt fynd trwy gyfres o brofion clinigol i ddarganfod pa mor effeithiol a diogel y maen nhw. Weithiau caiff y cyffur ei brofi ar anifeiliaid. Ar adegau eraill defnyddir gwirfoddolwyr. Os bydd y profion yn llwyddiannus, bydd corff o'r enw NICE yn trwyddedu'r cyffur. Wedyn bydd meddygon yn gallu ei roi i'w cleifion.

❶ Eglurwch y gwahaniaeth rhwng cyffuriau meddygol a chyffuriau adloniant.

❷ Eglurwch beth sy'n digwydd i gyffuriau newydd cyn i feddygon allu eu rhoi ar bresgripsiwn.

2.28 Cyffuriau a'r corff

Pwy sy'n cymryd cyffuriau?

Mae'r mwyafrif o bobl yn gwybod bod cymryd canabis yn anghyfreithlon. Fel rheol, mae canabis yn cael ei gymryd trwy ei ysmygu. Hyd yn oed wrth ysmygu sigaréts mae pobl yn cymryd cyffur. Y cyffur caethiwus mewn sigaréts yw nicotin. Ond mae sigaréts yn cynnwys llawer o gemegion niweidiol eraill hefyd. Erbyn hyn mae gwledydd Prydain wedi gwahardd ysmygu mewn lleoedd cyhoeddus fel nad oes rhaid i bobl nad ydyn nhw'n ysmygu anadlu'r cemegion niweidiol i mewn. Ysmygu goddefol yw'r enw ar hyn.

Mae'r tabl yn dangos y canran o bobl ym mhob grŵp oedran sy'n ysmygu.

Mae ysmygu canabis yn anghyfreithlon.

Canran sy'n ysmygu															
	1974	1978	1982	1986	1990	1992	1994	1996	1998	2000	2001	2002	2003	2004	2005
Cyfanswm dynion 16 oed a throsodd	51	45	38	35	31	29	28	29	30	29	28	27	28	27	27
Cyfanswm menywod 16 oed a throsodd	41	37	33	31	29	28	26	28	26	25	26	25	24	25	24
Cyfanswm ar gyfer gwahanol oedrannau															
16–19	40	34	30	30	30	27	27	29	31	29	28	25	26	25	25
20–24	48	44	40	39	38	38	39	39	40	35	37	38	36	36	35
25–34	51	45	38	36	35	34	32	36	35	35	34	34	34	34	33
35–49	52	45	39	36	34	31	30	30	31	29	29	28	30	29	28
50–59	51	45	41	35	29	29	27	27	28	27	26	26	25	25	25
60 a throsodd	34	30	27	25	21	20	17	18	16	16	17	15	15	15	14
Cyfanswm dynion a menywod 16 oed a throsodd	45	40	35	33	30	28	27	28	28	27	27	26	26	26	25

3 Disgrifiwch y duedd o ran nifer y dynion a menywod 16 oed a throsodd sy'n ysmygu sigaréts.

4 Pa grŵp sy'n ysmygu'r nifer mwyaf o sigaréts – dynion neu fenywod?

5 Lluniwch siart bar i ddangos y canran o ddynion a menywod sydd wedi ysmygu rhwng 1974 a 2005.

6 Awgrymwch pam roedd canran is o bobl yn ysmygu yn 2005 nag yn 1974.

7 A ydych chi'n meddwl bod ysmygu mewn lleoedd cyhoeddus yn dderbyniol?

2.28 Cyffuriau a'r corff

Effeithiau ysmygu ac yfed ar y corff

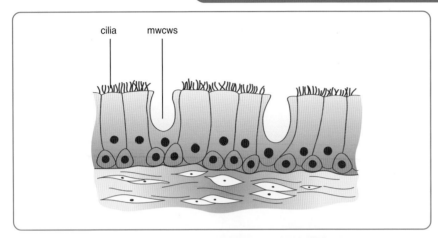

cilia   mwcws

Ysmygu

Broncitis

Mae celloedd ein tracea a'n bronci wedi'u leinio â chelloedd mwcws. Mae'r celloedd yn cynhyrchu mwcws gludiog sy'n dal llwch a micro-organebau. Yna caiff y mwcws ei dynnu i fyny i'r geg gan flew mân o'r enw cilia. Mae ysmygu yn parlysu'r blew mân hyn, ac mae'r mwcws yn crynhoi yn yr ysgyfaint. Mae hyn yn arwain at beswch a broncitis.

Emffysema

Dros gyfnod o amser, mae'r mwcws sydd wedi crynhoi yn achosi heintiadau. Mae'r heintiadau a'r cemegion ym mwg y sigaréts yn peri i furiau'r codennau aer yn yr ysgyfaint dorri i lawr. Mae hyn yn peri niwed parhaol i feinwe'r ysgyfaint ac yn gwneud anadlu'n anodd iawn. Emffysema yw'r enw a roddir ar hyn.

Canser yr ysgyfaint

Mae mwg sigaréts yn cynnwys cemegion sy'n achosi canser yr ysgyfaint. Po fwyaf o sigaréts sy'n cael eu hysmygu, mwyaf yw'r perygl o gael canser yr ysgyfaint. Mae tua 90 y cant o bobl sy'n marw o ganser yr ysgyfaint yn ysmygwyr.

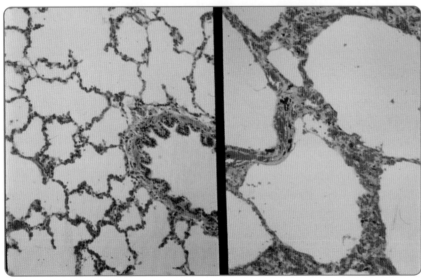

Mae'r ysgyfant ar y chwith yn iach. Mae gan yr ysgyfant ar y dde emffysema.

Yfed alcohol

Cyffur nerthol yw alcohol. Mae'n effeithio ar weithrediad y nerfau yn yr ymennydd, yn gwneud i ni golli hunanreolaeth, ac yn arafu ein hamser adweithio. Dyma pam mae'n anghyfreithlon i bobl yfed a gyrru. Mae alcohol yn cael ei dorri i lawr gan yr iau. Os caiff gormod o alcohol ei yfed, mae'r iau'n cael ei niweidio a gall hyn achosi marwolaeth. Sirosis yr iau yw'r enw a roddir ar hyn.

Ym marn gwyddonwyr, y lefel ddiogel o alcohol i'w hyfed yw 21 uned yr wythnos yn achos dynion ac 14 uned yr wythnos yn achos menywod.

2 uned   1 uned

Ni ddylai dynion yfed mwy na hyn bob dydd.

2.28 Cyffuriau a'r corff

Profi cyffuriau newydd ASTUDIAETH ACHOS

Rhaglennydd yw Russell. Ei waith yw ysgrifennu meddalwedd i gyfrifiaduron. Caiff cyffuriau newydd eu profi trwy ddefnyddio profion dwbl-ddall.

Mae rhaglen gyfrifiadurol yn rhannu'r cleifion yn ddau grŵp: y rheiny a fydd yn derbyn y cyffur a'r rheiny a fydd yn derbyn plasebo. Tabled siwgr sy'n edrych yr un fath yn union â thabled y cyffur yw plasebo. Ni fydd unrhyw gleifion yn gwybod a ydyn nhw'n cymryd y cyffur newydd neu'r plasebo. Nid yw hyd yn oed y meddyg sy'n dosbarthu'r cyffuriau yn gwybod pwy sy'n cael y cyffur neu'r plasebo. Dyma pam mae'n cael ei alw'n brawf dwbl-ddall. Dim ond y rhaglennydd sy'n gwybod pwy sy'n cymryd y cyffur. Ar ôl cyfnod o amser, gofynnir i'r cleifion farnu effeithiolrwydd y tabledi a disgrifio unrhyw sgil effeithiau. Mae'r cyfrifiadur yn dadansoddi eu hatebion. Os yw'r holl gleifion sy'n cymryd y cyffur yn dangos gwelliant, ond nid y rheiny sy'n cymryd y plasebo, yna gellir tybio bod y cyffur newydd yn effeithiol a gall gael ei drwyddedu at ddefnydd cyffredinol.

8 Awgrymwch pam nad yw'r meddyg yn gwybod a yw'n rhoi'r cyffur neu'r plasebo i'w gleifion.

9 Eglurwch pam mae'r prawf hwn yn cael ei alw'n brawf dwbl-ddall.

10 Awgrymwch pam mae'n bwysig i gyffuriau gael eu profi cyn y gall meddygon eu rhoi ar bresgripsiwn i'w cleifion.

Ffeithiau allweddol

Copïwch a chwblhewch y brawddegau trwy ddewis y gair cywir o'r rhestr o eiriau allweddol. Gellir defnyddio pob gair fwy nag unwaith neu ddim o gwbl.

1 Dau gyffur adloniant cyfreithiol yw _____ a _____.

2 Cyffur gwrthlidiol yw _____.

3 Gall heintiadau bacteriol gael eu trin â _____.

4 Dau gyffur adloniant anghyfreithlon yw _____ a _____.

5 Rhoddir cyffuriau _____ i bobl sy'n ddigalon.

Geiriau allweddol

alcohol

amffetaminau

asbrin

barbitwradau

cocên

gwrthfiotigau

gwrthiselder

gwrthlidiol

heroin

nicotin

parasetamol

penisilin

Cwestiynau adolygu

1   Disgrifiwch ac eglurwch beth y mae pob un o'r canlynol yn ei wneud:

    (a) rhydweli   (b) gwythïen   (c) capilari.   *[3]*

2   Mae pwysedd gwaed Gerallt yn cael ei fesur. Mae'n 150 dros 95. Eglurwch
    ystyr y ddau ffigur hyn.   *[2]*

3   Mae Gerallt yn cael trawiad ar y galon. Edrychwch ar y llun o'i galon.

    (a) Gan gyfeirio at y llun, eglurwch beth a ddigwyddodd pan gafodd y trawiad *[3]*

    (b) Eglurwch beth y gallai Gerallt ei wneud i helpu i osgoi trawiad arall. *[3]*

4   Mae Nia a Michael yn rhoi gwaed. Mae'n cynnwys y pethau canlynol:

    (a) celloedd coch   (b) celloedd gwyn   (c) platennau   (ch) plasma

    Disgrifiwch beth mae pob un o'r rhain yn ei wneud.   *[4]*

5   Mae Richard yn dioddef o asthma. Edrychwch ar y diagram ac eglurwch beth
    sy'n digwydd pan fydd yn cael pwl o asthma.   *[2]*

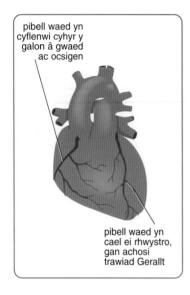

pibell waed yn cyflenwi cyhyr y galon â gwaed ac ocsigen

pibell waed yn cael ei rhwystro, gan achosi trawiad Gerallt

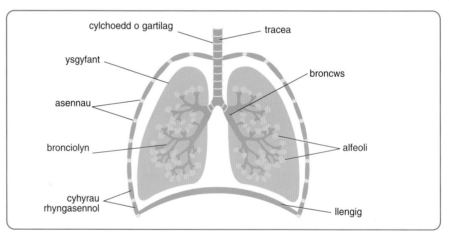

cylchoedd o gartilag   tracea

ysgyfant

asennau

bronciolyn

cyhyrau rhyngasennol

broncws

alfeoli

llengig

6   Mae Wendy yn rhedeg marathon. Eglurwch sut mae'n torri glwcos i lawr i gael
    yr egni y mae ei angen arni.   *[2]*

7   Mae Paul yn mynd ar ei daith gerdded. Eglurwch sut y bydd corff Paul yn ceisio
    sicrhau na fydd tymheredd ei gorff yn gostwng pan fydd yn mynd yn oer a gwlyb. *[3]*

8   Mae gan Glyn ddiabetes. Nid yw'n cynhyrchu hormon o'r enw inswlin.

    (a) Eglurwch ystyr y gair diabetes.

    (b) Pam mae Glyn yn rhoi pigiad o inswlin iddo'i hun bob dydd?

    (c) Rhowch enghraifft arall o homeostasis.   *[3]*

9   Mae peint o gwrw yn cynrychioli dwy uned o alcohol. Mae gwydr bach o win yn
    un uned o alcohol. Er mwyn osgoi gwneud niwed i'r iau, ni ddylai dynion yfed
    mwy na 21 uned o alcohol yr wythnos. Mae Dewi yn yfed pum peint ar Ddydd
    Gwener ac wyth peint ar Ddydd Sadwrn, ac mae'n cael pedwar gwydraid o win
    ar Ddydd Sul.

    (a) Sawl uned o alcohol y mae Dewi wedi'i hyfed?   *[1]*

    (b) A yw Dewi wedi yfed mwy o alcohol nag sy'n ddiogel?   *[1]*

3 Cemegion defnyddiol

CEMEGION O'R DDAEAR

Aseiniadau a gweithgareddau ymarferol sy'n gysylltiedig â'r adran hon:

Echdynnu copr o fwyn

Elfennau, cyfansoddion a chymysgeddau

Gwneud hydoddiannau halwynog

Defnyddiwch y canlynol i gadw llygad ar eich cynnydd.

Uned 1

Byddwch chi'n:

- dysgu am brosesau gwahanu megis anweddiad  gw. tud. 156–9

Uned 2

Byddwch chi'n:

- gwybod bod aur a sylffwr yn cael eu mwyngloddio ac i beth maen nhw'n cael eu defnyddio gw. tud. 146–9

- gwybod mai metel yw aur ac mai anfetel yw sylffwr 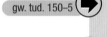 gw. tud. 146–9

- gwybod bod calchfaen a marmor yn cael eu mwyngloddio ac i beth maen nhw'n cael eu defnyddio 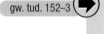 gw. tud. 150–5

- gwybod beth yw cyfansoddiad rhai defnyddiau adeiladu a sut maen nhw'n cael eu gweithgynhyrchu gw. tud. 152–3

- gwybod y gwahaniaeth rhwng elfen, cyfansoddyn a chymysgedd gw. tud. 150–5

- gallu enwi'r elfennau mewn cyfansoddyn trwy astudio ei fformiwla gw. tud. 154

- gwybod bod yn rhaid gwahanu halen oddi wrth halen craig a sut mae hyn yn cael ei wneud gw. tud. 156–9

- gallu egluro beth yw mwyn gw. tud. 160–3

- gwybod sut y gellir gwneud metelau o'u hocsidau gw. tud. 160–3

- gallu disgrifio beth sy'n digwydd mewn ffwrnais chwyth. gw. tud. 160–3

Uned 3

Byddwch chi'n:

- gallu ysgrifennu'r hafaliadau ar gyfer yr adweithiau mewn ffwrnais chwyth gw. tud. 160–1

- deall pwysigrwydd diwydiannol adwaith carbon ag ocsidau metel. gw. tud. 162

3.1 Elfennau o'r Ddaear

Rwber a chyfoeth

Rhaid profi ansawdd aur cyn ei werthu.

Mae llosgfynyddoedd yn codi sylffwr o grombil y Ddaear i'w hwyneb.

Elfennau yw **sylffwr** ac **aur**. Maen nhw i'w cael yn eu cyflwr naturiol yn y Ddaear. Mewn rhai gwledydd, mae pobl yn casglu lympiau o sylffwr ffres o losgfynyddoedd ond daw'r rhan fwyaf o sylffwr o hen ddyddodion o dan y ddaear. Defnyddir sylffwr i wneud asid sylffwrig (a ddefnyddir i wneud paentiau a glanedyddion fel gel cawod). Mae teiars car hŷn yn cynnwys sylffwr hefyd.

Prin fod unrhyw aur ar ôl ar wyneb y Ddaear. Mae mwyngloddiau aur modern yn ddwfn iawn. Defnyddir aur at lawer pwrpas, heblaw am wneud gemwaith – a wyddoch chi fod y cysylltau trydanol ar gyfer y bagiau aer mewn ceir wedi'u gwneud o aur?

Gwirio gair ✓

Mae **elfen** yn cynnwys un math o atom yn unig ac ni ellir ei rhannu'n unrhyw beth symlach.

Elfennau

Mae aur a sylffwr i'w cael yn y ddaear fel elfennau.

Mae elfennau wedi'u gwneud o atomau. Mae gan bob elfen ei symbol ei hun. Y symbol ar gyfer aur yw Au; y symbol ar gyfer sylffwr yw S.

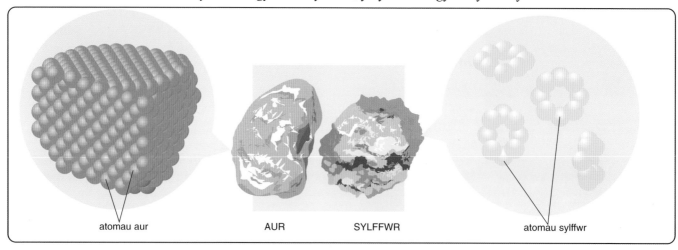

atomau aur   AUR   SYLFFWR   atomau sylffwr

Mae elfen yn cynnwys un math o atom yn unig.

gw. Atodiad 1, tud. 313

Mae pob elfen hysbys wedi'i rhestru yn y Tabl Cyfnodol. Mae'r Tabl Cyfnodol yn dangos enw a symbol pob elfen.

3.1 Elfennau o'r Ddaear

Mwyngloddio a defnyddio aur a sylffwr (GWEITHGAREDD)

1 Mae aur yn cael ei gloddio o fwyngloddiau dwfn. Gellir dod â dyddodion tanddaearol o sylffwr i fyny trwy ddefnyddio dŵr poeth (170°C) i doddi'r sylffwr ac yna ei bwmpio trwy bibellau i'r arwyneb.

(a) Beth y mae'r wybodaeth hon yn ei dweud wrthych am ymdoddbwynt sylffwr?

(b) Pam na all aur gael ei fwyngloddio fel hyn?

2 Yn 2005 pris y farchnad ar gyfer prynu aur oedd tua £10 y gram. Cost sylffwr oedd tua £90 y dunnell fetrig (1 kg = 1000 g ac un dunnell fetrig = 1 000 000 g).

(a) Cyfrifwch gost 1 kg o aur ac 1 kg o sylffwr (mae 1 kg o aur tua'r un maint â bar o siocled).

(b) Pam mae costau sylffwr ac aur mor wahanol yn eich barn chi? Rhestrwch eich rhesymau.

3 Mae'r tabl hwn yn dangos peth gwybodaeth am hanes aur.

1350 ccc	Mae arch Tutankhamen wedi'i gwneud o aur pur sy'n pwyso tua 1100 kg
1927	Dangosir bod aur yn gallu lleddfu arthritis.
1947	Gwneud y transistor cyntaf, gan ddefnyddio aur i wneud y cysylltiadau.
1969	Mae gofodwyr Apollo 11 ar y lleuad yn defnyddio helmedau â fisorau haul wedi'u platio ag aur i amddiffyn eu llygaid rhag disgleirdeb yr haul.
1987	Defnyddio cysylltau aur ar fagiau aer ceir i'w gwneud yn fwy dibynadwy.

Gwnewch collage o luniau o gylchgronau neu allbrintiau o wefannau i ddangos gwahanol ffyrdd o ddefnyddio aur. Ysgrifennwch benawdau i egluro pam mae aur mor addas ar gyfer pob defnydd.

4 Mae sylffwr yn llosgi mewn ocsigen i wneud sylffwr deuocsid. Nwy gwenwynig yw sylffwr deuocsid. Mae'n cael ei ddefnyddio i gannu papur ac i ladd bacteria mewn bwyd. Mae bwydydd sydd wedi'u labelu 'E220' yn cynnwys symiau bach iawn o sylffwr deuocsid.

(a) Edrychwch ar rai labeli bwyd. Pa fwydydd sy'n cynnwys 'E220'?

(b) Pam y defnyddir rhifau yn lle enwau ar labeli bwyd yn eich barn chi?

5 Bydd archaeolegwyr yn aml yn dod o hyd i wrthrychau metel hen iawn yn y ddaear. Gall llestri aur o'r Aifft fod cymaint â 5000 o flynyddoedd oed, ond byddan nhw'n dal i edrych yn sgleiniog a newydd. Ar y llaw arall, bydd rhwd yn peri i offer haearn ddiflannu'n gyfan gwbl mewn ychydig o flynyddoedd. Sut mae hyn yn ein helpu i ddeall pam mae aur, ond nid haearn, yn digwydd yn y Ddaear fel elfen?

3.1 Elfennau o'r Ddaear

Metelau ac anfetelau

Metel yw aur ac **anfetel** yw sylffwr.

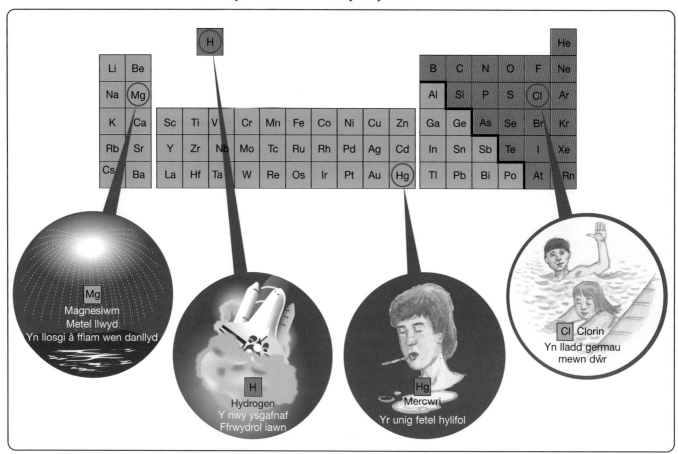

Mae'r Tabl Cyfnodol yn dangos pa elfennau sy'n fetelau a pha rai sy'n anfetelau.

Solidau caled a sgleiniog yw **metelau** fel rheol. (Mercwri yw'r unig fetel sy'n hylif ar dymheredd ystafell.) Mae pob metel yn dargludo trydan. Ar dymheredd ystafell gall **anfetel** fod yn solid (sylffwr), yn hylif (bromin) neu'n nwy (ocsigen).

Gweithiwch mewn grwpiau a chwiliwch am ddata am yr 20 elfen sydd wedi'u rhestru ar dudalen 314. Dylai pob grŵp ganolbwyntio ar dri metel a thri anfetel.

- Gwnewch 'gerdyn ffeithiau' am bob elfen i grynhoi ffrwyth eich ymchwil. Gwelwch enghraifft o gerdyn ffeithiau ar gyfer hydrogen ar y chwith.

- Gan weithio mewn grŵp, trafodwch nodweddion tebyg yr holl fetelau. Ym mha ffyrdd y mae metelau'n wahanol i anfetelau?

- Dewiswch elfen arall. Ceisiwch ragfynegi peth gwybodaeth amdani ar sail eich gwaith ymchwil hyd yma. Yna edrychwch i weld a ydych chi'n gywir.

CERDYN FFEITHIAU: HYDROGEN

Enw:	Hydrogen
Symbol:	H
Metel neu anfetel:	Anfetel
Golwg:	Nwy di-liw
Defnydd:	Gwneud amonia a margarin. Fel tanwydd
Gwybodaeth arall:	Ffrwydrol pan gaiff ei gymysgu ag ocsigen

3.1 Elfennau o'r Ddaear

Gweithio mewn siop gemydd ASTUDIAETH ACHOS

Mae Ann yn gweithio mewn siop gemydd. 'Fy ngwaith i yw helpu pobl i ddewis gemwaith.'

Pan fydd pobl yn prynu gemwaith, byddan nhw'n ceisio cyngor yn aml am ystyr y nodau gwarant. Nid yw gemwaith aur yn cynnwys aur pur – caiff yr aur ei wneud yn aloi trwy ei gymysgu â metelau eraill. Byddai aur pur yn rhy ddwys a meddal ar gyfer gwneud gemwaith.

Mae gemyddion yn defnyddio'r geiriau '9 carat' neu '18 carat' wrth siarad am burdeb aur. Heddiw mae aur yn cael ei stampio â nod gwarant (rhif) i ddangos pa mor bur yw'r aur.

Mae Ann yn gweithio mewn siop gemydd.

Mae'r tabl yn dangos faint o aur, copr ac arian sydd mewn aur yn ôl ei werth 'carat'.

Carat	Aur %	Copr %	Arian %
22	92	5	3
18	75	12.5	12.5
14	58	21	21
9	38	31	31

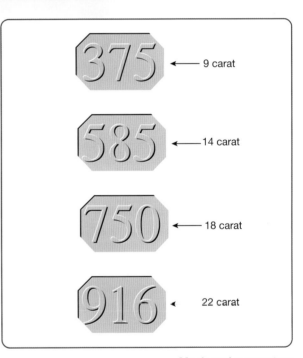

Mae'r nod gwarant yn dangos pa mor bur yw'r aur.

6 Lluniwch graff gan roi 'Caratau' ar hyd y gwaelod a '%' i fyny'r ochr. Tynnwch linell ar wahân ar gyfer pob metel i ddangos y canran o bob metel mewn gwahanol aloion aur.

7 Rhagfynegwch y canran o aur mewn aur 24 carat.

8 Pa aloi aur fydd yr un rhataf ei brynu? Edrychwch mewn catalog ar brisiau gemwaith aur i weld a ydych chi'n gywir.

Ffeithiau allweddol

Copïwch a chwblhewch y brawddegau trwy ddewis y gair cywir o'r rhestr o eiriau allweddol.

1 Mae _____ yn cynnwys un math o atom yn unig.

2 Mae elfen sgleiniog sy'n dargludo trydan yn _____.

3 Gall elfen sy'n _____ fod yn solid, yn hylif neu'n nwy ar dymheredd ystafell.

4 Elfennau defnyddiol sydd i'w cael yn y ddaear yw _____ a _____.

Geiriau allweddol

anfetel

aur

elfen

metel

sylffwr

3.2 Cyfansoddion o'r Ddaear

Ffyrdd a thai

Adeiladydd yw Joe. Mae'n gweithio ar adeiladau yn ardal Derby. Bydd yn teithio i'r gwaith bob dydd ar gylchffordd Derby. Mae fan Joe yn teithio dros filltiroedd o galchfaen wrth iddo yrru i'r gwaith. Defnyddir calchfaen mâl yn 'agreg' o dan y tarmac ar lawer o ffyrdd.

Defnyddir 'agreg' calchfaen o dan ffyrdd.

Cip ar gynhyrchion calchfaen

Creigiau sy'n cael eu cloddio o'r Ddaear yw calchfaen a marmor. Mae marmor yn debyg i galchfaen, ond mae'n galetach ac yn fwy sgleiniog. Defnyddir marmor i wneud blociau adeiladu ar gyfer adeiladau, cerrig beddau a cherfluniau. Defnyddir calchfaen i gynhyrchu blociau, neu gellir ei falu i wneud powdrau mân neu agregau (lympiau). Mae'n cael ei ddefnyddio i wneud cynhyrchion eraill megis **sment** hefyd.

niwtraleiddio pridd asidig

gwneud gwydr

gwneud haearn a dur ar gyfer peiriannau

lympiau bach o galchfaen fel agreg

calchfaen powdrog mewn paent marcio ffyrdd

gwneud sment, morter a choncrit

blociau calchfaen fel cerrig adeiladu

Mae'r diagram hwn yn dangos sut y defnyddir calchfaen o amgylch safle adeiladu Joe.

❶ Nodwch rai o'r ffyrdd y defnyddir calchfaen wedi'i dorri neu wedi'i falu.

❷ Gwnewch 'arolwg ffenestr'. Rhestrwch bob defnydd o galchfaen y gallwch ei weld o ffenestr eich ystafell ddosbarth.

3.2 Cyfansoddion o'r Ddaear

A ddylem ni adeiladu chwarel galchfaen newydd?

GWEITHGAREDD

Yn y DU mae calchfaen yn cael ei gloddio mewn chwareli agored enfawr. Cyn agor chwarel newydd, mae pawb yn cael cyfle i fynegi ei farn. Dyma grynodeb o farn dau berson sydd o blaid ac yn erbyn agor chwarel newydd.

Liz Starks, Llefarydd y Chwarel

- Mae angen y calchfaen ar gyfer diwydiant a'r fasnach adeiladu.
- Bydd y chwarel yn darparu arian a gwaith yn lleol.
- Gall ein cwmni leihau problemau trwy:
  - adeiladu llethrau a phlannu coed o amgylch y chwarel;
  - chwistrellu lorïau i leihau llwch;
  - peidio â chloddio yn y nos;
  - adeiladu llyn pysgota a chwrs golff ar y tir ar ôl rhoi'r gorau i gloddio.

Norman James, Dyn Lleol

- Byddai'r chwarel yn difetha bryn sydd wedi bod yn brydferth ers miliynau o flynyddoedd.
- Beth am y bywyd gwyllt lleol? Mae'r lle'n llawn adar.
- Dydw i ddim eisiau cael lorïau, sŵn a llwch yn tarfu ar bawb am flynyddoedd.
- Ar ôl agor y chwarel bydd yn denu diwydiant arall – dydyn ni ddim eisiau gweld gwaith sment yn difetha ein pentref.

Dewiswch fod yn 'Liz, Llefarydd y Chwarel' neu'n 'Norman, Dyn Lleol'.

Liz: Cynhyrchwch daflen gwybodaeth gyda lluniau ac esboniadau. Bydd eich taflen yn cael ei phostio i'r holl drigolion lleol i'w perswadio bod angen y chwarel.

Norman: Paratowch wybodaeth ar gyfer cyfarfod gyda llefarydd y chwarel. Pa ffotograffau a allai helpu? Cynhyrchwch daflen gyda lluniau i gyflwyno eich safbwynt.

3.2 Cyfansoddion o'r Ddaear

Gwneud defnyddiau adeiladu o galchfaen

Defnyddir calchfaen fel defnydd crai ar gyfer gwneud defnyddiau adeiladu eraill. Mae'n cael ei ddefnyddio i wneud **sment** sy'n cael ei gymysgu â thywod i wneud **morter**, neu â thywod a graean i wneud **concrit**.

Sment

Mae'n cael ei wneud trwy wresogi

- **calchfaen powdrog**
- a **chlai**.

mewn odyn.

Morter

Mae'n cael ei wneud trwy gymysgu:

- **sment**
- **tywod**
- a **dŵr**.

Mae morter yn cael ei ddefnyddio i ddal brics wrth ei gilydd.

Concrit

Mae'n cael ei wneud trwy gymysgu:

- **sment**
- **tywod**
- **creigiau mâl** (neu **raean**)
- a **dŵr**.

Mae concrit yn llawer caletach na morter – mae'n cael ei ddefnyddio i wneud seiliau a lloriau.

Fel rheol bydd cwmnïau adeiladu'n prynu llwythi mawr o sment, tywod a graean gan gyflenwyr defnyddiau adeiladu. Bydd Joe yn cymysgu morter yn ôl yr angen ar y safle. Weithiau bydd yn cymysgu llwythi bach o goncrit. Os bydd angen llawer iawn o goncrit, caiff ei brynu 'wedi'i gymysgu'n barod'

❸ Edrychwch ar y gwahaniaeth rhwng morter a sment. Rhestrwch resymau pam mae'n haws defnyddio morter i osod brics a pham mae concrit yn fwy gwydn.

❹ (a) Darganfyddwch ble mae morter a sment wedi cael eu defnyddio o gwmpas adeiladau'r ysgol. Darganfyddwch pa mor hen yw'r adeiladau. Sut deimlad sydd i'r ddau ddefnydd? Sut mae morter a sment yn newid dros amser?

(b) Mae angen 'ailbwyntio' hen adeiladau brics. Beth yw ystyr hyn? Pam mae angen gwneud hyn?

3.2 Cyfansoddion o'r Ddaear

Gwneud gwydr GWEITHGAREDD

Defnyddir calchfaen fel defnydd crai yn y broses gwneud gwydr hefyd. Mae adeiledd cemegol gwydr yr un fath â thywod – tywod sydd wedi cael ei doddi a'i ffurfio'n llen wastad yw gwydr. Nid yw gwydr yn cael ei wneud o dywod yn unig, gan mai ymdoddbwynt tywod yw 1610°C. Byddai'n cymryd llawer gormod o egni a byddai'n llawer rhy anodd a drud gwneud gwydr ar y tymheredd hwn. Mae cynhwysion eraill yn cael eu hychwanegu i ostwng ymdoddbwynt y tywod er mwyn gallu rhedeg y broses ar dymheredd is.

Y defnyddiau crai a ddefnyddir i wneud gwydr	
Defnydd crai	**Pwrpas**
Tywod	Mae'n ymdoddi i ffurfio gwydr.
Sodiwm carbonad	Mae'n gostwng ymdoddbwynt tywod.
Calchfaen	Mae'n gwneud gwydr yn fwy dŵr-wrthiannol.
Gwydr wedi'i ailgylchu	Mae'n arbed egni a defnyddiau crai.

Mathau arbennig o wydr		
Math o wydr	**Priodweddau**	**Defnydd**
Gwydr gwydn	Nid yw'n torri'n hawdd. Dim ymylon miniog os caiff ei dorri.	Drysau gwydr, sgriniau gwynt ceir.
Gwydr gwrthwres	Nid yw'n cracio nac yn ymdoddi ar dymheredd uchel.	Llestri coginio gwydr, drysau ffyrnau, topiau poptai
Gwydr hunanlanhau	Mae haen o gatalydd arno sy'n torri baw i lawr.	Ffenestri adeiladau mawr iawn.
Gwydr allyrru egni isel	Mae'n gadael llai o wres drwodd na gwydr cyffredin.	Gwydro dwbl mewn tai.

Y broses gwneud gwydr

Caiff y defnyddiau crai eu gwresogi hyd nes iddynt ymdoddi, yna cânt eu cymysgu â'i gilydd a'u tywallt ar dun tawdd poeth. Mae'r gwydr tawdd yn lledu i ffurfio llen fawr ar y tun. Ar ôl i'r gwydr oeri, mae'n mynd yn solet a gellir ei dorri'n llenni llai.

Mae gwydr yn ddefnydd adeiladu pwysig.

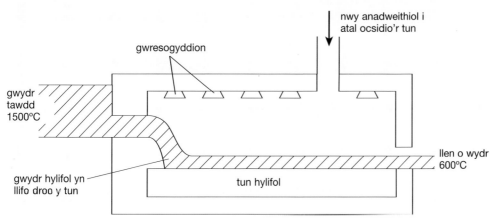

Gwneud llenni gwydr.

Diagram labels: nwy anadweithiol i atal ocsidio'r tun; gwresogyddion; gwydr tawdd 1500°C; gwydr hylifol yn llifo droo y tun; tun hylifol; llen o wydr 600°C

5 Pam mae'n well gan ddiwydiannau redeg prosesau ar y tymheredd isaf posibl?

6 Edrychwch ar y diagram o'r broses gwneud gwydr. Amcangyfrifwch ymdoddbwynt tun. Eglurwch eich ymresymu.

7 (a) Mae'r ffwrnais wedi'i llenwi â nwy anadweithiol. Beth fyddai'n digwydd i'r tun pe bai ocsigen yn cael ei adael i mewn?

(b) Pa nwy o'r aer y gellid ei ddefnyddio i lenwi'r ffwrnais?

8 Tynnwch ffotograffau digidol i ddangos sut mae gwydr yn cael ei ddefnyddio yn y cartref neu'r ysgol. Pa fath o wydr a ddefnyddir yn y ddau le?

3.2 Cyfansoddion o'r Ddaear

Cael y fformiwla

Cofiwch fod elfen yn cynnwys yr un math o atomau. Mae calchfaen a marmor wedi'u gwneud o **galsiwm carbonad**. yn bennaf. Mae calsiwm carbonad yn cynnwys gwahanol fathau o atomau. **Cyfansoddyn** ydyw.

Y **fformiwla** (lluosog: **fformiwlâu**) ar gyfer calsiwm carbonad yw $CaCO_3$.

Dangosir yma beth y mae hyn yn ei olygu:

$$CaCO_3$$

Ca = calsiwm   C = carbon   O = ocsigen

Mae calsiwm carbonad yn cynnwys calsiwm, carbon ac ocsigen – tair elfen wahanol.

Sylwer bod gan y symbolau ar gyfer elfennau ddwy lythyren weithiau, er enghraifft 'Ca'. Gallwch weld y symbolau yn y Tabl Cyfnodol (tudalen 313) neu mewn rhestr o elfennau (tudalen 314).

9 Edrychwch ar y rhestr o fformiwlâu ar gyfer gwahanol sylweddau isod.

CO_2 H_2SO_4 CaO Na_2CO_3 NH_3 Cl_2

(a) Pa fformiwlâu sy'n cynnwys dwy wahanol elfen yn unig?

(b) Pa fformiwlâu sy'n cynnwys tair gwahanol elfen?

(c) Pa fformiwla sy'n elfen?

(ch) Rhestrwch yr holl elfennau yn Na_2CO_3.

(d) Defnyddir sylffwr i wneud un o'r sylweddau hyn. Pa un?

(dd) Eglurwch pam mae'n rhaid i'r fformiwla H_2SO_4 fod yn gyfansoddyn.

(e) Pa sylweddau y gellir eu gwneud o galchfaen?

Sawl atom?

Mae'r fformiwla yn dweud wrthych faint o atomau o bob math o elfen sydd mewn cyfansoddyn.

Mae moleciwl o H_2O yn edrych fel hyn:

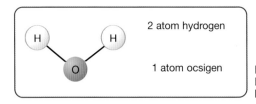

2 atom hydrogen

1 atom ocsigen

Mae'r fformiwla yn dangos bod H_2O yn cynnwys dau atom hydrogen ac un atom ocsigen.

10 Edrychwch eto ar y rhestr o fformiwlâu yng nghwestiwn 9. Ysgrifennwch yr ENWAU a NIFER YR ATOMAU ar gyfer pob math o elfen yn NH_3 a Cl_2.

11 Edrychwch ar y rhestr o gyfansoddion ar dudalen 314. Dewiswch BUM fformiwla. Ysgrifennwch yr enwau a nifer yr atomau ar gyfer pob math o elfen yn y fformiwlâu yr ydych wedi'u dewis.

 gw. Elfennau o'r Ddaear, tud. 146

3.2 Cyfansoddion o'r Ddaear

Gwaith Sment Apex

ASTUDIAETH ACHOS

Tim yw rheolwr Gwaith Sment Apex. Mae'n egluro:

'Rydym ni'n gwneud sment o galchfaen a chlai. Rydym ni'n cloddio'r calchfaen a'r clai yn Chwarel Cairnhill. Cafodd y ffatri sment ei chodi ger y chwarel. Mae hyn yn gwneud y sment yn rhatach ac mae'n well i'r amgylchedd.

'Yn y ffatri sment rydym ni'n malu'r calchfaen cyn ei gymysgu â chlai a'i felino'n bowdr. Mae gennym odyn enfawr i wresogi'r powdr a'i droi'n galsiwm ocsid, y prif gynhwysyn mewn sment. Ar ôl hynny, rydym ni'n melino'r sment eto i wneud yn siŵr ei fod yn fân iawn. Byddwn ni'n ychwanegu gypswm, sy'n helpu'r sment i galedu, cyn ei roi mewn bagiau.

'Rydym ni'n awyddus iawn i helpu'r amgylchedd. Llosgwn hen deiars a phlastig a phapur gwastraff i wresogi'r odyn. Rydym ni wedi gwneud "ogof ystlumod" ar gyfer ystlumod gwyllt yn un o'n hen fwyngloddiau.'

Caiff gweithfeydd sment eu hadeiladu ger chwareli calchfaen fel rheol.

12 Mae'r broses hon yn defnyddio teiars, papur a phlastig gwastraff i wresogi'r odyn.

(a) Pa danwyddau a ddefnyddir gan y mwyafrif o odynnau?

(b) Rhestrwch resymau pam mae defnyddio gwastraff fel tanwydd yn helpu'r amgylchedd.

13 (a) Pam mae'n 'gyfeillgar i'r amgylchedd' i gael y gwaith sment yn agos at y chwarel calchfaen?

(b) Pam mae hyn yn gwneud y sment yn rhatach?

14 Mae'r 'ogof ystlumod' yn llwyddiant mawr. Pa wybodaeth arall y byddai ei hangen arnoch i benderfynu a fu'r gwaith sment yn fuddiol i fywyd gwyllt lleol yn gyffredinol?

Geiriau allweddol

calsiwm carbonad

concrit

cyfansoddyn

fformiwla

gwydr

morter

sment

Ffeithiau allweddol

Copïwch a chwblhewch y brawddegau trwy ddewis y gair cywir o'r rhestr o eiriau allweddol. Gellir defnyddio pob gair fwy nag unwaith neu ddim o gwbl.

1 Mae calchfaen a marmor yn cynnwys _____ _____ yn bennaf a gellir eu defnyddio yn syth o'r ddaear.

2 Defnyddir calchfaen i wneud _____.

3 Mae _____ yn cynnwys mwy nag un elfen wedi'u cyfuno â'i gilydd.

4 Mae _____ cyfansoddyn yn dangos pa elfennau sydd ynddo.

3.3 Halen o halen craig

Gwerth eich pwysau mewn halen?

Pe buasech chi'n filwr Rhufeinig, byddech wedi derbyn peth o'ch cyflog fel 'salarius' (Saesneg *salary*), hynny yw, taliad mewn halen. Roedd halen yn hynod o werthfawr oherwydd hebddo roeddech yn debygol o farw – heb unrhyw oergelloedd, dyma oedd yr unig ffordd o gadw cig ar ymgyrchoedd milwrol hir. Byddai halen yn cael ei ddefnyddio i drin clwyfau hefyd. Mae'r DU yn parhau i gynhyrchu tua 100 kg o halen bob blwyddyn ar gyfer pawb sy'n byw yma – mae hyn yn fwy na'ch pwysau chi mae'n debyg! Defnyddir y rhan fwyaf o'r halen i wneud **cemegion** eraill.

Gwirio gair

Mae **cymysgedd** yn cynnwys mwy nag un sylwedd y gellir eu gwahanu oddi wrth ei gilydd.

Mwyngloddiau halen

Mae pum miliwn tunnell fetrig o halen yn cael eu cloddio bob blwyddyn yn y DU. Yn Swydd Gaer y mae dau fath o fwynglawdd halen. I gael halen craig, defnyddir peiriannau i gloddio'r halen o'r ddaear. Mae'r mwyngloddiau tua 250 m o ddyfnder. Mae pileri o halen yn cynnal to'r mwynglawdd. Halen amhur iawn yw hwn. **Cymysgedd** ydyw, a hynny oherwydd y graean a thywod sydd ynddo. Ni allech ei roi ar eich sglodion! Caiff ei ledaenu ar ffyrdd yn y gaeaf i atal iâ rhag ffurfio.

Pileri o halen yn cynnal to mwynglawdd halen.

Defnyddir mwyngloddio trwy hydoddi i gael halen purach ar gyfer y diwydiannau bwyd a chemegion. Mae dŵr poeth yn mynd i lawr pibellau i'r halen o dan y ddaear. Caiff yr halen ei **wahanu** oddi wrth y tywod a'r graig wrth iddo **hydoddi**. Caiff y dŵr hallt (heli) ei bwmpio i fyny pibell arall. Mae'r dŵr yn **anweddu** i wahanu'r halen pur oddi wrth y dŵr.

Fel rheol nid yw'r heli o fwynglawdd hydoddi yn cael ei anweddu trwy ferwi'n unig. Mewn gwledydd poeth, caiff yr heli ei adael mewn padelli bas enfawr yn yr haul. Yn y DU, mae'r heli'n mynd i danciau gwactod gwasgedd-isel. Mae'r gwasgedd isel yn sicrhau bod yr heli'n berwi ar dymheredd llawer is nag arfer.

❶ Eglurwch pam mae'r dulliau anweddu hyn yn gwneud cynhyrchu halen yn rhatach.

3.3 Halen o halen craig

Halen o halen craig   GWEITHGAREDD

Mae Raji'n ymchwilio i sut i gael halen o halen craig. Dyma'r drefn a ddilynodd.

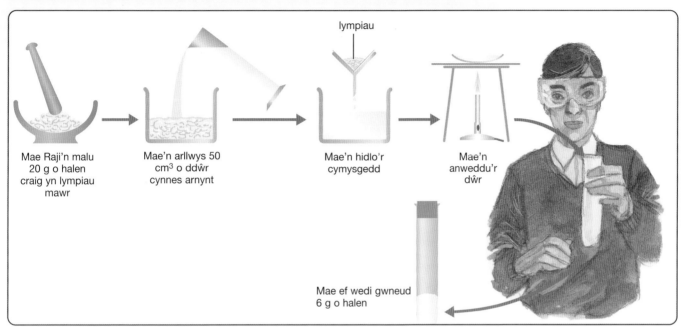

Mae Raji'n malu 20 g o halen craig yn lympiau mawr

Mae'n arllwys 50 cm^3 o ddŵr cynnes arnynt

lympiau

Mae'n hidlo'r cymysgedd

Mae'n anweddu'r dŵr

Mae ef wedi gwneud 6 g o halen

Mae Raji'n gwahanu halen oddi wrth halen craig.

② **(a)** Cyfrifwch y canran o halen a wnaeth Raji o'i halen craig (y cynnyrch).

    (b) Sut y gallai Raji wella ei ddull a chynyddu'r cynnyrch?

Gwnaeth Raji gynllun i ddangos sut y gallai ei broses gael ei gweithredu ar raddfa fawr. Dyma'r camau cyntaf yn ei gynllun.

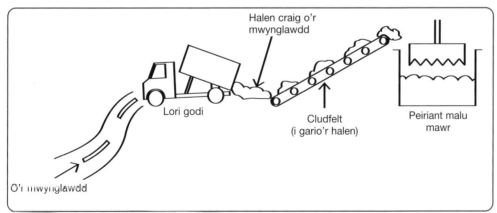

Halen craig o'r mwynglawdd

Lori godi

Cludfelt (i gario'r halen)

Peiriant malu mawr

O'r mwynglawdd

Camau cyntaf cynllun Raji.

③ Dyluniwch eich ffatri eich hun! Gwnewch luniad llawn o ffatri a allai ddefnyddio proses Raji. Gwnewch restr o'r peiriannau y byddai eu hangen (dyfeisiwch enwau). Pa rannau o'r broses a fyddai'n defnyddio'r mwyaf o egni a thanwydd?

④ Beth fyddai prif gostau SEFYDLU'r ffatri? Beth fyddai'r prif gostau wrth REDEG y ffatri?

3.3 Halen o halen craig

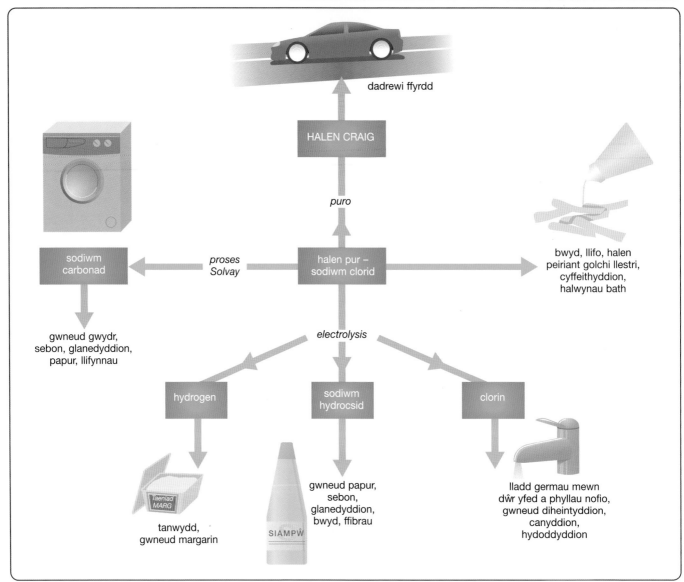

Sut rydym ni'n defnyddio'r holl halen?

dadrewi ffyrdd

HALEN CRAIG

puro

sodiwm carbonad ← *proses Solvay* ← halen pur – sodiwm clorid → bwyd, llifo, halen peiriant golchi llestri, cyffeithyddion, halwynau bath

proses Solvay

gwneud gwydr, sebon, glanedyddion, papur, llifynnau

electrolysis

hydrogen

sodiwm hydrocsid

clorin

tanwydd, gwneud margarin

gwneud papur, sebon, glanedyddion, bwyd, ffibrau

lladd germau mewn dŵr yfed a phyllau nofio, gwneud diheintyddion, canyddion, hydoddyddion

Mae'r diagram hwn yn dangos sut mae halen yn cael ei ddefnyddio.

5 (a) I beth y defnyddir halen pur?

(b) Enwch bedwar cemegyn sy'n cael eu gwneud o halen a rhowch ddefnydd ar gyfer pob un.

6 Ar ôl gwers ar hanes Rhufain, mae ffrind yn dweud, 'Rydw i'n falch nad yw fy swydd Ddydd Sadwrn yn fy nhalu mewn halen. Rydw i ond yn ei ddefnyddio ar sglodion!' Ysgrifennwch beth y byddech chi'n ei ddweud wrthi i ddangos ei bod hi'n anghywir.

7 Mae'r fformiwlâu hyn yn cynrychioli sylweddau ar y diagram.

$$NaCl \quad Na_2CO_3 \quad H_2 \quad Cl_2 \quad NaOH$$

(a) Cysylltwch bob fformiwla â sylwedd ar y diagram.

(b) Pa sylweddau sy'n elfennau? Pa rai sy'n gyfansoddion?

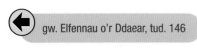
gw. Elfennau o'r Ddaear, tud. 146

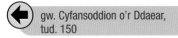
gw. Cyfansoddion o'r Ddaear, tud. 150

3.3 Halen o halen craig

Graeanu'r ffyrdd

ASTUDIAETH ACHOS

Mae Arwyn yn gyrru un o lorïau graeanu'r Cyngor Sir. Mae'n siarad am ei waith.

'Pryd bynnag mae perygl o eira a rhew bydda i'n dechrau graeanu'r priffyrdd gyda halen craig. Mae'r halen yn gostwng rhewbwynt dŵr fel na fydd yn rhewi. Mae'r graean yn yr halen craig yn helpu ceir i afael yn y lôn. Fel rheol byddwn ni'n ceisio gwneud y graeanu dros nos er mwyn peidio â tharfu ar y traffig. (A dydy modurwyr ddim yn hoffi cael halen craig yn tasgu dros eu ceir chwaith!)

'Mae'r tîm cynnal yn defnyddio system "graeanu rhag ofn" – byddwn ni'n mynd allan pan fydd disgwyl eira neu rew.

Bydd lorïau graeanu'n rhoi halen craig ar ffyrdd yn y gaeaf.

Rydym ni'n gwasgaru'r halen ar gyfradd o 10 g m^{-2}. Gwaith rhai timau yw mynd allan ar ôl i'r eira ddisgyn. Weithiau mae'n rhaid i aradr eira fynd o flaen y lori graeanu. Mae angen taenu 40 g m^{-2} o halen ar eira sydd wedi disgyn.

'Gall rhoi halen ar y ffyrdd achosi problemau yn ogystal â'u datrys. Mae'n gwneud i geir rydu'n gyflymach. Bydda i bob amser yn golchi o dan y car i gael gwared â'r halen. (Dylech chi weld y rhwd ar rai o'r lorïau graeanu.) Mae gan geir modern is-fframiau llyfn, seliedig i atal yr halen rhag cydio. Bydd y rhannau haearn ar bontydd yn rhydu hefyd. A gall yr halen ladd y planhigion sy'n tyfu ar hyd ymyl y ffordd.

'Fy hoff ddywediad yw, "Efallai nad ydw i'n edrych fel dyn dewr, ond rydw i'n achub cant o fywydau bob blwyddyn."'

❽ Pam rydych chi'n meddwl bod lorïau graeanu'n defnyddio mwy o halen y metr sgwâr ar eira sydd wedi disgyn nag ar gyfer 'graeanu rhag ofn'?

❾ Mae 'graeanu rhag ofn' drwy'r gaeaf yn defnyddio mwy o halen craig, ac yn costio mwy, na graeanu ar ôl cwymp eira yn unig.

(a) Eglurwch pam mae 'graeanu rhag ofn' yn costio mwy.

(b) Beth yw manteision 'graeanu rhag ofn'?

❿ Bydd meysydd awyr yn defnyddio dadrewyddion hylifol yn hytrach na halen craig ar redfeydd. Awgrymwch pam.

Ffeithiau allweddol

Copïwch a chwblhewch y brawddegau trwy ddewis y gair cywir o'r rhestr o eiriau allweddol.

1 Mae halen craig yn _____ o halen a thywod.

2 Gall y tywod gael ei _____ yn hawdd oddi wrth yr halen gan fod yr halen yn _____ mewn dŵr.

3 Mae dŵr yn _____ i adael halen glân.

4 Defnyddir halen mewn bwyd ac i wneud _____.

Geiriau allweddol

anweddu

cemegion

cymysgedd

gwahanu

hydoddi

3.4 Haearn a dur

Gwneud ceir

Mae tua 70 y cant o geir newydd yn ddur. Aloi (cymysgedd o fetelau) yw **dur** ond mae dros 90 y cant ohono'n haearn.

Gwirio gair ✓

Craig sy'n cynnwys metel y gallwn ei echdynnu yw **mwyn**.

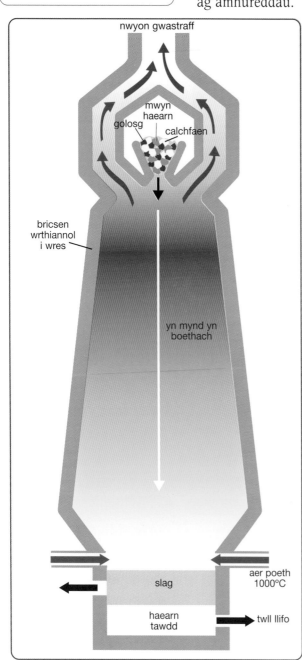

Y ffwrnais chwyth.

Y ffwrnais chwyth

Mae haearn ar gyfer gwneud dur i geir yn cael ei gynhyrchu mewn **ffwrnais chwyth**. Defnyddir y ffwrnais i gael metel haearn o **fwyn** haearn amhur o'r enw **haematit**. Mae haematit yn cynnwys haearn (III) ocsid, Fe_2O_3, yn gymysg ag amhureddau.

Dyma beth sy'n digwydd yn y ffwrnais.

- Mae mwyn haearn, **calchfaen** a **golosg** yn mynd i mewn i dop y ffwrnais.

- Mae aer poeth (ar 1000°C)) yn cael ei chwythu i waelod y ffwrnais.

- Mae'r golosg, sy'n **garbon**, yn bennaf, yn llosgi.

$$C \quad + \quad O_2 \quad \rightarrow \quad CO_2$$
carbon + ocsigen → carbon deuocsid

- Mae'r adwaith hwn yn rhyddhau llawer o wres, felly mae'r ffwrnais yn mynd yn boethach byth.

- Mae'r calchfaen (calsiwm carbonad) yn torri i lawr.

$$CaCO_3 \quad \rightarrow \quad CaO \quad + \quad CO_2$$
calsiwm carbonad → calsiwm ocsid + carbon deuocsid

- Mae'r carbon deuocsid yn adweithio â rhagor o olosg i wneud carbon monocsid.

$$CO_2 \quad + \quad C \quad \rightarrow \quad 2CO$$
carbon deuocsid + carbon → carbon monocsid

- Mae'r adwaith pwysicaf oll yn digwydd – mae'r carbon monocsid yn adweithio â'r haearn ocsid i wneud haearn.

$$Fe_2O_3 \quad + \quad 3CO \quad \rightarrow \quad 2Fe + \quad 3CO_2$$
haearn ocsid+carbon monocsid → haearn+carbon deuocsid

- Y prif amhuredd yn yr haematit yw tywod, sef silicon deuocsid. Mae hwn yn adweithio â'r calsiwm ocsid (o'r calchfaen) i wneud 'slag'.

$$SiO_2 \quad + \quad CaO \quad \rightarrow \quad CaSiO_3$$
silicon deuocsid+ calsiwm ocsid → calsiwm silicad (slag)

- Mae'r slag tawdd yn nofio ar yr haearn. Gall gael ei ryddhau trwy dwll ychydig uwchben arwyneb yr haearn. Mae'r haearn yn llifo allan o dwll llifo (*tap hole*) yng ngwaelod y ffwrnais.

3.4 Haearn a dur

Meddwl am y ffwrnais chwyth GWEITHGAREDD

Defnyddiwch y wybodaeth ar y dudalen flaenorol i ateb y cwestiynau hyn.

1 Y defnyddiau cychwynnol ar gyfer proses yw 'defnyddiau crai'. Gwnewch restr o'r pedwar defnydd crai a ddefnyddir yn y ffwrnais chwyth.

2 (a) Copïwch yr hafaliadau ar gyfer adweithiau'r ffwrnais chwyth. Rhowch gylch o amgylch fformiwla pob nwy sy'n cymryd rhan yn yr adweithiau.

   (b) Mae nwyon sydd heb adweithio yn cael eu casglu a'u rhyddhau trwy bibell o frig y ffwrnais gan eu bod yn beryglus i'r gweithwyr. Beth yw'r peryglon?

3 Ymdoddbwynt haearn yw 1540°C. Beth yn eich barn chi yw'r tymheredd y tu mewn i'r ffwrnais? Eglurwch eich ateb.

Y ffwrnais chwyth yn Redcar

Mae un o ffwrneisi chwyth mwyaf Ewrop yn Redcar ar arfordir gogledd-ddwyrain Lloegr. Mae'r ffwrnais yn defnyddio glo a haematit o wledydd tramor.

4 Mae'r ffwrnais chwyth yn rhedeg 24 awr y dydd. Caiff y defnyddiau crai eu bwydo'n barhaus i ben y ffwrnals a daw'r cynhyrchion allan yn y gwaelod. Eglurwch pam mae peidio â gorfod stopio, gwagio ac ail-lenwi'r ffwrnais o hyd yn gwneud y broses yn rhatach.

Mae'r ffwrnais chwyth hon dros 30 m o uchder.

5 Mae'r ffwrnais yn cyflogi llawer o bobl leol. Y peiriannau sy'n gwneud y gwaith trwm, ond pobl sy'n rheoli'r peiriannau ac yn sicrhau bod y broses yn rhedeg yn esmwyth. Gwnewch restr o'r tasgau y byddai'n rhaid eu gwneud bob dydd i gadw'r ffwrnais i fynd.

Mae'r haearn tawdd o'r ffwrnais yn cael ei wneud yn ddur trwy dynnu'r amhureddau ac ychwanegu metelau eraill. Defnyddir y dur i wneud cynhyrchion megis ceir, caniau a pheiriannau.

6 Ysgrifennwch stribed cartŵn i ddangos beth sy'n digwydd o safbwynt lwmp o fwyn haearn. Beth sy'n digwydd ar ôl i chi gael eich cloddio? Beth yw eich tynged chi?

3.4 Haearn a dur

Ocsidiad a rhydwythiad

Mae llawer o fwynau metel yn cynnwys cyfansoddion o fetelau gydag ocsigen. Er enghraifft, mae tun yn cael ei echdynnu o garreg dun: tun ocsid, SnO_2. Echdynnir alwminiwm o focsit: alwminiwm ocsid, Al_2O_3. I echdynnu'r metelau mae angen i ni dynnu'r ocsigen o'r ocsid metel. **Rhydwythiad** yw'r enw ar dynnu ocsigen.

Yn y ffwrnais chwyth, caiff haearn ocsid ei rydwytho gan garbon monocsid.

$$Fe_2O_3 \quad + \quad 3CO \quad \rightarrow \quad 2Fe \quad + \quad 3CO_2$$

haearn ocsid + carbon monocsid → haearn + carbon deuocsid

Mae carbon monocsid yn rhydwythydd gan ei fod yn cymryd ocsigen i ffwrdd o haearn ocsid. Yr un pryd, mae carbon monocsid yn ennill ocsigen – mae ef wedi cael ei ocsidio. **Ocsidiad** yw'r enw ar y broses hon.

Echdynnu plwm

Defnyddir plwm i wneud batrïau ceir, plwm toeon, sodr a phibellau tanddaearol ar gyfer ceblau. I gael y metel, caiff y plwm sylffid ei newid yn blwm ocsid. Yna caiff y plwm ocsid ei wresogi gyda **charbon** i gynhyrchu plwm pur a charbon deuocsid.

Mae'r plwm sylffid yn cael ei *ocsidio* i wneud plwm ocsid pan gaiff ei 'rostio' neu ei wresogi mewn ocsigen. Caiff plwm ocsid, PbO, ei *rydwytho* pan gaiff ei wresogi gyda charbon powdrog.

plwm ocsid + carbon → plwm + carbon deuocsid

$$2PbO \quad + \quad \text{........} \quad \rightarrow \quad 2Pb \quad + \quad \text{.............}$$

Defnyddir plwm i wneud sodr.

❼ Copïwch yr hafaliadau a gorffennwch yr hafaliad symbolau trwy ysgrifennu'r fformiwlâu ar gyfer carbon a charbon deuocsid.

❽ Copïwch a chwblhewch y brawddegau canlynol. Defnyddiwch y geiriau hyn:

ocsidio   rhydwytho   rhydwythydd

Mae plwm ocsid yn cael ei .... i ffurfio plwm. Mae carbon yn gweithredu fel .... Mae carbon wedi cael ei .... i wneud carbon deuocsid.

Geiriau allweddol

calchfaen

carbon

dur

ffwrnais chwyth

golosg

haematit

mwyn

ocsidiad

rhydwythiad

Ffeithiau allweddol

Copïwch a chwblhewch y brawddegau trwy ddewis y gair cywir o'r rhestr o eiriau allweddol.

1 Mae haearn yn cael ei echdynnu o'i fwyn mewn _____ _____.

2 Y defnyddiau crai a ddefnyddir yn y ffwrnais chwyth yw _____, _____ a _____ haearn.

3 Mae'r mwyn haearn a ddefnyddir yn y ffwrnais chwyth yn cael ei alw'n _____.

4 Defnyddir haearn i wneud _____ ar gyfer ceir.

5 Gellir echdynnu plwm o'i ocsid trwy ei wresogi â _____.

6 Mae ennill ocsigen yn cael ei alw'n _____.

7 Mae tynnu ocsigen yn cael ei alw'n _____.

Yr iard sgrap | ASTUDIAETH ACHOS

Mae miloedd a miloedd o geir newydd yn cael eu gwerthu bob blwyddyn. Ond beth sy'n digwydd i'r hen rai? Pan gaiff hen geir eu sgrapio, cânt eu hailgylchu, ac mae llawer o'u rhannau'n cael eu defnyddio eto. Caiff bron y cyfan o'r dur ei ailgylchu a'i droi'n ddur newydd.

Mae llawer o'r ceir sy'n cyrraedd iard sgrap eisoes wedi'u stripio. Mae modurdai a gwerthwyr rhannau ceir yn tynnu'r holl rannau defnyddiol megis teiars, batrïau, goleuadau a'r rhannau o'r peiriant sy'n dal i weithio. Caiff y rhain eu gwerthu i bobl sy'n dymuno prynu rhannau ceir 'wedi'u hadnewyddu'.

Caiff y ceir eu malu er mwyn gallu eu cludo'n haws a rhatach. Rhoddir nhw mewn prosesydd sy'n eu malurio'n ddarnau mân. Mae electromagnet yn gwahanu'r dur oddi wrth y defnyddiau eraill er mwyn gallu ei anfon mewn trên neu lori i'r gwaith dur agosaf. Gellir ailgylchu metelau eraill hefyd. Caiff fflwff, plastigion a ffabrigau eu casglu a'u claddu gyda sbwriel arall ar safleoedd tirlenwi.

Caiff y dur sgrap ei gymysgu â haearn yn y ffwrnais chwyth a'i buro yn y broses gwneud dur. Defnyddir y dur gorffenedig i wneud caniau bwyd, ceir, oergelloedd ac offer llawfeddygol. Mae tua 55 y cant o ddur Prydain yn cael ei wneud o sgrap

9 Mae ailgylchu haearn yn defnyddio llai o egni na gwneud haearn mewn ffwrnais chwyth. Eglurwch pam mae ailgylchu yn rhatach ac yn well i'r amgylchedd.

10 O ble yn y ceir sgrap y mae'r 'fflwff, plastigion a ffabrigau' yn dod?

11 Dywed un o'ch ffrindiau ysgol, 'Dydw i ddim yn deall y gwahaniaeth rhwng ailddefnyddio ac ailgylchu. Yr un peth ydyn nhw i mi.' Defnyddiwch syniadau o'r dudalen hon i egluro'r gwahaniaeth.

12 Defnyddiwch lyfr ffôn i ddarganfod sawl cwmni sgrap sydd yn eich ardal. Sawl gwerthwr ceir sydd? Pam rydych chi'n meddwl bod cymaint o wahaniaeth yn nifer y cwmnïau?

Cwestiynau adolygu

1 Mae'r tabl yn dangos faint o galchfaen a ddefnyddir at bwrpasau cemegol. (Nid yw agreg ar gyfer ffyrdd wedi'i gynnwys.)

Defnydd	Canran
Gwneud sment	58
Gwneud haearn a dur	13
Taenu ar gaeau	8
Powdrau a llenwadau	5
Gwneud gwydr	2
Defnydd cemegol arall	14

(a) Lluniwch siart bar i ddangos y defnydd o galchfaen. [3]

(b) Pa ganran o galchfaen yn y tabl a ddefnyddir i wneud defnyddiau adeiladu? [1]

2 Mae'r rhestr isod yn dangos fformiwlâu rhai cemegion a'r defnyddiau crai a ddefnyddir i'w gwneud.

Defnydd crai (ddim yn y drefn gywir)	Cemegyn	Defnydd a wneir o'r cemegyn
Sylffwr, S	clorin, Cl_2	
Nitrogen, N_2, o'r aer	octan C_8H_{16}	petrol
Sodiwm clorid, NaCl, o halen craig	amonia, NH_3	gwrteithiau
Hydrocarbonau, e.e. $C_{12}H_{26}$, o olew crai	asid sylffwrig, H_2SO_4	

(a) Defnyddiwch y fformiwlâu i ddarganfod pa ddefnydd crai sydd wedi cael ei ddefnyddio i wneud pa gemegyn. [3]

(b) Ysgrifennwch UN defnydd ar gyfer clorin ac UN defnydd ar gyfer asid sylffwrig. [2]

(c) Ysgrifennwch enwau a nifer yr atomau ar gyfer pob elfen mewn asid sylffwrig ac octan. [4]

3 Dyma wybodaeth am gynhyrchu haearn yn y byd ar gyfer mis Mai 2002.

(a) Lluniwch siart bar i ddangos faint o haearn a gynhyrchir yn Ewrop a'r DU o'u cymharu â gweddill y byd. [4]

	Haearn a gynhyrchwyd ym mis Mai 2002/miloedd o dunelli metrig
Y byd	75 000
Ewrop	13 700
Y DU yn unig	1057

(b) Pa ganran o'r haearn a gynhyrchir yn y byd sy'n cael ei gynhyrchu yn Ewrop? [2]

(c) Mae Pont Hafren wedi'i gwneud o 4500 tunnell fetrig o ddur. Mae Stadiwm y Mileniwm yng Nghaerdydd wedi'i wneud o 11 000 o dunelli metrig.

Gall ffwrnais chwyth Redcar wneud 12 000 o dunelli metrig o ddur y dydd.

Faint o amser a gymerai i ffwrnais chwyth Redcar wneud y dur ar gyfer pob un o'r adeiladweithiau hyn? [3]

(ch) Collodd llawer o bobl eu swyddi yn Sheffield pan gaeodd y gwaith dur yno. Dywedodd un dyn, 'Mae gwneud dur yn y wlad hon ar ben. Does dim angen dur ar gyfer y diwydiant adeiladu llongau a diwydiannau trwm eraill mwyach.'

Pa ateb a roddech iddo? I beth y defnyddir dur modern? [3]

3 Cemegion defnyddiol

Y DIWYDIANT CEMEGION

Cynnwys

Aseiniadau a gweithgareddau ymarferol sy'n gysylltiedig â'r adran hon:

Dadansoddi meintiol;

Cynhyrchu gwrtaith;

Cynhyrchu ester.

Cydosod cyfarpar distyllu

Ymchwilio i lifynnau

Ymchwilio i gyfraddau adwaith

Darganfod crynodiad asid

Defnyddiwch y canlynol i gadw llygad ar eich cynnydd.

Uned 2

Byddwch chi'n:

- gwybod y gwahaniaeth rhwng cyfansoddion organig ac anorganig gw. tud. 166–9

- gwybod sut mae olew crai yn cael ei wahanu trwy ddistyllu ffracsiynol gw. tud. 166–9

- deall bod distyllu ffracsiynol yn gweithio oherwydd bod berwbwyntiau gwahanol gan hylifau gw. tud. 166–9

- gwybod am y defnydd sy'n cael ei wneud o ffracsiynau olew crai gw. tud. 166–9

- gallu egluro pam mae berwbwyntiau gwahanol gan hylifau sydd â moleciwlau o faint gwahanol gw. tud. 166–9

- ymwybodol o bwysigrwydd a maint y diwydiant cemegion gw. tud. 170-7

- gwybod y caiff rhai cemegion eu gwneud ar raddfa fawr ac eraill ar raddfa fach gw. tud. 170-3

- gallu rhoi enghreifftiau o gemegion swmp a chemegion coeth gw. tud. 170-3

- gallu cydbwyso hafaliadau cemegol gw. tud. 174-7

- gwybod sut mae adweithiau'n cael eu cyflymu yn y diwydiant cemegion. gw. tud. 174-7

Uned 3

Byddwch chi'n:

- deall adweithiau cildroadwy gw. tud. 174-7

- gallu cyfrifo cynnyrch damcaniaethol, gwirioneddol a chanrannol gw. tud. 178-81

- gallu egluro pam nad yw cynnyrch gwirioneddol yn 100 y cant gw. tud. 178-81

- ymwybodol bod diwydiant yn cyfaddawdu rhwng cynnyrch a chyfradd i wneud prosesau'n broffidiol. gw. tud. 178-81

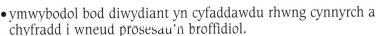

3.5 Olew crai i betrol

Yr hylif du

Dynion yn gweithio ar lwyfan olew.

Hylif gludiog du yw olew crai. Mae i'w gael mewn creigiau o dan y ddaear. Mae cwmnïau olew yn drilio i mewn i'r creigiau ac yn pwmpio'r olew i fyny. Maen nhw'n anfon yr olew crai trwy bibell neu mewn tanceri i burfa olew.

Beth sy'n digwydd mewn purfa olew?

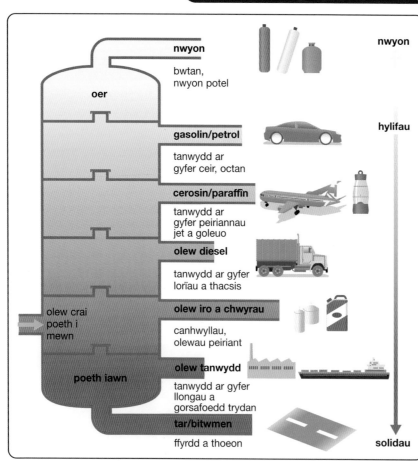

Y golofn ffracsiynu mewn purfa olew.

Mae olew crai yn cynnwys cymysgedd o foleciwlau **hydrocarbon**. Cyfansoddion sy'n cynnwys hydrogen a charbon yn unig yw hydrocarbonau. Mae siâp a maint moleciwlau hydrocarbon i gyd yn wahanol ac felly mae **berwbwyntiau** gwahanol ganddynt.

Mewn purfa olew, defnyddir **distyllu ffracsiynol** i hollti'r olew crai yn **ffracsiynau**. Mae gan wahanol ffracsiynau wahanol amrediadau berwi. Mae olew crai poeth yn mynd i waelod y **golofn ffracsiynu**.

Mae gan foleciwlau mawr trwm ferwbwyntiau uchel. Maen nhw'n aros yn hylifau trwchus ac yn rhedeg allan o'r gwaelod. Mae moleciwlau llai ac ysgafnach, â berwbwyntiau is, yn codi i fyny'r golofn fel nwyon.

Mae'r golofn yn oerach yn uwch i fyny, felly mae'r gwahanol ffracsiynau'n cyddwyso ar wahanol dymereddau ac yn dod allan o'r golofn. Dim ond y moleciwlau lleiaf ac ysgafnaf â berwbwyntiau isel iawn sy'n parhau'n nwyon yn rhan uchaf ac oeraf y golofn.

3.5 Olew crai i betrol

Defnyddio olew   GWEITHGAREDD

Astudiwch y tabl isod am y defnydd o olew crai.

Defnydd terfynol	Canran o olew crai a ddefnyddir
Petrol	30
Gwres canolog	25
Tanwydd ar gyfer diwydiant	15
Cynhyrchu trydan	15
Tanwydd ar gyfer awyrennau, trenau a llongau	6
Gwneud cemegion (glanedyddion, paentiau, llifynnau, plastigion, moddion a ffibrau synthetig)	9

❶ Gwnewch siart bar i ddangos y wybodaeth hon.

❷ Pa ganran o olew crai sy'n cael ei losgi fel tanwydd?

❸ Mae un o'ch ffrindiau'n dweud, 'Does dim ots os bydd olew yn dod i ben – bydd gennym ni ddigon o bŵer o'r gwynt a'r haul erbyn hynny.' Pa ateb y byddech chi'n ei roi i'ch ffrind? Lluniwch gartŵn i ddangos y math o fywyd a allai fod gennym 'ar ôl i'r olew ddod i ben'.

Purfa Fawley

Un o burfeydd olew mwyaf Ewrop yw purfa Fawley ger Southampton.

Mae purfa Fawley yn defnyddio olew crai o'r Dwyrain Canol a Môr y Gogledd. Mae'n bwysig iawn bod y burfa yn gwneud digon o bob ffracsiwn i gwrdd â'r galw. Os bydd gormod o un ffracsiwn yn cael ei wneud, bydd stociau mawr yn cael eu creu nad oes neb eisiau eu prynu. Hefyd mae'r burfa'n ceisio defnyddio cyn lleied o olew crai â phosibl – mae'n ddrud ei brynu, mae puro'n defnyddio llawer o egni, ac mae angen defnyddio'r olew sydd ar ôl yn ddarbodus iawn.

Dyma beth gwybodaeth am y galw am y gwahanol ffracsiynau ac am gynnwys dau fath o olew crai.

Ffracsiwn olew	Galw gan gwsmeriaid (%)	Cynnwys	
		Olew trwm o Arabia (%)	Olew Môr y Gogledd (%)
Gasolin/nafftha	30	18	23
Cerosin	8	11	15
Diesel/olew nwy	24	18	24
Olew tanwydd	38	53	38

Purfa olew.

❹ Lluniwch siart bar cymharol i ddangos y wybodaeth hon (gallech ddefnyddio taenlen at y pwrpas hwn).

❺ Pa ffracsiynau y mae mwyaf o alw amdanynt? Pam yn eich barn chi?

❻ Pa ffracsiynau y mae mwy o gyflenwad ohonynt nag o alw amdanynt?

❼ Mae purfa Fawley yn defnyddio proses 'cracio' i hollti moleciwlau mawr yn foleciwlau llai. Eglurwch sut mae hyn yn helpu i gwrdd â'r galw.

3.5 Olew crai i betrol

Edrych yn fanylach ar y moleciwlau mewn olew

Organig ac anorganig

Mae olew crai wedi'i wneud o weddillion pydredig creaduriaid môr marw a oedd yn byw miliynau o flynyddoedd yn ôl. Dywedwn fod y moleciwlau mewn olew yn **organig**, gan eu bod nhw wedi'u gwneud o organebau byw. Mae pob moleciwl organig yn cynnwys carbon, ynghyd â hydrogen fel rheol, ac ocsigen, sylffwr neu elfen arall weithiau. Cyfansoddion nad ydyn nhw wedi'u gwneud o bethau byw yw cyfansoddion **anorganig**. Dydyn nhw ddim yn cynnwys carbon fel rheol. Cyfansoddion anorganig yw gwrtaith sodiwm nitrad ($NaNO_3$) a dŵr (H_2O).

Un o'r eithriadau yw calchfaen (calsiwm carbonad), sy'n gyfansoddyn carbon anorganig. Gall cemegwyr wneud llawer o gyfansoddion organig artiffisial erbyn heddiw, ond rydym ni'n dal i ddefnyddio'r term 'organig' ar gyfer moleciwlau a ddaeth yn wreiddiol o bethau byw.

Moleciwlau mawr a bach

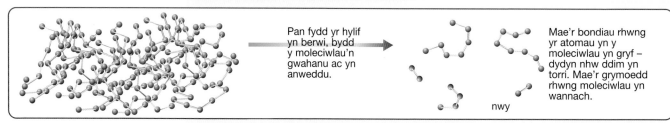

Pan fydd yr hylif yn berwi, bydd y moleciwlau'n gwahanu ac yn anweddu.

Mae'r bondiau rhwng yr atomau yn y moleciwlau yn gryf – dydyn nhw ddim yn torri. Mae'r grymoedd rhwng moleciwlau yn wannach.

nwy

Beth sy'n digwydd pan yw cymysgedd o hydrocarbonau'n berwi?

Mae berwbwyntiau uwch gan foleciwlau hydrocarbon mawr gan eu bod yn drymach ac oherwydd bod grymoedd cryfach rhwng y moleciwlau.

8 Edrychwch ar y wybodaeth hon am rai o'r hydrocarbonau mewn olew crai.

Enw	Nifer yr atomau carbon	Fformiwla	Berwbwynt/°C
methan	1	CH_4	−161
ethan	2	C_2H_6	−88
propan	3	C_3H_8	
bwtan	4		−1
pentan	5	C_5H_{12}	36

(a) Lluniwch graff llinell gyda 'Berwbwynt' (cofiwch ddechrau gyda rhif negatif!) i fyny'r ochr a 'Nifer yr atomau carbon' ar hyd y gwaelod.

(b) Defnyddiwch eich graff i ragfynegi berwbwynt propan.

(c) Defnyddiwch batrwm y fformiwlâu i awgrymu fformiwla ar gyfer bwtan.

(ch) Rhowch resymau pam mae'r moleciwlau hyn yn 'organig'.

(d) Pa foleciwl sydd â'r grymoedd cryfaf rhwng y moleciwlau? Pa un sydd â'r grymoedd gwannaf? Eglurwch sut y gallwch ddweud.

(dd) 'Mae 'nwy tanwydd' yn dod allan o ben y golofn ffracsiynu ar 20°C. Pa un o'r hydrocarbonau hyn NA allai fod mewn nwy tanwydd? Eglurwch pam.

Gwirio gair

Mae cyfansoddion **organig** yn cynnwys carbon ac maen nhw'n dod o bethau byw.

Nid yw cyfansoddion **anorganig** wedi'u gwneud o bethau byw a dydyn nhw ddim yn cynnwys carbon fel rheol.

3.5 Olew crai i betrol

Petrol sylffwr isel ⟨ASTUDIAETH ACHOS⟩

Rheolwr gorsaf betrol yw Brian. Mae'n egluro:

'Mae petrol di-blwm sylffwr isel wedi bod ar gael yn y pympiau ers diwedd 2000. Dydy'r rhan fwyaf o bobl ddim wedi sylwi ar y newid ond mae gennym daflenni gwybodaeth i bobl sy'n holi.

'Mae cyfansoddion sylffwr mewn petrol yn achosi problemau oherwydd wrth i'r petrol losgi ym mheiriant car, mae'r sylffwr yn llosgi hefyd. Mae'n ffurfio sylffwr deuocsid, sy'n nwy asidig iawn. Mae hyn yn newyddion drwg i'r modurwr gan ei fod yn effeithio ar rannau metel ceir megis y peiriant a'r bibell wacáu. Mae'n newyddion drwg i'r amgylchedd hefyd gan fod sylffwr deuocsid yn hydoddi mewn glaw i wneud glaw asid. Mae dwy ran o dair yn llai o sylffwr mewn petrol sylffwr isel, felly mae'r ddwy broblem hyn yn cael eu lleihau.

Mae'r cwmni olew yn tynnu'r cyfansoddion sylffwr o'r petrol mewn gweithfeydd dadsylffwreiddio yn y burfa. Maen nhw'n gwerthu'r sylffwr i wneud asid sylffwrig. Mae'r holl gwmnïau petrol yn tynnu'r sylffwr nawr. Mae hyn yn newyddion da i ddiwydiant olew y DU hefyd gan fod olew Môr y Gogledd yn cynnwys llai o sylffwr nag olew y Dwyrain Canol. Mae'r diddordeb mewn petrol sylffwr isel yn golygu bod cwmnïau olew yn barod i dalu mwy am olew crai sy'n cynnwys llai o sylffwr.'

9 Pa nwy sy'n adweithio â sylffwr wrth iddo losgi? Ysgrifennwch hafaliad geiriau ar gyfer yr adwaith.

10 Pam mae'r ffaith bod sylffwr deuocsid yn asidig yn 'newyddion drwg i'r modurwr'?

11 Darganfyddwch ragor am y problemau y mae glaw asid yn eu hachosi.

12 Dyluniwch fwrdd gwybodaeth i'w roi mewn gorsaf betrol i ddweud wrth gwsmeriaid am 'betrol sylffwr isel'. Eglurwch pam mae'n ddewis gwell.

Ffeithiau allweddol

Copïwch a chwblhewch y brawddegau trwy ddewis y gair cywir o'r rhestr o eiriau allweddol.

1 Mae cyfansoddion carbon sy'n dod o organebau byw yn cael eu galw'n gyfansoddion _____.

2 Nid yw cyfansoddion _____ yn cynnwys carbon fel rheol.

3 Mae'r cyfansoddion mewn olew crai yn _____ a gellir eu gwahanu oherwydd bod ganddynt _____ gwahanol.

4 Yr enw a roddir ar y broses wahanu yw _____ _____.

5 Caiff gwahanol _____ eu tynnu o'r _____ _____ mewn gwahanol leoedd.

Geiriau allweddol

anorganig

berwbwyntlau

colofn ffracsiynu

distyllu ffracsiynol

ffracsiynau

hydrocarbonau

organig

3.6 Cemegion swmp a chemegion coeth

Mae pawb yn defnyddio cemegion

Mae'n dweud yma fod pob teulu yn gwario £1300 y flwyddyn ar gemegion.

Argol! Does neb yn ein teulu ni byth yn prynu dim!

Pa gemegion a brynwn?

Diwydiant cemegion y DU yw un o'n diwydiannau mwyaf llwyddiannus. Mae'n gwneud elw anferth trwy allforio cynhyrchion cemegol. Mae'r diwydiant yn cynhyrchu pum categori o gemegion yr ydym ni'n eu defnyddio bob dydd.

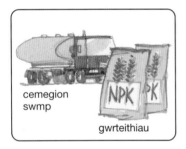

cemegion swmp

gwrteithiau

Defnyddiau anorganig a gwrteithiau

Caiff symiau enfawr (miliynau o dunelli metrig) o'r rhain eu cynhyrchu bob blwyddyn a'u gwerthu i ddiwydiannau (i wneud cynhyrchion terfynol yn y pedwar categori arall) ac amaethyddiaeth.

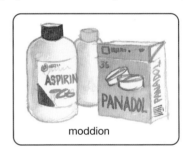

moddion

Cynhyrchion fferyllol

Mae moddion yn cael eu gwneud i'w gwerthu 'dros y cownter' ac i'w rhoi ar bresgripsiwn gan feddygon ac ysbytai. Cânt eu hallforio i bedwar ban byd.

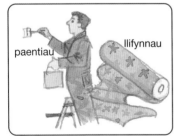

paentiau

llifynnau

Defnyddiau llifo, paentiau a phigmentau

Mae ymchwil wedi arwain at ddatblygu paentiau newydd nad ydyn nhw'n cynnwys hydoddyddion niweidiol. Gellir golchi brwshys paent mewn dŵr ac nid yw'r gwastraff yn niweidio pysgod.

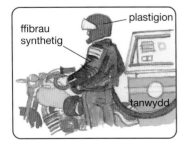

ffibrau synthetig

plastigion

tanwydd

Petrocemegion a pholymerau

Mae'r rhain yn cynnwys tanwyddau, plastigion a ffibrau synthetig.

grisialau hylif

Arbenigol

Mae hyn yn cynnwys amrywiaeth eang o gemegion â chymwysiadau penodol iawn, megis persawr a'r grisialau hylif a ddefnyddir i wneud sgriniau gliniaduron.

1 Edrychwch ar y cartŵn ar frig y dudalen. Beth a ddywedech chi nesaf?

3.6 Cemegion swmp a chemegion coeth

Pam gwneud asid sylffwrig ar raddfa fawr? | GWEITHGAREDD

Caiff cemegion **swmp** eu cynhyrchu mor rhad â phosibl ar raddfa fawr iawn. Mae defnyddiau anorganig megis asid sylffwrig ac amonia, a phetrocemegion a pholymerau megis poly(ethen), yn gemegion swmp. Mae cemegion y mae'n rhaid iddynt fod yn bur iawn ac o ansawdd uchel yn cael eu galw'n gemegion **coeth** (neu arbenigol). Caiff cemegion coeth eu gweithgynhyrchu ar raddfa fach. Mae hyn yn golygu y gellir rheoli eu hansawdd yn ofalus iawn. Fel hyn y caiff cynhyrchion fferyllol, llifynnau a phigmentau eu gwneud.

Cynhyrchir asid sylffwrig ar raddfa fawr. Mae'r DU yn gwneud tua dwy filiwn o dunelli metrig ohono bob blwyddyn: rhyw lond bath ar gyfer pob un ohonom ni! Mae'r tabl yn dangos y defnydd sy'n cael ei wneud ohono.

Cynnyrch terfynol	Canran o'r asid sylffwrig a gynhyrchir bob blwyddyn a ddefnyddir yn y broses
Dur	1.5
Llifynnau	5.5
Ffibrau	6.0
Plastigion	3.0
Glanedyddion a sebonau	19.0
Paentiau a phigmentau	20.0
Gwrteithiau	2.0
Trin lledr	4.0
Cemegion cyffredinol ar gyfer diwydiant	21.0
Defnydd arall (er enghraifft, ffilmiau)	18.0

2 Paratowch sgript ar gyfer fideo pum munud i gynulleidfa o ddisgyblion Cyfnod Allweddol 3. Teitl y fideo yw 'Pam y defnyddiwn gymaint o asid sylffwrig'. Gallech ddefnyddio llyfrau eraill i'ch helpu gyda'ch ymchwil. Mae angen i chi feddwl am:

- Y delweddau y byddwch chi'n eu defnyddio i greu argraff ar y disgyblion.

- Sut y gallwch gyflwyno'r wybodaeth yn y tabl i'w gwneud yn ystyrlon i'r disgyblion (er enghraifft, pa fath o graffiau y gallech eu defnyddio?).

Os oes camcordor ar gael, gall eich grŵp wneud y fideo. Os nad oes, cyflwynwch eich sgript ar ffurf stribed cartŵn.

3 Dyma sylw mewn llyfr:

'Y diwydiant cemegion yw ei gwsmer mwyaf ei hun.'

Beth y mae hyn yn ei olygu yn eich barn chi? Eglurwch eich ateb trwy siarad am sut mae asid sylffwrig yn cael ei wneud.

4 Edrychwch eto ar y categorïau o gemegion ar y dudalen gyferbyn.

(a) Pa gategorïau y gellir eu gwneud ar raddfa fawr?

(b) Mae moddion yn ddrud gan eu bod yn gemegion coeth. Rhestrwch resymau pam mae'n rhaid defnyddio prosesau graddfa fach i wneud moddion.

3.6 Cemegion swmp a chemegion coeth

Cyflymu adweithiau

Mae'r broses o wneud cemegyn swmp fel asid sylffwrig yn gofyn am gyfres o adweithiau cemegol. Mae'n bwysig iawn i'r adweithiau ddigwydd mor gyflym â phosibl. Po gyflymaf y caiff y cynnyrch ei wneud, rhataf i gyd fydd y broses.

Mewn diwydiant, gellir cyflymu adweithiau trwy:

- ddefnyddio tymheredd uwch;
- defnyddio gwasgedd uwch ar gyfer unrhyw nwyon;
- defnyddio crynodiad uwch o hydoddiannau;
- defnyddio arwynebedd arwyneb mwy ar gyfer solidau;
- defnyddio **catalydd**.

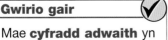

Gwirio gair ✓

Mae **catalydd** yn cyflymu adwaith heb gael ei dreulio.

Gwirio gair ✓

Mae **cyfradd adwaith** yn golygu cyflymder yr adwaith. Mae'n cynyddu os yw gronynnau'n gwrthdaro'n amlach, gyda mwy o egni.

Pam mae moleciwlau'n adweithio'n gyflymach?

Er mwyn i adwaith ddigwydd, rhaid i foleciwlau daro yn erbyn ei gilydd (gwrthdaro). Ond mae moleciwlau yn aml yn sboncio oddi wrth ei gilydd – rhaid iddynt wrthdaro â digon o egni cyn y byddan nhw'n adweithio. Mewn diwydiant, defnyddir tymheredd uwch yn aml i gyflymu adweithiau. Edrychwch ar y diagram isod i weld sut mae hyn yn gwneud **y gyfradd adwaith** yn gyflymach.

Mae catalyddion yn gweithio trwy ddarparu arwyneb lle y gall moleciwlau gyfarfod ac adweithio. Defnyddir catalyddion ar ffurf darnau bach yn aml er mwyn darparu mwy o arwynebedd arwyneb ar gyfer adweithiau. Ffordd arall o gynyddu'r gyfradd yw cynyddu arwynebedd arwyneb solidau mewn adwaith.

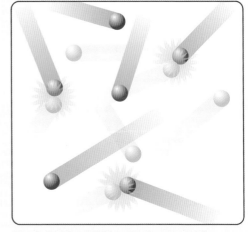

Mae'r **tymheredd** uwch yn gwneud i'r moleciwlau symud yn gyflymach fel eu bod yn gwrthdaro'n amlach ac â mwy o **egni**.

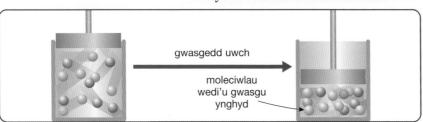

Os rhoddir nwyon o dan wasgedd uwch, bydd y moleciwlau'n nes at ei gilydd ac yn gwrthdaro'n amlach.

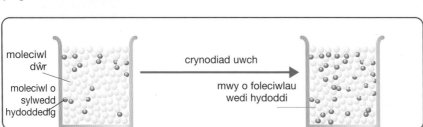

Os defnyddir crynodiadau uwch o hydoddiannau, bydd y moleciwlau'n nes at ei gilydd ac yn gwrthdaro'n amlach.

⑤ Mewn diwydiant, mae defnyddio tymheredd uwch yn ddrud. Mae defnyddio catalyddion yn rhad yn y tymor hir er eu bod yn ddrud eu prynu. Defnyddiwch syniadau o'r dudalen hon i egluro hyn.

3.6 Cemegion swmp a chemegion coeth

Rhoi cot o siwgr ar dabledi

ASTUDIAETH ACHOS

Mae Emma yn gweithio yn ffatri Boots yn Nottingham. Mae un o'r prosesau'n rhoi cot o siwgr ar dabledi fel 'Nurofen'.

Mae Emma'n egluro, 'Byddwn ni'n gwneud tabledi Nurofen mewn sypiau o ryw filiwn o dabledi. Mae'r prosesau gwneud tabledi'n gymhleth, gyda llawer o gamau. Rhaid cadw'r holl gyfarpar yn lân. Byddwn ni'n profi ansawdd y defnyddiau a'r tabledi ym mhob cam.

'Rhoddwn got sgleiniog o siwgr ar y tabledi am sawl reswm. Mae'n sicrhau nad yw'r tabledi'n cael eu difrodi nac yn mynd yn llychlyd. Mae'r siwgr yn gweithredu fel sêl fel bod gan y moddion oes silff hirach. Mae'r tabledi llyfn, sgleiniog yn haws eu llyncu ac mae'r siwgr yn cuddio blas chwerw y moddion y tu mewn. Gallwn argraffu'r enw ar y tabledi hefyd.

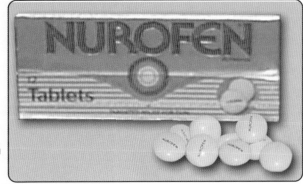

Mae cot o siwgr gan lawer o dabledi.

Mae'r gweithwyr yn gwisgo dillad arbennig.

'Rydym ni'n selio'r tabledi. Yna rydym ni'n arllwys hydoddiant siwgr arnynt â llaw. Mae'r tabledi'n symud rownd a rownd mewn drwm enfawr ac mae aer poeth yn cael ei chwythu i mewn iddo. Pan fydd un got wedi sychu, caiff rhagor o hydoddiant siwgr ei arllwys ar y tabledi. Mae'n cymryd tuag wyth awr i orffen y swp. Yna caiff y tabledi eu llathru a rhoddir yr enw arnynt. Byddwn ni'n gwrthod unrhyw dabledi amherffaith – dim ond tabledi perffaith sy'n cael eu pacio.'

6 Mae tabledi sydd heb eu gorchuddio â siwgr yn rhatach. Gwnewch hysbyseb ar gyfer tabledi â chot o siwgr i'w rhoi mewn cylchgrawn. Yn eich hysbyseb, dangoswch i'ch cwsmeriaid pam mae'n werth talu mwy am dabledi â chot o siwgr.

7 Mae angen i'r cwmni sicrhau bod y tabledi mor bur â phosibl. Gan ddefnyddio'r astudiaeth achos, gwnewch restr i ddangos sut mae'n gwneud hyn. Defnyddiwch y syniadau hyn i egluro pam mae moddion yn gemegion 'coeth'.

8 Pam mae rhoi cot o siwgr yn ddrud iawn o ran costau egni?

Ffeithiau allweddol

Copïwch a chwblhewch y brawddegau trwy ddewis y gair cywir o'r rhestr o eiriau allweddol.

1 Defnyddir prosesau graddfa fach i wneud cemegion _____.

2 Mae cemegion _____ yn cael eu gwneud yn rhad i gwrdd â galw mawr.

3 Mae_____ yn cynyddu _____ _____ heb gael ei dreulio.

4 Os caiff y _____ ei gynyddu bydd moleciwlau'n symud yn gyflymach gyda mwy o _____.

Geiriau allweddol

catalydd

coeth

cyfradd adwaith

egni

swmp

tymheredd

3.7 Gwneud amonia

Gwirio gair

Caiff cemegion **swmp** eu gwneud yn rhad ar raddfa fawr.

Cyfansoddyn hanfodol

Mae tua 140 miliwn o dunelli metrig o **amonia** yn cael eu cynhyrchu yn y byd bob blwyddyn. (Mae hyn tua'r un fath â chyfanswm pwysau'r holl geir yn y DU!) Cemegyn **swmp** yw amonia. Defnyddir y rhan fwyaf ohono i wneud gwrteithiau. Heb wrteithiau amonia, fyddwn ni ddim yn gallu tyfu digon o fwyd.

Mae gwaith ICI yn Billingham yn cynhyrchu amonia. Caiff gwrteithiau ac asid nitrig eu gwneud ar yr un safle i osgoi gorfod cludo'r amonia.

Gwaith amonia ICI yn Billingham yng ngogledd-ddwyrain Lloegr.

Sut mae amonia'n cael ei weithgynhyrchu?

Caiff amonia ei wneud trwy adwaith rhwng nitrogen a hydrogen.

$$\text{nitrogen} + \text{hydrogen} \rightleftharpoons \text{amonia}$$
$$N_2 + 3H_2 \rightleftharpoons 2NH_3$$

Mae'r adwaith yn edrych yn syml iawn, ond mae'n anodd cynhyrchu amonia ar raddfa fawr a gwneud elw. Mae nitrogen yn ddigon rhad – mae 80 y cant o aer yn nitrogen – ond mae gwneud hydrogen yn ddrud iawn.

Yr ail broblem yw fod yr adwaith rhwng nitrogen a hydrogen yn **gildroadwy** – mae'n mynd y ddwy ffordd. Felly ar ôl gwneud amonia, gall adweithio i droi'n ôl yn nitrogen a hydrogen eto.

Mae hyn yn golygu bod cynnyrch amonia (y swm sy'n cael ei wneud o'r adwaith – *yield*) byth yn cyrraedd 100 y cant.

Gwirio gair

Mae adweithiau sy'n cynnwys y symbol $\rightleftharpoons$ yn **gildroadwy** – gallant fynd yn ôl yn ogystal ag ymlaen.

 gw. Cemegion swmp a chemegion coeth, tud. 170

❶ Yn y gwaith amonia, caiff nitrogen a hydrogen eu pasio dros gatalydd haearn powdrog poeth i wneud iddynt adweithio.

   (a) Defnyddiwch syniadau am gyfraddau adwaith i egluro:

   (i) pam y defnyddir y catalydd;

   (ii) pam y bydd y catalydd yn gweithio orau pan fydd ar ffurf powdr ac yn boeth.

   (b) Mae'r cymysgedd yn pasio dros y catalydd bedair gwaith. Mae hyn yn cynyddu'r cynnyrch. Eglurwch pam.

Cael y cynnyrch gorau

GWEITHGAREDD

Rhan o waith peirianwyr cemegol yw defnyddio eu dealltwriaeth o gemeg i addasu prosesau graddfa fawr i sicrhau eu bod yn gweithio cystal â phosibl. Un enghraifft o hyn yw dewis yr amodau gweithredu ar gyfer y gwaith amonia. Gall newid amodau megis tymheredd a gwasgedd newid y swm o amonia a gynhyrchir (y cynnyrch) a chyfradd yr adwaith.

Mae'r graff hwn yn dangos cynnyrch canrannol amonia ar wahanol dymereddau a gwasgeddau.

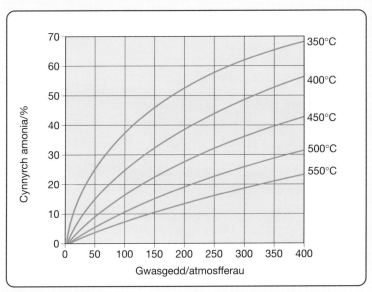

Peiriannydd cemegol yn rhoi theori ar waith.

Sut mae cynnyrch amonia yn newid ar wahanol dymereddau a gwasgeddau.

gw. Cyfrifiadau ar gyfer diwydiant, tud. 178

❷ Beth sy'n digwydd i gynnyrch amonia wrth i'r tymheredd godi?

❸ Beth sy'n digwydd i'r cynnyrch wrth i'r gwasgedd gynyddu?

❹ Pa amodau a roddai'r cynnyrch gorau?

❺ Chi yw'r peiriannydd cemegol sy'n gorfod penderfynu beth yw'r amodau gweithredu ar gyfer y gwaith amonia. Rydych chi wedi ystyried y materion canlynol:

• Mae angen cynnyrch da.

• Bydd yr amonia'n cael ei wneud yn gyflymach ar dymereddau uwch.

• Mae tymereddau uwch yn golygu y bydd angen prynu mwy o danwydd.

• Mae cyfarpar sy'n gallu gwrthsefyll tymereddau uchel iawn yn ddrud ac mae'n torri i lawr yn hawdd. Mae'n ddrud ei atgyweirio.

• Rhaid i chi ystyried yr amodau gweithio mwyaf diogel ar gyfer eich staff.

Rydych chi wedi penderfynu rhedeg y broses ar 150 atmosffer a 400°C. Ysgrifennwch adroddiad i'ch pennaeth i egluro pam mai'r amodau hyn yw'r rhai gorau o ran cyfradd yr adwaith, cynnyrch, cost a diogelwch.

3.7 Gwneud amonia

Cydbwyso hafaliadau

Mae peirianwyr cemegol yn defnyddio hafaliadau symbolau i benderfynu sut i redeg prosesau cemegol mewn gweithfeydd cemegol. Er mwyn i'r wybodaeth fod yn ddibynadwy, mae angen i'r hafaliadau fod yn **gytbwys**.

Er enghraifft:

nitrogen   +   hydrogen   ⇌   amonia
N_2 + $3H_2$ ⇌ $2NH_3$

Mae adio'r niferoedd o bob atom ar bob ochr i'r hafaliad yn rhoi:

Ochr chwith

2 atom o nitrogen

6 atom o hydrogen

Ochr dde

2 atom o nitrogen

6 atom o hydrogen

6 Mae'r hafaliad symbolau isod yn dangos sut mae hydrogen yn cael ei wneud ar gyfer y gwaith amonia. Mae carbon monocsid, CO, yn cael ei wneud yr un pryd.

$$CH_4 + H_2O \rightleftharpoons CO + H_2$$

(a) Defnyddiwch y rhestr o gyfansoddion ar dudalen 314 i ysgrifennu hafaliad geiriau ar gyfer yr adwaith hwn.

(b) Adiwch y nifer o bob math o atom ar bob ochr i'r hafaliad. Pa rif y gallech ei roi o flaen H_2 i wneud i'r hafaliad gydbwyso? Ysgrifennwch yr hafaliad cytbwys.

Rheolau ar gyfer cydbwyso hafaliadau

- Cyfrifwch y nifer o bob math o atom ar bob ochr i'r hafaliad.
- Cydbwyswch yr hafaliad trwy roi rhifau **o flaen y fformiwlâu**.
- Ni allwch newid fformiwlâu sylweddau unigol!

7 Roedd Elan yn ymweld â ffatri sy'n cynhyrchu asid sylffwrig. Ysgrifennodd yr hafaliadau ar gyfer yr adweithiau a oedd yn digwydd yn y ffatri.

(a) Ysgrifennwch hafaliadau ar gyfer yr adweithiau hyn (efallai y bydd angen defnyddio'r rhestri o elfennau a chyfansoddion ar dudalen 314).

(b) Gwiriwch a yw pob hafaliad yn gytbwys. Os nad ydynt, cydbwyswch nhw.

(c) Pa adwaith na fydd yn rhoi cynnyrch o 100 y cant? Eglurwch pam.

3.7 Gwneud amonia

Fritz Haber

ASTUDIAETH ACHOS

Fritz Haber oedd y cemegydd a ddarganfyddodd sut i wneud i nitrogen a hydrogen adweithio â'i gilydd i wneud amonia. Roedd hyn yn ddarganfyddiad pwysig yn 1913 gan nad oedd neb wedi gallu gwneud cyfansoddion nitrogen synthetig ar gyfer gwrteithiau o'r blaen. Roedd gwledydd yn dibynnu ar wrteithiau naturiol – byddai'r DU yn mewnforio baw gwylanod o Dde America i gael cyfansoddion nitrogen!

Defnyddiodd Haber gyfarpar a roddodd y nwyon o dan wasgedd uchel – roedd hon yn dechnoleg hollol newydd yn 1913. Roedd cemegwyr wedi cyffroi gan eu bod yn meddwl y byddai'n bosibl cynhyrchu cyflenwadau diderfyn o gyfansoddion nitrogen ar gyfer gwrteithiau o hyn ymlaen. Byddai'r byd yn gallu tyfu digon o fwyd i bawb! Yn 1918, rhoddwyd Gwobr Nobel, yr anrhydedd mwyaf ym myd gwyddoniaeth, i Haber am ei waith.

Gweithiodd dull Haber yn y labordy, ond Karl Bosch a ddarganfyddodd sut i wneud i'r adwaith ddigwydd ar raddfa fawr mewn gwaith cemegion.

Nid oedd gweddill bywyd Haber mor hapus. Cafodd ei eni yng Ngwlad Pwyl yn 1868 ac roedd ei deulu'n Iddewon. Bu'n gweithio fel cemegydd yn yr Almaen, ac ym Mhrifysgol Berlin y darganfyddodd sut i wneud amonia. Gweithiodd i'r Almaenwyr yn ystod y Rhyfel Byd Cyntaf fel Pennaeth y Gwasanaeth Rhyfela Cemegol. Roedd yn gyfrifol am ymosodiadau â nwy clorin, yn Ypres er enghraifft, lle bu farw llawer o filwyr mewn ffordd erchyll. Mae'r mwyafrif o wledydd wedi cytuno i beidio â defnyddio arfau cemegol byth eto.

Yn ogystal â gwneud gwrteithiau, cafodd y broses gwneud amonia ei defnyddio i wneud ffrwydron yn yr Ail Ryfel Byd. Bu'n rhaid i Haber adael yr Almaen yn 1933, gan ei fod yn Iddew ac yn ofni am ei fywyd. Ychydig o gemegwyr a oedd eisiau ei adnabod ar ôl ei waith ar arfau. Bu farw flwyddyn yn ddiweddarach.

Fritz Haber.

8 Roedd Fritz Haber yn cael ei gyflogi fel cemegydd pan ddarganfyddodd sut i wneud amonia. Roedd Karl Bosch yn gweithio fel peiriannydd cemegol. Defnyddiwch wybodaeth o'r dudalen hon i egluro'r gwahaniaeth rhwng cemegydd a pheiriannydd cemegol.

9 Chwiliwch am briodweddau clorin a'r peryglon o'i ddefnyddio, naill ai mewn llyfr neu mewn Taflenni Diogelwch i Fyfyrwyr. Darganfyddwch sut mae ei ddwysedd yn cymharu â dwysedd aer. Pam roedd clorin yn arf nerthol yn ystod y rhyfel?

10 Ysgrifennwch dri chofnod ar gyfer dyddiadur Fritz Haber – ar gyfer 1913, 1918 ac 1934 (ychydig cyn ei farwolaeth). Ysgrifennwch am beth sydd wedi digwydd a sut rydych chi'n teimlo yn ei gylch.

Geiriau allweddol

amonia

cytbwys

fformiwla

swmp

Ffeithiau allweddol

Copïwch a chwblhewch y brawddegau trwy ddewis y gair cywir o'r rhestr o eiriau allweddol.

1 Mae _____ yn cael ei weithgynhyrchu fel cemegyn _____.

2 Mae gan hafaliadau _____ yr un niferoedd o atomau ar y ddwy ochr.

3 Mae _____ cyfansoddion yn aros yr un fath pan yw hafaliadau'n gytbwys.

3.8 Cyfrifiadau ar gyfer diwydiant

Faint o sment y gallwn ni ei wneud?

Cludo calchfaen i'r gwaith sment.

Mae gwaith sment yn defnyddio calchfaen i wneud calsiwm ocsid ar gyfer sment. Mae'r gwaith yn defnyddio 20 000 o dunelli metrig o galchfaen bob wythnos. Sut mae'r rheolwr yn gwybod faint o galsiwm ocsid y bydd yn ei wneud?

Gellir cyfrifo hyn trwy ddefnyddio'r hafaliad ar gyfer yr adwaith yn y gwaith sment. Cofiwch mai calsiwm carbonad yw calchfaen yn bennaf. Dyma'r adwaith sy'n digwydd:

calsiwm carbonad $\rightarrow$ calsiwm ocsid + carbon deucsid
$CaCO_3$ $\rightarrow$ CaO + CO_2

Darganfod masau cymharol o fformiwlâu

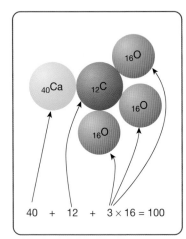

Adeiledd calsiwm carbonad.

Màs cymharol atom sy'n dweud wrthym ba mor drwm ydyw.

Gallwch chi weld y masau cymharol yn y Tabl Cyfnodol (gw. tudalen 313).

Rydym ni'n cyfrifo màs cymharol cyfansoddyn fel calsiwm carbonad fel hyn:

Fformiwla:	$CaCO_3$
Màs cymharol pob atom:	Ca=40 C=12 O=16
Nifer o bob math o atom:	1 atom Ca, 1 atom C, 3 atom O
Màs cymharol $CaCO_3$ =	$40 + 12 + (3 \times 16) = 100$

❶ Dangoswch mai 56 yw màs cymharol calsiwm ocsid, CaO.

❷ Beth yw màs cymharol carbon deuocsid, CO_2?

Defnyddio masau cymharol mewn cyfrifiadau

Gallwn ni ddefnyddio masau cymharol i gyfrifo faint o galsiwm ocsid y dylid ei wneud.

	$CaCO_3$	$\rightarrow$	CaO	+ CO_2
Masau cymharol	100		56	

Mae hyn yn dangos y dylai 100 tunnell fetrig o galsiwm carbonad wneud 56 tunnell fetrig o galsiwm ocsid.

❸ Faint o galsiwm ocsid a gâi ei wneud pe bai 1000 o dunelli metrig o galsiwm carbonad yn cael eu defnyddio?

❹ Edrychwch eto ar frig y dudalen. Faint o galsiwm ocsid y gall y gwaith sment ei wneud bob wythnos o 20 000 o dunelli metrig o galchfaen?

❺ Mewn odyn sment go iawn, nid yw'r **cynnyrch gwirioneddol** byth yr un fath â'r **cynnyrch damcaniaethol**. Awgrymwch rai rhesymau pam.

Gwirio gair ✓

Cynnyrch gwirioneddol: màs y cynnyrch a gynhyrchir mewn gwirionedd.
Cynnyrch damcaniaethol: màs disgwyliedig y cynnyrch wedi'i gyfrifo trwy ddulliau mathemategol.

3.8 Cyfrifiadau ar gyfer diwydiant

Cynnyrch damcaniaethol a gwirioneddol (GWEITHGAREDD)

Aeth Liz a Bryn ati i wresogi calchfaen i wneud calsiwm ocsid. Roeddent am gymharu'r cynnyrch damcaniaethol â'r cynnyrch gwirioneddol. Dyma dudalen o nodiadau Liz.

6 Nid yw Liz wedi gorffen ei gwaith cyfrifo. Defnyddiwch ei nodiadau i gyfrifo:

(a) màs y lympiau o galchfaen ar y dechrau;

(b) màs y calsiwm ocsid a wnaeth (y cynnyrch *gwirioneddol*);

(c) beth y dylai ei chynnyrch *damcaniaethol* fod wedi bod.

Roedd Liz a Bryn yn siomedig gyda'r canlyniadau. Maen nhw'n trafod beth aeth o'i le.

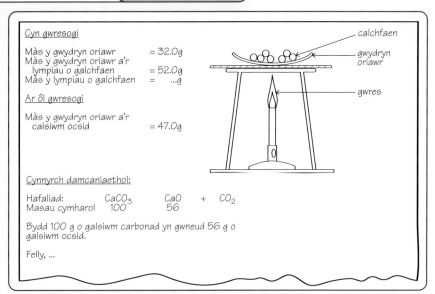

Cyn gwresogi

Màs y gwydryn oriawr	= 32.0g
Màs y gwydryn oriawr a'r lympiau o galchfaen	= 52.0g
Màs y lympiau o galchfaen	= ...g

Ar ôl gwresogi

Màs y gwydryn oriawr a'r calsiwm ocsid	= 47.0g

Cynnyrch damcaniaethol:

Hafaliad: $CaCO_3 \rightarrow CaO + CO_2$
Masau cymharol   100   56

Bydd 100 g o galsiwm carbonad yn gwneud 56 g o galsiwm ocsid.

Felly, ...

Nodiadau Liz.

7 Pam y byddai malu'r calchfaen yn gwella'r arbrawf?

8 Awgrymwch resymau eraill a allai egluro pam mae'r cynnyrch gwirioneddol yn wahanol i'r cynnyrch damcaniaethol.

9 Awgrymwch rai gwelliannau i arbrawf Liz a Bryn.

3.8 Cyfrifiadau ar gyfer diwydiant

Cyfrifo cynhyrchion canrannol

Ffordd o gymharu faint o rywbeth y disgwyliwn ei gael (cynnyrch damcaniaethol) â faint yr ydym ni'n ei wneud mewn gwirionedd yn ystod arbrawf (cynnyrch gwirioneddol) yw cynnyrch canrannol.

Cyfrifwn gynhyrchion canrannol fel hyn:

$$\text{cynnyrch canrannol} = \frac{\text{cynnyrch gwirioneddol}}{\text{cynnyrch damcaniaethol}} \times 100\%$$

Mae cynhyrchion gwirioneddol yn aml yn is nag a ddisgwyliwch. Dyma rai rhesymau dros hyn:

- Mae'n bosibl bod amhureddau yn y cemegion a ddefnyddiwch.
- Nid yw'r adwaith wedi cael amser i orffen.
- Nid yw adweithiau cildroadwy byth yn rhoi cynnyrch 100 y cant.
- Rydych chi wedi colli peth o'r sylwedd wrth ei symud rhwng cynwysyddion.

Weithiau gallwch addasu eich arbrofion i oresgyn y problemau hyn a gwella'r cynnyrch canrannol, ond gall hyn gymryd llawer o amser. Mewn diwydiant, bydd peirianwyr cemegol yn cyfaddawdu fel rheol trwy anelu at gael cynnyrch rhesymol mor gyflym â phosibl.

Cyfrifo cynnyrch canrannol

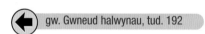 gw. Gwneud halwynau, tud. 192

Mae Yasmine wedi defnyddio copr ocsid a sylffwrig asid i wneud copr sylffad.

Dyma ei nodiadau.

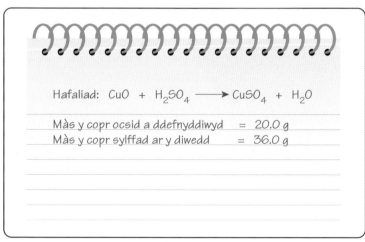

Hafaliad: $CuO + H_2SO_4 \longrightarrow CuSO_4 + H_2O$

Màs y copr ocsid a ddefnyddiwyd = 20.0 g
Màs y copr sylffad ar y diwedd = 36.0 g

⑩ Ysgrifennwch hafaliad geiriau ar gyfer yr adwaith (fe gewch chi ddefnyddio'r rhestr o fformiwlâu ar dudalen 314 i'ch helpu).

⑪ Cyfrifwch fasau cymharol copr ocsid a chopr sylffad.

⑫ Cyfrifwch gynnyrch damcaniaethol copr sylffad o 20.0 g o gopr ocsid.

⑬ Cyfrifwch y cynnyrch canrannol ar gyfer arbrawf Yasmine.

⑭ Awgrymwch pam nad yw cynnyrch Yasmine yn 100 y cant.

3.8 Cyfrifiadau ar gyfer diwydiant

Porthi ffwrnais chwyth ___(ASTUDIAETH ACHOS)___

Mae Ffwrnais Chwyth Redcar yn cynhyrchu tua 11 000 tunnell fetrig o haearn bob dydd. Sut mae'r cwmni'n sicrhau bod digon o ddefnyddiau crai ar y safle i gadw'r ffwrnais i redeg?

Cyfrifo meintiau

Cofiwch fod y ffwrnais chwyth yn defnyddio pedwar defnydd crai. Rhaid cludo haematit (sy'n cynnwys haearn ocsid), calchfaen a golosg i'r safle. Mae'r defnydd crai arall – aer – yn rhad ac am ddim!

Cofiwch mai'r prif adwaith sy'n digwydd yn y ffwrnais chwyth yw:

haearn ocsid + carbon monocsid → haearn + carbon deuocsid

$$Fe_2O_3 + 3CO \rightarrow 2Fe + 3CO_2$$

Masau cymharol   160   112

gw. Haearn a dur, tud. 160

15 Gwnewch gyfrifiadau i brofi mai 160 yw màs cymharol haearn ocsid yn yr hafaliad ac mai 112 yw màs yr haearn sy'n cael ei wneud.

16 Defnyddiwch y masau cymharol i gyfrifo faint o haearn ocsid y byddai ei angen i wneud 11 200 tunnell fetrig o haearn.

17 Mae hyd yn oed mwyn haearn o'r ansawdd gorau yn cynnwys tua 60 y cant yn unig o haearn ocsid. Pa wahaniaeth y bydd hyn yn ei wneud i fàs gwirioneddol y mwyn haearn y mae angen ei gludo i'r safle?

Cael y defnyddiau crai i'r safle

Caiff y symiau enfawr o ddefnyddiau crai eu cyfrifo ac yna mae'n rhaid eu cludo i safle'r ffwrnais chwyth. Mae'r tabl hwn yn dangos sut mae'r defnyddiau crai yn dod i'r safle.

Troi haearn yn ddur.

Defnydd crai	O:	Math o gludiant:	Nodiadau
Mwyn haearn	Awstralia	Tancer môr i Teesside	Yn cynnwys 60% o fwyn haearn o'i gymharu â 30% ym mwyn haearn y DU
Golosg	Gwlad Pwyl	Tancer môr i Teesside	Glo purach ac o ansawdd ansawdd uwch na glo'r DU.
Calchfaen	Y DU	Ffyrdd a rheilffyrdd	

Caiff yr haearn a dur gorffenedig eu hallforio i wledydd tramor ar longau a'u cludo ar hyd ffyrdd a rheilffyrdd I weithfeydd yn y DU, er enghraifft, i Workington i wneud cledrau i reilffyrdd.

18 Defnyddiwch atlas ffyrdd i ddod o hyd i Redcar.

(a) Pam rydych chi'n meddwl bod hwn yn safle da ar gyfer ffwrnais chwyth?

(b) Mae ffwrneisi chwyth ym Mhort Talbot a Scunthorpe hefyd. Defnyddiwch yr atlas i ddarganfod pa nodweddion sydd gan y tri safle yn gyffredin.

(c) Defnyddiwch syniadau am gynhyrchion (*yields*) a gwaredu gwastraff i egluro pam mae ffwrnais Redcar yn mewnforio mwyn haearn a glo o wledydd tramor.

Cwestiynau adolygu

1 'Octan' yw un o'r prif hydrocarbonau mewn petrol. Dychmygwch eich bod chi'n foleciwl o octan. Tynnwch gartŵn ohonoch eich hun. Disgrifiwch beth sy'n digwydd i chi mewn colofn ffracsiynu. Defnyddiwch y geiriau hyn i'ch helpu.

olew crai	gwresogi	oeri	anweddu
cyddwyso	ffracsiwn	hylif	nwy

[9]

2 Edrychwch ar y rhestr hon o sylweddau.

Anorganig: dŵr (H_2O) ocsigen (O_2)

Organig: octan (C_8H_{18})

(a) Eglurwch pam mae octan yn 'organig'. [1]

(b) Mae un o'ch ffrindiau'n dweud, 'Mae dŵr yn dod allan o anifeiliaid weithiau ac mae planhigion yn gwneud ocsigen. Rhaid bod dŵr ac ocsigen yn organig.'

Eglurwch pam mae hi'n anghywir. [2]

3 (a) Dosbarthwch y cemegion canlynol yn rhai 'swmp' neu 'goeth'.

amonia   lliwiau bwyd   asbrin
petrol   gwrtaith [2]

(b) Rhowch DDAU reswm pam mae persawr yn gemegyn 'coeth'. [2]

4 Mae'r hafaliadau hyn yn dangos adweithiau a ddefnyddir yn y diwydiant cemegion.

Adwaith 1: $CaCO_3$ + NaCl → $CaCl_2$ + Na_2CO_3

Adwaith 2:   PbO + CO → Pb + CO_2

Adwaith 3: H_2 + Cl_2 → HCl

(a) Calsiwm clorid yw $CaCl_2$ a charbon monocsid yw CO.

Defnyddiwch y rhestri o elfennau a fformiwlâu ar dudalen 314 i ddarganfod enwau'r sylweddau eraill. Ysgrifennwch hafaliadau geiriau ar gyfer pob adwaith. [3]

(b) Pa adwaith sy'n defnyddio calchfaen fel defnydd crai. [1]

(c) A yw'r hafaliadau'n gytbwys? Cydbwyswch unrhyw hafaliadau nad ydyn nhw'n gytbwys. [2]

(ch) Ym mha adwaith y mae mwyn metel yn cael ei rydwytho? [1]

5 Defnyddiwch y rhestr ar dudalen 314 i enwi'r cyfansoddion hyn.

CH_4 PbO   NaOH $CuCO_3$ KNO_3 Na_2SO_4

Cyfrifwch fasau cymharol pob cyfansoddyn. [12]

6 Mae Tom yn gwneud peth copr trwy wresogi copr ocsid (CuO) mewn carbon monocsid (CO).

copr ocsid + carbon monocsid → copr + carbon deuocsid

(a) Defnyddiwch y rhestr o gyfansoddion ar dudalen 314 i'ch helpu i ysgrifennu hafaliad symbolau cytbwys ar gyfer yr adwaith hwn. [2]

Dechreuodd Tom gyda 20 g o gopr ocsid. Y cynnyrch gwirioneddol o gopr a gafodd oedd 14 g.

(b) Cyfrifwch y cynnyrch damcaniaethol a chanrannol ar gyfer arbrawf Tom. [4]

(c) Awgrymwch pam nad oedd y cynnyrch yn 100 y cant. [2]

3 Cemegion defnyddiol

YMCHWILIO I GEMEG

Cynnwys

Aseiniadau a gweithgareddau ymarferol sy'n gysylltiedig â'r adran hon:

Dadansoddi ansoddol.

Gwneud amoniwm sylffad

Cydosod cyfarpar distyllu

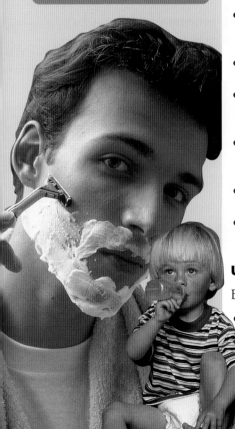

Defnyddiwch y canlynol i gadw llygad ar eich cynnydd.

Uned 1

Byddwch chi'n:

- dysgu am ddadansoddi halwynau

gw. tud. 196–9

Uned 2

Byddwch chi'n:

- gwybod am geliau, emylsiynau, daliannau, ewynnau, aerosolau a hydoddiannau

gw. tud. 184–7

- gwybod am adeiledd atomig, gan ddefnyddio'r geiriau niwclews, niwtron, proton ac electron

gw. tud. 188–91

- gallu enwi elfennau mewn cyfansoddion trwy edrych ar y fformiwla

gw. tud. 188–91

- gwybod bod bondio ïonig yn cynnwys trosglwyddo electronau rhwng atomau

gw. tud. 188–91

- deall sut mae metelau ac anfetelau yn colli ac ennill electronau i wneud plisg llawn, sefydlog

gw. tud. 188–91

- gallu lluniadu diagramau 'dot a chroes' ar gyfer cyfansoddion ïonig megis NaCl ac MgO

gw. tud. 188–91

- ymarfer defnyddio hafaliadau

gw. tud. 192–5

- gwybod am y berthynas rhwng bondio cofalent ac electronau cydranedig

gw. tud. 200–3

- gallu lluniadu diagramau 'dot a chroes' ar gyfer cyfansoddion cofalent, e.e. H_2O ac HCl

gw. tud. 200–3

- gwybod beth yw adweithiau ecsothermig ac endothermig

gw. tud. 204–7

- deall sut mae gwneud a thorri bondiau'n cynnwys newidiadau egni.

gw. tud. 204–7

Uned 3

Byddwch chi'n:

- dysgu am wneud halwynau ac am bwysigrwydd halwynau mewn diwydiant.

gw. tud. 192–5

3.9 Cymysgeddau ym mhob man

Dresin salad

Mae Rose yn hyfforddi i fod yn gogyddes. Yn y coleg mae hi wedi bod yn dysgu am y wyddor y tu cefn i wneud dresin salad da. Mae hi'n egluro:

Cymysgedd o olew a dŵr yw dresin salad sylfaenol. Pan fydda i'n ysgwyd y dresin, bydd y dŵr yn ffurfio'n ddafnau bach wedi'u gwasgaru yn yr olew. Emwlsiwn yw dresin salad gan ei fod yn gymysgedd o ddau hylif.

mae olew yn amgylchynu'r dafnau o ddŵr (**gwedd ddi-dor**)

dŵr wedi'i wasgaru mewn dafnau ar wahân (**gwedd wasgarog**)

Coloidau a hufennau

Cymysgedd lle mae un sylwedd (megis olew salad) yn cael ei gymysgu ar ffurf dafnau mân neu swigod â sylwedd arall (megis dŵr) yw **coloid**. Mae coloid hylif/hylif, megis olew mewn dŵr, yn cael ei alw'n **emwlsiwn**. Beth am nwyon? Neu solidau?

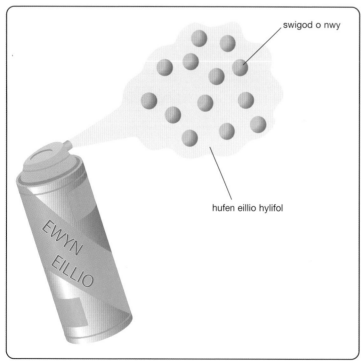

swigod o nwy

hufen eillio hylifol

EWYN EILLIO

Coloid nwy/hylif yw ewyn eillio.

dafnau mân o chwistrell wallt hylifol

mae nwy'n gwthio'r chwistrell wallt o'r can

CHWISTRELL WALLT

Aerosol yw chwistrell wallt (coloid hylif/nwy).

3.9 Cymysgeddau ym mhob man

Beth sy'n gwneud dresin salad da? GWEITHGAREDD

Mae Rose yn egluro, 'Mae'r olew yn y dresin salad yn gwneud y salad yn fwy blasus (yr un fath â menyn ar fara). Mae'r dŵr yn lledaenu'r olew yn denau dros y salad. Fyddai blas dŵr ar ei ben ei hun ddim yn neis iawn – byddwn ni'n defnyddio finegr neu sudd lemwn mewn dresin salad fel rheol. Gallwn ni ychwanegu pethau i atal y dafnau olew rhag gwahanu a ffurfio haenen. Mae proteinau, fel mwstard, blawd neu wyau, yn dda ar gyfer hyn.'

DRESIN FFRENGIG	MAYONNAISE GARLLEG
90 ml o olew cnau Ffrengig	4 ewin o arlleg
30 ml o finegr perlysiau neu sudd lemwn	$\frac{1}{4}$ llwy de wastad o halen
$\frac{1}{2}$ llwy de o siwgr	2 felynwy
$\frac{1}{2}$ llwy de o fwstard	300 ml o olew olewydd
halen a phupur	30 ml o sudd lemwn
Rhowch yr holl gynhwysion mewn bowlen neu jar a'u hysgwyd yn drwyadl i'w cymysgu	Tynnwch groen yr ewinedd garlleg a malwch nhw â'r halen i ffurfio past llyfn

1 Copïwch y tabl isod a chwblhewch ef i ddangos i beth y defnyddir pob cynhwysyn yn y ddau ddresin salad.

Dresin salad	Y rhan olew	Y rhan dŵr	Yn atal yr olew rhag gwahanu	Yn rhoi blas gwell i'r dresin
Dresin Ffrengig		finegr perlysiau/ sudd lemwn		
Mayonnaise garlleg	olew olewydd			

2 Mae ffrind Rose, Siân, yn hoffi garlleg ond mae ganddi alergedd i wyau ac mae'n ceisio colli pwysau (mae hi'n bwyta llai o fraster a siwgr). Ar gyfer pen-blwydd Siân, mae Rose yn penderfynu creu dresin salad arbennig iddi.

Crëwch rysáit dresin salad ar gyfer Siân. Ysgrifennwch lythyr i egluro wrth Siân sut gwnaethoch chi addasu'r dresin yn arbennig ar ei chyfer.

3 Edrychwch eto ar y dudalen gyferbyn i'ch atgoffa'ch hun am y gweddau 'gwasgarog' a 'di-dor'.

Defnyddiwch y wybodaeth ar y ddwy dudalen hyn i gwblhau copi o'r tabl hwn.

Math o goloid	Enghraifft	Gwedd wasgarog (dafnau)	Gwedd ddi-dor	Mae'r coloid yn cynnwys
Emwlsiwn	dresin salad	olew		hylif/hylif
Ewyn	ewyn eillio			
Aerosol	chwistrell wallt			

3.9 Cymysgeddau ym mhob man

Sut mae coloidau'n cadw babanod yn gysurus?

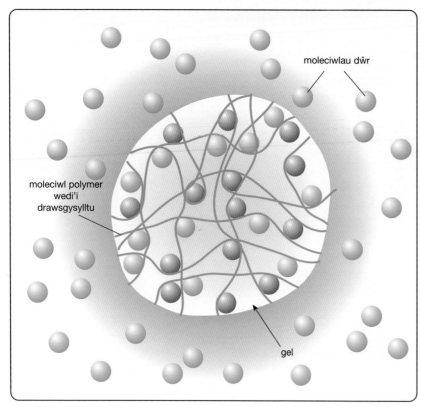

moleciwlau dŵr

moleciwl polymer
wedi'i
drawsgysylltu

gel

Mae hydrogel yn cadw babanod yn sych a chysurus.

Os gwlychwch glwt parod baban mewn dŵr ac yna ei dynnu'n ddarnau, fe welwch sylwedd tebyg i jeli. Coloid arall yw hwn o'r enw **gel**. Gall gel amsugno tua mil gwaith ei bwysau ei hun mewn dŵr!

Rhwydwaith o foleciwlau polymer sy'n amsugno dŵr yw'r rhan solet o'r gel. Coloid solet/hylifol yw gel gwlyb. Defnyddir geliau i wneud cynhyrchion trin gwallt, lensiau cyffwrdd, a 'phridd artiffisial' gan eu bod yn dal dŵr ar gyfer planhigion.

Mae llawer o gynhyrchion eraill ar gyfer babanod yn gymysgeddau solet/hylifol. Powdr mân wedi'i gymysgu â dŵr yw **daliannau** (fel Milk of Magnesia). Gallwch weld y powdr o dan ficrosgop. Mae'r powdr yn suddo i'r gwaelod, felly rhaid i chi ysgwyd y botel cyn cymryd y moddion. Nid yw **hydoddiannau**, megis dŵr codi gwynt, yn goloidau gan fod solid wedi'i hydoddi yn y dŵr – hylifau'n unig yw hydoddiannau.

4 Gwnewch restr o'r holl goloidau y gallwch feddwl amdanynt yn eich ystafell ymolchi. Cofiwch mai emylsiynau olew/dŵr yw hufennau wyneb ac elïau corff. Ar gyfer pob cynnyrch, ceisiwch benderfynu pa fath o goloid ydyw (emwlsiwn, ewyn ac ati) a pha weddau sydd ynddo (solid, hylif neu nwy). Cyflwynwch eich gwybodaeth ar ffurf tabl.

Geiriau allweddol
aerosol
coloid
daliant
gwedd ddi-dor
gwedd wasgarog
emwlsiwn
ewyn
gel
hydoddiant

Ffeithiau allweddol

Copïwch a chwblhewch y brawddegau trwy ddewis y gair cywir o'r rhestr o eiriau allweddol.

1 Mae cymysgedd o un sylwedd wedi'i wasgaru'n fân mewn sylwedd arall yn cael ei alw'n _____.

2 Yr enw a roddir ar y sylwedd sydd wedi'i wasgaru ar ffurf dafnau mân neu ronynnau yw'r _____ _____. Yr enw a roddir ar y sylwedd arall yw'r _____ _____.

3 Mae dau hylif sydd wedi'u cymysgu â'i gilydd yn cael eu galw'n _____.

4 Enghreifftiau o goloidau solet/hylifol yw _____ a _____.

5 Mae coloid nwy/hylifol yn cael ei alw'n _____.

6 Mae coloid hylifol/nwy yn cael ei alw'n _____.

7 Nid yw _____ o halen a dŵr yn goloid.

3.9 Cymysgeddau ym mhob man

Prisio basgedi crog [ASTUDIAETH ACHOS]

Mae Meurig yn gwerthu planhigion ar stondin mewn marchnad. Mae'n gwneud basgedi crog i'w gwerthu. Mae Meurig yn egluro, 'Weithiau bydd fy nghwsmeriaid yn cwyno nad yw eu basgedi'n blodeuo'n dda iawn. Y rheswm am hyn yn fy marn i yw nad ydyn nhw'n rhoi dŵr iddyn nhw bob dydd. Felly rydw i'n ystyried rhoi hydrogel yn y basgedi. Mae hwn yn amsugno llawer o ddŵr a does dim rhaid i chi ddyfrio'r blodau mor aml, ond rydw i'n poeni am y gost. Dydw i ddim eisiau codi mwy ar fy nghwsmeriaid gan y byddan nhw'n mynd i rywle arall.'

Prisio basged grog

Ar gyfer pob basged grog defnyddiaf ...
basged grog wedi'i leinio
4 litr o gompost
6 phlanhigyn

Prynaf lawer o ddefnyddiau ar y tro. Talaf am ...
12 basged grog wedi'u leinio £24.00
100 litr o gompost £8.00
48 o blanhigion cymysg £3.60

❺ Darganfyddwch faint y mae'n ei gostio i Meurig wneud pob basged grog. Pa gostau eraill y mae angen iddo feddwl amdanynt cyn penderfynu pa bris i'w godi? Beth y dylai ei godi am bob basged yn eich barn ohi?

Mae'r cyfarwyddiadau ar y pecyn hydrogel yn dweud bod angen rhoi 5g o hydrogel ym mhob basged.

❻ Faint y bydd defnyddio hydrogel yn ei ychwanegu at gost pob basged grog? A ydych chi'n meddwl y dylai Meurig ddechrau defnyddio hydrogel? Rhowch resymau dros eich penderfyniad.

❼ Mae Meurig wedi penderfynu defnyddio'r hydrogel. Mae ef eisiau gwneud poster i hysbysebu'r basgedi ac i roi gwybodaeth am y gel i'w gwsmeriaid. Dyluniwch y poster dros Meurig. Yn eich poster, eglurwch sut mae'r gel yn gweithio.

£1-50 GARDENERS 75g
HANGING BASKET
WaterGel
Reduces watering by up to 4 times

Mae'r hydrogel yn costio £1.50 am 75g.

3.10 Hollti'r atom

Mae popeth wedi'i wneud o atomau

Dyfeisiodd John Dalton symbolau ar gyfer yr elfennau.

Dros 200 mlynedd yn ôl dywedodd John Dalton fod popeth wedi'i wneud o atomau bach. Cafodd ei eni yn Cumbria yn 1766. Roedd ef mor alluog fel y daeth yn athro ysgol yn 12 oed!

Credai John fod atomau'n debyg i beli crwn caled. Yn ystod y can mlynedd diwethaf mae gwyddonwyr eraill wedi llwyddo i hollti'r atom ac wedi darganfod bod atomau wedi'u gwneud o ronynnau llai byth. Ar hyd y ffordd mae'r 'bom atomig' ac 'egni atomig' wedi cael eu dyfeisio.

Y tu mewn i'r atom

Erbyn hyn rydym ni'n credu bod gan atomau **niwclews** canolog (sy'n cynnwys **protonau** a **niwtronau**) gydag **electronau** cyflym ac ysgafn iawn yn hedfan o'i gwmpas.

Lluniadu atom o heliwm

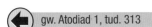
gw. Atodiad 1, tud. 313

Gallwch dynnu lluniau o atomau trwy edrych ar y wybodaeth yn y Tabl Cyfnodol.

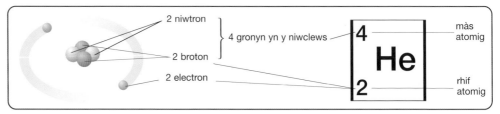

I gael y nifer o ronynnau'n gywir, dilynwch y rheolau hyn

- Mae'r rhif atomig yn nodi sawl proton sydd yn yr atom.
- Mae'r màs atomig yn nodi cyfanswm y protonau a niwtronau yn y niwclews.
- Mae gan atom yr un nifer o brotonau ac electronau bob amser.

1 (a) Beth yw enwau'r elfennau yn y blychau isod?

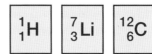

(b) Tynnwch luniau i ddangos atom o bob elfen.

2 Pam rydych chi'n meddwl ei bod hi'n haws defnyddio llythrennau i gynrychioli atomau yn hytrach na symbolau fel y rhai a ddefnyddiodd Dalton?

3.10 Hollti'r atom

Collages o atomau GWEITHGAREDD

Mae Ben wedi bod yn gwneud *collages* o atomau i'w harddangos yn ystod 'Wythnos Wyddoniaeth' ei goleg. Mae'n egluro, 'Roeddwn i eisiau gwneud arddangosiadau trawiadol iawn felly fe ddefnyddiais sialc ar bapur du i ddangos llwybrau'r electronau. Rydw i wedi defnyddio cerdyn metelig i gynrychioli'r protonau, niwtronau ac electronau.

'Roeddwn i eisiau i'r atomau fod mor fanwl gywir â phosibl felly fe wnes i ymchwil i sut mae electronau'n symud o gwmpas yr atom. Fe ges i'r wybodaeth ganlynol:

- mae'r electronau'n symud mewn '**plisg**' (orbitau);

- mae'r plisgyn electronau cyntaf yn fach iawn a gall ddal dau electron yn unig;

- mae ail blisgyn mwy o faint gan atomau sydd â mwy na dau electron;

- gall fod gan atomau mwy byth dri phlisgyn neu ragor;

- gall yr ail a'r trydydd plisgyn ddal wyth electron yr un;

- mae'r plisg bob amser yn llenwi mewn trefn.

Dyma gopi o'r nodiadau bras a wnaeth Ben ar gyfer poster arall am atomau.

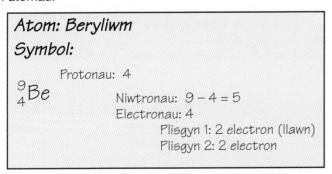

Atom: Beryliwm
Symbol:
$^{9}_{4}Be$
Protonau: 4
Niwtronau: 9 − 4 = 5
Electronau: 4
Plisgyn 1: 2 electron (llawn)
Plisgyn 2: 2 electron

Poster atomau Ben ar gyfer Wythnos Wyddoniaeth.

❸ Gwnewch rai *collages* fel un Ben i ddangos sut mae atomau'n edrych. Dilynwch nodiadau Ben i'ch helpu i ddarganfod adeiledd pob atom.

Rhowch gynnig ar yr atomau hyn yn gyntaf:

hydrogen   ocsigen   sodiwm   magnesiwm   fflworin

Gwnewch arddangosiad o'r holl elfennau sydd â rhifau atomig hyd at 20.

❹ Rhif atomig clorin yw 17. Sawl electron sydd ym mhob plisgyn atom o glorin?

❺ Nwyon anadweithiol iawn yw heliwm, neon ac argon. Darganfyddwch sawl electron sydd ym mhlisgyn allanol pob un o'r atomau hyn. Beth sy'n eich taro chi?

189

3.10 Hollti'r atom

Glynu atomau wrth ei gilydd

Bondiau ïonig

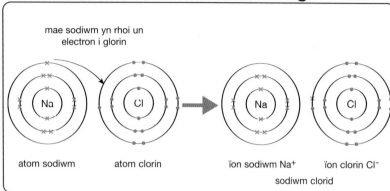

mae sodiwm yn rhoi un electron i glorin

atom sodiwm   atom clorin   ïon sodiwm Na⁺   ïon clorin Cl⁻

sodiwm clorid

Mae sodiwm a chlorin yn ennill plisg allanol llawn.

Mae atomau'n defnyddio eu helectronau i gyfuno â'i gilydd i wneud cyfansoddion. Maen nhw'n ceisio ennill plisg allanol llawn o electronau. Mae atom â phlisgyn allanol llawn yn fwy sefydlog. Un ffordd o wneud hyn yw trwy ennill neu golli electronau. Mae metelau fel rheol yn colli electronau trwy eu rhoi i anfetelau. Mae anfetelau fel rheol yn ennill electronau trwy eu cymryd o fetelau. Dyma sut mae sodiwm a chlorin yn gwneud sodiwm clorid, NaCl, trwy **drosglwyddo** electronau.

Mae gan sodiwm un electron yn unig yn ei blisgyn allanol. Gall naill ai ennill saith electron i gael trydydd plisgyn llawn, neu golli un electron fel bod ganddo ail blisgyn llawn. Mae'n haws colli un electron.

Am yr un rheswm, mae clorin yn ennill un electron yn hytrach na cholli saith.

Mae gan electronau wefr negatif. Mae'r atom clorin bellach yn ïon clorid ac mae ganddo wefr o 1⁻ oherwydd bod ganddo electron ychwanegol. Mae atomau wedi'u gwefru yn cael eu galw'n **ïonau**.

Mae sodiwm wedi colli gronyn â gwefr negatif ac wedi dod yn ïon â gwefr o 1+ (mae gan ïon sodiwm un yn fwy o brotonau nag o electronau, felly mae hyn yn rhoi iddo wefr o 1+). Mae'r ïonau clorin a sodiwm yn 'glynu wrth ei gilydd' gan fod gwefrau annhebyg yn atynnu. Bond **ïonig** yw'r enw a roddir ar hyn.

Sylwch pan dynnwch ddiagramau 'dot a chroes'

• eich bod chi'n defnyddio dot ar gyfer electronau un elfen, a chroes ar gyfer electronau'r elfen arall;

• eich bod chi'n dangos electronau'n unig (nid y niwclews).

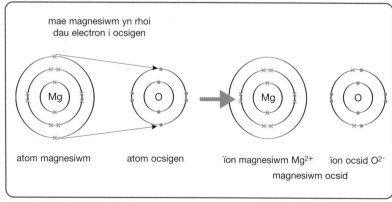

mae magnesiwm yn rhoi dau electron i ocsigen

atom magnesiwm   atom ocsigen   ïon magnesiwm Mg²⁺   ïon ocsid O²⁻

magnesiwm ocsid

Mae magnesiwm yn colli dau electron i ocsigen.

6 Tynnwch ddiagram cyffelyb i ddangos beth sy'n digwydd pan fydd lithiwm a fflworin yn gwneud lithiwm fflworid.

7 Cofiwch fod magnesiwm yn colli dau electron a bod ocsigen yn ennill dau.

(a) Beth yw'r wefr ar ïon magnesiwm? Beth yw'r wefr ar ïon ocsid?

(b) Pa ddau ïon sydd wedi'u 'glynu wrth ei gilydd' yn fwyaf cryf: sodiwm a chlorid neu fagnesiwm ac ocsid? Rhowch resymau.

8 Tynnwch ddiagramau dot a chroes i ddangos sut y ffurfir y cyfansoddion hyn:

Na_2O $MgCl_2$

3.10 Hollti'r atom

Rhoi cyngor i ffermwyr ar wrteithiau (ASTUDIAETH ACHOS)

Mae Molly yn gweithio fel cynrychiolydd gwerthiant i wneuthurwr cemegion amaethyddol. Mae hi'n egluro, 'Rhan o'm gwaith yw rhoi cyngor i ffermwyr ar ba wrteithiau a phlaleiddiaid i'w prynu. Rydw i'n defnyddio fformiwlâu cemegol i ddarganfod pa elfennau sydd yn y gwrteithiau.

'Yn aml rhoddir graddau "N:P:K" ar y labeli ar fagiau gwrtaith. Mae hyn yn dangos faint o nitrogen (N), ffosfforws (P) a photasiwm (K) sydd yn y gwrtaith. Y rhain yw'r tair elfen hanfodol sy'n gwneud i gnydau dyfu'n gyflymach ac yn fwy. Mae angen gwahanol gyfrannau o N:P:K ar gyfer gwahanol gnydau a phriddoedd.

'Bydda i'n defnyddio fformiwlâu i ddarganfod pa elfennau sydd yn y gwrteithiau os nad yw'r gwerthoedd N:P:K ar y labeli.'

Mae Molly yn defnyddio gwybodaeth 'N:P:K' i ddewis rhwng gwrteithiau.

gw. Ffermio dwys, tud. 64, a Mwynau, tud. 60

9 Edrychwch ar y labeli hyn o fagiau gwrtaith.

1. Yn cynnwys NH_4NO_3 a K_3PO_4

2. Prif gynhwysyn: Wrea $CO(NH_2)_2$

3. Cyfansoddyn gwrtaith: $(NH_4)_3PO_4$

(a) Pa wrtaith sy'n cynnwys y tair elfen hanfodol?

(b) Pa wrtaith a fyddai'n cael ei ychwanegu at bridd sydd angen nitrogen a ffosfforws ond sy'n cynnwys digon o botasiwm?

(c) Pa wrtaith y gellid ei labelu 'N:P:K 30:0:0'?

Ffeithiau allweddol

Copïwch a chwblhewch y brawddegau trwy ddewis y gair cywir o'r rhestr o eiriau allweddol.

1 Mae'r gronynnau canlynol i'w cael yn niwclews atom: _____ a _____ .

2 Mae _____ yn ysgafn a chytlym iawn ac maen nhw'n symud o amgylch _____ atom.

3 Mae electronau'n cael eu hennill a'u colli pan gaiff bond _____ ei wneud.

4 Mae atomau'n ceisio ennill _____ electronau llawn pan wnânt gyfansoddion gan fod y rhain yn sefydlog iawn.

5 Mewn bondio ïonig mae electronau'n cael eu _____ rhwng atomau.

6 Mae atom sydd â gwefr drydanol yn cael ei alw'n _____ .

Geiriau allweddol

electron

ïon

ïonig

niwtronau

niwclews

plisgyn

protonau

trosglwyddo

3.11 Gwneud halwynau

Gwrteithiau a thân gwyllt

Defnyddir potasiwm nitrad i wneud tân gwyllt

Gwrtaith yw potasiwm nitrad

Mae gan yr halwyn potasiwm nitrad lawer defnydd.

Mae llawer o wrteithiau'n cynnwys potasiwm nitrad, KNO_3. Mae'r potasiwm yn y gwrtaith yn helpu cnydau i dyfu'n fwy ac yn gyflymach. Hefyd gall potasiwm nitrad gael ei ddefnyddio mewn tân gwyllt i wneud iddynt glecian.

Halwynau o asidau

Halwyn yw potasiwm nitrad. Mae halwyn yn cael ei wneud pryd bynnag y caiff asid ei **niwtraleiddio**. Pan fydd potasiwm hydrocsid yn niwtraleiddio asid nitrig, caiff potasiwm nitrad ei wneud.

potasiwm hydrocsid	+	asid nitrig	→	potasiwm nitrad	+	dŵr
KOH	+	HNO_3	→	KNO_3	+	H_2O

Astudiwch fformiwla potasiwm nitrad. Gallwch weld i'r nitrad mewn potasiwm nitrad ddod o'r asid nitrig.

Mae niwtraleiddio asid nitrig bob amser yn gwneud halwynau 'nitrad'. Mae asidau eraill yn gwneud mathau eraill o halwyn.

Mae asid sylffwrig, H_2SO_4, yn gwneud sylffadau.

Mae asid hydroclorig, HCl, yn gwneud cloridau.

Mae asid carbonig, H_2CO_3, yn gwneud carbonadau.

❶ Edrychwch ar enwau'r halwynau hyn. Pa asidau sydd wedi cael eu defnyddio i'w gwneud?

amoniwm nitrad (gwrtaith)   copr sylffad (ffwngleiddiad)

sodiwm nitrad (tân gwyllt)   potasiwm clorid (cyflasyn bwyd)

Mae gan enwau halwynau ran fetel a rhan asid yn aml.

Defnyddir sodiwm bensoad i wneud siampŵ.

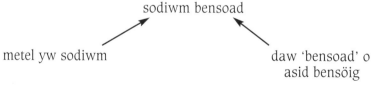

sodiwm bensoad

metel yw sodiwm   daw 'bensoad' o asid bensöig

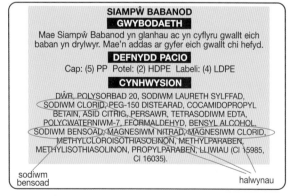

SIAMPŴ BABANOD
GWYBODAETH
Mae Siampŵ Babanod yn glanhau ac yn cyflyru gwallt eich baban yn drylwyr. Mae'n addas ar gyfer eich gwallt chi hefyd.
DEFNYDD PACIO
Cap: (5) PP Potel: (2) HDPE Labeli: (4) LDPE
CYNHWYSION
DŴR, POLYSORBAD 20, SODIWM LAURETH SYLFFAD, SODIWM CLORID, PEG-150 DISTEARAD, COCAMIDOPROPYL BETAIN, ASID CITRIG, PERSAWR, TETRASODIWM EDTA, POLYCWATERNIWM-7, FFORMALDEHYD, BENSYL ALCOHOL, SODIWM BENSOAD, MAGNESIWM NITRAD, MAGNESIWM CLORID, METHYLCLOROISOTHIASOLINON, METHYLPARABEN, METHYLISOTHIASOLINON, PROPYLPARABEN, LLIWIAU (CI 15985, CI 16035).

sodiwm bensoad   halwynau

Mae llawer o halwynau mewn siampŵau.

❷ Pa halwynau ar y label hwn y gellir eu gwneud trwy ddefnyddio asid nitrig? Pa rai y gellir eu gwneud o asid hydroclorig?

❸ Gwnewch arolwg o labeli ar foddion a chosmetigau, er enghraifft, past dannedd, gel cawod, meddyginiaethau camdreuliad ac ati. Pa halwynau y gallwch ddod o hyd iddynt?

3.11 Gwneud halwynau

Gwneud amoniwm sylffad ar gyfer gwrteithiau

GWEITHGAREDD

Rhaid i'r amoniwm sylffad ar gyfer gwrteithiau gael ei wneud yn gywir i sicrhau ei fod yn bur. Byddai gormod o asid neu amonia yn lladd y cnydau! Mae Jason yn gwneud gwrtaith. Dyma un ffordd o sicrhau ei fod yn cymysgu'r symiau cywir o amonia ac asid â'i gilydd. Mae'n gweithio fel hyn:

- Rhoi 20 cm^3 o asid sylffwrig yn y fflasg gydag ychydig o ddiferion o litmws (bydd yn edrych yn goch).

- Ychwanegu ychydig o hydoddiant amonia yn araf deg, gan ysgwyd y fflasg yn ysgafn.

- Pan fydd y litmws yn troi'n las mae'n golygu bod Jason newydd niwtraleiddio'r asid – mae'n rhoi'r gorau i'r arbrawf.

- Nodi faint o amonia a ddefnyddiodd.

- Taflu'r cymysgedd cyntaf hwn i ffwrdd.

- Cynnal yr arbrawf cyfan eto, gan ddefnyddio'r un symiau o asid ac amonia ond heb gynnwys y dangosydd.

- Mae Jason wedi gwneud hydoddiant pur o amoniwm sylffad i'w ddefnyddio fel gwrtaith.

4 Pam nad yw cymysgedd cyntaf Jason yn ddigon pur i'w ddefnyddio fel gwrtaith?

5 Mae Jason yn gweithio gyda Branwen. Maen nhw'n bwriadu profi gwrtaith Jason ar rai planhigion mewn ymchwiliad biolegol. Mae Branwen yn flin bod Jason wedi cymryd cymaint o amser i wneud y gwrtaith.

Mae Jason yn gwneud amoniwm sylffad.

> Does gennym ni ddim amser i hyn, Jason. Cymysga ychydig o amonia ac asid mewn bicer. Bydd hynny'n gwneud digon o amoniwm sylffad ar gyfer ein planhigion.

> Na, Branwen, rhaid i ni ei wneud e fel hyn oherwydd ...

Cwblhewch y ddadl. Beth fydd Jason yn ei ddweud wrth Branwen?

6 Mae amoniwm sylffad Jason ar ffurf hydoddiant (wedi hydoddi mewn dŵr). Mae eisiau cael ychydig o risialau o amoniwm sylffad i'w cadw yn ei bortffolio. Ysgrifennwch set o gyfarwyddiadau i ddangos i Jason sut i gael grisialau o'i hydoddiant.

3.11 Gwneud halwynau

Ffilmiau a ffotograffau

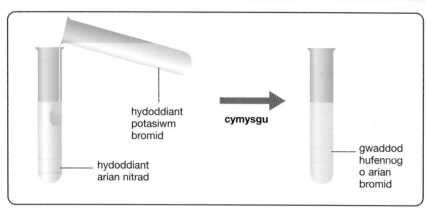

Sut i wneud arian bromid.

Dull arall o wneud halwynau, heb ddefnyddio asid, yw **dyddodiad**. Mae dau gyfansoddyn yn adweithio â'i gilydd i wneud halwyn sy'n **anhydawdd** (nid yw'n hydoddi mewn dŵr). Mae'r halwyn yn suddo i waelod y cymysgedd fel **gwaddod** solet.

Defnyddir arian bromid i wneud ffilm ffotograffig trwy osod grisialau mân o arian bromid mewn jeli ar haen o blastig.

Gwneud arian bromid

Sylwch fod rhan fetel yr halwyn yn dod o'r arian nitrad a bod y rhan anfetel (neu 'asid') yn dod o'r potasiwm bromid. I gael arian bromid solet, gallwch hidlo'r cymysgedd.

Dyma'r hafaliad ar gyfer yr adwaith.

$$AgNO_3 + KBr \rightarrow AgBr + KNO_3$$

7 (a) Ysgrifennwch hafaliad geiriau ar gyfer yr adwaith.

(b) Pam mae ffatrïoedd gwneud ffilm yn cynhyrchu llawer o nitradau fel gwastraff?

8 Gellir gwneud arian clorid ac arian ïodid mewn ffordd debyg. Tybiwch eich bod chi'n cael y cemegion hyn:

arian nitrad, AgNO3   potasiwm clorid, KCl   potasiwm ïodid, KI

Nodwch pa gemegion y byddech yn eu cymysgu i wneud:

(a) arian clorid;   (b) arian ïodid.

(c) Ysgrifennwch hafaliadau GEIRIAU a SYMBOLAU ar gyfer yr adweithiau.

Tynnu lluniau

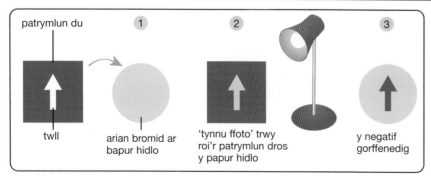

Yr hyn sy'n digwydd pan yw golau'n disgleirio ar arian bromid.

Pan fydd golau'n disgleirio ar arian bromid bydd yn troi'n lliw llwyd tywyll (arian metelig yw'r lliw arian). Sylwch fod y 'ffoto' yn fwyaf tywyll lle bu'r mwyaf o olau'n disgleirio.

9 Mae rhannau disglair ffotograff yn edrych yn dywyll ar y negatif (edrychwch ar negatif i weld hyn). Gwnewch ddiagramau i egluro sut mae hyn yn digwydd.

10 Eglurwch pam mae'r arian bromid a ddefnyddir mewn ffilmiau ffotograffig yn 'gemegyn coeth' ond bod gwrteithiau yn 'gemegion swmp'.

3.11 Gwneud halwynau

Marciau ffordd

Mae'r lliw melyn mewn marciau ffordd yn dod o halwyn sy'n cael ei gynhyrchu trwy waddodiad.

Plwm cromad yw'r lliw melyn. Gellir ei wneud trwy gymysgu hydoddiannau o blwm nitrad a photasiwm cromad. Mae hyn yn cynhyrchu gwaddod o blwm cromad melyn disglair.

O beth mae paent marcio ffyrdd yn cael ei wneud?

Mewn gwirionedd, nid paent yw marciau ffordd, ond plastig! Mae'r plastig yn ymdoddi wrth gael ei wresogi ac yna gellir ei arllwys ar y ffordd. Mae'n caledu wrth oeri (thermoplastig yw'r enw ar y math hwn o blastig).

Defnydd cyfansawdd yw paent marcio ffyrdd. Mae'r tabl hwn yn dangos beth y mae wedi'i wneud ohono.

Mae marciau ffordd melyn yn cynnwys plwm cromad.

Cynhwysyn	Pwrpas
Plwm cromad	
Gleiniau thermoplastig	
'Llenwad' – calchfaen powdrog a gleiniau gwydr	Gwneud y marciau'n wydn

gw. Priodweddau ffisegol, tud. 222

11 Copïwch a chwblhewch y tabl i ddangos beth yw pwrpas y cynhwysion.

12 Weithiau mae angen cael gwared â hen farciau ffordd. Awgrymwch sut y gall gweithwyr ffordd wneud hyn.

13 Chwiliwch am wybodaeth am blwm cromad yn y Taflenni Diogelwch i Fyfyrwyr. Pam rydych chi'n meddwl bod ymchwil yn cael ei wneud i ddarganfod sylwedd i gymryd lle plwm cromad?

11 Rydych chi'n gweithio i gwmni sy'n paentio marciau ffordd. Mae cynghorydd lleol wedi cwyno am goot marcio'r llinellau mewn maes parcio. Mae'n dweud, 'Gallwn fod wedi prynu paent a'i wneud fy hun am y nesa' peth i ddim.' Ysgrifennwch lythyr at y cynghorydd i egluro pam mae paent marcio ffyrdd yn ddrutach na phaent cyffredin. Eglurwch pam y bydd y marciau ffordd yn para'n llawer hirach.

3.12 Dadansoddi cemegol

Beth sydd mewn dŵr mwynol?

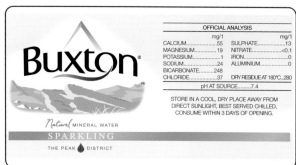

OFFICIAL ANALYSIS			
	mg/1		mg/1
CALCIUM	55	SULPHATE	13
MAGNESIUM	19	NITRATE	<0.1
POTASSIUM	1	IRON	0
SODIUM	24	ALUMINIUM	0
BICARBONATE	248		
CHLORIDE	37	DRY RESIDUE AT 180°C	280
pH AT SOURCE	7.4		

STORE IN A COOL, DRY PLACE AWAY FROM DIRECT SUNLIGHT, BEST SERVED CHILLED, CONSUME WITHIN 3 DAYS OF OPENING.

Mae labeli ar boteli dŵr yn dangos pa ïonau sydd yn y dŵr.

Bydd cwmnïau sy'n gwerthu dŵr yn ei ddadansoddi i ddarganfod beth yn union sydd ynddo. Bydd rhai pobl yn yfed dŵr mwynol oherwydd effaith lesol yr halwynau metel (megis calsiwm a magnesiwm) sydd wedi'u hydoddi ynddo. Bydd cwmnïau dŵr, megis Dŵr Cymru, yn profi dŵr tap yn rheolaidd i ddarganfod pa halwynau defnyddiol sydd yn y dŵr ac i sicrhau nad yw'n cynnwys unrhyw halwynau gwenwynig megis halwynau plwm neu nitradau.

Profi am halwynau

Bydd cwmnïau dŵr yn defnyddio llawer o wahanol ddulliau i ddarganfod yr halwynau yn y cyflenwad dŵr. Dyma rai profion sy'n gweithio yn labordy'r ysgol.

Profion fflam

Mae halwynau rhai metelau yn rhoi lliwiau gwahanol os cânt eu gwresogi yn fflam llosgydd Bunsen. I wneud y **prawf fflam** hwn mae angen:

Cynnal prawf fflam ar halwyn copr.

- trochi dolen o wifren mewn asid hydroclorig;
- defnyddio'r ddolen i godi grisial bach o halwyn;
- dal y grisial yn fflam llosgydd Bunsen.

Metel yn yr halwyn	Lliw'r fflam
sodiwm	melyn
potasiwm	lelog
calsiwm	oren-goch
copr	glas-wyrdd

Nid yw'r profion hyn yn ddibynadwy iawn, oherwydd y gall ychydig bach o sodiwm guddio'r lliwiau eraill yn ei fflam melyn disglair.

Defnyddio hydoddiant sodiwm hydrocsid

I wneud y prawf hwn mae angen i chi:

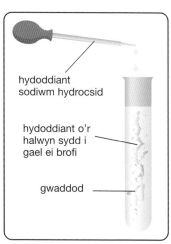

hydoddiant sodiwm hydrocsid

hydoddiant o'r halwyn sydd i gael ei brofi

gwaddod

Defnyddio sodiwm hydrocsid i brofi am halwyn copr.

- hydoddi'r halwyn mewn dŵr (neu asid nitrig) mewn tiwb prawf;
- ychwanegu sodiwm hydrocsid (NaOH) fesul diferyn.

Metel yn yr halwyn	Sylw ar ôl ychwanegu NaOH
sodiwm	dim newid
potasiwm	dim newid
calsiwm	gwaddod gwyn
copr	gwaddod glas
plwm	gwaddod gwyn sy'n hydoddi mewn NaOH ychwanegol
haearn	gwaddod brown

1 Nid yw halwyn yn rhoi gwaddod gyda sodiwm hydrocsid, ond mae yn rhoi lliw lelog mewn prawf fflam. Pa fetel sydd yn yr halwyn?

3.12 Dadansoddi cemegol

Profi mwynau

Mae gan Julia a Phil ddiddordeb mewn hen fwyngloddiau. Maen nhw wedi casglu tri math o graig ger mwynglawdd segur yn Ecton Hill yn Swydd Derby. Mae Julia wedi dod â'r creigiau i'w choleg i'w profi. Mae hi eisiau darganfod pa fetelau a gâi eu cloddio yno.

Julia a Phil yn casglu mwynau.

Sampl 1.

Sampl 2.

Sampl 3.

Aeth Julia ati i falu'r samplau o graig a'u dadansoddi. Dyma ei chanlyniadau.

Profion Fflam	
Sampl 1	glas-wyrdd
Sampl 2	coch-oren
Sampl 3	coch-oren

Dydw i ddim yn meddwl bod y profion hyn yn fanwl gywir.

Prawf Sodiwm Hydrocsid
(Defnyddiais asid nitrig i hydoddi'r creigiau)

Sampl 1	gwaddod glas
Sampl 2	gwaddod brown
Sampl 3	gwaddod gwyn

Fe wnes i'r arbrawf eto ar gyfer Sampl 3 i wneud yn siŵr na fyddai'n hydoddi mewn sodiwm hydrocsid ychwanegol.

❷ Pa fetelau sydd ym mhob sampl o graig?

❸ (a) Pam mae Julia'n meddwl nad yw'r profion fflam yn gywir iawn? Pa ganlyniad nad yw'n cytuno â'r prawf sodiwm hydrocsid?

Bydd cwmnïau dŵr yn defnyddio 'sbectromedr fflam' i gael allbrint o bob lliw yn y fflam.

(b) Eglurwch pam mae hyn yn fwy manwl gywir na defnyddio eich llygaid yn unig.

❹ Pam y penderfynodd Julia ddarganfod a fyddai Sampl 3 yn hydoddi mewn sodiwm hydrocsid ychwanegol?

❺ Mwynglawdd plwm oedd Ecton Hill. Casglodd Julia a Phil eu creigiau o'r tomennydd gwastraff. Pam na ddaethant o hyd i unrhyw samplau o blwm yn eich barn chi?

❻ Ni fyddai'n bosibl darganfod yr holl fetelau mewn dŵr potel trwy ddefnyddio'r profion hyn. Y rheswm am hyn yw fod dŵr potel yn wanedig iawn a'i fod yn gymysgedd.

gw. Cymysgeddau ym mhob man, tud. 184

(a) Eglurwch pam mae'n anodd profi cymysgeddau gwanedig.

(b) Sut y gallech wneud y sampl o ddŵr potel yn fwy crynodedig?

3.12 Dadansoddi cemegol

gw. Gwneud halwynau, tud. 192

Rhagor o brofion

Mae'n bosibl profi am garbonadau, sylffadau a chloridau hefyd.

Profi am garbonadau

I brofi am garbonad mae angen i chi:

- ddefnyddio sampl o halwyn solet;
- ychwanegu asid hydroclorig.

Os yw'n hisian ac os yw'r nwy a gynhyrchir yn troi dŵr calch yn llaethog, mae'n garbonad.

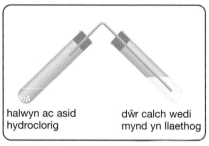

halwyn ac asid hydroclorig   dŵr calch wedi mynd yn llaethog

Carbonad yw'r halwyn hwn.

Profi am sylffadau

I brofi am sylffad mae angen i chi:

- ddefnyddio halwyn ar ffurf hydoddiant (wedi'i hydoddi mewn dŵr);
- ychwanegu ychydig o ddiferion o asid nitrig;
- ychwanegu diferion o hydoddiant bariwm clorid (BaCl$_2$).

Mae gwaddod gwyn yn dangos ei fod yn sylffad.

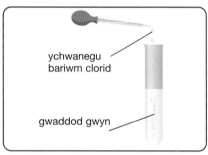

ychwanegu bariwm clorid

gwaddod gwyn

Sylffad yw'r halwyn hwn.

Profi am gloridau

I brofi am glorid mae angen i chi:

- ddefnyddio halwyn ar ffurf hydoddiant (wedi'i hydoddi mewn dŵr);
- ychwanegu ychydig o ddiferion o asid nitrig;
- ychwanegu diferion o hydoddiant arian nitrad (AgNO$_3$).

Mae gwaddod gwyn yn dangos ei fod yn glorid.

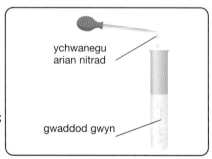

ychwanegu arian nitrad

gwaddod gwyn

Clorid yw'r halwyn hwn.

❼ Mae arolygydd Iechyd a Diogelwch yn darganfod tri bag o solid gwyn ger bwyd yng nghegin tŷ bwyta. Mae'n bryderus oherwydd nad oes unrhyw labeli arnynt. Mae'n gofyn i ddadansoddydd bwyd eu profi. Dyma ei chanlyniadau.

Sampl	Prawf NaOH	Prawf dŵr calch	Prawf BaCl$_2$	Prawf AgNO$_3$
A	dim newid	dim newid	dim newid	gwaddod gwyn
B	gwaddod gwyn, yn hydoddi mewn NaOH ychwanegol	dŵr calch yn llaethog	dim newid	dim newid
C	gwaddod gwyn parhaol	dim newid	gwaddod gwyn	dim newid

Beth yw'r tri solid gwyn? Pa brofion ychwanegol y mae angen i chi eu cynnal i wneud yn siŵr? A ddylai'r ffaith eu bod yn agos at fwyd fod yn destun pryder i'r arolygydd Iechyd a Diogelwch? (Defnyddiwch Daflenni Diogelwch i Fyfyrwyr i'ch helpu.)

3.12 Dadansoddi cemegol

Mwyngloddio'r môr

ASTUDIAETH ACHOS

Pe baech chi'n byw ger y Môr Marw, gallech gael swydd dros y gwyliau yn troi halen drosodd mewn padelli anweddu mawr. Mae'r Môr Marw mor gyfoethog mewn halwynau fel y cânt eu casglu a'u defnyddio i wneud cemegion. Mae yna ddiwydiant cemegion llewyrchus ar hyd y glannau.

8 Pam mae angen anweddu'r dŵr?

Padelli anweddu halen ar lannau'r Môr Marw. 'Pileri' o halen sydd wedi grisialu allan o ddŵr y môr yw'r gwrthrychau gwyn ar ochr chwith y llun.

Pa halwynau sydd yn y môr?

Ïon	Y Môr Marw: màs/g dm⁻³	Cefnfor Iwerydd: màs/g dm⁻³
sodiwm	32	11
potasiwm	7	0.5
magnesiwm	36	1
calsiwm	13	0.5
clorid	183	19
bromid	5	0.1
carbonad	bron 0	0.1
sylffad	3	2.5

9 Lluniwch siart bar cymharol (defnyddiwch daenlen os gallwch) i ddangos y gwahaniaeth rhwng cynnwys dŵr o'r Môr Marw a dŵr o Gefnfor Iwerydd.

10 Cyfrifwch gyfanswm màs (mewn g) y solid sydd wedi'i hydoddi mewn 1 dm³ o bob math o ddŵr môr.

11 Defnyddiwch eich atebion i gwestiynau 9 a 10 i egluro pam mae'n werth 'mwyngloddio' y Môr Marw.

Mae'r diwydiant cemegion yn Israel yn allforio 230 000 o dunelli metrig o fromin bob blwyddyn. Dyma'r ffynhonnell fwyaf o fromin yn y byd. Hyd at 2004 cynhyrchwyd tua 40 000 o dunelli metrig y flwyddyn, o ddŵr môr mewn gwaith cemegol ar Ynys Môn. Defnyddir llawer iawn o fromin wrth wneud cemegion gwrth-fflam ar gyfer ffabrigau a dodrefn.

12 Edrychwch ar faint o fromin sydd yn y ddau sampl o ddŵr môr.

(a) Pam rydych chi'n meddwl bod y Môr Marw yn ffynhonnell bwysicach o fromin na'r môr oddi ar arfordir Ynys Môn?

(b) Pa sylweddau eraill yn nŵr y Môr Marw sy'n bresennol mewn crynodiadau mwy na bromin?

(c) Pam rydych chi'n meddwl bod echdynnu bromin o'r Môr Marw yn fwy proffidiol nag echdynnu'r sylweddau eraill hyn?

3.13 Rhagor am foleciwlau

Anaestheteg gynnar

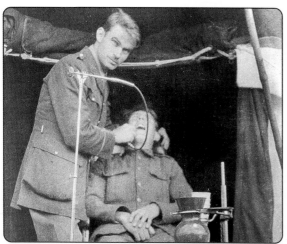

Pe baech chi eisiau tynnu dant gan mlynedd yn ôl *efallai* y byddech yn ffodus cael gwasanaeth deintydd modern iawn a fyddai'n rhoi anaesthetig i chi! Nid oedd y mwyafrif o ddeintyddion ar y pryd yn defnyddio anaesthetigion. Un o'r rhai cyntaf oedd 'clorofform' (tricloromethan), $CHCl_3$. Hyd yn oed pe baech chi'n dod o hyd i ddeintydd a oedd yn ei ddefnyddio, byddech yn lwcus goroesi'r llawdriniaeth – bach iawn oedd y gwahaniaeth rhwng y dos i'ch rhoi chi i gysgu a'r dos i'ch lladd.

Heddiw, defnyddir tricloromethan a chyfansoddion cyffelyb fel **hydoddyddion** ar gyfer toddi saim. Defnyddir hydoddyddion yn y broses sychlanhau. Bu farw un cwsmer anffodus unwaith o ganlyniad i yrru ei gar gyda dillad newydd eu sychlanhau (roedd hydoddyddion yn dal yn wlyb arnynt) ar y sedd gefn.

Câi clorofform ei ddefnyddio gan ddeintyddion 100 mlynedd yn ôl.

Edrych ar foleciwlau hydoddydd

Dyma sut mae un **moleciwl** o dricloromethan yn edrych:

Fformiwla: $CHCl_3$

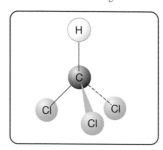

Ysgrifennwn yr adeiledd fel hyn:

$$H$$
$$|$$
$$Cl - C - Cl$$
$$|$$
$$Cl$$

Mae'r fformiwla'n dangos...

1 atom carbon

1 atom hydrogen

3 atom clorin

Mae atomau'n dilyn rheolau wrth ymuno â'i gilydd i wneud moleciwlau.

- Mae gan garbon, C, bedwar bond o'i gwmpas bob amser.
- Mae gan hydrogen, H, fflworin, F, a chlorin, Cl, un bond bob amser.
- Mae gan ocsigen, O, ddau fond.

Dyma enghreifftiau eraill:

Dŵr, H_2O

Propanon, C_3H_6O ('toddwr farnais ewinedd')

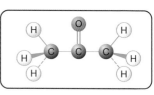

Sylwch fod gan bropanon ddau fond rhwng ocsigen a charbon.

Tricloroethan (a ddefnyddir fel teneuydd mewn hylif cywiro)

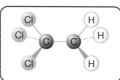

❶ Beth yw fformiwla tricloroethan?

❷ Lluniwch 'adeileddau' (nid oes angen iddynt edrych fel lluniau 3-D) ar gyfer y moleciwlau hyn:

methan (nwy naturiol), CH_4 halothan (anaesthetig) F_3C_2HBrCl

3.13 Rhagor am foleciwlau

Cael gwared â CFCau   GWEITHGAREDD

Câi CFCau (clorofflworocarbonau) eu defnyddio ar raddfa fawr iawn yn ystod yr ugeinfed ganrif. Nid ydynt yn wenwynig, nid ydynt yn llosgi ac maen nhw'n troi'n hawdd o hylif i nwy. Roedd y priodweddau hyn yn golygu eu bod yn ddelfrydol i'w defnyddio mewn aerosolau, mecanweithiau oeri oergelloedd, aerdymherwyr a hydoddyddion.

Ond yn 1985 darganfyddodd gwyddonydd Prydeinig o'r enw Joe Farman fod twll enfawr yn yr haen oson. Mae haen oson yr atmosffer yn amddiffyn y Ddaear rhag golau uwchfioled peryglus. Heb hyn, bydd anifeiliaid yn dioddef (mae golau uwchfioled yn achosi canser y croen) a gall cnydau fethu. Darganfyddwyd mai CFCau a oedd yn achosi'r twll. Roedd angen darganfod cyfansoddion eraill i gymryd eu lle.

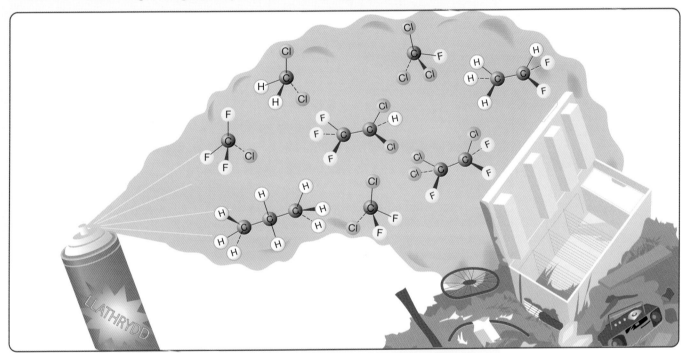

Rhai CFCau a rhai cyfansoddion posibl i gymryd eu lle.

❸ Cofiwch nad yw CFCau'n cynnwys ond clorin, fflworin a charbon.

Penderfynwch, yn eich grŵp, pa foleciwlau yn y diagram sy'n CFCau Ysgrifennwch:

- y fformiwla ar gyfer pob CFC (er enghraifft CCl_3F);

- enwau a nifer yr atomau ar gyfer pob elfen ym mhob CFC.

❹ Dychmygwch eich bod chi'n gweithio i gwmni sy'n gwneud aerosolau o lathrydd dodrefn. Roedd y cwmni'n arfer defnyddio CFC i hydoddi'r llathrydd a'i chwistrellu allan o'r can pan gâi'r top ei wasgu. Maen nhw'n awr yn cynhyrchu aerosol 'oson gyfeillgar' gan ddefnyddio cyfansoddyn arall yn lle'r CFC i hydoddi'r llathrydd.

(a) Mae'r cyfansoddion newydd yn aml yn ddrutach na CFCau. Trafodwch yn eich grŵp pam mae'r cwmni wedi newid i gynhyrchion 'oson gyfeillgar'.

(b) Rydych chi'n poeni am ddiogelwch ac ansawdd yr aerosol newydd. Am beth y byddech yn chwilio wrth ddewis cyfansoddyn arall i gymryd lle'r CFC?

3.13 Rhagor am foleciwlau

Edrych ar fondiau

Mae'r holl foleciwlau mewn hydoddyddion yn cynnwys bondiau **cofalent**. Pan fydd atomau'n defnyddio bondiau cofalent i fondio â'i gilydd, byddan nhw'n **rhannu** electronau i ennill plisg electronau llawn a sefydlog.

Mae'r diagram dot a chroes isod yn dangos sut mae dŵr yn cael ei ffurfio.

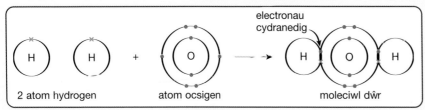

2 atom hydrogen   atom ocsigen   electronau cydranedig   moleciwl dŵr

Mae hydrogen ac ocsigen yn rhannu electronau mewn dŵr.

Mae'r atomau hydrogen mewn moleciwl dŵr yn rhannu dau electron – mae eu plisgyn cyntaf yn llawn. Mae plisgyn allanol ocsigen yn rhannu wyth electron – mae gan hwn hefyd blisgyn allanol llawn.

Dangosir y diagram dot a chroes ar gyfer methan isod.

Mae'r atomau hydrogen mewn moleciwl methan yn rhannu dau electron – mae eu plisg cyntaf yn llawn. Mae plisgyn allanol carbon yn rhannu wyth electron – mae gan hwn hefyd blisgyn allanol llawn.

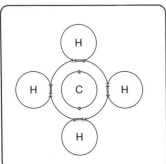

Diagram dot a chroes ar gyfer methan.

❺ Tynnwch ddiagramau dot a chroes ar gyfer y moleciwlau cofalent hyn:

$$HCl \quad H_2S \quad CHCl_3$$

❻ Mae'r cyfansoddion hyn yn cael eu galw'n gyfansoddion 'syml' gan fod eu moleciwlau'n fach. Mae'r tabl hwn yn dangos rhai gwahaniaethau rhwng cyfansoddion ïonig a chyfansoddion cofalent syml.

Priodwedd	Cyfansoddion ïonig	Cyfansoddion cofalent syml
Ymdoddbwyntiau a berwbwyntiau	uchel iawn	isel iawn
Hydoddedd mewn dŵr	hydawdd fel rheol	anhydawdd fel rheol
Effaith ar saim	ddim yn cymysgu â saim	gallu hydoddi saim
Dargludedd	yn dargludo trydan pan ydynt wedi'u hydoddi mewn dŵr	ddim yn dargludo

Defnyddiwch y tabl i egluro pam:

(a) y defnyddir cyfansoddion ïonig ar gyfer leinio ffwrneisi;

(b) mae cyfansoddion cofalent syml yn hydoddyddion da ar gyfer glanhau byrddau cylched;

(c) mae cyfansoddion cofalent syml yn nwyon neu'n hylifau fel rheol, tra bo cyfansoddion ïonig bob amser yn solidau ar dymheredd ystafell.

Geiriau allweddol

cofalent

hydoddyddion

moleciwl

rhannu

Ffeithiau allweddol

Copïwch a chwblhewch y brawddegau trwy ddewis y gair cywir o'r rhestr o eiriau allweddol.

1 Pan yw atomau'n ymuno â'i gilydd maen nhw'n gwneud _____.

2 Enghraifft o gyfansoddyn _____ yw dŵr.

3 Mae bond cofalent yn cael ei wneud pan yw atomau'n _____ electronau.

4 Mae cyfansoddion cofalent yn aml yn _____.

3.13 Rhagor am foleciwlau

Mynd at y glanhawyr (ASTUDIAETH ACHOS)

Kim yw rheolwraig Langdons, siop sychlanhau. Mae hi'n egluro, 'Mae sychlanhau'n golygu golchi dillad mewn hydoddydd yn lle dŵr. Rydym ni'n defnyddio hydoddydd o'r enw "perk".

7 Edrychwch ar y ffotograff. Beth y mae'r groes rybuddio ar y botel o 'perk' yn ei olygu?

'Rydym ni'n ceisio ailddefnyddio cymaint o hydoddydd ag sy bosib. Dydym ni ddim yn gwastraffu fawr ddim gan ei fod yn ddrud ac oherwydd bod hydoddyddion clorinedig yn gwneud niwed mawr i'r amgylchedd. Dyma sut mae ein peiriant glanhau ni yn gweithio.'

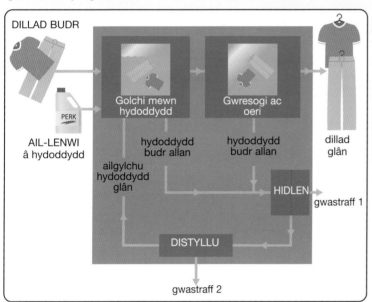

Kim yn ail-lenwi peiriant glanhau â 'perk'.

Y broses sychlanhau.

'Byddwn yn ail-lenwi ein peiriannau â dwy botel (deg litr) o "perk" yr wythnos. Mae peth ohono'n cael ei golli fel gwastraff ac i'r aer.'

8 Bydd botymau'n disgyn oddi ar y dillad weithiau wrth eu glanhau. Pa ran o'r peiriant sy'n mynd â botymau a fflwff o'r hydoddydd budr?

9 Chwiliwch am y gair 'distyllu' mewn geiriadur. Eglurwch sut mae hyn yn glanhau'r hydoddydd. Defnyddiwch y goiriau hyn yn eich ateb.

oeri	gwresogi	cyddwyso	anweddu	hydoddydd pur	gwastraff	gwahanu

10 Nid oedd peiriannau hen-ffasiwn yn gwresogi'r dillad ar ôl eu golchi. Eglurwch pam mae gwresogi ac oeri'r dillad yn helpu i ailgylchu cymaint o hydoddydd â phosibl.

11 Mae cylchgrawn amgylcheddol yn dweud bod sychlanhawyr yn 'llygru'r atmosffer â hydoddyddion'.

(a) Nodwch holl rannau'r broses lle y gall hydoddyddion ddianc.

(b) Ysgrifennwch lythyr i'r cylchgrawn ar ran Langdons i egluro sut mae'r broses lanhau yn ailgylchu cymaint o hydoddydd â phosibl.

3.14 Egni a newid cemegol

Bwyd a diod hunandwymo

Bydd milwyr yn defnyddio pecynnau 'hunandwymo' i dwymo bwyd.

Defnyddir pecynnau bwyd 'hunandwymo' gan filwyr, gwersyllwyr a phobl ar deithiau hir. Mae'r pecynnau'n cynnwys cemegion sy'n rhyddhau llawer o wres pan gânt eu cymysgu â dŵr.

Yn ddiweddar, mae prifysgol ym Mhrydain wedi datblygu 'can hunandwymo' i dwymo diodydd fel coffi.

Sut mae'r can hunandwymo yn gweithio?

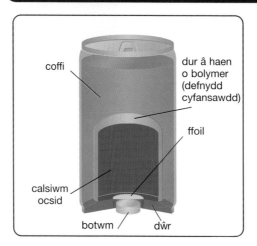

coffi

dur â haen o bolymer (defnydd cyfansawdd)

ffoil

calsiwm ocsid

botwm   dŵr

gw. Priodweddau ffisegol, tud. 222

Dyluniad ar gyfer can hunandwymo o goffi.

Mae dwy adran gudd y tu mewn i'r can. Mae'r naill yn llawn o ddŵr, mae'r llall yn cynnwys calsiwm ocsid. Pan wasgwch y botwm ar waelod y can, mae sêl ffoil yn torri ac mae'r ddau sylwedd yn cymysgu.

Pan fydd dŵr a chalsiwm ocsid yn adweithio â'i gilydd, byddan nhw'n ffurfio calsiwm hydrocsid. Byddan nhw hefyd yn rhyddhau llawer o wres. Bydd y gwres yn twymo'r coffi.

Dyma'r hafaliad ar gyfer yr adwaith:

$$CaO + H_2O \rightarrow Ca(OH)_2$$

Mae'r adwaith hwn yn **ecsothermig** gan ei fod yn rhyddhau egni fel gwres. Mae'r gwres yn cynyddu tymheredd y sylwedd o'i gwmpas (y coffi yn yr achos hwn).

❶ Ysgrifennwch hafaliad geiriau ar gyfer yr adwaith.

❷ Defnyddiwch eich Taflenni Diogelwch i Fyfyrwyr i ddarganfod rhagor am galsiwm ocsid a chalsiwm hydrocsid. Pa anawsterau a gafodd y dylunwyr yn eich barn chi wrth ddylunio can coffi i ddal y cemegion hyn?

❸ Calsiwm ocsid yw'r prif gynhwysyn mewn sment. Ysgrifennwch gyfres o gyfarwyddiadau diogelwch i'w rhoi ar fag o sment. (Os oes gennych sment gartref, edrychwch i weld beth y mae'r bag yn ei ddweud.)

❹ Ym mha rai o'r canlynol y mae adweithiau ecsothermig yn digwydd?

   (a)   llosgi methan

   (b)   hidlo tywod o halen

   (c)   malu calchfaen

   (ch) sioe dân gwyllt

Gwirio gair ✔

Mae adweithiau **ecsothermig** yn rhyddhau egni.

3.14 Egni a newid cemegol

Dylunio can oeri GWEITHGAREDD

Mae rhai adweithiau'n **endothermig**. Mae hyn yn golygu eu bod nhw'n cymryd egni i mewn o'u hamgylchoedd. Mae'r amgylchoedd yn mynd yn oerach.

Mae Gwyn a Siwan yn arbrofi i ddarganfod a fyddai'n bosibl dylunio can 'hunanoeri' i gynhyrchu diodydd oer iawn ar ddiwrnod poeth. Maen nhw'n cymysgu gwahanol gemegion â dŵr mewn bicer polystyren cyn mesur y newid mewn tymheredd.

Gwirio gair ✓

Mae adweithiau **endothermig** yn defnyddio egni.

Mae Gwyn a Siwan yn chwilio am gymysgedd 'hunanoeri'.

5 (a) Beth y byddai'n rhaid i Gwyn a Siwan eu rheoli (cadw'r un fath) yn eu harbrofion i sicrhau bod y canlyniadau'n ddibynadwy?

(b) Ysgrifennwch gyfres fer o gyfarwyddiadau arbrofol y dylent eu dilyn.

gw. Dilyn dulliau gweithredu safonol, tud. 12

Dyma rai o ganlyniadau Gwyn a Siwan.

Cemegyn	Tymheredd ar y dechrau/°C	Tymheredd ar y diwedd/°C	Newid mewn tymheredd/°C
calsiwm clorid	20	23	
amoniwm nitrad	20	18	
amoniwm clorid	20	17	

6 Cyfrifwch y newid mewn tymheredd ar gyfer pob cemegyn y rhoddwyd prawf arno.

7 Pa gemegyn sy'n edrych yn fwyaf addawol ar gyfer gwneud 'can oeri'? Pam?

8 Mae Gwyn yn dweud nad yw un arbrawf yn ddigon i wneud dewis pendant. Mae'n credu y dylent wneud rhagor o arbrofion cyn penderfynu'n derfynol pa un i'w ddewis. Pa arbrofion ychwanegol y gallent eu gwneud?

9 Defnyddiwch eich Taflenni Diogelwch i Fyfyrwyr i gael rhagor o wybodaeth am y cemegyn yr ydych wedi'i ddewis. Pa beryglon sy'n gysylltiedig ag ef?

10 Defnyddiwch y wybodaeth yr ydych wedi'i chasglu i ddylunio 'can hunandwymo' newydd. Gwnewch hysbyseb ar gyfer eich can sy'n dangos sut mae'n gweithio a pha ddiodydd a fydd yn cael eu gwerthu ynddo.

3.14 Egni a newid cemegol

Mae angen egni i roi cychwyn i lawer o adweithiau ecsothermig.

Ffrwydradau a bondiau

Mae angen egni i roi cychwyn i adweithiau ecsothermig fel arfer: rhaid i chi gynnau tân gwyllt ac mae angen gwreichionen o blwg tanio i danio peiriant petrol.

Bondiau ac egni

Methan yn bennaf yw nwy naturiol. Defnyddiwn fatsien neu ddyfais 'danio' i gynnau tân nwy fel rheol.

Wrth i fethan losgi, mae egni'n cael ei ryddhau. Dyma'r hafaliad ar gyfer yr adwaith:

$$\text{methan} \quad + \quad \text{ocsigen} \quad \rightarrow \quad \text{carbon deuocsid} \quad + \quad \text{dŵr}$$
$$CH_4 \quad + \quad 2O_2 \quad \rightarrow \quad CO_2 \quad + \quad 2H_2O$$

Yn ystod yr adwaith, mae dau beth pwysig yn digwydd:

- mae'r holl fondiau yn y methan a'r ocsigen yn cael eu torri;

- mae'r atomau'n bondio â'i gilydd eto i wneud carbon deuocsid a dŵr.

Mae **torri bondiau** yn defnyddio egni (caiff egni ei gymryd i mewn). Dyma pam mae angen i ni roi peth egni i mewn i gychwyn yr adwaith.

Mae **gwneud bondiau** yn rhyddhau egni (caiff egni ei roi allan). Yn achos adweithiau ecsothermig, megis methan yn llosgi, mae'r egni sy'n cael ei ryddhau trwy wneud bondiau yn fwy na'r egni sydd ei angen i dorri bondiau. Yr effaith gyffredinol yw rhyddhau egni.

Mewn adweithiau endothermig, mae torri bondiau'n defnyddio mwy o egni nag y mae gwneud bondiau'n ei ryddhau. Yr effaith gyffredinol yw cymryd egni i mewn.

⑪ Edrychwch eto ar yr esboniad o'r can coffi hunandwymo. Defnyddiwch syniadau am dorri a gwneud bondiau i egluro pam mae'r adwaith yn twymo'r coffi.

cymryd egni i mewn i dorri bondiau

rhoi egni allan wrth wneud bondiau newydd

Mae bondiau'n cael eu torri a'u gwneud wrth i fethan losgi.

Geiriau allweddol

ecsothermig

endothermig

gwneud bondiau

torri bondiau

Ffeithiau allweddol

Copïwch a chwblhewch y brawddegau trwy ddewis y gair cywir o'r rhestr o eiriau allweddol.

1 Mae adweithiau _____ yn rhyddhau egni.

2 Mae adweithiau _____ yn defnyddio egni.

3 Mae _____ _____ yn cymryd egni i mewn.

4 Mae _____ _____ yn rhoi egni allan.

5 Os yw'r egni a gymerir i mewn yn llai na'r egni a roddir allan, mae'r adwaith yn _____.

3.14 Egni a newid cemegol

Ceir sy'n rhedeg ar hydrogen ⟨ASTUDIAETH ACHOS⟩

Gwaith Meic yw gwerthu ceir. Mae'n dweud, 'Mae rhai cwsmeriaid yn dechrau gofyn am y ceir hydrogen newydd sy'n cael eu datblygu. Felly fe es i ar gwrs i ddysgu amdanyn nhw er mwyn i mi allu rhoi'r wybodaeth ddiweddaraf i'm cwsmeriaid.'

Dyma ran o'r daflen wybodaeth a roddwyd i Meic:

Mae Meic eisiau darganfod rhagor am geir sy'n rhedeg ar hydrogen.

Hydrogen yw gwir 'danwydd y dyfodol'. Mae'n danwydd gwych oherwydd bod ganddo adwaith ecsothermig mor gryf gydag ocsigen. Yn wir, mae'r adwaith mor ecsothermig fel y bu'n anodd ei reoli yn y gorffennol. Mae trychinebau megis y ffrwydradau a ddinistriodd awyrlong yr *Hindenburg* (bu farw 36 o bobl yn 1937) a Gwennol Ofod y *Challenger* (bu farw 7 o bobl yn 1986) wedi peri i lawer o bobl feddwl na all hydrogen byth fod yn ddiogel ei ddefnyddio ar raddfa fawr.

Yr hyn sy'n wych am y car hydrogen yw nad oes angen tanio neu hylosgi'r tanwydd. Datblygwyd celloedd tanwydd soffistigedig sy'n ein galluogi i ddefnyddio egni'r adwaith hydrogen–ocsigen gyda llawer llai o berygl o ffrwydrad.

Mae'r gell danwydd yn defnyddio egni o'r adwaith i gynhyrchu trydan. A'r unig gynnyrch gwastraff yw dŵr – nid oes unrhyw lygredd o gwbl!

12 Mae Meic wedi tanlinellu'r wybodaeth sydd yn ei farn ef yn bwysig iawn. Eglurwch ystyr y geiriau sydd wedi'u tanlinellu.

13 Pam mae defnyddio celloedd tanwydd yn lleihau'r perygl o ffrwydradau?

14 Nid yw'r daflen yn crybwyll unrhyw anfanteision sydd gan hydrogen fel tanwydd. Darganfyddwch beth yw'r anfanteision. Chwiliwch am y wybodaeth ganlynol:

- Sut mae hydrogen yn cael ei wneud?

- Pa egni a ddefnyddir i'w wneud?

- Sut mae'n cael ei storio mewn gorsafoedd llenwi a cheir?

- Beth yw'r anfanteision o ran diogelwch?

Ysgrifennwch daflen, sy'n debyg i'r un uchod, i roi gwybodaeth gytbwys i werthwyr ceir am geir hydrogen.

Cwestiynau adolygu

1 'Mae ffisiotherapyddion yn defnyddio pecynnau rhew 'hunanrewi'. Maen nhw'n cael eu defnyddio mewn gemau pêl-droed i'w rhoi ar anafiadau ac atal chwyddo. Mae'r pecynnau'n cynnwys cemegyn ar ffurf powdr. Pan ychwanegir dŵr, mae'r pecyn yn mynd yn oer iawn.

Ai endothermig neu ecsothermig yw'r adwaith yn y pecyn? Eglurwch eich ateb. *[1]*

2 Tuag 1800 roedd John Dalton yn defnyddio'r symbolau hyn ar gyfer elfennau.

Edrychwch ar y tabl o fformiwlâu isod.

Enw'r cyfansoddyn	Fformiwla fodern	Fformiwla Dalton
Methan	CH_4	
Amonia	NH_3	
Dŵr	H_2O	

Nid oedd fformiwlâu Dalton yn hollol gywir. Edrychwch ar yr elfennau a nifer yr atomau yn y fformiwlâu yn y tabl.

(a) Ym mha ffordd y mae fformiwlâu Dalton yn hollol gywir? *[1]*

(b) Ym mha ffordd y mae ein fformiwlâu modern yn dangos bod Dalton yn anghywir? *[1]*

(c) Tynnwch ddiagram 'dot a chroes' i ddangos y bondio cofalent yn NH_3. *[3]*

3 Defnyddir yr halwynau hyn mewn moddion.

potasiwm clorid   magnesiwm sylffad   calsiwm sylffad

(a) Pa asidau a ddefnyddir i wneud pob halwyn? *[3]*

(b) Pam mae moddion yn cael eu gwneud fel cemegion coeth? *[2]*

(c) Tynnwch ddiagram 'dot a chroes' i ddangos y bondio ïonig mewn potasiwm clorid. *[3]*

4 Mae Laurie'n ymchwilio i effaith hindreuliad ar ei eglwys leol. Mae ef wedi casglu:

- rhai samplau o'r garreg adeiladu; mae'n meddwl bod y cerrig wedi'u gwneud o galchfaen (calsiwm carbonad);

- powdr gwyrdd lle mae'r teils to copr wedi cyrydu; mae'n meddwl mai copr carbonad yw'r powdr.

(a) Sut y gall Laurie brofi'r samplau i sicrhau ei fod yn iawn? Ysgrifennwch gyfres o gyfarwyddiadau arbrofol y gallai Laurie eu dilyn. *[6]*

(b) Pa arsylwadau y bydd Laurie'n eu gwneud? Pa ganlyniadau y bydd yn chwilio amdanynt? *[4]*

3 Defnyddiau ar gyfer gwneud pethau

Aseiniadau a gweithgareddau ymarferol sy'n gysylltiedig â'r adran hon:

Priodweddau trydanol

Priodweddau ffisegol

Ymchwilio i wrthiant

Mesur dwysedd

Defnyddiwch y canlynol i gadw llygad ar eich cynnydd.

Uned 1

Byddwch chi'n:

- sylweddoli bod yn rhaid i ni ddefnyddio gwifrau o'r un hyd a thrwch wrth gymharu gwrthiant trydanol gwahanol fetelau   gw. tud. 218–21 ➡

- defnyddio'r geiriau dwysedd, dargludedd thermol a chryfder i gymharu defnyddiau, a chysylltu'r priodweddau hyn â chymwysiadau defnyddiau   gw. tud. 222–5 ➡

- cymharu dargludedd thermol gwahanol ddefnyddiau.   gw. tud. 222–5 ➡

Uned 2

Byddwch chi'n:

- gwybod i beth y defnyddir dcfnyddiau ceramig a beth yw eu priodweddau   gw. tud. 210–13 ➡

- gwybod beth sy'n digwydd pan gaiff clai ei danio i wneud brics   gw. tud. 210–13 ➡

- gwybod beth yw ystyr 'adeiledd enfawr'   gw. tud. 210–13 ➡

- gallu egluro priodweddau silicon deuocsid ac alwminiwm ocsid trwy ddefnyddio syniadau am eu hadeileddau   gw. tud. 210–13 ➡

- gwybod mai moleciwlau cadwyn hir yw polymerau   gw. tud. 214–17 ➡

- gwybod am briodweddau polymerau   gw. tud. 214–17 ➡

- deall y gwahaniaeth rhwng thermoplastig a pholymer thermosodol   gw. tud. 214–17 ➡

- gallu egluro priodweddau polymerau trwy ddefnyddio syniadau am gadwynau, grwpiau ochr a thrawsgysylltiadau   gw. tud. 214–17 ➡

- defnyddio'r geiriau hydrinedd a chaledwch i ddisgrifio defnyddiau   gw. tud. 222–5 ➡

- deall bod metelau'n cynnwys electronau sy'n rhydd i symud, ac felly bod metelau'n ddargludyddion da   gw. tud. 222–5 ➡

- disgrifio defnyddiau cyfansawdd a'u priodweddau.   gw. tud. 216, 222–5 ➡

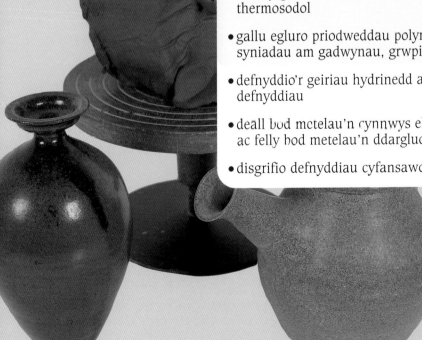

3.15 Brics

Defnyddiau ceramig

Mae brics yn ddefnydd adeiladu delfrydol.

 gw. Ymddygiad trydanol, tud. 218

Ydych chi'n byw mewn tŷ brics? Mae'r rhan fwyaf o bobl yn byw mewn tai o'r fath. Caiff brics eu gwneud trwy danio clai. Maen nhw'n ddelfrydol fel defnydd adeiladu gan eu bod yn galed, yn gryf ac yn gallu gwrthsefyll y tywydd.

Mae brics yn perthyn i grŵp arbennig o ddefnyddiau, sef **defnyddiau ceramig**. Mae'n bosibl eich bod chi wedi dod ar draws defnyddiau ceramig mewn gwersi celf – math arall o ddefnydd ceramig yw crochenwaith. Mae pob defnydd ceramig yn galed ac mae ganddynt ymdoddbwyntiau uchel. Dydyn nhw ddim yn hydoddi mewn dŵr nac yn dargludo trydan. Oherwydd eu priodweddau, mae gan ddefnyddiau ceramig lawer o gymwysiadau. Cânt eu defnyddio i leinio ffwrneisi ac i wneud disgiau ynysu ar gyfer peilonau trydan.

O glai i frics

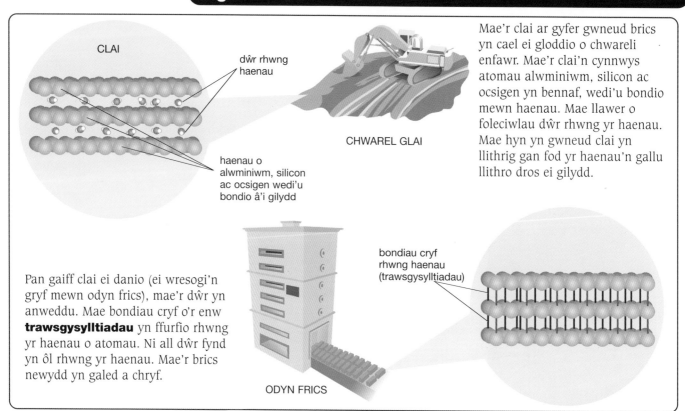

CLAI

dŵr rhwng haenau

haenau o alwminiwm, silicon ac ocsigen wedi'u bondio â'i gilydd

CHWAREL GLAI

Mae'r clai ar gyfer gwneud brics yn cael ei gloddio o chwareli enfawr. Mae'r clai'n cynnwys atomau alwminiwm, silicon ac ocsigen yn bennaf, wedi'u bondio mewn haenau. Mae llawer o foleciwlau dŵr rhwng yr haenau. Mae hyn yn gwneud clai yn llithrig gan fod yr haenau'n gallu llithro dros ei gilydd.

Pan gaiff clai ei danio (ei wresogi'n gryf mewn odyn frics), mae'r dŵr yn anweddu. Mae bondiau cryf o'r enw **trawsgysylltiadau** yn ffurfio rhwng yr haenau o atomau. Ni all dŵr fynd yn ôl rhwng yr haenau. Mae'r brics newydd yn galed a chryf.

bondiau cryf rhwng haenau (trawsgysylltiadau)

ODYN FRICS

❶ Defnyddiwch syniadau o'r diagram i egluro pam:

(a)   mae brics yn pwyso llai ar ôl tanio;

(b)   y gall clai gael ei fowldio'n wahanol siapiau, ond nid brics.

❷ Mae taflen sy'n rhoi gwybodaeth dechnegol yn egluro bod 'clai yn cynnwys cyfansoddion o elfennau metelig ac elfennau anfetelig'. Eglurwch ystyr hyn.

❸ Ar ôl Tân Mawr Llundain yn 1666, defnyddiwyd brics yn lle pren i ailadeiladu'r tai. Rhowch resymau pam mae brics yn ddefnydd adeiladu gwell na phren.

Cymharu clai a brics （GWEITHGAREDD）

Mae Daniel yn hyfforddi i fod yn friciwr. Mae'n mynd i'r coleg am un diwrnod yr wythnos. Yn y coleg mae wedi bod yn ymchwilio i'r gwahaniaeth rhwng clai wedi'i danio a chlai heb ei danio.

Mae Daniel yn cynhyrchu tair bricsen o glai. Mae'n lapio un mewn lliain gwlyb, yn gadael un i sychu, ac yn tanio'r drydedd mewn odyn.

Mae'n profi pob bricsen wythnos yn ddiweddarach.

Canlyniadau Daniel
Mae'r tabl hwn yn dangos beth a ddigwyddodd ar ôl wythnos.

Bricsen	Màs ar y dechrau/g	Màs ar ôl wythnos/g	Sut roedd yn edrych	Ar ôl ei tharo â morthwyl	Ar ôl ei gwlychu mewn dŵr
Wedi'i lapio mewn lliain gwlyb	210	215	dim newid o ran lliw, meddal	yn mynd yn fflat	solid yn chwalu – dŵr yn mynd yn frown a chymylog
Wedi'i gadael i sychu	225	185	lliw goleuach, caled	yn malurio	yn mynd yn feddal – yn edrych fel clai ffres
Wedi'i thanio mewn odyn	212	170	caled, lliw mwy coch	dim effaith	yn mynd ychydig yn dywyllach

4 (a) Cyfrifwch y newid mewn màs ar gyfer pob bricsen erbyn diwedd yr wythnos. Eglurwch pam y digwyddodd y newidiadau hyn.

(b) Cyfrifwch y canran, yn ôl màs, o ddŵr yn y clai a ddefnyddiwyd i wneud y fricsen yn yr odyn.

5 Nid yw sychu brics mewn aer yn peri i'r clai ffurfio bondiau rhwng yr haenau o atomau. Defnyddiwch y syniad hwn i egluro pam y gall dŵr wneud i'r fricsen a sychwyd mewn aer fynd yn feddal eto.

6 Ysgrifennwch baragraff i egluro pam mae angen tanio brics yn hytrach na'u sychu'n unig. Defnyddiwch y geiriau hyn:

haenau o atomau   dŵr   bondiau cryf   clai
newid cildroadwy   newid parhaol   sychu   tanio

Yn ystod y gaeaf, gall brics gwlyb gael eu difrodi gan rew. Caiff tai eu dylunio i gadw'r brics mor sych â phosibl. Rhaid cadw glaw i ffwrdd a rhwystro dŵr daear rhag codi. Mae Daniel yn gwneud arolwg o ddulliau o gadw waliau brics yn sych.

7 Sut mae eich tŷ neu ysgol wedi cael eu dylunio i gadw'r waliau'n sych? Sut mae toeon yn cael eu dylunio i gadw glaw oddi ar y waliau?

Gall waliau brics gael eu difrodi os byddan nhw'n mynd yn rhy wlyb.

3.15 Brics

Adeileddau enfawr: tywod, gwydr a rhuddemau

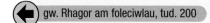
gw. Rhagor am foleciwlau, tud. 200

Enghraifft o **adeiledd enfawr** yw bricsen. Mae adeiledd enfawr yn cynnwys llawer o atomau wedi'u bondio â'i gilydd mewn trefniant dellt tri-dimensiwn. Mae'r bondiau rhwng yr atomau'n gryf iawn, felly mae adeileddau enfawr yn galed iawn ac mae ganddynt ymdoddbwyntiau a berwbwyntiau uchel iawn. Gall y bondiau fod yn **gofalent** (wedi'u ffurfio o electronau cydranedig) neu'n **ïonig** (mae'r atomau'n ffurfio ïonau sydd â gwefrau annhebyg).

Tywod a gwydr

Mae tywod wedi'i wneud o silicon deuocsid, SiO_2, yn bennaf. Mae ganddo adeiledd enfawr wedi'i ddal wrth ei gilydd gan fondiau cofalent. Mae tywod yn galed iawn ac mae ganddo ymdoddbwynt uchel iawn oherwydd bod gan yr atomau fondiau hynod o gryf mewn trefniant tri dimensiwn. Mae'r bondiau mor gryf fel bod yn rhaid gwresogi tywod i dymheredd uchel dros ben cyn y bydd yn ymdoddi. Bondiau cofalent ydynt, gan eu bod yn cael eu gwneud trwy rannu electronau.

Mae tywod yn ddigon caled i gael ei ddefnyddio fel sgraffinydd. Defnyddir peiriannau sgwrio â thywod i lanhau'r gwaith carreg ar hen adeiladau. Caiff jet o dywod ei danio at yr arwyneb.

Mae tywod wedi'i wneud o silicon deuocsid.

Silicon deuocsid yw'r prif gyfansoddyn mewn gwydr. Roedd offer callestr (neu fflint) o Oes y Cerrig wedi'u gwneud o silicon deuocsid yn bennaf. Mae'r holl ddefnyddiau hyn yn arbennig o galed.

gw. Hollti'r atom, tud. 188

Rhuddemau

Adeileddau enfawr yw'r holl gerrig gwerthfawr. Gan eu bod mor galed, bydd y cerrig hyn yn para'n hir iawn. Mae rhuddemau a glasemau wedi'u gwneud o alwminiwm ocsid yn bennaf. Adeiledd enfawr ïonig yw alwminiwm ocsid – mae'n cynnwys ïonau Al^{3+} ac O^{2-}. Mae'r ïonau'n cael eu hatynnu'n gryf iawn at ei gilydd oherwydd eu gwefrau annhebyg.

Ffurf ar alwminiwm ocsid a ddefnyddir i wneud papur gwydrog o safon uchel a 'byrddau emeri' ar gyfer siapio ewinedd yw 'emeri.

Mae'r glasemau hyn, fel rhuddemau, wedi'u gwneud o alwminiwm ocsid.

8 Edrychwch ar yr ymdoddbwyntiau hyn:

- alwminiwm ocsid   2015°C;

- silicon deuocsid   1610°C.

(a) Defnyddiwch syniadau am drefniant a symudiad gronynnau i egluro beth sy'n digwydd pan yw silicon deuocsid yn ymdoddi.

(b) Mae ocsid alwminiwm tawdd yn dargludo trydan, ond nid yw silicon deuocsid tawdd yn gwneud. Defnyddiwch syniadau am fathau o fondio i egluro pam.

(c) Eglurwch pam mae ymdoddbwynt alwminiwm ocsid yn brawf bod y bondiau rhwng ei atomau yn gryf iawn.

(ch) Pa un sydd â'r bondiau cryfaf, silicon deuocsid neu alwminiwm ocsid? Eglurwch sut y daethoch i'ch penderfyniad.

3.15 Brics

Odynau brics Bedford ⟨ASTUDIAETH ACHOS⟩

Mae Jim yn gweithio fel 'llosgwr' yn yr odynau brics yn Bedford.

'Mae'r brics yn dod i ni ar ôl iddyn nhw gael eu torri o glai gwlyb. Byddwn ni'n llwytho tua 65 000 o frics i mewn i un o'r 36 siambr yn yr odyn. Maen nhw'n cael eu gadael i sychu am ychydig o wythnosau. Mae'n gynnes yn y siambr gan fod brics bob amser yn cael eu tanio mewn siambr arall gerllaw.

'Rydym ni'n selio'r fynedfa ac yn cyfeirio tân i mewn i'r siambr. Mae tua phump y cant o'r clai yn garbon felly mae'r brics yn mynd ar dân – mae'n mynd yn wirioneddol boeth yno! Fi yw'r llosgwr. Fy ngwaith i yw cadw llygad ar y tân a'i gadw i fynd trwy ychwanegu bwcedaid neu ddwy o lwch glo bob ychydig o oriau. Ar ôl 48 awr rydym ni'n gadael i'r tân yn y siambr ddiffodd. Ar ôl i'r brics oeri maen nhw'n barod i fynd i'r safle adeiladu.

'Mae'r tân yn odynau Bedford wedi bod yn llosgi'n ddi-dor ers 50 o flynyddoedd!

Gwaith y llosgwr yw cadw'r tân ynghynn.

gw. Cemegion swmp a choeth, tud. 170 →

9 Defnyddir llwch glo yn lle talpiau o lo gan ei fod yn gwneud tân poethach. Defnyddiwch syniadau am gyfraddau adwaith i egluro pam.

10 Mae gan y siambrau simneiau i dynnu aer trwyddynt. Pam mae angen hyn?

11 Mae'r prif nwyon sy'n dod allan o'r simneiau yn cynnwys nitrogen a charbon deuocsid. Eglurwch o ble y daw'r nwyon hyn.

12 Os bydd briciau gwlyb yn cael eu tanio, byddan nhw'n ffrwydro.

  (a) Beth fydd yn digwydd i'r dŵr yn ystod y tanio?

  (b) Pam y bydd hyn yn peri i'r brics ffrwydro?

Y brics gorffenedig.

13 Mae'r cwmni brics wedi moderneiddio rhai o'i odynau er mwyn gallu defnyddio nwy naturiol yn danwydd. Caiff y tanau eu monitro gan gyfrifiaduron yn lle llosgwr. Beth yw manteision yr odynau modern?

Ffeithiau allweddol

Copïwch a chwblhewch y brawddegau trwy ddewis y gair cywir o'r rhestr o eiriau allweddol.

1 Mae brics a chrochenwaith yn enghreifftiau o ddefnyddiau _____ .

2 Nid yw clai yn mynd yn feddal ar ôl ei danio gan ei fod yn cynnwys _____ .

3 Mae llawer o atomau neu ïonau sydd wedi'u dal wrth ei gilydd mewn tri dimensiwn yn ffurfio _____ _____ .

4 Mae silicon deuocsid yn _____ gan fod ei fondiau'n cael eu gwneud trwy rannu electronau.

5 Pan yw cyfansoddyn wedi'i ddal wrth ei gilydd gan wefrau trydanol, mae'n _____ .

Geiriau allweddol

adeiledd enfawr

ceramig

cofalont

ïonig

trawsgysylltiadau

3.16 Polymerau

Byd o bolymerau

Mae'r ferch hon yn gwisgo ac yn cario **polymerau**! Polymerau yw'r holl ffibrau yn ei dillad (neilon, gwlân, polyester). Mae ei bagiau plastig wedi'u gwneud o boly(ethen) neu 'polythen', sy'n bolymer arall. Mae hyd yn oed ei gwallt wedi'i wneud o bolymer o'r enw ceratin.

Beth yw polymerau?

Mae polymerau wedi'u gwneud o foleciwlau hir, tebyg i gadwynau. Mae'r moleciwlau wedi'u cymysgu fel plât o sbageti.

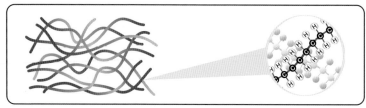

Polymer yw 'polythen'.

Mae priodweddau polymer (sut mae'r polymer yn ymddwyn) yn dibynnu ar ei adeiledd (sut mae'r moleciwlau hir wedi'u trefnu). Mae'r bondiau sy'n uno'r atomau carbon a hydrogen yn gryf iawn, ond grymoedd gwan sydd rhwng y cadwynau. Gall y cadwynau symud pan gaiff y polymer ei wresogi neu ei ymestyn. Mae'r tabl isod yn dangos sut y gall adeiledd poly(ethen) egluro rhai o'i briodweddau.

Priodwedd	Adeiledd
Thermoplastig (mae'n ymdoddi ac yn newid siâp pan yw'n boeth)	Gall cadwynau polymer symud pan gânt eu gwresogi
Hyblyg/nid yw'n dryllio'n hawdd	Mae cadwynau polymer yn llithro dros ei gilydd; felly gall poly(ethen) ymestyn
Mae'n llosgi'n hawdd	Gall y carbon a'r hydrogen yn y poly(ethen) losgi gydag ocsigen i roi carbon deuocsid a dŵr
Nid yw'n pydru (anfioddiraddadwy)	Ni all bacteria fwyta poly(ethen)

❶ Mae poly(ethen) yn anfioddiraddadwy. Pam mae hyn yn fantais ac yn anfantais?

❷ Mae hyd y cadwynau mewn plastigion 'bioddiraddadwy' yn fyrrach. Mae bagiau cario sydd wedi'u gwneud o blastigau bioddiraddadwy yn wannach ac maen nhw'n rhwygo'n hawdd. Defnyddiwch syniadau am adeileddau i egluro pam.

❸ Eglurwch pam y gall poly(ethen) gael ei siapio'n hawdd yn gynhyrchion megis poteli siampŵ.

❹ Defnyddir poly(ethen) i wneud nwyddau a arferai gael eu gwneud o ddefnyddiau eraill, megis:

* poteli llaeth gwydr;
* bwcedi a chaniau dyfrio metel;
* bagiau papur i ddal bwyd.

Ar gyfer pob un o'r rhain, eglurwch pam mae poly(ethen) yn ddefnydd gwell.

3.16 Polymerau

Y polymer iawn ar gyfer y gwaith | GWEITHGAREDD

Darganfyddwyd poly(ethen) gyntaf yn 1933. Cafodd ei wneud yn ddamweiniol gan gemegydd o'r enw Eric Fawcett wrth iddo ddefnyddio nwy ethen mewn arbrawf gwasgedd uchel. Yr enw ar y math hwn o boly(ethen) yw LDPE (Poly(ethen) Dwysedd Isel). Mae cadwynau'r polymer wedi'u cymysgu â'i gilydd.

gw. Priodweddau ffisegol, tud. 222

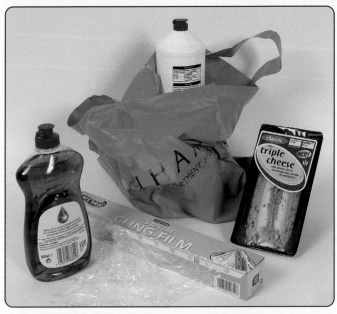

Defnyddir LDPE (Poly(ethen) Dwysedd Isel) i wneud pecynnau.

Defnyddir HDPE (Poly(ethen) Dwysedd Uchel) i wneud nwyddau plastig o ansawdd uwch.

Dros 20 mlynedd yn ddiweddarach, defnyddiodd cemegydd arall, Karl Ziegler, fath newydd o gatalydd. Gwnaeth i'r cadwynau ffurfio rhesi taclus, yn agos iawn at ei gilydd. Roedd y trefniant hwn yn cynhyrchu defnydd caletach a dwysach, HDPE (Poly(ethen) Dwysedd Uchel).

Edrychwch ar y tabl isod sy'n rhoi gwybodaeth am y ddau fath o boly(ethen).

Priodwedd	LDPE	HDPE
Dwysedd/g cm^{-3}	0.92	0.96
Cryfder pan dynnir ef /MN m^{-3}	15	29
Ymestyniad cyn torri	6 gwaith yr hyd gwreiddiol	3 gwaith yr hyd gwreiddiol
Effaith gwres	yn meddalu ar 90°C	dim newid o dan 200°C
Pris cymharol	rhatach	drutach

5 Rhowch resymau pam y defnyddir LDPE i wneud pecynnau bwyd 'rhad' ond HDPE i wneud nwyddau o ansawdd uwch.

6 Mae cwpanau coffi ar gyfer peiriannau gwerthu yn cael eu gwneud o LDPE, ond HDPE a ddefnyddir i wneud cynwysyddion bwyd ar gyfer poptai microdon. Eglurwch pam y defnyddir y plastigion gwahanol.

7 Tynnwch ddiagramau i ddangos sut mae'r cadwynau polymer yn symud dros ei gilydd mewn handlen bag cario plastig wrth iddi ymestyn a thorri.

8 Pa fath o boly(ethen) sy'n arnofio ar ddŵr? Eglurwch eich ateb.

3.16 Polymerau

Rhagor am bolymerau

Nid yw pob polymer yn cynnwys cadwynau syth. Mae gan rai cadwynau siâp gwahanol – bydd siâp y gadwyn yn effeithio ar briodweddau'r polymer.

Mae gan rai polymerau **grwpiau ochr** sy'n ymwthio allan o'r gadwyn.

Polymerau thermoplastig yw'r mwyafrif o blastigion. Maen nhw'n ymdoddi wrth fynd yn boeth gan fod y cadwynau'n gallu llithro dros ei gilydd. Mae grwpiau ochr yn rhwystro'r cadwynau rhag llithro dros ei gilydd mor hawdd gan eu bod yn 'cydio'. O ganlyniad mae polymerau sydd â grwpiau ochr yn llai hyblyg neu ymestynnol; maen nhw'n galetach ac yn meddalu ar dymheredd uwch.

Mae gan rai polymerau **drawsgysylltiadau** sy'n uno'r cadwynau. Ni all y cadwynau symud o gwbl ac felly mae'r polymerau hyn yn galed iawn. Dydyn nhw ddim yn ymdoddi – os gwresogwch nhw maen nhw'n llosgi yn hytrach nag ymdoddi. Polymerau **thermosodol** yw'r rhain.

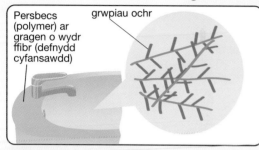

Persbecs (polymer) ar gragen o wydr ffibr (defnydd cyfansawdd)

grwpiau ochr

Enghreifftiau o bolymerau â grwpiau ochr yw polystyren (llenwad ar gyfer cyrff ceir, cwpanau) a phersbecs (baddonau, sinciau a ffenestri plastig).

9 Byddai coesau sosbenni'n arfer cael eu gwneud o fetel neu bren.

(a) Pam mae plastig thermosodol yn well defnydd na metel neu bren ar gyfer gwneud coesau sosbenni?

Pan gafodd sosbenni â choesau plastig eu gwneud gyntaf, nid oedd pobl eisiau eu prynu – roedden nhw'n meddwl y bydden nhw'n ymdoddi!

(b) Cynhyrchwch hysbyseb ar gyfer sosban â choes blastig. Rhaid i chi argyhoeddi cwsmeriaid na fydd yn ymdoddi. Lluniwch adeiledd y polymer i'ch helpu i egluro beth yw plastig 'thermosodol'.

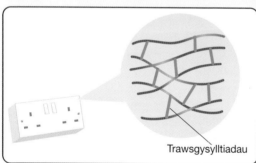

Trawsgysylltiadau

Un enghraifft o bolymer thermosodol yw melamin (wynebau gweithio, lloriau laminedig, socedi trydan).

 gw. Priodweddau ffisegol, tud. 222

Plastigion cyfansawdd

Gallwn newid priodweddau plastigion trwy ychwanegu defnyddiau eraill i wneud defnyddiau **cyfansawdd**. Mae ychwanegu ffibrau gwydr at bolymer yn creu plastig wedi'i atgyfnerthu â gwydr (GRP) neu wydr ffibr. Defnydd anhyblyg a defnyddiol iawn yw hwn. Mae ychwanegu cyfansoddion o'r enw **plastigyddion** at PVC yn gwneud y plastig yn fwy hyblyg. Yna gellir ei ddefnyddio mewn llenni tenau, er enghraifft fel haenen lynu.

Geiriau allweddol

cyfansawdd

grwpiau ochr

plastigyddion

polymer

trawsgysylltiadau

thermoplastig

thermosodol

Ffeithiau allweddol

Copïwch a chwblhewch y brawddegau trwy ddewis y gair cywir o'r rhestr o eiriau allweddol.

1 Mae moleciwl â chadwyn hir yn cael ei alw'n _____.

2 Mae _____ yn meddalu wrth fynd yn boeth.

3 Ni fydd polymer sy'n cynnwys _____ _____ yn ymdoddi.

4 Mae polymerau sydd â thrawsgysylltiadau rhwng y cadwynau'n cael eu galw'n bolymerau _____.

5 Mae _____ _____ yn gwneud polymerau yn galetach a llai hyblyg.

6 Mae ychwanegu defnyddiau megis _____ at bolymerau yn creu defnyddiau _____.

Ailgylchu plastigion gwastraff ASTUDIAETH ACHOS

Mae Marged yn gweithio i'r cyngor sir.

Mae hi'n egluro, 'Mae llawer o bobl leol yn gofyn i ni am gynlluniau ailgylchu ar gyfer plastigion gwastraff. Y drafferth yw fod yn rhaid i blastigion gwastraff gael eu didoli a'u glanhau cyn eu hailgylchu – dydy'r mwyafrif o bobl ddim yn golchi eu poteli! Mae'r cyngor sir yn gwario arian ar y cynlluniau ailgylchu.

'Dyma rai ffeithiau a ffigurau:

- Mae'n cymryd 20 000 o boteli plastig i wneud un dunnell fetrig o blastig.

- Mae gwneuthurwyr yn prynu gwastraff cymysg gennym am £40 y dunnell fetrig.

- PET yw'r plastig sy'n cael ei ddefnyddio i wneud poteli pop. Mae gwneuthurwyr yn prynu PET wedi'i ailgylchu gan y cyngor am £150 y dunnell fetrig.

- Ar gyfartaledd, mae'n costio £250 i ni gasglu, didoli, glanhau a gwasgu pob tunnell fetrig o PET.

'Mae byrddau fel yr un yn y llun yn rhad eu gwneud – mae hwn wedi'i wneud o hen fagiau bin du wedi'u toddi. Does dim llawer o wahaniaeth os nad yw'r plastig a ddefnyddir yn bur iawn. Rydym ni hefyd yn gwerthu "plastig cymysg" wedi'i ailgylchu ar gyfer gwneud nwyddau o ansawdd is megis potiau planhigion.

'Ond os ydym ni eisiau gwerthu PET, rhaid i ni sicrhau nad yw plastigion eraill yn cael eu cymysgu ag ef. Polyester wedi'i wneud o boteli PET wedi'u hailgylchu yw'r padin yn fy anorac.'

10 Faint y mae'n ei gostio i'r cyngor ailgylchu un dunnell fetrig o PET?

11 Pam mae cynlluniau ailgylchu sy'n cynhyrchu plastig cymysg yn llai costus?

12 Mae gan lawer o gynghorau sir gynlluniau ailgylchu, er bod pob un ohonynt yn gwneud colled. Beth yw manteision cynlluniau o'r fath i'r cyngor sir?

13 Mae'r cwmni sy'n gwerthu'r meinciau plastig wedi'u hailgylchu yn dweud:

- nad oes ganddynt unrhyw geinclau nac ysgyrion;
- nad oes angen eu paentio byth;
- nad ydyn nhw'n pydru nac yn rhydu

(a) Yn eich barn chi, â pha ddefnyddiau maen nhw'n cymharu eu meinciau plastig wedi'u hailgylchu?

(b) Rhaid i wastraff 'plastig cymysg' beidio â chynnwys gormod o blastig thermosodol neu bydd yn anodd mowldio'r gwastraff. Eglurwch pam.

Mae'r bwrdd a'r padin yn y got wedi'u gwneud o blastigion gwastraff a ailgylchwyd.

Poteli plastig

Banc ailgylchu plastigion.

3.17 Ymddygiad trydanol

Cysylltiadau pŵer

Mae Cwmni'r Grid Cenedlaethol yn adeiladu ac yn cynnal y rhwydwaith o geblau foltedd uchel sy'n cysylltu gorsafoedd trydan â chartrefi a busnesau.

Rydym ni'n tueddu i gymryd ceblau a pheilonau trydan yn ganiataol. Ond mae rhai pobl, fel gweithwyr Cwmni'r Grid Cenedlaethol, yn gweithio drwy'r dydd ar geblau sy'n trosglwyddo egni dros bellter mawr. Maen nhw'n dewis y defnyddiau gorau posibl at y pwrpas.

Gwrthiant gwifrau

Sut y gallwn ni gymharu un wifren â gwifren arall? Rydym ni'n cyfeirio at wrthiant trydanol y wifren. Mae hyn yn fesur o faint y mae'r wifren yn gwrthsefyll llif cerrynt trydanol pan yw wedi'i chysylltu â ffynhonnell foltedd.

I gyfrifo gwrthiant gwifren, rhaid i ni gymharu'r foltedd â'r cerrynt. Gallwn wneud cymhariaeth fathemategol trwy wneud cyfrifiad rhannu:

$$\text{gwrthiant} = \frac{\text{foltedd}}{\text{cerrynt}}$$

Yr ohm yw'r enw ar uned gwrthiant. Defnyddiwn Ω fel rheol fel ffordd fer o ysgrifennu ohm.

❶ Lluniwch dabl i'ch helpu i gofio enwau'r unedau ar gyfer foltedd, cerrynt a gwrthiant.

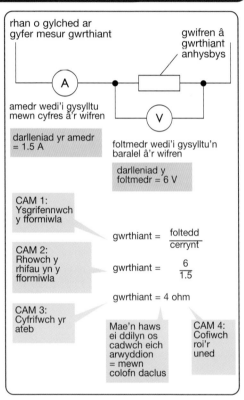

rhan o gylched ar gyfer mesur gwrthiant

gwifren â gwrthiant anhysbys

amedr wedi'i gysylltu mewn cyfres â'r wifren

darlleniad yr amedr = 1.5 A

foltmedr wedi'i gysylltu'n baralel â'r wifren

darlleniad y foltmedr = 6 V

CAM 1: Ysgrifennwch y fformiwla

$$\text{gwrthiant} = \frac{\text{foltedd}}{\text{cerrynt}}$$

CAM 2: Rhowch y rhifau yn y fformiwla

$$\text{gwrthiant} = \frac{6}{1.5}$$

CAM 3: Cyfrifwch yr ateb

$$\text{gwrthiant} = 4 \text{ ohm}$$

Mae'n haws ei ddilyn os cadwch eich arwyddion = mewn colofn daclus

CAM 4: Cofiwch roi'r uned

Cyfrifo gwrthiant.

Dargludyddion trydan da

Mae metelau yn **ddargludyddion** trydan da. Mae ganddynt atomau sydd wedi'u pacio'n agos at ei gilydd ac electronau sy'n gallu symud yn rhydd y tu mewn i'r metel. Mae'r electronau'n debyg i bysgod sy'n nofio ymysg yr atomau sefydlog (ond maen nhw'n 'bysgod' eithriadol o fach). Llif o electronau i un cyfeiriad sy'n gwneud cerrynt trydan.

Mae rhai metelau yn well dargludyddion nag eraill. Mae angen i Gwmni'r Grid Cenedlaethol ddefnyddio ceblau â gwrthiant isel, felly rhaid iddynt ddewis y metelau cywir ar gyfer eu ceblau.

Pedwar ffactor sy'n dylanwadu ar wrthiant trydanol gwifren, sef:

- y defnydd y mae wedi'i wneud ohono;
- ei hyd;
- ei drwch neu ddiamedr;
- ei dymheredd.

Mae angen i chi ymchwilio i'r tri dylanwad cyntaf.

3.17 Ymddygiad trydanol

Gosod llinell foltedd uchel (ASTUDIAETH ACHOS)

Mae Cwmni'r Grid Cenedlaethol yn gofalu am y llinellau trydan foltedd uchel sy'n cysylltu gorsafoedd trydan â chartrefi a busnesau. Pan gafodd gorsaf drydan newydd ei chodi ger Middlesbrough, bu'n rhaid i'r Cwmni gynllunio a gosod llinell foltedd uchel newydd i'w chysylltu â defnyddwyr. Bu'n rhaid iddynt gydbwyso cost y llinell yn erbyn elw, angen a'r amgylchedd.

Mae'n debyg bod caeau'n edrych yn fwy tlws heb beilonau a cheblau, ond rydym ni i gyd eisiau cyflenwadau egni rhad. Rhaid i gartrefi a busnesau gael eu cysylltu â gorsafoedd trydan.

② Pa rai o'r newidynnau hyn y gall Cwmni'r Grid Cenedlaethol eu rheoli:

- y defnydd y gwneir y cebl ohono
- diamedr y cebl
- hyd y cebl
- tymheredd y cebl?

③ Defnyddiwch Atodiad 4 ar dudalen 315 i egluro pam na fyddech chi'n defnyddio'r ddau ddefnydd canlynol i wneud ceblau ar gyfer dosbarthu egni o orsafoedd trydan:

(a) gwydr (b) plwm.

④ A fyddech chi'n disgwyl i wifren drwchus fod â mwy neu lai o wrthiant na gwifren denau o'r un metel a hyd? Pam?

⑤ Y llwybr rhataf ar gyfer llinell drydan newydd yw llinell syth.

(a) Pam mai llinell syth yw'r llwybr rhataf?
(b) Awgrymwch pam na all Cwmni'r Grid Cenedlaethol adeiladu llinellau trydan syth, hir bob amser.

⑥ I sicrhau na allai pobl weld llinellau trydan hyll yng nghefn gwlad, a fyddech chi'n fodlon:

(a) mynd heb drydan
(b) talu dwywaith cymaint am drydan?

3.17 Ymddygiad trydanol

Mae'r ynysyddion ar beilonau wedi'u gwneud o wydr neu ddefnydd ceramig.

Ynysyddion

Nid oes angen lapio ynysydd trydanol am y ceblau sy'n ymestyn o beilon i beilon. Defnydd nad yw'n dargludo trydan yn dda yw ynysydd trydanol. Pe baech chi'n cyffwrdd â chebl byddech chi'n cael eich lladd, ond maen nhw'n ymhell allan o'ch cyrraedd.

Rhaid i'r ceblau beidio â chyffwrdd â'r peilonau. Mae'r ceblau yn hongian oddi ar y peilonau o fewn ynysyddion.

❼ Defnyddiwch y wybodaeth ar dudalen 315 i drefnu'r defnyddiau yn Atodiad 4 yn ddargludyddion ac ynysyddion.

Ymchwilio i wifrau a chydrannau eraill

Mae gan wifren wrthiant sy'n aros yr un fath os yw'r tymheredd yn aros yr un fath.

Er bod y gwrthiant yn aros yr un fath, gallwn newid y foltedd trwy gymhwyso'r cyflenwad pŵer mewn cylched. Pan newidiwch y foltedd ac os byddwch chi'n defnyddio gwifren ar dymheredd sefydlog, yna bydd y cerrynt yn newid fel y dangosir yng ngraff A.

Mae cerrynt yn newid pan wnewch yr un fath gyda chydrannau eraill hefyd. Er enghraifft, mae bylbiau golau'n cynnwys gwifrau sydd yn profi newid mawr mewn tymheredd wrth gael eu defnyddio. Gall graffiau o foltedd a cherrynt ein helpu i gymharu ymddygiad gwifren oer arferol ag ymddygiad gwifren mewn lamp.

Dyfais arall y gallwch roi prawf arni yw'r deuod. Pan gysylltwch ddeuod â chyflenwad pŵer un ffordd, mae cerrynt yn llifo, ond pan gysylltwch ef y ffordd arall, nid oes unrhyw gerrynt.

Yn yr ymchwiliadau hyn, foltedd yw'r newidyn sy'n cael ei reoli gennych. Foltedd yw'r newidyn mewnbwn. Yna fe welwch chi beth y mae'r cerrynt yn ei wneud. Cerrynt yw'r newidyn allbwn.

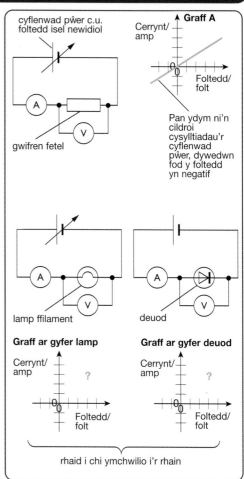

Ymchwilio i sut mae cerrynt yn dibynnu ar foltedd.

❽ Pan newidiwch y foltedd sy'n cael ei gyflenwi i wifren oer, a fyddwch chi'n cael yr un newid mewn cerrynt, o ran maint neu gyfran? Ysgrifennwch frawddeg i egluro eich ateb.

3.17 Ymddygiad trydanol

Foltedd, cerrynt a gwrthiant **GWEITHGAREDD**

Cyfrifo gwrthiant

9 Bydd gwifren yn cario cerrynt o ddau amper (2 A) pan fydd wedi'i chysylltu â batri 12 folt (12 V). Copïwch y templed a rhowch eiriau/ffigurau yn lle zzzz i gyfrifo gwrthiant y wifren:

$$\text{gwrthiant} = \frac{\text{zzzz}}{\text{cerrynt}}$$

$$= \frac{12}{\text{zzzz}}$$

$$= 6 \text{ zzzz}$$

Sut mae gwrthiant yn effeithio ar gerrynt

10 Mae pum gwifren yn cael eu cysylltu yn eu tro â batri chwe folt. Dyma'r ceryntau:

Gwifren	gwifren 1	gwifren 2	gwifren 3	gwifren 4	gwifren 5
Cerrynt/A	0.6	1.2	2.4	3.0	3.6

(a) Cyfrifwch wrthiant pob gwifren.

(b) Plotiwch graff gyda gwrthiant ar yr echelin lorweddol a cherrynt ar yr echelin fertigol.

(c) Pa newidyn yw'r newidyn mewnbwn?

(ch) Disgrifiwch y berthynas rhwng gwrthiant a cherrynt ar gyfer gwifrau sydd wedi'u cysylltu â'r un cyflenwad pŵer.

Cymharu defnyddiau

11 (a) Defnyddiwch y data yn Atodiad 4 ar dudalen 315 i ddarganfod gwrthiant gwifrau un metr o hyd ac un milimetr mewn diamedr sydd wedi'u gwneud o:

(i) alwminiwm (ii) constantan (iii) copr (iv) haearn (v) plwm.

(b) Lluniwch siart bar i ddangos y wybodaeth hon.

(c) Pam y byddwn bob amser yn defnyddio gwifrau o'r un hyd a diamedr wrth gymharu defnyddiau?

Gweithio gyda graffiau cerrynt-foltedd

Dyma graff ar gyfer lamp 100 W.

Mae gwrthiant y lamp yn cynyddu wrth i'r foltedd gynyddu.

12 (a) Beth sy'n digwydd i'r ffilament i wneud i'w wrthiant gynyddu?

(b) Sut y gallwch ddweud o'r graff bod y gwrthiant wedi newid?

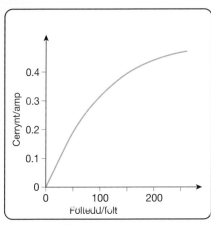

Graff cerrynt–foltedd ar gyfer lamp 100 W.

3.18 Priodweddau ffisegol

Gosod cebl trydan tanddaearol.

Ceblau sy'n dod â thrydan i ni. Rydym ni i gyd eisiau'r trydan rhataf posibl ac rydym ni i gyd am i'r ceblau fod mor anweledig â phosibl. Felly rhaid i Gwmni'r Grid Cenedlaethol benderfynu pa geblau i'w defnyddio a ble – o dan y ddaear neu uwchben y ddaear. Nid yw'r defnyddiau gorau ar gyfer ceblau tanddaearol yr un fath â'r rheiny ar gyfer ceblau uwchben.

Dwysedd

Mae dwysedd metel yn ffactor pwysig wrth ddewis y defnydd gorau ar gyfer ceblau uwchben. Cymhariaeth o fàs a chyfaint sylwedd yw dwysedd. Fel yn achos gwrthiant, byddwn ni'n cymharu trwy rannu:

$$\text{dwysedd} = \frac{\text{màs}}{\text{cyfaint}}$$

Os yw'r metel a ddefnyddir i wneud ceblau yn ddwys iawn, mae'n bosibl y bydden nhw'n ymestyn ac ysigo gormod o dan eu pwysau, oni bai bod y peilonau'n agos iawn at ei gilydd.

O'i gymharu â metelau eraill, mae gan alwminiwm ddwysedd isel. Felly mae'n ddewis da ar gyfer ceblau trydan uwchben.

❶ (a) Ysgrifennwch y fformiwlâu ar gyfer cyfrifo gwrthiant a dwysedd wrth ymyl ei gilydd.

(b) Trafodwch ac ysgrifennwch yr hyn sy'n debyg rhwng y fformiwlâu.

❷ Beth sy'n gwneud i fetel ehangu? Pa effaith y mae ehangiad yn ei chael ar ddwysedd?

Hydrinedd, caledwch a chryfder

Mae **hydrinedd** defnydd yn disgrifio pa mor hawdd y gellir ei guro i unrhyw siâp. Er enghraifft, mae copr yn fetel hydrin. Gall yr haenau o atomau y tu mewn iddo lithro dros ei gilydd, felly gellir newid ei siâp.

Priodwedd arall sydd gan ddefnyddiau yw **caledwch**. Mae diemwnt yn galed iawn. Gall grafu defnyddiau eraill ond mae bron yn amhosibl ei grafu ef.

Rhaid i chi fod yn ofalus wrth ddefnyddio'r gair **cryfder**. Mae ganddo wahanol ystyron gan ddibynnu ar y cyd-destun. Yma mae'n golygu'r gallu i wrthsefyll torri wrth i ddefnydd gael ei ymestyn. Mae hyn yn bwysig iawn yn achos cebl wrth gwrs. Byddai cebl sy'n torri ac yn disgyn o'i beilonau yn beryglus yn ogystal â diwerth. Mae dur a rwber yn ddefnyddiau gweddol gryf. Nid yw gwydr mor gryf.

❸ Beth yw'r canlyniadau os yw cebl yn torri:

(a) uwchben y ddaear (b) o dan y ddaear?

3.18 Priodweddau ffisegol

Dargludedd thermol

Mae thermol yn golygu 'yn ymwneud â gwres'. Mae gan fetelau ddargludedd thermol uchel – gall gwres deithio trwyddynt yn hawdd trwy ddargludiad. Nid yw dargludedd thermol cebl trydan yn bwysig fel rheol.

Rhaid i rai ceblau mewn cymwysiadau arbennig, megis sganwyr ymennydd magnetig, gael eu cadw'n oer. Mae hyn yn golygu bod yn rhaid gosod ynysydd thermol o amgylch y cylchedau. Nid yw ynysydd thermol yn gadael gwres drwodd yn hawdd.

❹ Mae ceblau'n cael eu twymo gan y cerrynt sydd ynddynt. Pam mae'n bwysig PEIDIO ag amgylchynu ceblau tanddaearol â haenau trwchus o ddefnydd sydd â dargludedd thermol isel iawn?

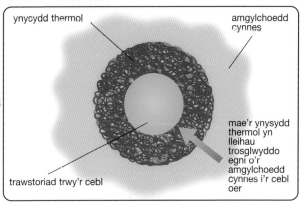

ynysydd thermol

amgylchoedd cynnes

mae'r ynysydd thermol yn lleihau trosglwyddo egni o'r amgylchoedd cynnes i'r cebl oer

trawstoriad trwy'r cebl

Mae rhai ceblau wedi'u hamgylchynu gan ynysydd thermol.

Metelau defnyddiol eraill

Defnyddir stribedi o blwm ar doeon oherwydd y gellir ei siapio i gael sêl ddwrglos.

Defnyddir copr ar gyfer tanciau dŵr a phibellau gan ei fod yn hawdd ei siapio ac yn ddargludydd gwres da iawn.

Defnyddiau cyfansawdd

Mae gan rai ceblau adeiledd **cyfansawdd**. Maen nhw wedi'u gwneud o fwy nag un defnydd. Trwy gyfuno dau ddefnydd i wneud defnydd cyfansawdd, gallwch yn aml fanteisio ar briodweddau'r ddau. Er enghraifft, nid yw concrit sydd wedi'i atgyfnerthu â rhwyll ddur yn cracio fel concrit cyffredin. Nid yw'n frau. Gellir ei wneud yn unrhyw siâp ar y safle adeiladu.

Mae **aloion** fel pres yn ddefnyddiau cyfansawdd hefyd. Cyfuniadau o fetelau y mae eu priodweddau yn wahanol i briodweddau'r metelau unigol yw aloion.

Enghreifftiau eraill o ddefnyddiau cyfansawdd yw pren, gwydr ffibr a haenen lynu.

gw. Polymerau, tud. 214

❺ Chwiliwch y Rhyngrwyd am GRP (plastig wedi'i atgyfnerthu â gwydr).

(a) Eglurwch pam mae'n ddefnydd cyfansawdd.

(b) Pa ddefnyddiau unigol y mae wedi'i wneud ohonynt?

(c) Pa briodweddau defnyddiol sydd gan GRP a sut mae'r rhain i'w gweld yn y ffordd y byddwn ni'n ei ddefnyddio?

3.18 Priodweddau ffisegol

Mae'n bwysig dewis y defnydd gorau ar gyfer ceblau trydan.

gw. Atodiad 4, tud. 315

Dewis y defnydd gorau · GWEITHGAREDD

Cyfrifo dwysedd

6 Copïwch y templed a rhowch eiriau/ffigurau yn lle zzzz i gyfrifo dwysedd dŵr. Mae gan 1 m³ o ddŵr fàs o 1000 kg.

$$dwysedd = \frac{zzzz}{cyfaint}$$

$$dwysedd = \frac{1000}{zzzz}$$

$$= zzzz \ zzzz$$

7 Defnyddiwch yr un templed i gyfrifo dwysedd bloc o goncrit sydd â chyfaint o 2 m³ a màs o 5000 kg.

8 Mae'r bloc o goncrit yr un fath yr holl ffordd drwodd. Beth yw dwysedd darn bach sy'n cael ei dorri i ffwrdd o'r bloc?

Cymharu copr ac alwminiwm

9 (a) Chwiliwch am ddwyseddau copr ac alwminiwm. Nodwch nhw.

(b) Chwiliwch am wrthiannau gwifren gopr a gwifren alwminiwm, y ddwy ohonynt yn un metr o hyd ac un milimetr mewn diamedr. Nodwch nhw.

(c) Lluniwch siartiau bar i ddangos y wybodaeth.

(ch) Defnyddiwch y wybodaeth i egluro pam mae copr yn well ar gyfer ceblau tanddaearol a pham mae alwminiwm yn well ar gyfer ceblau uwchben.

Adeiledd cyfansawdd

Mae gan gebl uwchben adeiledd cyfansawdd. Mae ef wedi'i wneud o geinciau o alwminiwm a dur.

10 (a) Pa briodweddau sydd gan alwminiwm sy'n ei wneud yn ddefnyddiol ar gyfer gwneud ceblau trydan?

(b) Pam nad yw'r ceblau'n cael eu gwneud o alwminiwm yn unig?

(c) Pa briodweddau sydd gan ddur sy'n ei wneud yn ddefnyddiol ar gyfer gwneud ceblau trydan?

(ch) Pam nad yw'r ceblau'n cael eu gwneud o ddur yn unig?

(d) Pam mae'r gwneuthurwr ceblau yn defnyddio ceinciau ar wahân o alwminiwm a dur, yn hytrach na thoddi'r defnyddiau gyda'i gilydd i wneud aloi newydd?

Geiriau allweddol

aloi

caledwch

cryfder

cyfansawdd

hydrinedd

Ffeithiau allweddol

Copïwch a chwblhewch y brawddegau trwy ddewis y gair cywir o'r rhestr o eiriau allweddol.

1 Mae _____ diemwnt yn golygu ei fod bron yn amhosibl ei grafu.

2 Mae _____ copr yn golygu ei fod yn hawdd ei blygu a'i siapio.

3 Mae defnyddiau sy'n cael eu gwneud trwy gyfuno dau wahanol ddefnydd yn cael eu galw'n _____. Mae eu priodweddau yn wahanol i briodweddau'r defnyddiau unigol y maen nhw wedi'u gwneud ohonynt.

4 Mae _____ yn ffordd o ddisgrifio'r gallu i wrthsefyll torri.

5 Mae defnydd cyfansawdd a wneir trwy gymysgu dau neu ragor o fetelau â'i gilydd yn cael ei alw'n _____.

3.18 Priodweddau ffisegol

Cynllunio llinell drawsyrru newydd ASTUDIAETH ACHOS

Pan osododd Cwmni'r Grid Cenedlaethol linell drawsyrru newydd o Lackenby ar Teesside i Shipton yng Ngogledd Swydd Efrog, cafodd tua chwe chilometr o'r cebl ei gladdu o dan y ddaear er mwyn peidio â difetha'r golygfeydd. Dewis drud oedd hwn, ond ni fyddent wedi gallu cael caniatâd cynllunio ar gyfer peilonau a fyddai wedi amharu ar y golygfeydd dros Fryniau Cleveland.

Mae gan y cebl tanddaearol adeiledd haenog. Mae'n defnyddio gwahanol ddefnyddiau. Mae pob defnydd yn cyfrannu ei briodweddau defnyddiol at yr adeiledd cyfansawdd.

⑪ (a) Pam mae'r Grid Cenedlaethol yn defnyddio gwifren drwchus?

(b) Pam nad yw'n defnyddio gwifren fwy trwchus byth?

⑫ Ym mha sefyllfa y mae cryfder y defnydd yn fwyaf pwysig – ar gyfer ceblau tanddaearol neu geblau uwchben?

⑬ Dychmygwch fod yn rhaid i chi gynllunio llinell drawsyrru newydd rhwng eich ardal chi a gorsaf drydan newydd 50 km i ffwrdd.

(a) Estynnwch fap o'ch rhanbarth ac ystyriwch lwybrau posibl ar gyfer y llinell. Pa arweddion (*features*) y mae angen i chi eu hosgoi? Beth yw'r ystyriaethau amgylcheddol?

Mae gosod ceblau o dan y ddaear yn costio llawer mwy na gosod ceblau uwchben.

(b) Pwy fydd yn dymuno adeiladu'r llinell newydd mor rhad â phosibl? Pam?

(c) Pwy fydd eisiau sicrhau bod y llinell newydd yn cael cyn lleied o effaith â phosibl ar yr amgylchedd, beth bynnag y bydd yn ei gostio? Pam?

(ch) Pa lwybr y byddech chi'n ei ddewis? Faint ohono fydd o dan y ddaear? Defnyddiwch gyfrifiadur i gynhyrchu taflen gyda darluniau sy'n egluro eich penderfyniad.

⑭ Mae gan gartonau sudd oren adeiledd haenog, yr un fath â cheblau tanddaearol. Maen nhw wedi'u gwneud o ddefnydd cyfansawdd. Y prif ddefnydd yw cardbord: mae hwn yn rhad, yn ysgafn, yn ddigon cryf i wneud y gwaith, ac yn hyblyg fel ei fod yn hawdd ei blygu. Ar y tu mewn mae haen o boly(ethen) i wneud y carton yn wrth-ddŵr. Mae ffoil alwminiwm rhwng y cardbord a'r poly(ethen) yn rhwystro ocsigen rhag tryledu drwodd ac felly'n helpu i gadw'r ddiod yn ffres.

(a) Tynnwch ddiagram wedi'i labelu o'r haenau o ddefnydd a ddefnyddir i wneud y carton. Dylai eich labeli ddweud pa briodweddau y mae pob defnydd unigol yn eu cyfrannu at y carton.

(b) Eglurwch pam mae'n rhaid i'r tair haen fod yn y drefn gywir.

(c) Cymharwch y carton â chebl tanddaearol. Pa haenau sydd â swyddogaethau tebyg?

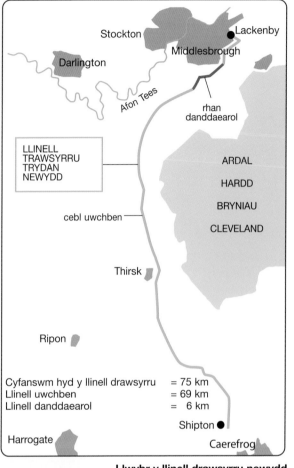

Llwybr y llinell drawsyrru newydd.

Cyfanswm hyd y llinell drawsyrru	= 75 km
Llinell uwchben	= 69 km
Llinell danddaearol	= 6 km

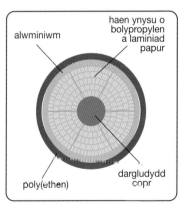

Trawstoriad trwy'r cebl tanddaearol.

Cwestiynau adolygu

1 Mae gan ddiemwnt *adeiledd enfawr* sy'n cynnwys atomau carbon â *bondiau cofalent.*

   (a) Eglurwch ystyr y geiriau 'adeiledd enfawr' a 'bondiau cofalent'. [3]

   (b) Defnyddiwch syniadau am adeileddau enfawr i egluro pam:

   (i) mae diemyntau'n galed iawn; [2]

   (ii) mae gan ddiemyntau ymdoddbwynt uchel iawn. [1]

2 Mae cyflenwr nwyddau crefft yn gwerthu clai ar gyfer gwneud llestri. Mae hi'n gwerthu ei chlai i ysgolion ac i bobl sy'n gwneud eitemau bach fel hobi. Gallant ddewis rhwng clai 'cyffredin' y mae'n rhaid ei danio a chlai 'sychu mewn aer' a fydd yn caledu'n barhaol os yw'n cael ei adael i sychu ar dymheredd ystafell.

Clai ffres (rhaid ei danio)	125 kg	£9.99
Clai 'sychu mewn aer'	1 kg	£4.99

   (a) Gwnewch gyfrifiad i gymharu prisiau'r ddau fath o glai. [2]

   (b) Pa fath o gwsmeriaid a fydd yn prynu'r ddau fath? Eglurwch eich ateb. [2]

   (c) Cynhyrchwch daflen wybodaeth y gall y cyflenwr ei rhoi i'w chwsmeriaid i egluro wrthynt pam mae'n rhaid tanio jygiau a bowlenni sydd wedi'u gwneud o glai cyffredin cyn gallu eu defnyddio. [3]

3 (a) Disgrifiwch sefyllfa ymarferol lle mae gwrthiant gwifren yn effeithio ar gostau gweithredu. [2]

   (b) Copïwch a chwblhewch y templed i gyfrifo gwrthiant gwifren y mae ganddi gerrynt o 4.6 A pan yw'r foltedd yn 230 V:

$$\text{gwrthiant} = \frac{\text{foltedd}}{\text{zzzz}}$$

$$= \frac{\text{zzzz}}{4.6}$$

$$= 50 \text{ zzzz}$$ [3]

4 Mae gwrthiant ffilament lamp yn llawer uwch pan yw'n boeth na phan yw'n oer.

   (a) Pam mae'n rhaid i'r ffilament fod yn boeth iawn er mwyn i'r lamp weithio? [1]

   (b) Brasluniwch graff o foltedd yn erbyn cerrynt, gyda'r newidyn mewnbwn ar yr echelin lorweddol, i ddangos beth sy'n digwydd wrth i'r ffilament boethi. [3]

   (c) Ychwanegwch linell i ddangos sut y byddai'r graff yn edrych pe bai'r gwrthiant yn aros yr un fath. [1]

5 (a) Dyma dabl o fesuriadau ar gyfer rhai samplau o aloi metel a fydd yn cael ei ddefnyddio i wneud beic.

Sampl	1	2	3	4
Màs/g	120	480	1000	3600
Cyfaint/cm³	25	100	208	750
Dwysedd/g cm⁻³				

   Copïwch a chwblhewch y tabl, gan ddefnyddio cyfrifiannell fel y bo angen. Beth sy'n tynnu'ch sylw ynghylch dwyseddau'r samplau? [6]

   (b) Enwch un o briodweddau eraill yr aloi metel, heblaw am ddwysedd, a fydd yn bwysig i ddylunwyr y beic. [1]

4 Egni a dyfeisiau

EGNI

Gweithgareddau ymarferol sy'n gysylltiedig â'r adran hon:

Trosglwyddiadau egni

Ymchwilio i gynhyrchu trydan

Defnyddiwch y canlynol i gadw llygad ar eich cynnydd.

Uned 2

Byddwch chi'n:

- disgrifio manteision a phroblemau gwahanol adnoddau egni (gan gynnwys tanwyddau ffosil, tanwyddau niwclear ac egni adnewyddadwy) gw. tud. 228–33, 238–43

- egluro sut y gellir trosglwyddo egni o system i system a sut mae'n gwasgaru ac yn mynd yn llai defnyddiol gw. tud. 228–33, 252

- cyfrifo effeithlonrwydd prosesau trosglwyddo egni ymarferol gw. tud. 228–33

- gwybod y camau mewn cynhyrchu trydan mewn gorsaf drydan gw. tud. 228–33

- gwybod beth yw priodweddau pelydrau X gw. tud. 234–8

- gwybod beth yw priodweddau pelydriad niwclear, gan gynnwys pelydriad alffa, beta a gama gw. tud. 235–8

- deall y peryglon sy'n gysylltiedig â phelydriad egni uchel gw. tud. 234–8

- cymharu manteision a chostau gwahanol adnoddau egni at sawl gwahanol ddefnydd gw. tud. 238–43, 251

- egluro'r rhesymau economaidd ac amgylcheddol dros gyfyngu ar y defnydd o adnoddau egni a phwysigrwydd dyfeisiau effeithlon iawn gw. tud. 238–43

- sylwi ar, ymchwilio i, a disgrifio prosesau trosglwyddo egni thermol (dargludiad, darfudiad a phelydriad) gw. tud. 248–51

- disgrifio sut y defnyddir cyfnewidwyr gwres gw. tud. 252–6

- ymchwilio i briodweddau dymunol oeryddion, gan gynnwys cynhwysedd gwres gw. tud. 252–6

- defnyddio foltedd a cherrynt i gyfrifo pŵer dyfais drydanol gw. tud. 244–7

- defnyddio cyfraddiad pŵer dyfais i gyfrifo'r egni a ddefnyddir mewn amser penodol gw. tud. 244–7

- cymharu costau gweithredu gwahanol ddyfeisiau gw. tud. 244–7

- gwybod beth sy'n effeithio ar bellter brecio a phellter meddwl wrth stopio car gw. tud. 256–60

- gwybod sut i gyfrifo buanedd a chyflymiad gw. tud. 256–60

- gallu trafod sut mae profion ar geir a gyrwyr yn gwella diogelwch ar y ffyrdd. gw. tud. 256–60

4.1 Tanwyddau a generaduron

Cadw'n gynnes yn Stanhope Street

Fel y gweddill ohonom, mae trigolion stad Stanhope Street yn Newcastle yn hoffi cael cartrefi cynnes a manteision trydan. Daw eu trydan o uned gwres a phŵer ar y cyd (*CHP: Combined Heat and Power*), sef **generadur** bach sy'n rhedeg ar nwy.

Fel yn y gorsafoedd trydan mawr, mae'r generadur yn troi ar fuanedd uchel ac yn cynhyrchu cerrynt trydanol. Y gwahaniaeth yw fod Stanhope Street yn defnyddio'r gwres 'gwastraff' y mae'r nwy poeth a'r generadur yn eu darparu.

Stanhope Street, Newcastle – lle mae effeithlonrwydd yn sicrhau gwres rhatach.

Egni ar gyfer cynhyrchu trydan

Mae'r mwyafrif o orsafoedd trydan mawr yn defnyddio jetiau o ager poeth iawn i droi'r generaduron a chynhyrchu trydan. **Tanwyddau ffosil** – glo, olew a nwy – a thanwydd niwclear yw'r prif adnoddau egni a ddefnyddir gan y mwyafrif ohonynt i wresogi'r dŵr.

Gwirio gair

Mae **generadur** yn cynhyrchu trydan trwy ddefnyddio coil sy'n troi a maes magnetig.

Gwirio gair

Defnyddiau sy'n dod o bethau byw a storiodd egni o olau'r haul amser maith yn ôl yw **tanwyddau ffosil**. Maen nhw wedi'u storio o dan y ddaear, ar ffurf glo, olew neu nwy.

Mae gorsaf drydan gonfensiynol yn defnyddio tanwydd sy'n llosgi mewn boeleri mawr i wresogi dŵr a chreu ager poeth. Mae'r ager yn cael ei chwythu ar lafnau'r **tyrbinau** i wneud i'r generaduron droi.

Gwirio gair

Peiriant sy'n troi wrth i nwy neu hylif daro ei lafnau yw **tyrbin**.

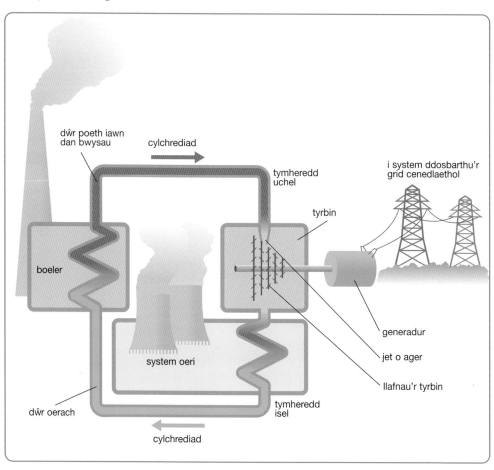

dŵr poeth iawn dan bwysau
cylchrediad
tymheredd uchel
i system ddosbarthu'r grid cenedlaethol
tyrbin
boeler
generadur
jet o ager
llafnau'r tyrbin
system oeri
tymheredd isel
dŵr oerach
cylchrediad

4.1 Tanwyddau a generaduron

Llosgi tanwyddau

Mae tanwyddau ffosil yn llosgi gyda'r ocsigen mewn aer i ryddhau eu hegni. Mae hyn yn cynhyrchu cynhyrchion gwastraff, gan gynnwys carbon deuocsid.

tanwydd ffosil + ocsigen → carbon deuocsid + dŵr

Adwaith cemegol sy'n rhyddhau egni yw hwn.

Rhai problemau sy'n codi wrth losgi tanwyddau yw:

- Nwy tŷ gwydr yw carbon deuocsid. Mae'n cyfrannu at newid yn yr hinsawdd.

- Mae'n anochel y bydd tanwyddau ffosil yn dod i ben yn hwyr neu'n hwyrach. Ar ôl eu cymryd o'r ddaear, maen nhw wedi mynd am byth. Adnoddau egni **anadnewyddadwy** ydynt.

1 Pa broblemau amgylcheddol sy'n codi o losgi tanwyddau ffosil?

2 Beth fydd yn digwydd i bris olew wrth i'r cyflenwadau ddechrau dod i ben?

Lluniadu mewnbynnau ac allbynnau egni

Gallwn lunio diagramau Sankey i'n helpu i gymharu mewnbwn egni system, fel gorsaf drydan, â'r gwahanol ffurfiau ar allbwn egni y mae'n eu darparu. Math o ddiagram llif yw diagram Sankey. Mae lled ochr chwith y diagram yn cynrychioli'r mewnbwn egni. Mae lled y saethau ar yr ochr dde yn cynrychioli cyfrannau'r gwahanol ffurfiau ar allbwn egni.

Mae egni sy'n cael ei drosglwyddo bob amser yn tueddu i wresogi'r amgylchoedd. Mae egni yn lledu i'r amgylchoedd, ond mae'r cynnydd yn nhymheredd yr amgylchoedd yn weddol fach fel rheol. Nid yw'r egni hwn o ddefnydd i ni bellach. Dywedwn fod yr egni wedi'i **afradloni**.

Gwirio gair

Mae egni'n cael ei **afradloni** wrth iddo gael ei drosglwyddo i amgylchoedd systemau; mae'r egni'n gwresogi'r amgylchoedd ac felly nid yw o unrhyw ddefnydd ymarferol i ni bellach.

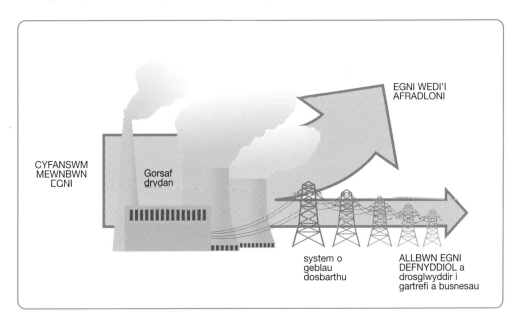

CYFANSWM MEWNBWN EGNI

Gorsaf drydan

EGNI WEDI'I AFRADLONI

system o geblau dosbarthu

ALLBWN EGNI DEFNYDDIOL a drosglwyddir i gartrefi a busnesau

Diagram Sankey ar gyfer gorsaf drydan a system o geblau dosbarthu. Dim ond tua un rhan o dair o'r egni mewnbwn sy'n cael ei drosglwyddo fel allbwn egni defnyddiol.

3 Beth sy'n digwydd i'r holl egni a gymerwch i mewn bob dydd, wedi'i storio yn eich bwyd?

4.1 Tanwyddau a generaduron

Gorsafoedd trydan mawr a bach

Gallai gorsafoedd trydan mawr fod yn fwy effeithlon pe gallem wneud mwy o ddefnydd o'u hegni gwastraff i wresogi cartrefi a gweithleoedd. Ond mae gorsafoedd trydan mawr yn bell o le mae pobl yn byw a gweithio fel rheol. Yn ystod y broses o drosglwyddo egni gwres o'r orsaf drydan i'r mannau lle mae ei angen, mae egni'n cael ei afradloni.

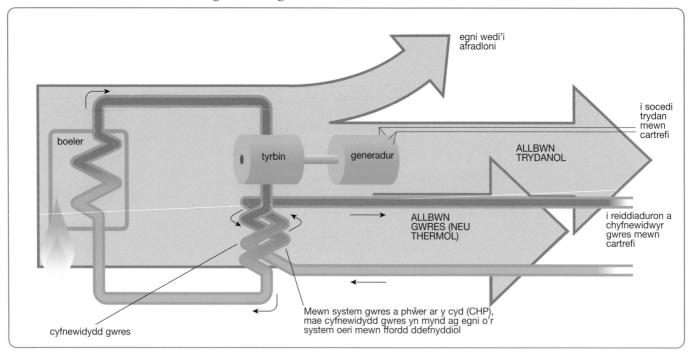

egni wedi'i afradloni

i socedi trydan mewn cartrefi

ALLBWN TRYDANOL

boeler

tyrbin

generadur

ALLBWN GWRES (NEU THERMOL)

i reiddiaduron a chyfnewidwyr gwres mewn cartrefi

Mewn system gwres a phŵer ar y cyd (CHP), mae cyfnewidydd gwres yn mynd ag egni o'r system oeri mewn ffordd ddefnyddiol

cyfnewidydd gwres

Diagram Sankey ar gyfer system gwres a phŵer ar y cyd (CHP).

Gall unedau pŵer bach, fel system Stanhope Street, gael eu gosod lle mae pobl yn byw. Maen nhw'n defnyddio gwres gwastraff.

Mae systemau gwres a phŵer ar y cyd (CHP) fel yr un yn Stanhope Street yn trosglwyddo cyfran fawr o'r egni sydd ar gael mewn ffordd ddefnyddiol. Defnyddiant egni sy'n dod o'r ager wrth iddo oeri. Dydyn nhw ddim yn gadael i'r egni hwn gael ei afradloni. Mewn geiriau eraill, maen nhw'n effeithlon.

Mesur effeithlonrwydd

Mesur yw **effeithlonrwydd**. Mae'n ffordd o gymharu'r egni sy'n cael ei gyflenwi i system, o danwydd er enghraifft, â'r egni defnyddiol a gawn o'r system. Gallwn ei ysgrifennu fel hyn:

$$\text{effeithlonrwydd} = \frac{\text{egni defnyddiol a drosglwyddir gan system}}{\text{cyfanswm yr egni a gyflenwir i'r system}} \times 100\,\%$$

...neu fel hyn:

$$\text{effeithlonrwydd} = \frac{\text{egni allbwn defnyddiol}}{\text{cyfanswm y mewnbwn egni}} \times 100\,\%$$

Pe bai'n bosibl i'r egni defnyddiol a gawn o system fod yr un fath â'r egni a roddwn i mewn iddi, byddem ni i gyd yn hapus iawn. Byddai gennym effeithlonrwydd perffaith o 100 y cant. Byddai ein biliau tanwydd yn llawer is.

4.1 Tanwyddau a generaduron

4 Mae modur trydan yn mynd yn boeth wrth redeg.

(a) Beth sy'n digwydd i'r egni gwres?

(b) A yw'r egni gwres yn ddefnyddiol?

(c) Eglurwch pam mae effeithlonrwydd y modur yn llai na 100 y cant.

5 (a) Beth sy'n darparu'r mewnbwn egni i orsaf drydan fawr?

(b) Ar ba ffurf y mae'r allbwn egni defnyddiol?

(c) Pam mae'r allbwn egni defnyddiol yn llai na'r mewnbwn egni?

6 Gall mewnbwn egni bwlb golau fod yn 100 J bob eiliad. Gall yr allbwn egni ar ffurf golau, yn ystod yr un amser, fod yn 2 J.

(a) A yw'r effeithlonrwydd yn fawr neu'n fach?

(b) Copïwch y templed hwn a rhowch eiriau/ffigurau yn lle zzz i gyfrifo'r effeithlonrwydd:

$$\text{effeithlonrwydd} = \frac{\text{egni allbwn defnyddiol}}{\text{zzz}} \times 100\ \%$$

$$= \frac{2}{\text{zzz}} \times 100\ \%$$

$$= \text{zzz}\ \%$$

Ffeithiau allweddol

Copïwch a chwblhewch y brawddegau trwy ddewis y gair cywir o'r rhestr o eiriau allweddol. Gellir defnyddio pob gair fwy nag unwaith.

1 Gweddillion planhigion ac anifeiliaid a oedd yn byw amser maith yn ôl yw _____ _____. Gallwn ddod o hyd iddynt o dan y ddaear ond mae'r cyflenwadau'n gyfyngedig a byddan nhw'n dod i ben yn hwyr neu'n hwyrach. Maen nhw'n ffynonellau egni _____.

2 Yr adnodd egni ar gyfer y mwyafrif o orsafoedd trydan yw _____ _____. Mae'r tanwyddau'n llosgi i wresogi dŵr. Mae ager poeth yn troi'r _____. Mae'r rhain wedi'u cysylltu â _____ sy'n defnyddio coiliau sy'n troi a meysydd magnetig i greu cerrynt trydan.

3 Mae egni'n lledu o orsaf drydan ac yn cael ei _____ fel nad yw'n ddefnyddiol bellach. Er enghraifft, mae'n cael ei _____ trwy'r tyrau oeri ac mae gwres yn cael ei wastraffu.

4 Mae gorsaf drydan gwres a phŵer ar y cyd (CHP) yn defnyddio'r egni gwastraff hwn i wresogi cartrefi a lleoedd eraill. Mae hyn yn golygu bod gan y system _____ uwch na gorsaf drydan fawr.

Geiriau allweddol

afradloni

anadnewyddadwy

effeithlonrwydd

generaduron

tanwyddau ffosil

tyrbinau

4.1 Tanwyddau a generaduron

Tanwyddau ffosil a gorsafoedd trydan GWEITHGAREDD

Tanwyddau ffosil ar y we

Chwiliwch y Rhyngrwyd am wybodaeth am newid yn yr hinsawdd er mwyn darganfod y cysylltiad rhwng newid yn yr hinsawdd a thanwyddau ffosil. Dewiswch destun a delweddau o safon uchel. Gwnewch yn siŵr eich bod chi'n eu deall. Gwnewch yn siŵr fod y wybodaeth yn ddefnyddiol i chi. Argraffwch y rhain ac ychwanegwch nhw at eich gwaith.

Ychwanegwch nodiadau am:

• bwy a gynhyrchodd y wefan a'i gwybodaeth;

• pam y gwnaethant hyn.

Data am danwyddau ffosil

Trafodwch y data a rhowch eich atebion eich hun i'r cwestiynau isod.

Mae'r siart bar yn dangos pa mor hir y bydd y cronfeydd o danwyddau ffosil sy'n hysbys i ni yn para os byddan nhw'n cael eu defnyddio ar yr un raddfa â heddiw.

Mae'r graff yn dangos y gyfradd cynhyrchu olew rhwng 1930 a 2000.

7 Beth fydd yn digwydd i'r cronfeydd o danwyddau ffosil hysbys os na fyddwn ni'n darganfod adnoddau newydd?

8 Mae cwmnïau egni yn chwilio'r byd am danwyddau ffosil o dan y ddaear. Os byddan nhw'n llwyddo i ddarganfod ffynonellau newydd, pa effaith a gaiff hyn ar yr adnoddau wrth gefn sy'n hysbys i ni?

9 Defnyddiwch y graff i ragfynegi a ydym ni'n debygol o barhau i ddefnyddio tanwyddau ffosil ar y raddfa bresennol?

10 Pa ffactorau a allai wneud i ni ddefnyddio tanwyddau ffosil ar raddfa fwy?

11 Pa ffactorau a allai wneud i ni ddefnyddio tanwyddau ffosil ar raddfa lai?

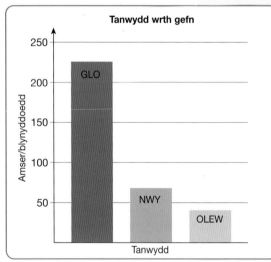

Mae tanwyddau ffosil wrth gefn yn dod i ben.

Effeithlonrwydd gorsafoedd trydan

Wrth losgi tanwydd, mae gorsaf drydan fawr yn rhyddhau 5000 MJ o egni yr eiliad. Mae'n allbynnu tua 2000 MJ o egni trydanol.

12 (a) Ysgrifennwch y fformiwla ar gyfer cyfrifo effeithlonrwydd.

(b) Ysgrifennwch hi eto, ond rhowch y rhifau 5000 a 2000 yn lle'r geiriau.

(c) Gwnewch y cyfrifiad rhannu i ddarganfod effeithlonrwydd yr orsaf drydan ac ysgrifennwch yr ateb.

(ch) Faint o egni gwres sy'n cael ei drosglwyddo o'r orsaf drydan i'w hamgylchoedd bob eiliad?

Cynhyrchiad olew yn ystod yr ugeinfed ganrif.

4.1 Tanwyddau a generaduron

Stanhope Street yn cynhesu ASTUDIAETH ACHOS

Roedd stad Stanhope Street yn 30 mlynedd oed ac roedd y system egni yn y fflatiau'n dod i ddiwedd ei hoes. Roedd gan bob fflat wresogyddion stôr trydan a oedd yn storio gwres dros nos gan ddefnyddio trydan rhad. Roedd y gwresogyddion yn rhyddhau gwres i'r ystafelloedd yn ystod y dydd, ond roedd y trigolion yn gorfod defnyddio gwres ychwanegol yn aml ac roeddent yn cael trafferth talu am hyn.

Felly penderfynodd y North British Housing Association, sy'n berchen ar y stad, gyflwyno system gwres a phŵer ar y cyd (CHP). Gosodwyd uned CHP sy'n rhedeg ar nwy ac sy'n gallu cynhyrchu trydan ar gyfradd o 300 kJ yr eiliad. Mae'r trigolion yn cael eu hegni trydanol o'r uned hon, ac nid gan gwmni trydan allanol. Mae hefyd yn cyflenwi 500 kJ o wres yr eiliad, gan ddefnyddio system o bibellau dŵr poeth. Mae gan bob fflat reiddiaduron y gall y trigolion eu rheoli gyda thermostatau, a chyfnewidwyr gwres i dwymo dŵr. Gwelwyd gostyngiad o 64 y cant yn y galw am egni ar y stad ac mae'r cartrefi bellach yn llawer mwy clyd.

13 A yw system CHP Stanhope Street yn defnyddio tanwydd ffosil neu danwydd arall? A yw'n adnewyddadwy neu'n anadnewyddadwy? Pa nwy a gynhyrchir ganddi sy'n cyfrannu at newid yn yr hinsawdd?

14 (a) Gwnewch restr fer neu dabl i ddangos sut mae system Stanhope Street yn debyg i orsaf drydan fawr.

(b) Ym mha ffordd y mae'n wahanol?

(c) Eglurwch mor llawn ag y gallwch pam mae system gwres a phŵer ar y cyd (CHP) yn fwy effeithlon na gorsaf drydan fawr.

15 (a) Beth yw gwresogydd stôr?

(b) Pam mae'n rhatach na thân trydan cyffredin?

(c) Awgrymwch pam nad oedd trigolion Stanhope Street yn hoffi'r gwresogyddion stôr.

16 Dychmygwch fod gan system Stanhope Street effeithlonrwydd mwyaf o 80 y cant. Lluniwch ddiagram Sankey i ddangos y trosglwyddiadau egni.

17 (a) Dychmygwch eich bod chi'n cynnal ymchwiliad ymarferol i gymharu'r gwres a gollir gan 0.5 kg o ddŵr mewn un cynhwysydd mawr â'r gwres a gollir gan 0.5 kg o ddŵr mewn sawl cynhwysydd bach. Ym mha achos y byddech chi'n disgwyl i'r egni gael ei afradloni gyflymaf?

(b) Beth yw'r cysylltiad rhwng yr ymchwiliad hwn a beth sy'n digwydd mewn gorsafoedd trydan mawr a systemau bach fel yr un yn Stanhope Street?

project profile
COMMUNITY HEATING

ckpa
Combined Heat & Power Association

Newcastle Stanhope Street

CHP and community heating bring total energy to housing association

Due to its poor energy rating, Stanhope Street became a priority estate and, in 1992, the Association decided to refurbish it.

Adding community heating

The Association received funding from the EU THERMIE programme to demonstrate the reductions in both energy costs and carbon dioxide emissions made possible by adopting a total energy approach.

This involved the use of a total energy design originally developed in Denmark and which called for the installation of new low energy windows, extra thermal insulation and new doors to reduce heating demand. The generation and distribution of heat and power on-site could then be optimised by the use of a new community heating system based on combined heat and power (CHP).

Site work began in 1993. The new energy system, designed by consultant Merz Orchard, comprises a gas-fired CHP unit and a condensing boiler to supply a new community heating system. The CHP unit generates 500 kW of heat and 300 kW of electricity.

A 40 cubic metre hot water storage tank allows the CHP unit to run at maximum output during the day to charge the thermal store, avoiding the use of boilers at night. The whole system is controlled by a building energy management system.

The community heating system makes extensive use of pre-insulated polyethylene pipe, both above and below ground, to distribute heat to individual homes with maximum reliability.

- low energy design takes estate close to self-sufficiency in energy
- 64% reduction in energy use on the estate
- £5,500 total cost per dwelling (homes refurbishment and community heating)

Estate profile

The North British Housing Association's Stanhope Street estate comprises 351 rented flats and maisonettes for people on low incomes in the west end of Newcastle-upon-Tyne.

The mainly five-storey estate was built in 1974. Prior to refurbishment, it was found to have a very low home energy rating of 3.8 out of a range of 1 to 10. The buildings had very poor thermal insulation quality with no wall insulation and single glazed windows which were not air-tight. Residents suffered from cold draughts and condensation.

Homes were fitted with electric storage heating systems which were difficult to control, expensive and unpopular. Many residents supplemented the heating with expensive daytime electricity and struggled to meet their heating costs.

As part of its commitment to the environment and to reducing tenant's fuel costs, the Association developed a policy of improving the energy efficiency of its housing stock.

4.2 Edrych y tu mewn i'r corff

Pelydrau X

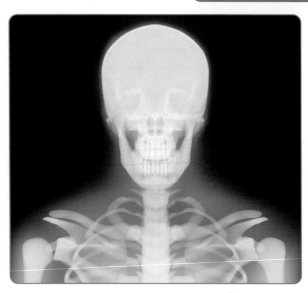

Trwy ddefnyddio pelydrau X, gallwn edrych y tu mewn i'r corff heb ei dorri ar agor.

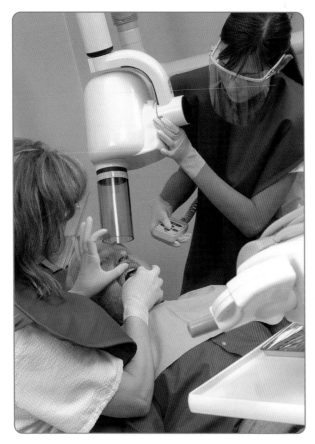

Deintydd yn tynnu llun pelydr X o ddannedd claf.

Pan ydym ni'n sâl, nid yw'r meddygon yn gwybod bob amser beth yn union sy'n bod arnom. Gallent dorri ein cyrff ar agor i ddarganfod beth sy'n mynd ymlaen y tu mewn i ni, ond byddai hwn yn brofiad poenus a pheryglus. Yn ffodus, mae yna ffordd arall – pelydrau X.

Sut mae pelydrau X yn gweithio?

Mae pelydrau X yn mynd trwy feinwe feddal yn llawer haws na thrwy feinwe ddwys fel asgwrn. Mae ffilm ffotograffig yn cael ei rhoi y tu ôl i'r claf ac mae'r pelydrau X sy'n mynd trwy'r claf yn troi'r ffilm yn ddu. Felly, pan gaiff llun pelydr X ei dynnu, fe gawn ni lun lle mae'r holl feinwe ddwys yn wyn a'r holl feinwe feddal yn ddu.

Gall pelydrau X fod yn beryglus

Yn anffodus, mae pelydrau X hefyd yn trosglwyddo llawer o egni. Os bydd gormod o belydrau X yn mynd trwy glaf mewn cyfnod byr gallant wneud niwed mawr i'r corff. Wrth iddynt fynd trwy ein cyrff maen nhw'n achosi niwed trwy fwrw electronau oddi ar atomau. **Ïoneiddio** yw'r enw a roddir ar hyn.

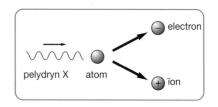

electron

pelydryn X   atom

+ ïon

Ond pan awn ni i'r ysbyty neu at y deintydd i gael llun pelydr X wedi'i dynnu, mae'r radiograffydd yn sicrhau bod cyn lleied o belydrau X â phosibl yn mynd trwy ein cyrff. Hefyd mae'r peiriannau'n hynod o effeithlon a gallant ddefnyddio dosiau isel iawn.

❶ Rhestrwch un o fanteision ac un o anfanteision defnyddio pelydrau X.

❷ Eglurwch pam mae meinwe galed, fel asgwrn, i'w gweld yn wyn ar lun pelydr X.

4.2 Edrych y tu mewn i'r corff

Mae pelydriad ym mhob man o'n cwmpas

O ble mae pelydriad yn dod?

Mae'n bosibl mai dim ond dau neu dri o luniau pelydr X meddygol a gawn ni yn ystod ein hoes, ond rydym ni'n cael ein taro gan **belydriad** cefndir drwy'r amser. Daw'r pelydriad cefndir hwn o lawer o ffynonellau.

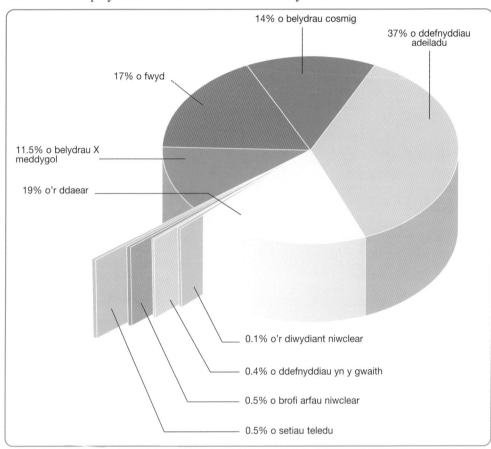

14% o belydrau cosmig

37% o ddefnyddiau adeiladu

17% o fwyd

11.5% o belydrau X meddygol

19% o'r ddaear

0.1% o'r diwydiant niwclear

0.4% o ddefnyddiau yn y gwaith

0.5% o brofi arfau niwclear

0.5% o setiau teledu

Daw pelydriad cefndir o lawer o wahanol ffynonellau.

Ffeithiau diddorol am belydriad cefndir

Mae'r corff dynol yn cael ei daro gan:

- 500 000 o belydrau cosmig o'r gofod bob awr;

- 200 000 000 o belydrau gama o ddefnyddiau adeiladu bob awr.

Yn ffodus, bydd y rhan fwyaf o'r pelydrau hyn yn mynd yn syth trwy ein cyrff heb daro unrhyw atomau a gwneud unrhyw niwed. Hefyd mae celloedd ein cyrff yn dda iawn am atgyweirio unrhyw niwed a achosir gan y pelydrau.

3 Beth yw prif ffynhonnell pelydriad cefndir?

4 Faint yn fwy o belydriad a gawn ni o'r diwydiant niwclear o'i gymharu â'r pelydriad a gawn ni o wylio'r teledu?

5 A ydym ni'n cael mwy o belydriad o'n bwyd neu o belydrau X meddygol?

6 Eglurwch pam na ddylem boeni am yr holl belydriad cefndir a dderbyniwn.

4.2 Edrych y tu mewn i'r corff

Gwahanol fathau o belydriad niwclear

Niwclews atom sy'n cynhyrchu pelydriad niwclear. Mae rhai niwclysau'n ansefydlog ac maen nhw'n rhyddhau pelydriad niwclear wrth iddynt ddadfeilio. Mae'r math o belydriad sy'n cael ei ryddhau ganddynt yn dibynnu ar yr union nifer o wahanol ronynnau yn y niwclews.

Mae niwclews wedi'i ffurfio o ddau fath o ronyn: protonau a niwtronau.

Allwedd
proton
niwtron

Mae tri phrif fath o belydriad niwclear.

Pelydriad alffa α

Mae pelydriad **alffa** wedi'i wneud o ronynnau. Mae pob gronyn yn cynnwys dau niwtron a dau broton. Gan ei fod yn weddol fawr, mae'n dod i stop yn sydyn wrth iddo daro yn erbyn atomau eraill a'u hïoneiddio. Yna mae'n cyfuno â dau o'r electronau ac yn troi'n atom o heliwm. Oherwydd bod dau broton gan y gronynnau alffa, mae ganddynt wefr bositif a byddan nhw'n symud tuag at y negatif mewn maes trydanol.

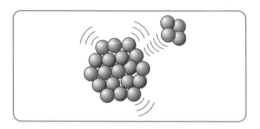

Pelydriad beta β

Gronyn yw pelydriad **beta** hefyd. Y tro hwn mae'n ronyn llawer llai o'r enw electron. Gan ei fod yn llai, mae'n llawer llai tebygol o daro atomau eraill ac felly mae'n teithio'n bellach na phelydriad alffa. Yr un fath â phelydriad alffa, mae electron yn creu ïonau wrth daro niwclews.

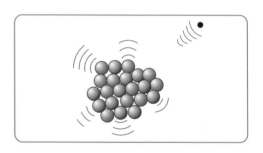

Mae gan ronynnau beta wefr negatif a byddant felly'n symud tuag at y positif mewn maes trydanol.

Pelydriad gama γ

Nid yw pelydriad **gama** wedi'i wneud o ronynnau o gwbl. Ton electromagnetig ydyw. Nid oes ganddo wefr a gall fynd yn syth trwy lawer o ddefnyddiau. Gall achosi niwed mawr yn ddwfn yn y corff.

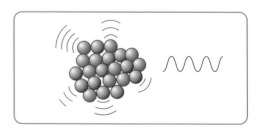

7 Eglurwch pam nad yw pelydriad alffa yn teithio'n bell iawn.

8 Eglurwch pam y gall pelydriad gama fynd yn syth trwy lawer o ddefnyddiau.

4.2 Edrych y tu mewn i'r corff

Radiograffydd

Mae radiograffwyr yn gweithio yn adrannau pelydr X ysbytai. Eu gwaith yw tynnu lluniau pelydr X o gleifion.

Gan fod radiograffwyr yn tynnu llawer o luniau pelydr X bob dydd, mae'n bwysig sicrhau nad yw gormod o belydrau X yn taro eu cyrff. Wrth gymryd y llun, mae'r radiograffydd yn sefyll y tu ôl i sgrin o wydr plwm a fydd yn atal unrhyw belydrau X rhag mynd drwodd.

Hefyd mae'r radiograffydd yn gwisgo bathodyn sy'n dangos a yw unrhyw belydrau X wedi dod drwodd ac yn ei rhybuddio os bydd hi'n derbyn dos rhy fawr o belydrau X.

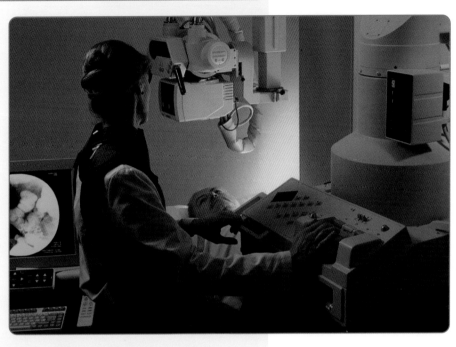

Bathodynnau pelydriad

Rydym ni'n defnyddio bathodyn pelydriad syml i ganfod gwahanol fathau o belydriad. Cas plastig ydyw sy'n cynnwys darn o ffilm ffotograffig. Mae rhannau gwahanol o'r ffilm wedi'u gorchuddio â haenau o bapur du, ffoil alwminiwm a llen blwm. Bydd papur du yn atal y mwyafrif o ronynnau alffa. Bydd ffoil alwminiwm yn atal y mwyafrif o ronynnau beta. Bydd llen blwm yn atal y mwyafrif o belydrau gama.

Pan gaiff y ffilm ei datblygu, mae'n dangos faint o belydriad y mae'r sawl a oedd yn gwisgo'r bathodyn wedi'i dderbyn.

9 Pa un o'r defnyddiau o flaen y ffilm a fydd yn gadael pelydrau X, gronynnau beta a phelydrau gama drwodd?

10 Os yw pelydrau X yn cyrraedd y radiograffydd, pa ran o'r ffilm ffotograffig a fydd yn troi'r lliw tywyllaf?

Ffeithiau allweddol

Copïwch a chwblhewch y brawddegau trwy ddewis y gair cywir o'r rhestr o eiriau allweddol.

1 Gellir defnyddio _____ i weld beth sy'n mynd ymlaen y tu mewn i'r corff.

2 Mathau o _____ niwclear yw alffa, beta a gama.

3 Yn wahanol i belydriad alffa a beta, nid yw pelydriad _____ yn cynnwys gronynnau.

4 Mae gronynnau _____ yn cynnwys dau broton a dau niwtron.

5 Mae gronynnau _____ yn cynnwys electron.

Geiriau allweddol

alffa

beta

gama

pelydrau X

pelydriad

4.3 Egni niwclear ac adnewyddadwy

Myfyrwyr yn achub y blaned

Bydd tanwyddau ffosil yn dod i ben rywbryd. Mae myfyrwyr amaeth yng Ngholeg Park Lane yn Swydd Efrog yn edrych i'r dyfodol trwy arbrofi gydag adnoddau egni adnewyddadwy.

Pam mae angen ffynonellau egni ar wahân i danwyddau ffosil arnom?

- Mae llosgi tanwyddau ffosil yn rhyddhau carbon deuocsid (CO_2) i'r atmosffer. Mae hyn yn newid cydbwysedd yr atmosffer dros y byd i gyd ('cynhesu byd-eang'). Dydym ni ddim yn gwybod faint y bydd hyn yn effeithio ar yr hinsawdd.

- Mae llosgi tanwyddau ffosil yn cynhyrchu mathau eraill o lygredd, megis sylffwr deuocsid, sy'n achosi glaw asid.

- Mae tanwyddau ffosil yn anadnewyddadwy.

- Mae'n beryglus dibynnu ar un adnodd egni yn unig. Er enghraifft, os bydd yna ryfel neu broblemau gyda masnach ryngwladol, gall fod yn fwy anodd mewnforio olew a glo.

Yr ateb niwclear

Mae tanwydd niwclear, wraniwm, i'w gael o dan y ddaear. Adnodd anadnewyddadwy yw hwn hefyd. Metel yw wraniwm. Mae gan ei atomau niwclysau mawr iawn a gellir gwneud i rai ohonynt dorri'n ddau niwclews llai. **Ymholltiad** yw'r enw a roddir ar hollti niwclews. Mae'n rhyddhau egni.

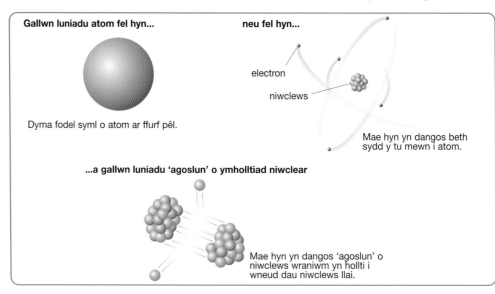

Ymholltiad niwclear.

① Mae myfyriwr yn ysgrifennu, 'Un rhan fach yn unig o atom yw niwclews.' Trafodwch hyn. A ydych chi'n cytuno â'r myfyriwr? Beth yw'r rhannau eraill o atom?

4.3 Egni niwclear ac adnewyddadwy

Problemau ymbelydrol

Mewn gorsaf niwclear, mae niwclysau wraniwm yn ymhollti'n niwclysau llai o sylweddau eraill. Mae'r niwclysau newydd hyn bron bob amser yn ansefydlog. Hynny yw, gall pob niwclews newid yn sydyn. Pan fydd yn gwneud hynny, bydd yn allyrru (rhyddhau) pelydriad. Dywedwn fod y sylweddau newydd a'u niwclysau yn **ymbelydrol**.

Gallwn ganfod ymbelydredd y sylweddau hyn gan fod eu pelydriad yn **ïoneiddio**'r defnydd y mae'n teithio drwyddo.

Gwirio gair

Mae **ïoneiddio** trwy belydriad yn digwydd pan yw'r pelydriad yn bwrw electron allan o atom. Daw'r atom yn ïon ac mae ganddo wefr drydanol.

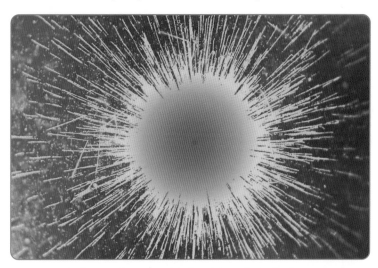

Gellir defnyddio ffilm ffotograffig i ganfod pelydriad ïoneiddio. Mae'r llinellau melyn yn dangos llwybrau'r pelydriad sy'n cael eu hallyrru gan ddarn bach o halwyn ymbelydrol. Mae'r pelydriad yn ïoneiddio atomau yn yr emwlsiwn ffotograffig.

Mae gan bob un ohonom ddefnydd ymbelydrol naturiol yn ein cyrff ac o'n cwmpas. Mae ïoneiddio yn digwydd yn eich corff drwy'r adeg, ond gall fod yn niweidiol i'r adweithiau cemegol yng nghelloedd eich corff. Po fwyaf dwys yw'r pelydriad ïoneiddio, mwyaf i gyd o niwed y gall ei wneud i'ch corff. Felly mae'n bwysig i ni ei osgoi pryd bynnag y gallwn.

2 Dychmygwch fod yn rhaid i chi roi sgwrs i fyfyrwyr Blwyddyn 7 ar bŵer niwclear a phelydriad. Y peth cyntaf i'w wneud efallai yw egluro'r gwahaniaeth rhwng ymholltiad niwclear ac ymbelydredd. Mewn grŵp, penderfynwch pa bwyntiau y mae angen i chi eu cyflwyno i roi esboniad addas.

Gwastraff niwclear lefel uchel

Gwastraff niwclear lefel uchel yw'r sylweddau sy'n cael eu gwneud mewn gorsafoedd trydan trwy ymholltiad wraniwm. Mae'r defnydd gwastraff ymbelydrol hwn yn boeth. Rhaid ei storio mewn pyllau oeri mawr hyd nes i'r egni gael ei atradloni. Mae arddwysedd y pelydriad o'r gwastraff yn lleihau'n araf iawn. Ar ôl nifer o flynyddoedd nid oes angen ei storio dan ddŵr. Ond nid dyma ddiwedd y broblem.

Mae'r gwastraff yn allyrru pelydriad sy'n niweidiol i bethau byw am filoedd lawer o flynyddoedd. Un ateb posibl fyddai rhoi'r gwastraff mewn blociau gwydr fel na all gael ei olchi i ffwrdd a chladdu'r blociau gwydr yn ddwfn o dan y ddaear. Ond hyd yma nid oes neb wedi penderfynu beth i'w wneud ag ef. Mae'n eistedd yn y storfeydd, yn aros am ateb.

3 Gwnewch restr neu dabl o broblemau defnyddio tanwyddau ffosil a phroblemau defnyddio tanwydd niwclear. Pa un sy'n peri'r problemau mwyaf yn eich barn chi?

4.3 Egni niwclear ac adnewyddadwy

Fferm wynt.

Mathau o egni adnewyddadwy

Nid yw adnoddau egni **adnewyddadwy** yn cynhyrchu carbon deuocsid na gwastraff ymbelydrol. Fyddan nhw byth yn dod i ben. Ond a oes problemau'n gysylltiedig â nhw?

Gwynt

Gwres yr haul sy'n creu'r rhan fwyaf o adnoddau egni adnewyddadwy. Mae'n achosi gwahaniaethau mewn tymheredd a gwasgedd aer yn yr atmosffer sy'n gwneud i wyntoedd chwythu. Gall gwynt droi tyrbin sydd yn ei dro yn troi generadur i gynhyrchu trydan.

Mae'r pŵer a gynhyrchir gan dyrbinau gwynt yn dibynnu ar ba mor gryf yw'r gwynt, felly dydyn nhw ddim yn darparu cyflenwad egni di-dor. Mae gan un generadur gwynt allbwn pŵer gweddol isel – tua 20 kW fel rheol. I greu adnodd egni mwy, caiff llawer ohonynt eu codi ar yr un safle. 'Ffermydd gwynt' yw'r rhain. Nid yw rhai pobl yn hoffi ffermydd gwynt gan eu bod yn gallu difetha cefn gwlad ac achosi 'llygredd sŵn'.

Tonnau

Wrth i'r gwynt chwythu dros y môr mae'n creu tonnau a all deithio am bellter mawr. Mae tonnau'n cario egni a gellir defnyddio'r egni hwn i droi tyrbinau.

Mae'r tywydd ar y môr yn amrywio cryn dipyn. Os bydd y môr yn llonydd, ni all generaduron tonnau gynhyrchu llawer o bŵer trydanol. Os bydd yn stormus, gall y generaduron gael eu dinistrio.

Cynlluniau trydan dŵr

Mae egni'r haul yn anweddu dŵr. Yna mae'r dŵr yn disgyn fel glaw dros y tir cyn iddo lifo i lawr yn ôl i'r môr. Gallwn osod argaeau ar draws afonydd i greu egni trydan dŵr. Mae dŵr sy'n llifo o lefel uwch i lefel is o fewn yr argae yn troi'r tyrbinau.

Gall gorsaf drydan dŵr ddarparu cyflenwad trydan cyson. Gall systemau mawr gynhyrchu llawer o drydan, ond maen nhw'n ddrud eu hadeiladu ac mae'r llynnoedd newydd y tu ôl i'r argaeau yn boddi dyffrynnoedd mawr. Rhaid i bobl adael eu cartrefi, a gall cynefinoedd planhigion ac anifeiliaid gael eu dinistrio.

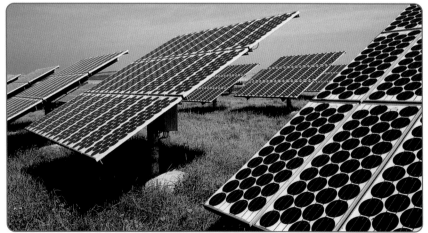

Defnyddir y rhesi hyn o baneli solar i gynhyrchu trydan.

Solar

Mae golau uniongyrchol yr haul yn creu foltedd mewn paneli solar. Gall batrïau storio'r egni. Mae paneli solar bach yn gludadwy, ac felly maen nhw'n ddefnyddiol lle nad oes cysylltiad â phrif gyflenwad trydan.

Mae paneli solar yn weddol ddrud, ond maen nhw'n mynd yn rhatach ac yn cael eu defnyddio fwyfwy. Maen nhw'n gweithio orau lle mae digonedd o haul, felly dydyn nhw ddim mor ddefnyddiol yn y DU. Ac, wrth gwrs, dydyn nhw ddim yn gweithio yn y nos.

4.3 Egni niwclear ac adnewyddadwy

Biomas

Os caiff coed eu hailblannu i gymryd lle coed a gaiff eu torri i lawr, yna mae coed yn adnodd egni adnewyddadwy. Mae'r coed newydd, wrth dyfu, yn cipio cymaint o garbon deuocsid o'r aer ag sy'n cael ei ryddhau wrth losgi'r coed. Adnoddau egni biomas yw'r enw a roddir ar adnoddau egni sy'n dod o bethau byw.

Mewn llawer rhan o'r byd lle mae'r boblogaeth yn cynyddu, mae coedwigoedd wedi cael eu torri i lawr heb blannu rhai newydd. O ganlyniad, mae'r adnodd egni hwn yn llai nag yr arferai fod.

Llanw

Y bared llanw ar draws moryd Rance yn Ffrainc. Mae dŵr sy'n llifo drwy'r 24 tyrbin yn y bared yn cynhyrchu digon o drydan ar gyfer 300 000 o gartrefi.

Disgyrchiant, nid gwres yr haul, sy'n cynhyrchu egni llanw. Mae disgyrchiant y lleuad yn ddigon cryf i dynnu ar ddyfroedd y Ddaear a chreu lefel dŵr uwch mewn rhai mannau nag mewn mannau eraill.

Gellir codi baredau llanw ar draws morydau. Gallant gynhyrchu llawer iawn o drydan, ond dim ond am tua 12 awr y dydd pan fydd y llanw'n codi neu'n disgyn yn ddigon cyflym. Mae'r baredau hyn yn cael effaith fawr ar yr arfordir, gan newid neu hyd yn oed dinistrio cynefinoedd llawer o blanhigion ac anifeiliaid.

4 Pa adnoddau egni sy'n dibynnu ar amodau'r tywydd o ddydd i ddydd?

5 Pam nad ydym ni'n gwneud mwy o ddefnydd o'r adnoddau egni canlynol:

   (a)   tonnau?

   (b)   solar?

   (c)   llanw?

4.3 Egni niwclear ac adnewyddadwy

Penderfyniadau egni — **GWEITHGAREDD**

Gwybodaeth am egni niwclear

Edrychwch ar wefan yr NDA (Awdurdod Datgomisiynu Cenedlaethol). Beth yw gwaith yr NDA? Pwy sy'n ei dalu? Beth y mae'n ei wneud ynghylch gwastraff niwclear lefel uchel?

Asesu adnoddau egni adnewyddadwy

Gallech weithio mewn parau i rannu'r gwaith a chynhyrchu canlyniadau o safon uchel.

Defnyddiwch wybodaeth o wefannau ac o'r adran hon. Defnyddiwch dudalen lawn, neu ddalen A3, i wneud tabl fel yr un isod a llenwi'r wybodaeth goll. Cynhwyswch ddarluniau.

Adnodd adnewyddadwy	Dibynadwyedd	Effeithiau amgylcheddol
Gwynt	Gwael – cyfradd gynhyrchu yn dibynnu ar gryfder y gwynt	Isel, ond mae llawer o bobl yn meddwl bod y generaduron yn difetha golygfeydd prydferth. Gellir eu gosod yn y môr lle nad yw hyn yn gymaint o broblem.
Tonnau		
Trydan dŵr		
Solar		
Biomas		
Llanw		

Chwiliwch y we yn Gymraeg ac yn Saesneg am wybodaeth am egni gwynt, egni tonnau, trydan dŵr, egni solar, biomas ac egni llanw.

Cyflwynwch eich safbwyntiau

Mewn grwpiau bach neu fel dosbarth, trafodwch y canlynol:

• A ddylai olew a phetrol fod yn rhatach fel y mae llawer o bobl yn mynnu? Neu a ddylem leihau ein defnydd o danwyddau ffosil cymaint ag y bo modd?

• A allem ymdopi gyda llai o egni? Neu a ddylem ddefnyddio ffynonellau adnewyddadwy yn lle'r adnoddau egni presennol?

• Beth y mae'r gwleidyddion yn ei ddweud? Beth y mae pobl fusnes yn ei ddweud? Beth yw eich barn bersonol chi?

Crëwch boster mawr i hybu eich safbwynt am bolisi egni yn y dyfodol.

4.3 Egni niwclear ac adnewyddadwy

Dysgu am egni adnewyddadwy ASTUDIAETH ACHOS

Mae staff a myfyrwyr yng Ngholeg Park Lane yn Leeds wedi gosod eu tyrbin gwynt 2.5 kW eu hunain. Mae'r myfyrwyr yn dysgu am bynciau'n amrywio o Arddwriaeth i Astudiaethau Amgylcheddol. Maen nhw'n defnyddio cyfrifiaduron i fonitro allbwn y tyrbin. Defnyddir y trydan a gynhyrchir i wresogi'r tai gwydr ac adeiladau eraill. Os oes ganddynt egni dros ben, mae'n cael ei werthu i'r cwmni trydan lleol.

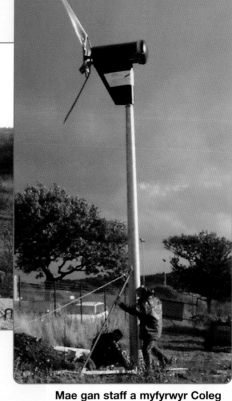

Mae gan staff a myfyrwyr Coleg Park Lane eu generadur gwynt eu hunain. Gallant ei ddefnyddio i gael profiad uniongyrchol o weithio gydag egni adnewyddadwy.

6 Sut y gallai eich ysgol chi wneud mwy o ddefnydd o adnoddau egni adnewyddadwy?

7 Lluniwch restr o ffeithiau ar ffurf pwyntiau bwled i'w chyflwyno i'ch prifathro neu brifathrawes i geisio ei berswadio/pherswadio i wneud mwy o ddefnydd o adnoddau egni adnewyddadwy.

8 Pa wrthwynebiadau y byddech chi'n disgwyl i'ch pennaeth eu gwneud i'ch syniadau?

Ffeithiau allweddol

Copïwch a chwblhewch y brawddegau trwy ddewis y gair cywir o'r rhestr o eiriau allweddol. Gellir defnyddio pob gair fwy nag unwaith.

1 Adnoddau egni _____ yw'r gwynt, tonnau, trydan dŵr, pŵer llanw a phŵer solar.

2 Mae egni niwclear yn defnyddio wraniwm ac mae'n anadnewyddadwy. Mewn _____ mae niwclews, megis niwclews wraniwm, yn cael ei hollti i ryddhau egni.

3 Mae _____ niwclews yn creu dau niwclews llai. Maen nhw'n _____ fel rheol.

4 Mae pelydriad o sylweddau ymbelydrol yn _____ pob math o ddefnydd arall, gan gynnwys y corff dynol.

5 Mae hen danwydd niwclear yn cynnwys peth wraniwm o hyd. Mae hefyd yn cynnwys y sylweddau ymbelydrol sydd wedi cael eu gwneud drwy _____ yr wraniwm. Hyd yma, nid oes neb wedi datrys y broblem o beth i'w wneud â'r _____ _____ _____ _____ hwn.

Geiriau allweddol

adnewyddadwy

gwastraff niwclear lefel uchel

ïoneiddio

ymbelydrol

ymholltiad

4.4 Pŵer goleuo

Gweithio gyda golau

Pan benderfynodd rheolwyr Canolfan Gerfluniau Thorndale wella'r oriel, un o'r bobl gyntaf iddynt siarad â hi oedd Jenni Phillips. Rhaid i beirianwyr goleuo fel Jenni gyfuno celf gyda gwyddoniaeth a darbodaeth a gwneud y dewisiadau iawn.

Effeithlonrwydd a dewis y lamp orau

Mae lampau ffilament yn darparu llawer mwy o wres nag o olau. Gallant hyd yn oed achosi tân yn y math o waith y mae Jenni'n ei wneud. Maen nhw'n gwastraffu llawer o egni, ac mae ganddynt effeithlonrwydd isel iawn – tua 2 y cant yn unig.

Ar gyfer pob **joule** (J) o egni mewnbwn o'r cyflenwad trydan, mae lamp ffilament yn trosglwyddo 0.98 J ar ffurf gwres a dim ond 0.02 J ar ffurf golau.

Dydy lampau fflwroleuol ddim yn mynd mor boeth â lampau ffilament. Mae ganddynt effeithlonrwydd uwch – tua 20 y cant. Ar gyfer pob joule o egni mewnbwn, trosglwyddant 0.20 J ar ffurf golau. Maen nhw'n ddewis gwell i bobl sydd eisiau osgoi gwres diangen ac arbed arian, er bod y lampau unigol yn fwy costus.

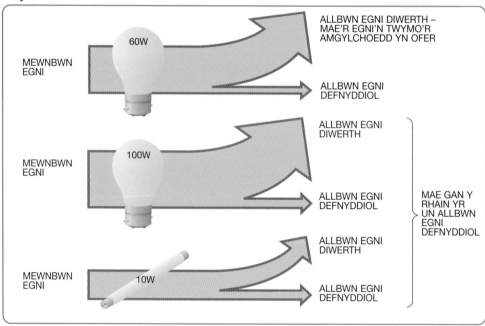

Diagramau Sankey ar gyfer dwy lamp ffilament a lamp fflwroleuol.

① Beth sy'n gwneud lampau ffilament yn aneffeithlon iawn?

② Defnyddiwch y data uchod i greu tabl sy'n cymharu perfformiad lampau ffilament a lampau fflwroleuol.

③ Defnyddiwch y diagramau Sankey i ddangos:

    (a)   pa lamp sy'n lleiaf disglair;

    (b)   pa lamp sy'n gwastraffu egni gyflymaf;

    (c)   pa lamp sy'n fwyaf effeithlon.

Mae lamp 'hir oes' fflwroleuol yn fwy effeithlon na lamp ffilament.

4.4 Pŵer goleuo

Pŵer

Mae lamp ffilament 100 **wat** yn fwy disglair na lamp ffilament 60 wat gan ei bod yn trosglwyddo egni'n gyflymach. Mae ganddi **bŵer** uwch.

wat a chilowat

Os yw pŵer yn fwy na 1000 o watiau, mae fel rheol yn haws ei fesur mewn cilowatiau. Mae cilowat yn 1000 o watiau. Os defnyddiwn W ar gyfer wat a kW ar gyfer cilowat, yna:

$$1000\,W = 1\,kW$$
$$1500\,W = 1.5\,kW$$

ac yn y blaen.

4 Copïwch y rhain a llenwch y bylchau:

$$1\,kW \quad = \quad \underline{\qquad}\ W$$
$$2.5\,kW \quad = \quad \underline{\qquad}\ W$$

Cyfrifiadau pŵer

Mae fformiwla ar gyfer defnyddio cerrynt a foltedd i gyfrifo pŵer:

pŵer = foltedd × cerrynt
(wat)   (folt)   (amper)

Os yw cerrynt mewn amperau (A) a foltedd mewn foltiau (V), yna bydd y pŵer mewn watiau (W). Mae'r unedau hyn i gyd yn rhan o'r system ryngwladol.

Mae gan y cyflenwad trydan yn eich cartref foltedd o 230 V. Ond nid yw pob dyfais yn y tŷ yn defnyddio'r un cerrynt. Mae gan degell bŵer uchel a cherrynt uchel. Cerrynt bach yn unig sy'n mynd drwy lamp 60 W.

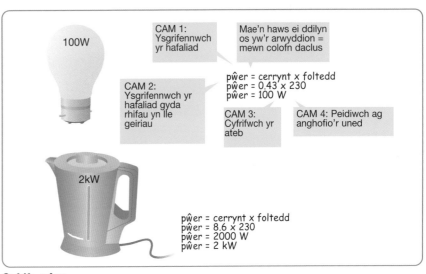

CAM 1: Ysgrifennwch yr hafaliad

Mae'n haws ei ddilyn os yw'r arwyddion = mewn colofn daclus

CAM 2: Ysgrifennwch yr hafaliad gyda rhifau yn lle geiriau

pŵer = cerrynt × foltedd
pŵer = 0.43 × 230
pŵer = 100 W

CAM 3: Cyfrifwch yr ateb

CAM 4: Peidiwch ag anghofio'r uned

pŵer = cerrynt × foltedd
pŵer = 8.6 × 230
pŵer = 2000 W
pŵer = 2 kW

Cyfrifo pŵer.

Cyfrif y costau

Mae cwmnïau trydan yn codi arnom am yr egni yr ydym ni'n ei drosglwyddo. Ni allant ddefnyddio'r joule yn uned egni gan fod un joule yn swm bach iawn o egni. Gallent ddefnyddio'r megajoule, ond yn lle hynny maen nhw'n defnyddio eu huned eu hunain, y **cilowat awr**, gan ei bod hil'n haws gweithio gyda hon.

Mae swm yr egni a drosglwyddir gan ddyfais yn dibynnu ar ei phŵer ac am ba hyd y mae'n cael ei defnyddio. Gallwn gyfrifo'r egni trwy luosi:

egni a drosglwyddir = pŵer × amser
(cilowat awr; kWawr)   (cilowat, kW)   (awr)

5 Faint o egni a fydd yn cael ei drosglwyddo gan:

(a) dyfais 2 kW mewn un awr?

(b) dyfais 1 kW mewn dwy awr?

(c) dyfais 2 kW mewn dwy awr?

4.4 Pŵer goleuo

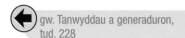
gw. Tanwyddau a generaduron, tud. 228

Cost goleuo   GWEITHGAREDD

Effeithlonrwydd gwahanol lampau

Mae lamp fflwroleuol 10 W yr un mor ddisglair â lamp ffilament 100 W. Mae'n gwastraffu llai o egni. Mae'n fwy effeithlon.

6 Lluniwch dabl i drefnu'r unedau isod yn unedau egni ac unedau pŵer:

joule   wat   cilowat   cilowat awr

7 Beth yw'r gwahaniaeth rhwng egni a phŵer? [Awgrym: Edrychwch ar y blwch **Gwirio gair** ar gyfer pŵer ar dudalen 245.]

8 Mae 10 W yr un fath â 10 J yr eiliad (J s⁻¹). Beth yw 100 W mewn J s⁻¹?

8 Mae 10 W yr un fath â 10 J yr eiliad ($J\,s^{-1}$). Beth yw 100 W mewn $J\,s^{-1}$?

9 Mae'r lamp fflwroleuol yn darparu 10 J o olau ar gyfer pob 50 J o egni sy'n cael ei fewnbynnu o'r cyflenwad trydan. Rhowch eiriau/ffigurau yn lle zzz i gyfrifo effeithlonrwydd y lamp.

$$\text{effeithlonrwydd} = \frac{\text{egni allbwn defnyddiol}}{\text{zzz}} \times 100$$

$$= \frac{\text{zzz}}{50} \times 100$$

$$= \text{zzz } \%$$

Cyfrifiadau cost

Mae un cilowat awr o egni trydanol yn costio 8 ceiniog. I gyfrifo'r gost wirioneddol, lluoswch y pris hwn â nifer y cilowat oriau a ddefnyddiwyd:

cost   =   egni mewn cilowat oriau × 8c

10 Defnyddiwch y data yn y diagram ar dudalen 245 i gyfrifo:

(a) yr egni y mae'r tegell yn ei drosglwyddo mewn

(i) un awr   (ii) 6 munud (0.1 awr)   (iii) 10 awr mewn wythnos

(Defnyddiwch egni mewn cilowat oriau = pŵer mewn cilowatiau × amser mewn oriau.)

(b) cost rhedeg y tegell am:

(i) un awr   (ii) 6 munud (0.1 awr)   (iii) 10 awr mewn wythnos

(c) Gwnewch y cyfrifiadau hyn ar gyfer y lamp.

4.4 Pŵer goleuo

Goleuo'r oriel

'Rydw i'n hoffi siarad,' medd Jenni Phillips, 'a pheth da ydy hynny gan fod pob job yn dechrau a gorffen gyda thrafodaeth gyda'r cleient. Ac mae pob job yn wahanol.'

Peiriannydd goleuo yw Jenni sy'n gweithio mewn orielau, amgueddfeydd a chanolfannau ymwelwyr. Mae disgwyliadau ei chleientiaid yn uchel iawn a rhaid i Jenni feddwl am lawer o bethau i gyd ar unwaith.

'Y peth pwysicaf yw sicrhau bod pob arddangosiad yn cyd-fynd â'r lleill, fel bod popeth mewn cytgord,' medd Jenni. 'Yna mae'n rhaid gosod y goleuadau yn y man arddangos fel eu bod yn goleuo'r gwrthrychau heb dynnu sylw. Ac mae yna gwestiynau technegol. Gall lampau ffilament gynhyrchu gormod o wres ac effeithio ar liwiau. Maen nhw'n rhad eu prynu ond yn ddrud eu rhedeg. Y rheswm am hyn yw eu bod yn aneffeithlon iawn. Mae rheolwyr orielau bob amser o dan bwysau i arbed arian, felly nid yw'n anodd eu perswadio bod lampau fflwroleuol yn well. Maen nhw ar gael mewn gwahanol feintiau a siapiau hefyd.'

⓫ Defnyddiwch y testun i roi DAU reswm pam mae effeithlonrwydd lamp yn bwysig yng ngwaith Jenni.

⓬ Pa ffactorau eraill sy'n bwysig iawn wrth ddewis lampau?

⓭ Mae gan y goleuadau yn oriel Thorndale gyfanswm mewnbwn pŵer o 4000 W.

(a) Sawl joule o egni trydanol y mae'r system yn ei drosglwyddo bob eiliad?
[Cofiwch: mae 1 W yr un fath ag 1 J s⁻¹.]

(b) Beth yw'r cyfanswm mewnbwn pŵer mewn cilowatiau?

(c) Sawl cilowat awr o egni trydanol y mae'r system yn ei throsglwyddo bob awr?
[Cofiwch, egni mewn cilowat oriau = pŵer mewn cilowatiau × amser mewn oriau.]

(ch) Beth yw cost rhedeg y system am un awr os yw'r egni'n costio 8c y cilowat awr?

(d) Beth yw cost rhedeg y system am un wythnos os yw'r oriel ar agor am 80 awr?

Ffeithiau allweddol

Copïwch a chwblhewch y brawddegau trwy ddewis y gair cywir o'r rhestr o eiriau allweddol.

1 Unedau egni yw'r _____ a'r cilowat awr.

2 Y _____ _____ yw'r swm o egni y mae dyfais 1 kW yn ei drosglwyddo mewn un awr.

3 Uned pŵer yw'r _____.

4 I gyfrifo faint o egni a drosglwyddir gan ddyfais, rydym ni'n lluosi ei _____ mewn cilowatiau â'r amser mewn oriau.

Geiriau allweddol

cilowat awr

joule

pŵer

wat

4.5 Gwresogi er mwyn elw

Tatws poeth

Ffyrnau tatws King Edward.

Mae ffyrnau tatws King Edward yn temtio pobl i brynu tatws sy'n barod i'w bwyta, ac mae ganddynt ddyluniad effeithlon.

Mae'r ffyrnau wedi cael eu dylunio fel unedau annibynnol i'w gosod mewn siopau bwyd mawr a bach, ac maen nhw'n plygio i mewn i soced trydan safonol. Gallai'r dylunwyr fod wedi penderfynu defnyddio nwy. Ond nid oes gan lawer o leoedd gysylltiad â phrif gyflenwad nwy, ac mae poteli nwy yn fawr a thrwm eu cludo.

Gwirio gair ✓

Mae **pelydriad thermol** yn trosglwyddo egni gwres yn yr un ffordd ag y mae golau'n teithio. Mae'n anweledig, er y gallwn ei deimlo gyda'n croen.

Mae **darfudiad** yn broses lle mae egni yn cael ei drosglwyddo o le i le gan lif o hylif neu nwy.

Mae **dargludiad** yn broses lle mae egni thermol yn cael ei drosglwyddo trwy ddefnydd o ronyn i ronyn.

Trosglwyddiadau egni defnyddiol a gwastraffus

Mae **pelydriad thermol, darfudiad** a **dargludiad** i gyd yn helpu i goginio tatws. Mae hyn yn ddefnyddiol. Ond mae'r prosesau hyn yn gadael i wres ddianc o'r ffwrn hefyd, ac nid yw hyn yn ddefnyddiol.

Ni allwch atal gwres rhag dianc o ffwrn yn gyfan gwbl, ond mae gwastraffu egni yn golygu gwastraffu arian, ac felly caiff ffyrnau eu dylunio i leihau colledion egni i'r ystafell o'u cwmpas. Rydym ni'n defnyddio **defnyddiau ynysu** neu **ynysyddion thermol** i leihau colledion gwres gwastraffus.

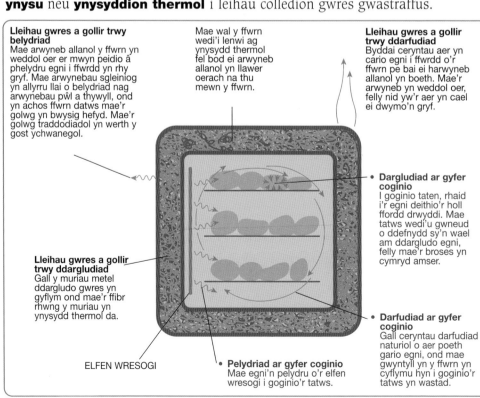

Lleihau gwres a gollir trwy belydriad
Mae arwyneb allanol y ffwrn yn weddol oer er mwyn peidio â phelydru egni i ffwrdd yn rhy gryf. Mae arwynebau sgleiniog yn allyrru llai o belydriad nag arwynebau pŵl a thywyll, ond yn achos ffwrn datws mae'r golwg yn bwysig hefyd. Mae'r golwg traddodiadol yn werth y gost ychwanegol.

Mae wal y ffwrn wedi'i lenwi ag ynysydd thermol fel bod ei arwyneb allanol yn llawer oerach na thu mewn i ffwrn.

Lleihau gwres a gollir trwy ddarfudiad
Byddai ceryntau aer yn cario egni i ffwrdd o'r ffwrn pe bai ei harwyneb allanol yn boeth. Mae'r arwyneb yn weddol oer, felly nid yw'r aer yn cael ei dwymo'n gryf.

Lleihau gwres a gollir trwy ddargludiad
Gall y muriau metel ddargludo gwres yn gyflym ond mae'r ffibr rhwng y muriau yn ynysydd thermol da.

- **Dargludiad ar gyfer coginio**
I goginio taten, rhaid i'r egni deithio'r holl ffordd drwyddi. Mae tatws wedi'u gwneud o ddefnydd sy'n wael am ddargludo egni, felly mae'r broses yn cymryd amser.

- **Darfudiad ar gyfer coginio**
Gall ceryntau darfudiad naturiol o aer poeth gario egni, ond mae gwyntyll yn y ffwrn yn cyflymu hyn i goginio'r tatws yn wastad.

ELFEN WRESOGI

- **Pelydriad ar gyfer coginio**
Mae egni'n pelydru o'r elfen wresogi i goginio'r tatws.

Trosglwyddiadau egni thermol yn y ffwrn.

4.5 Gwresogi er mwyn elw

Trosglwyddo gwres mewn gwahanol fathau o ddefnydd

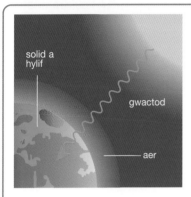

solid a hylif

gwactod

aer

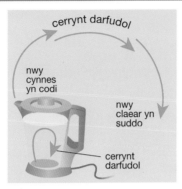

cerrynt darfudol

nwy cynnes yn codi

nwy claear yn suddo

cerrynt darfudol

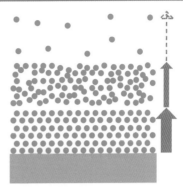

NWY
Mae trosglwyddiad egni o ronyn i ronyn yn wael iawn

HYLIF
Mae trosglwyddiad egni o ronyn i ronyn yn wael

METEL
Mae trosglwyddiad egni o ronyn i ronyn yn dda

Gall pelydriad drosglwyddo egni trwy aer neu drwy wactod. Nid yw solidau a hylifau yn dda am adael pelydriad trwyddynt. Maen nhw'n amsugno'r egni o'r pelydriad. Mae pelydriad o'r haul yn teithio trwy'r gofod (gwactod), a thrwy'r aer (nwy), ac mae'n cael ei amsugno gan y solidau a'r hylifau ar arwyneb y Ddaear.

Mae darfudiad yn ymwneud â llif ceryntau nwy neu hylif. Os yw rhywfaint o hylif neu nwy poeth yn symud, yna mae'n mynd ag egni gydag ef. Mae darfudiad yn amhosibl mewn solidau.

Mewn defnydd poeth, mae mwy o egni gan y gronynnau ac felly maen nhw'n symud yn gyflymach. Mewn solid, mae'r gronynnau'n agos at ei gilydd ac mae grymoedd cryf rhyngddynt. Felly mewn solid, gall egni symud yn hawdd o ronyn i ronyn. Mae nwyon yn ddargludyddion gwael gan fod y gronynnau'n rhy bell oddi wrth ei gilydd a'r grymoedd rhyngddynt yn wan.

Trosglwyddiad gwres trwy belydriad, darfudiad a dargludiad.

1 O blith pelydriad, darfudiad a dargludiad, pa un:

(a)   sy'n fwyaf pwysig mewn solidau?

(b)   nad oes angen unrhyw ddefnydd o gwbl?

(c)   a all ddigwydd mewn nwyon a hylifau ond nid mewn solidau?

2 Eglurwch sut mae dillad a'r defnydd ynysu a ddefnyddir yn y ffwrn datws yn debyg.

3 Rhowch resymau pam mae'n syniad da cadw arwyneb allanol ffwrn mor oer â phosibl.

4 Cymharwch ynysiad y ffwrn ag ynysiad tŷ. Soniwch am ynysiad to, waliau ceudod a gwydro dwbl. Gellid defnyddio dau ddiagram i wneud hyn, un o ffwrn ac un o dŷ.

5 Defnyddiwch syniadau am ronynnau i egluro sut mae egni'n lledu allan o ffwrn.

4.5 Gwresogi er mwyn elw

 gw. Pŵer goleuo, tud. 244

Ffynonellau egni a chostau egni | GWEITHGAREDD

Edrychwch eto ar dopig 4.4, Pŵer goleuo, i'ch atgoffa eich hun sut i gyfrifo costau egni.

Dewis y ffynhonnell egni

6 Pa ffynhonnell egni a ddefnyddir ar gyfer ffyrnau tatws King Edward?

7 Beth yw'r rhesymau dros hyn?

8 Pa ffynhonnell egni a ddefnyddiech ar gyfer pob un o'r canlynol? Rhowch resymau.

(a)   Gwresogi ychydig o ddŵr i wneud diodydd i'r staff mewn uned arddangos deithiol fach sy'n mynd i ffeiriau trwy'r wlad;

(b)   Coginio tatws i dîm o 20 sy'n gweithio ar safle adeiladu ffordd;

(c)   Gwresogi hylif yn y labordy.

9 Pa ffynonellau egni a ddefnyddir yng nghegin eich ysgol? Darganfyddwch y rhesymau dros hyn. Casglwch ffeithiau am gostau egni'r gegin.

Cyfraddiad pŵer

Mae ffyrnau tatws King Edward yn rhedeg ar bŵer o 3000 W. Foltedd y prif gyflenwad ar gyfer cartrefi a mannau arlwyo yn y DU yw 230 V.

pŵer   =   cerrynt x foltedd

Felly os yw'r cerrynt yn 12 A a'r foltedd yn 230 V:

pŵer   =   12 [A] × 230 [V]
     =   2760 W

10 A yw'r cerrynt mewn ffwrn tatws King Edward yn fwy neu'n llai na 12 A?

11 Mae'r un cwmni'n gwneud ffwrn lai o faint sy'n rhedeg ar gerrynt o 10 A. Copïwch y templed hwn a llenwch zzzz i gyfrifo ei phŵer.

pŵer   =   zzzz × foltedd
     =   10 × zzzz
     =   zzzz W

Cost

Pe baech chi'n prynu ffwrn tatws King Edward ar gyfer eich siop fwyd chi, byddech chi eisiau cael gwybodaeth am y costau. Mae gan y ffwrn gyfraddiad pŵer o 3000 W, sef 3 kW.

12 Copïwch y templed a llenwch zzzz i gyfrifo'r gost o redeg y ffwrn am un awr.

egni a drosglwyddir mewn cilowatiau   =   pŵer mewn cilowatiau × amser mewn oriau

Felly am un awr:

egni a drosglwyddir mewn cilowat oriau =   zzzz   ×   1
              =   zzzz cilowat awr

Os yw un cilowat awr yn costio 8c:

3 × zzzz = zzzz ceiniog

13 A yw hyn yn gyfran fawr o'r pris y gallech ei gael am eich tatws pob? Eglurwch eich ateb.

4.5 Gwresogi er mwyn elw

Cegin Catrin

Roedd Cegin Catrin, sy'n gwerthu bwyd parod, yn awyddus i wella'r siop a chynnig mwy o ddewis. Felly dechreuodd y rheolwr, Rob, wneud ymholiadau. Daeth i wybod am ffyrnau tatws King Edward ar y Rhyngrwyd.

Mae gan y ffyrnau ddyluniad 'traddodiadol', gyda phrif ffwrn ac adran uchaf lle mae tatws sydd wedi'u coginio yn cael eu cadw'n boeth. Mae gan yr adran uchaf ddrws gwydr sy'n dangos y tatws pob ac yn temtio cwsmeriaid i'w prynu.

Cyn ymrwymo i brynu ffwrn pobi tatws, roedd yn rhaid i Rob wneud rhai cyfrifiadau. Pa faint ffwrn a fyddai'n ffitio i'r lle sydd ar gael? Faint o datws y byddent yn eu gwerthu? Yn bwysicaf oll, a fyddent yn gwneud arian neu'n colli arian? Roedd yn rhaid ystyried sawl ffactor: pris y tatws a'r cynhwysion ar gyfer y llenwadau, y pris y gallent ei godi am bob taten gyda'i llenwad, cyfraddiad pŵer y ffwrn, a chost y trydan.

Yn y diwedd, er na allent ragweld faint yn union o datws y byddent yn eu gwerthu, roedd yr holl wybodaeth arall ganddynt. Ar sail hon, dyma nhw'n penderfynu mentro a phrynu ffwrn.

Roedd yn benderfyniad doeth. Maen nhw'n gwerthu tua 400 o datws wedi'u llenwi bob wythnos. Mae'r ffwrn yn gwneud elw da.

14 Pam mae ffwrn drydan yn fwy tebygol o gwrdd ag anghenion Rob na ffwrn nwy?

15 Mae egni trydanol yn costio tuag 8 ceiniog y cilowat awr. Mae hyn ychydig dros 2 geiniog y megajoule. Edrychwch ar fil nwy.

gw. Pŵer goleuo, tud. 244

(a) A yw'r egni'n ddrutach neu'n rhatach ar y bil nwy?

(b) A yw'r gwahaniaeth cost yn ystyriaeth fawr neu fach i Rob?

16 Eglurwch pam mae'r ynysydd thermol mewn ffwrn datws yn helpu i wneud Cegin Catrin yn broffidiol.

Ffeithiau allweddol

Copïwch a chwblhewch y brawddegau trwy ddewis y gair cywir o'r rhestr o eiriau allweddol.

1 Mae trosglwyddiad egni thermol sy'n cynnwys ceryntau o hylif neu nwy yn cael ei alw'n _____.

2 Mae _____ yn trosglwyddo egni o ronyn i ronyn.

3 _____ yw'r unig fath o drosglwyddiad egni thermol nad oes arno angen defnydd i deithio drwyddo.

4 Mae _____ _____ neu _____ _____ yn lleihau trosglwyddiad egni thermol trwy ddargludiad a hefyd trwy ddarfudiad a phelydriad.

Geiriau allweddol

darfudiad

dargludiad

defnydd ynysu

pelydriad

ynysydd thermol

4.6 Systemau oeri

Gwirio gair

Defnydd sy'n cael ei dwymo gan wrthrych poeth (megis peiriant car) ac sy'n cario egni i ffwrdd yw **oerydd**. Mae'n hylif fel rheol ond gall fod yn nwy.

Mae **cyfnewidydd gwres** yn trosglwyddo egni o un corff o ddefnydd i un arall trwy ganiatáu i'r defnyddiau ddod yn agos at ei gilydd.

Arbenigwyr egni

Peiriannydd proffesiynol sy'n gweithio i Ford yw Laurence. Mae'r peirianwyr yn gweithio mewn timau i ddatblygu 'systemau rheolaeth thermol' ar gyfer cerbydau newydd.

Mae Lawrence yn gweithio ar systemau rheoli thermol i geir Ford.

Egni gwastraff

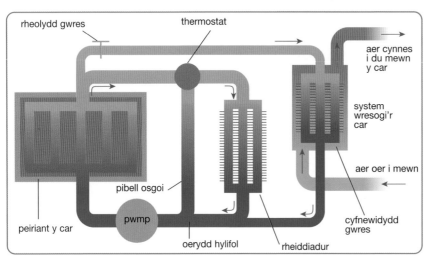

Mae system oeri car yn defnyddio oerydd hylifol i fynd ag egni o'r peiriant poeth a'i drosglwyddo trwy'r rheiddiadur i'r aer o'i gwmpas.

Os nad yw'r egni a gynhyrchir gan beiriant yn cael ei afradloni, bydd y peiriant yn gorboethi. Felly mae gan gerbydau system oeri i drosglwyddo egni o'r peiriant i'r aer o'i gwmpas.

Mae **oerydd** hylifol yn llifo mewn cylch o'r peiriant i reiddiadur y car. Mae'r oerydd yn cymryd egni o'r peiriant ac yn poethi. Mae'n colli egni yn y rheiddiadur ac yn oeri eto. Mae'r rheiddiadur yn trosglwyddo'r egni i'r aer.

Weithiau gallwn ddefnyddio peth o'r egni i wresogi tu mewn y car er cysur y teithwyr. Pan gaiff y gwresogydd ei droi ymlaen, mae **cyfnewidydd gwres** yn trosglwyddo egni o'r oerydd poeth i aer sy'n cynhesu'r bobl yn y car. Mae'r cyfnewidydd yn debyg i reiddiadur bach.

Pan yw'r peiriant yn oer, mae thermostat yn anfon yr oerydd ar hyd pibell sy'n osgoi'r rheiddiadur. Yna mae'r oerydd yn dychwelyd i'r peiriant heb oeri cymaint, sy'n rhoi cyfle i'r peiriant gynhesu.

❶ Beth sy'n digwydd i dymheredd yr oerydd:

(a) yn y peiriant?

(b) yn y rheiddiadur?

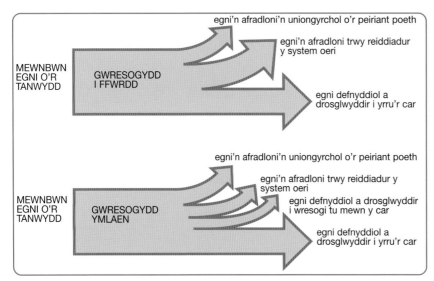

Diagram Sankey o'r egni a drosglwyddir gan beiriant a system oeri.

 gw. Tanwyddau a generaduron, tud. 228

4.6 Systemau oeri

Profi

Mae Laurence a Rebecca yn gweithio ar brototeipiau o geir Ford. Maen nhw'n helpu i sicrhau bod y dyluniad wedi cael ei brofi a'i ddatblygu'n drylwyr cyn i unrhyw geir gael eu gwneud i'w gwerthu.

Mae Laurence yn amlinellu'r gwaith:

'Rydym ni'n gweithio gyda cherbydau prototeip i helpu i ddatblygu'r manylebau ar gyfer adeiladu ceir. Fe fyddwn ni'n profi'r prototeipiau yn uchel yn Alpau Awstria, mewn lleoedd poeth fel Arizona, ac yn oerni'r Ffindir. Hefyd fe fyddwn ni'n defnyddio cyfrifiaduron a siambrau profi technoleg uwch. Fyddwn ni ddim yn cynhyrchu'r dyluniad hyd nes i ni wybod bod popeth yn iawn, er enghraifft, rhaid i ni fod yn siŵr bod y system aerdymheru'n gweithio'n iawn ac na fydd eich car yn gorboethi a mynd ar dân. Nid swydd ddesg yn unig ydy hi – rydym ni'n gyfrifol am gymhwyso egwyddorion rheolaeth thermol hefyd.'

Ychwanegodd Rebecca, 'Mae llawer o'm gwaith i'n ymwneud â phrofi rheiddiaduron newydd ar gyfer cerbydau masnachol ysgafn: Transit a Transit Connect. Fe allwn ni greu gwahanol amgylcheddau, megis amodau hinsawdd boeth, yn ein twnelau a siambrau gwynt. Neu fe allwn ni greu amodau hinsawdd oer i brofi gwresogyddion trwy ostwng y tymheredd o dan y rhewbwynt a rhoi'r gwresogyddion ymlaen yn llawn tra bo cydrannau eraill mewn perygl o rewi. Bob blwyddyn fe awn ni ar deithiau profi i leoedd poeth neu oer i sicrhau bod y data a gasglwyd yn y siambrau profi yn ddibynadwy. Fe wnawn ni'r mesuriadau pan yw'r peiriant yn gweithio galetaf, ar ei gyflymder mwyaf neu i fyny graddiant serth, pan yw egni'n cael ei afradloni'n gyflym fel gwres. Bryd hynny mae'n rhaid i'r system oeri weithio galetaf hefyd.'

Delwedd gyfrifiadurol o brototeip Ford mewn siambr brofi.

2 Defnyddiwch y testun i'ch helpu i egluro ystyr:

   (a) prototeip;

   (b) manyleb;

   (c) afradloni.

3 Eglurwch pam mae peiriant yn fwyaf tebygol o orboethi wrth i'r cerbyd deithio'n gyflym neu ddringo gallt serth.

4 (a) Pam mae Laurence a Rebecca yn defnyddio 'siambrau profi'?

   (b) Pam nad ydyn nhw'n gwneud eu holl brofion mewn siambrau profi?

4.6 Systemau oeri

Dŵr – oerydd da

Cynhwysedd gwres yw mesur o'r egni ychwanegol y gall màs penodol (1 kg fel rheol) o sylwedd ei gario pan fydd ei dymheredd yn cynyddu 1°C.

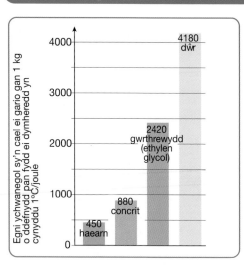

Egni ychwanegol sy'n cael ei gario gan 1 kg o ddefnydd pan fydd ei dymheredd yn cynyddu 1°C/joule

4180 dŵr
2420 gwrthrewydd (ethylen glycol)
880 concrit
450 haearn

Cymharu cynwyseddau gwres.

Mewn rhai ffyrdd mae dŵr yn oerydd da iawn. Mae'n dda am amsugno egni a'i gario i ffwrdd.

Mae'r siart bar yn dangos faint o egni y gall un cilogram o wahanol ddefnyddiau ei gario pan fydd eu tymheredd yn cynyddu 1°C.

Gall dŵr gario mwy o egni na'r un màs o bron unrhyw sylwedd arall sy'n profi'r un cynnydd mewn tymheredd. Dywedwn fod **cynhwysedd gwres** uchel gan y cilogram o ddŵr.

Dŵr – yn dinistrio rheiddiaduron

Pan yw dŵr yn rhewi, mae ei ronynnau'n symud yn bellach oddi wrth ei gilydd. Felly maen nhw'n cymryd mwy o le ac mae'r defnydd yn ehangu. Pan yw'r mwyafrif o sylweddau'n rhewi, mae'r gronynnau'n symud yn nes at ei gilydd ac mae'r defnydd yn cyfangu. Mae dŵr yn sylwedd anarferol.

Pan fydd dŵr yn ehangu wrth droi'n rhew, gall hollti'r cynhwysydd sy'n ei ddal. Os yw'r cynhwysydd yn system oeri mewn car, gall gael ei ddinistrio.

Mae gwrthrewydd yn gostwng ymdoddbwynt a rhewbwynt dŵr. Mae'n atal yr oerydd rhag rhewi (oni bai ei bod hi'n oer iawn). Mae hefyd yn lleihau'r gyfradd gyrydu mewn rhannau o'r system oeri. Gall system oeri car ddefnyddio cymysgedd o 50 y cant o ddŵr a 50 y cant o wrthrewydd. Mae gwasgedd uchel yn y system yn atal yr oerydd rhag berwi.

5 Beth allai ddigwydd yn system oeri car:

(a)   pe na bai unrhyw wrthrewydd?

(b)   pe na bai'r oerydd dan bwysau?

6 Gwnewch frasluniau o'r gronynnau mewn rhew ac o'r un gronynnau ar ôl i'r rhew ymdoddi. Dangoswch beth sy'n digwydd i drefniant y gronynnau ac i'r pellter rhyngddynt. Sut mae hyn yn effeithio ar y dewis o oerydd mewn rheiddiadur car?

Geiriau allweddol

cyfnewidydd gwres

cynhwysedd gwres

oerydd

Ffeithiau allweddol

Copïwch a chwblhewch y brawddegau trwy ddewis y gair cywir o'r rhestr o eiriau allweddol.

1 Gall _____ _____ fod yn rhan o system oeri. Mae'n trosglwyddo egni o ddefnydd poethach i ddefnydd oerach.

2 Mae'r defnydd sy'n llifo mewn system oeri i gario egni yn cael ei alw'n _____.

3 Mae gan gilogram o ddŵr _____ _____. uchel. Gall un cilogram o ddŵr gario llawer o egni, hyd yn oed os yw'r cynnydd mewn tymheredd yn fach.

4.6 Systemau oeri

Dŵr a gwrthrewydd GWEITHGAREDD

Mae'r tabl yn dangos tymheredd rhewi (sydd yr un fath ag ymdoddbwynt) cymysgedd o ddŵr a gwrthrewydd.

Cyfran o wrthrewydd yn y cymysgedd	40%	50%	60%	66%
Tymheredd rhewi/°C	−20	−32	−72	−94

Plotiwch graff o gyfran y gwrthrewydd (echelin lorweddol) yn erbyn tymheredd (echelin fertigol). Sylwch fod gwerthoedd negatif gan y tymheredd.

7 Disgrifiwch y berthynas rhwng y gyfran o wrthrewydd a thymheredd rhewi.

8 Pa gyfran o wrthrewydd sy'n ddigon ar gyfer gaeaf Prydeinig?

Cymharu dŵr â gwrthrewydd

9 Copïwch a chwblhewch y tabl i ddangos faint o egni ychwanegol a all gael ei storio a'i gario gan ddŵr a gwrthrewydd wrth i'w tymheredd gynyddu.

Màs a chynnydd mewn tymheredd	1 kg 1°C	2 kg 1°C	1 kg 2°C	2 kg 2°C
Dŵr				
Gwrthrewydd				

Yn achos dŵr:

egni stôr ychwanegol = 4180 × màs y dŵr × cynnydd mewn tymheredd

Yn achos gwrthrewydd:

egni stôr ychwanegol = 2420 × màs y dŵr × cynnydd mewn tymheredd

10 Pa unedau a ddefnyddir i fesur yr egni stôr ychwanegol, màs y dŵr a'r cynnydd mewn tymheredd?

11 Rhagfynegwch yr egni ychwanegol sy'n cael ei storio pan fydd cynnydd o 70°C yn nhymheredd 0.6 kg o ddŵr.

12 Gall tegell ddarparu'r egni hwn. O ble mae'r tegell yn cael ei egni?

13 Eglurwch pam na fyddech chi'n prynu tegell 100 W.

Oergelloedd

Mae oergell yn trosglwyddo egni o'r tu mewn iddi i'r aer y tu allan. Ymchwiliwch i ddarganfod sut mae oergell:

(a) yn defnyddio oerydd;

(b) yn defnyddio cyfnewidydd gwres;

(c) yn gweithredu fel pwmp gwres.

4.7 Diogelwch ar y ffyrdd

Diogelwch ar y ffyrdd

Mae Huw newydd basio ei brawf gyrru. Mae'n darganfod bod 30 000 o bobl yn cael eu lladd neu eu hanafu'n ddifrifol ar ffyrdd gwledydd Prydain bob blwyddyn. Mae Huw eisiau sicrhau ei fod yn gyrru'n ddiogel. Roedd rhan o'i brawf yn ymwneud â sut mae cyflymder car yn effeithio ar y pellter stopio.

Pellter stopio

Dychmygwch fod Huw yn gyrru ei gar ac yn gweld plentyn ar y ffordd. Wrth weld y plentyn, mae ei ymennydd yn adweithio mewn ffracsiwn o eiliad. Mae'r car yn dal i deithio yn ystod y 'pellter meddwl' hwn. Yna mae'n brecio, ac mae'r car yn arafu wrth iddo wneud hyn. Felly ... **cyfanswm y pellter stopio = pellter meddwl + pellter brecio**.

Po **gyflymaf** y mae'r car yn teithio, **hiraf** i gyd y bydd y pellter stopio.

1 (a) Plotiwch graff o bellter meddwl yn erbyn cyflymder y car. Pa batrwm y mae eich graff yn ei ddangos?

(b) Ar yr un graff, plotiwch bellter brecio yn erbyn cyflymder y car. Pa batrwm y mae eich graff yn ei ddangos?

(c) Beth yw cyfanswm y pellter stopio ar 30 mya a 60 mya? A yw pellter stopio yn dyblu yn ôl cyflymder?

Gwirio gair ✓

cyfanswm y pellter stopio = pellter meddwl + pellter brecio.
Mae pellter meddwl plws pellter brecio yn rhoi cyfanswm y pellter stopio.

Pa amodau sy'n effeithio ar bellter stopio ar wahân i gyflymder?

Amod	Enghraifft
Tywydd	Mae ffyrdd gwlyb neu rewllyd yn **lleihau ffrithiant** rhwng teiars y car a'r ffordd, felly mae pellterau stopio yn hirach. Mewn niwl, ni all gyrwyr weld yn bell iawn o'u blaen.
Cyflwr y car	Gall teiars neu freciau sydd wedi treulio gynyddu'r pellter stopio.
Arwyneb y ffordd	Ar ffyrdd bach, gall yr arwyneb fod yn hŷn neu wedi'i ddifrodi ac felly gall teiars y car fethu â gafael yn iawn.
Llwythi trwm	Bydd car neu lori â llwyth trwm yn teithio'n bellach cyn stopio.

20 mya = 12 m neu 3
6 m 6 m

30 mya = 23 m neu 6
9 m 14 m

40 mya = 36 m neu 9
12 m 24 m

50 mya = 53 m neu 12
15 m 38 m

60 mya = 73 m neu 18
18 m 55 m

70 mya = 96 m neu 24
21 m 75 m

Allwedd
Pellter meddwl
Pellter brecio
Hyd cyfartalog car = 4 m

Mewn ardaloedd lle mae'n rhaid i geir stopio o fewn pellter byr iawn, er enghraifft, trefi prysur neu y tu allan i ysgolion, mae cyfyngiadau cyflymder is.

2 Rhowch ddau reswm pam mae cyfyngiadau cyflymder is yn arwain at lai o ddamweiniau difrifol.

4.7 Diogelwch ar y ffyrdd

Pa mor gyflym yw eich adweithiau? `GWEITHGAREDD`

Mae pellter meddwl yn dibynnu ar amser adweithio'r gyrrwr. Gwnewch yr arbrawf hwn i ddarganfod pa mor gyflym yw eich amser adweithio chi.

1. Mae eich ffrind yn dal pren mesur metr sy'n prin gyffwrdd â rhan uchaf eich dwylo.

2. Mae eich ffrind yn gollwng y pren mesur yn sydyn.

3. Rydych chi'n dal y pren mesur. Darllenwch y pren mesur i ddarganfod pa mor bell y disgynnodd cyn i chi ei ddal.

4. Gwnewch yr un prawf ddeg gwaith. Lluniwch dabl o'ch canlyniadau a chyfrifwch gyfartaledd.

Rhowch gynnig ar y prawf hwn eto, ond y tro hwn dryswch eich hun yn fwriadol. Er enghraifft, adroddwch dabl lluosi yn ystod y prawf neu edrychwch i weld beth arall sy'n digwydd yn yr ystafell.

3. Pa wahaniaethau y mae drysu yn eu gwneud i'r darlleniad cyfartalog a gyfrifwyd gennych uchod? Beth y mae hyn yn ei ddweud wrthych am beth sy'n digwydd i'ch amserau adweithio pan na fyddwch chi'n canolbwyntio'n llwyr?

4. A yw'r canlyniadau'n amrywio o fewn eich dosbarth? Beth y mae hyn yn ei ddweud wrthych am amserau adweithio gwahanol bobl?

5. (a) Cyfartaleddau yw'r gwerthoedd ar gyfer pellterau stopio – maen nhw'n amrywio o yrrwr i yrrwr. Eglurwch pam mae gwahanol bellterau stopio gan wahanol yrwyr.

   (b) Mae llawer o bobl yn meddwl bod defnyddio ffonau symudol di-ddwylo mewn ceir yn achosi damweiniau. Eglurwch pam.

O dan ddylanwad . . .

Mae amserau adweithio'n llawer arafach os yw pobl wedi bod yn cymryd diod feddwol neu gyffuriau neu os ydyn nhw wedi blino. Mae'r heddlu'n cynnal ymgyrchoedd yn erbyn yfed a gyrru a gallant stopio unrhyw yrrwr sy'n gyrru mewn ffordd amheus a rhoi 'prawf anadl' iddo. Rhaid i bobl mewn swyddi gyrru, megis gyrwyr lorïau pellter hir, gymryd seibiau rheolaidd bob ychydig o oriau fel nad ydyn nhw'n blino'n ormodol.

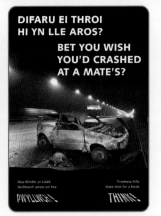

6. Pa neges y mae pob poster yn ceisio ei chyfleu?

4.7 Diogelwch ar y ffyrdd

Cyflymder, buanedd a chyflymiad

Sut mae camerâu cyflymder yn gweithio?

Mae Huw yn mynd heibio i gamera cyflymder ar ffordd syth ar y ffordd i'w waith. Mae camerâu cyflymder yn mesur faint o amser y mae'n ei gymryd i gar deithio dros rai llinellau ar y ffordd. Mae'r llinellau hyn yn bellter penodol oddi wrth ei gilydd. Mae'r camera yn cyfrifo buanedd y car ac yn tynnu lluniau o blatiau rhif ceir sy'n mynd yn rhy gyflym.

Er enghraifft, mae car yn teithio dros y llinellau cyflymder mewn dwy eiliad. Mae'r llinellau'n 30 m oddi wrth ei gilydd.

Felly, buanedd y car $= \dfrac{30}{2} =$ **15 m/s**

neu 15 x 3.6 = **54 km/awr**

7 Mae Huw yn teithio ar hyd y ffordd ar fuanedd cyson. Mae'n cymryd 80 eiliad iddo deithio 1.2 km. Beth yw buanedd Huw mewn m/s? (Cofiwch: 1 km = 1000 m.)

Cyflymu, arafu

Ni fydd Huw yn teithio ar yr un buanedd nac i'r un cyfeiriad ar ei holl ffordd i'r gwaith. Mae **cyflymder** yn cymryd buanedd a chyfeiriad i ystyriaeth. Bydd cyflymder a buanedd yr un fath pan fydd car yn teithio mewn llinell syth.

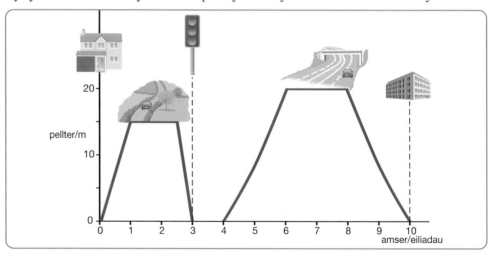

Ar ôl cychwyn i'r gwaith, mae'n cymryd un funud (60 eiliad) i Huw gyflymu o 0 i 15 m/s.

Felly cyflymiad $= \dfrac{15}{60}$ m/s^2

8 (a) Am faint o amser y mae Huw yn aros wrth y goleuadau traffig?

   (b) Pa mor gyflym y mae Huw yn teithio ar y lôn ddeuol?

9 Ar ei ffordd adref, mae car Huw yn goddiweddyd lori. Mae'n cyflymu o 15 m/s i 18 m/s mewn pum eiliad. Beth yw ei gyflymiad?

Gwirio gair ✓

buanedd $= \dfrac{\text{pellter a deithiwyd}}{\text{amser a gymerwyd}}$

1 m/s = 3.6 km/awr

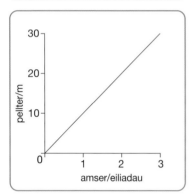

Mae'r graff hwn yn dangos buanedd car Huw wrth iddo fynd heibio'r camera cyflymder.

Mae'r graff hwn yn dangos taith Huw i'r gwaith.

Gwirio gair ✓

cyflymiad (m/s^2) = $\dfrac{\text{newid mewn cyflymder (m/s)}}{\text{amser (s)}}$

4.7 Diogelwch ar y ffyrdd

Trapiau cyflymder yr heddlu   ASTUDIAETH ACHOS

Mae heddwas yn dal Huw am fynd yn rhy gyflym. Defnyddiodd yr heddwas gwn radar i ddarganfod pa mor gyflym yr oedd Huw yn teithio. Mae'n egluro wrth Huw beth fydd yn digwydd. 'Bydd yn rhaid i chi fynd i orsaf yr heddlu o fewn saith niwrnod i ddangos eich trwydded yrru, tystysgrif MOT ac yswiriant. Rydw i eisoes wedi gweld bod eich disg treth yn iawn. Mae angen i ni archwilio'r dogfennau hyn gan fod eich trwydded yrru yn profi bod gennych hawl i yrru – mae rhai o'r bobl y byddwn ni'n eu stopio heb basio eu prawf neu wedi cael eu gwahardd rhag gyrru am gyflawni troseddau moduro yn y gorffennol. Mae'r dystysgrif MOT yn profi bod y car yn ddiogel ei yrru – rydych chi'n gwybod bod rhaid i geir dros dair blwydd oed gael eu harchwilio bob blwyddyn gan beiriannydd cymwys mewn modurdy. Mae eich dogfennau yswiriant yn profi bod gennych yswiriant i dalu am unrhyw niwed i chi eich hun neu rywun arall os cewch chi ddamwain. Os nad yw'r dogfennau hyn gennych chi, bydd yn rhaid i chi ddod i'r llys. Bydd yn rhaid i chi dalu dirwy o £60 a bydd gennych dri phwynt ar eich trwydded yrru. Gallwch osgoi'r ddirwy os cytunwch i fynd ar gwrs hyfforddi am oryrru. Nid "dewis meddal" yw'r cwrs hwn – fel rheol mae gennym siaradwr yno y mae aelod o'i deulu wedi cael ei ladd gan fodurwr a oedd yn mynd yn rhy gyflym. Mae'r pwyntiau ar eich trwydded yn dangos eich bod chi wedi cael eich dal yn goryrru. Rhaid i chi ddweud wrth eich cwmni yswiriant am hyn, ac mae'n bosibl y bydd yn rhaid i chi dalu mwy i yswirio'ch car yn y dyfodol.'

10 (a) Eglurwch beth y mae'r heddlu'n ei wneud i ddwyn perswâd ar Huw i beidio â goryrru eto.

(b) Pa archwiliadau y mae'r heddlu'n eu gwneud i sicrhau bod ceir a gyrwyr yn ddiogel i fod ar y ffyrdd?

Ffeithiau allweddol

Copïwch a chwblhewch y brawddegau trwy ddewis y gair cywir o'r rhestr o eiriau allweddol.

1 Mae pellter stopio yn dibynnu ar bellter meddwl a _____ _____.

2 Mae pellter meddwl yn dibynnu ar _____ _____ y gyrrwr.

3 Mae pellter stopio yn hirach os oes glaw neu _____ ar y ffordd gan fod grym _____ yn cael ei leihau.

4 Mae _____ car yn dangos ei fuanedd a'i gyfeiriad.

5 _____ yw cyfradd newid cyflymder.

Geiriau allweddol

amser adweithio

cyflymder

cyflymiad

ffrithiant

pellter brecio

rhew

Cwestiynau adolygu

1 Cymharwch beiriant car â gorsaf drydan sy'n rhedeg ar lo trwy ddisgrifio:

(a) o ble mae'r egni'n dod;

(b) yr allbynnau egni defnyddiol y maen nhw'n eu darparu;

(c) y math o oerydd a ddefnyddir i gario egni o un rhan i ran arall;

(ch) y difrod y maen nhw'n ei wneud i'r atmosffer. [8]

2 (a) Copïwch a chwblhewch y tabl trwy ysgrifennu nodiadau byr i egluro a all pelydriad, darfudiad a dargludiad ddigwydd mewn solidau, hylifau a nwyon. [7]

	Solid	Hylif	Nwy
Pelydriad		mae hylifau'n amsugno'r rhan fwyaf o belydriad, felly ni all pelydriad deithio'n bell	
Darfudiad	ni all ddigwydd oherwydd na all solidau lifo		
Dargludiad			mae'n digwydd yn araf iawn gan fod y gronynnau'n rhy bell oddi wrth ei gilydd i gael llawer o ddylanwad ar ei gilydd

(b) Ai pelydriad, darfudiad neu ddargludiad sy'n digwydd yn bennaf wrth i egni deithio trwy'r metel mewn peiriant car? [1]

(c) Mae rheiddiadur car yn trosglwyddo egni o'r dŵr poeth y tu mewn iddo i'r aer o'i gwmpas. Pa ran y mae pelydriad, darfudiad a dargludiad yn ei chwarae yn y broses hon? [3]

3 Mae system goleuo llwyfan nodweddiadol yn gweithio ar bŵer cyfartalog o 5 kW.

(a) Cwblhewch y cyfrifiad i ddarganfod yr egni y mae'r system yn ei drosglwyddo yn ystod perfformiad sy'n para am ddwy awr.

egni mewn cilowat awr   =   pŵer mewn _____ × amser mewn oriau

=   _____ × 2

=   _____ cilowat awr [3]

(b) Os yw'r egni'n costio 8c y cilowat awr, beth yw'r gost ar gyfer y perfformiad? [1]

4 Edrychwch ar y diagram o'r uned gwres a phŵer ar y cyd (CHP) ar dudalen 230. Sut mae'n gwneud defnydd o gyfnewidydd gwres? [1]

5 Mae'r gyfraith yn mynnu bod gyrwyr yn cael dogfennau sy'n profi bod eu ceir yn addas i'r ffordd fawr. Rhestrwch y dogfennau hyn ac eglurwch bwrpas pob un.

(a) Tystysgrif brawf (MOT);

(b) Dogfen yswiriant;

(c) Trwydded yrru.

4 Egni a dyfeisiau

Cynnwys

Aseiniadau a gweithgareddau ymarferol sy'n gysylltiedig â'r adran hon:

Adeiladu system godi

Dylunio ac adeiladu golau nos

Adeiladu system electronig

Ymchwilio i liferi

Defnyddiwch y canlynol i gadw llygad ar eich cynnydd.

Uned 3

Byddwch chi'n:

- lluniadu a defnyddio diagramau o systemau electronig sy'n monitro ac yn rheoli, gan ddangos ffynhonnell pŵer, cydrannau mewnbwn (synwyryddion), prosesydd a chydrannau allbwn  gw. tud. 262–73

- cysylltu cydrannau â'i gilydd i fonitro a rheoli amodau megis tymheredd a lefel y golau gw. tud. 262–73

- egluro y gall lefelau o foltedd trydanol mewn gwifrau a chydrannau, a churiadau o oleuni mewn ffibrau optegol, gario 'data' mewn systemau sy'n monitro ac yn rheoli  gw. tud. 270–3

- dewis cydrannau ac adeiladu, profi a gwerthuso dyfais drydanol neu electronig gw. tud. 270–3

- mesur y grym mewnbwn a'r grym allbwn ar gyfer peiriant  gw. tud. 274–81

- gwahaniaethu, gan wneud cyfrifiadau, rhwng peiriannau sy'n lluosyddion grym a pheiriannau sy'n lluosyddion pellter  gw. tud. 274–81

- cyfrifo egni mewnbwn ac egni allbwn (neu waith) ac effeithlonrwydd peiriannau  gw. tud. 274–81

- egluro manteision ac anfanteision ffrithiant mewn peiriannau. gw. tud. 278–81

4.8 Systemau electronig i gynnal bywyd

Peiriant cynnal bywyd ar gyfer Louise

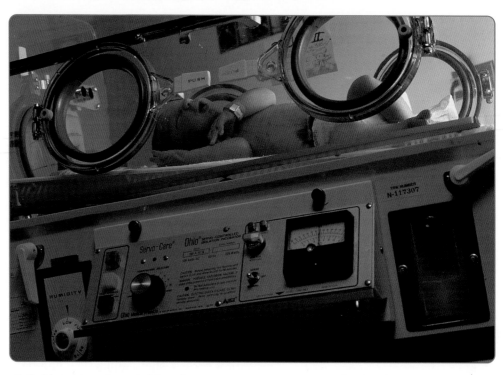

Louise yn ei chrud cynnal.

Cafodd Louise ei geni ddau fis yn gynnar. Yn pwyso ychydig dros un cilogram, roedd angen gofal dwys ar ei chorff bach mewn uned fabanod arbennig. Roedd yn rhaid i'r crud cynnal lle treuliodd ddyddiau cyntaf ei bywyd gael ei gadw ar y tymheredd cywir.

Synhwyro a monitro'r tymheredd

Mae llawer o wrthrychau'n newid wrth i'w hamgylchoedd newid. Mae rhai'n ehangu neu'n cyfangu. Mae rhai'n ymdoddi neu'n rhewi. Mae gwrthrychau sy'n newid mewn ffordd drydanol yn arbennig o ddefnyddiol. Gallwn eu defnyddio fel synwyryddion mewn cylchedau electronig.

Synhwyrydd tymheredd y gellir ei ddefnyddio mewn crud cynnal yw thermistor. Mae ganddo wrthiant sy'n newid wrth i'w dymheredd newid. Mae'n darparu 'gwybodaeth' am dymheredd a ddefnyddir gan system electronig. Mae'n un o gydrannau mewnbwn y system.

Rheoli'r tymheredd

Bydd gan grud cynnal wresogydd a reolir gan system electronig. Bydd ganddo olau hefyd sy'n dangos bod y tymheredd ar y lefel gywir. Gallai'r golau fod yn ddeuod allyrru golau (LED). Y gwresogydd a'r LED sy'n galluogi'r system electronig i effeithio ar y byd o'i chwmpas. Cydrannau allbwn y system yw'r rhain.

Rhaid cydosod y cylchedau fel bod y gwresogydd yn switsio ymlaen ac i ffwrdd ar yr adegau iawn. Y prosesydd yw'r enw ar y rhan o'r system electronig sy'n rheoli'r switsio hwn.

4.8 Systemau electronig i gynnal bywyd

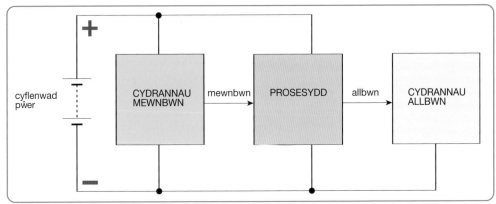

Monitro yw'r enw a roddir ar synhwyro rhywbeth yn barhaus a gweithredu os oes unrhyw newidiadau. Dyma'r system monitro a rheoli tymheredd ar gyfer y crud cynnal.

Mae pedair prif ran gan y system monitro a rheoli tymheredd mewn crud cynnal: **cyflenwad pŵer, cydrannau mewnbwn, prosesydd a chydrannau allbwn**.

Mae'r prosesydd mewn system electronig yn cysylltu'r mewnbwn â'r allbwn ac yn rheoli sut mae'r cydrannau allbwn yn ymateb i wahanol fewnbynnau.

❶ (a) Pa newidyn y mae'r system yn y diagram yn ei fonitro a'i reoli?

(b) Sut mae'n synhwyro'r newidyn?

(c) Sut mae'n newid y newidyn?

Felly sut mae'r thermistor yn gweithio?

Gall thermistor gael ei gysylltu mewn cyfres â gwrthydd 'gwerth sefydlog' cyffredin. Cydrannau mewnbwn yw'r ddau ohonynt.

Mae'r thermistor a'r gwrthydd sefydlog yn derbyn gwahanol gyfrannau o'r foltedd o'r cyflenwad pŵer, gan ddibynnu ar ba mor fawr yw eu gwrthiannau. Mae'r ddau ohonynt yn rheoli'r foltedd mewnbwn i'r system electronig.

Mae'r thermistor a'r gwrthydd sefydlog yn rhannu'r foltedd, gan greu system rhannu foltedd. Er mwyn deall systemau electronig, mae'n rhaid deall rhanwyr foltedd.

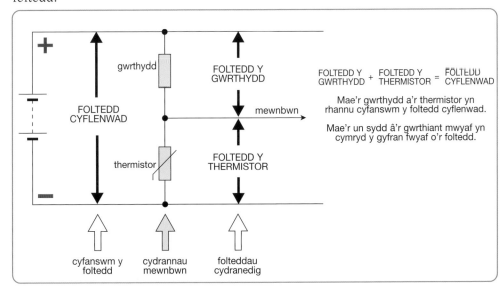

FOLTEDD Y GWRTHYDD + FOLTEDD Y THERMISTOR = FOLTEDD CYFLENWAD

Mae'r gwrthydd a'r thermistor yn rhannu cyfanswm y foltedd cyflenwad.

Mae'r un sydd â'r gwrthiant mwyaf yn cymryd y gyfran fwyaf o'r foltedd.

System rhannu foltedd.

4.8 Systemau electronig i gynnal bywyd

Mae gwrthiant y thermistor yn newid wrth i'w dymheredd newid. Felly mae'r ddau wrthydd yn cael gwahanol gyfrannau o'r foltedd cyflenwad gan ddibynnu ar y tymheredd. Mae'r foltedd mewnbwn i'r prosesydd yn dibynnu ar dymheredd.

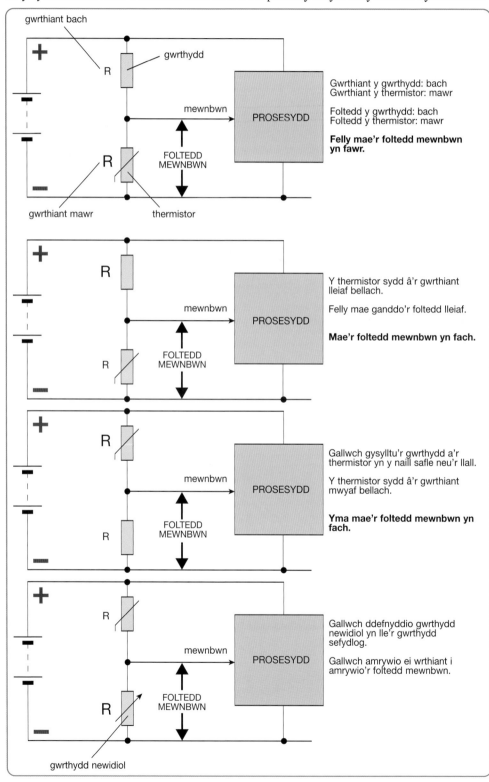

Nifer o drefniadau rhannu foltedd.

4.8 Systemau electronig i gynnal bywyd

Mewnbynnau ac allbynnau   GWEITHGAREDD

Trefniadau rhannu foltedd

Mae'r cyflenwad pŵer yn cyflenwi foltedd o 12 folt. V_1 yw cyfran y gwrthydd newidiol o'r foltedd. V_2 yw cyfran y thermistor.

Gallwn ddefnyddio R_t fel ffordd gyflym o ysgrifennu gwrthydd y thermistor.

Gallwn ysgrifennu'r gwrthiant newidiol fel R_v.

Copïwch y diagram a labelwch y thermistor a'r gwrthydd newidiol.

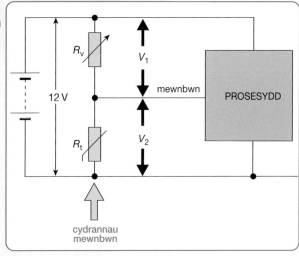

Rhannydd foltedd.

2 Disgrifiwch sut mae gwerthoeddi V_1 a V_2 yn cymharu pan yw:

   (a) $R_t = R_v$;

   (b) R_t yn fwy nag R_v;

   (c) R_t yn llai nag R_v.

3 Beth fydd yn digwydd i V_2 os:

   (a) nad yw'r gwrthydd newidiol yn cael ei newid ac os yw'r tymheredd yn gostwng?

   (b) nad yw'r gwrthydd newidiol yn cael ei newid ac os yw'r tymheredd yn cynyddu?

   (c) yw'r tymheredd yn aros yr un fath a'r gwrthiant newidiol yn cynyddu?

   (ch) yw'r tymheredd yn aros yr un fath a'r gwrthiant newidiol yn gostwng?

4 Gallech gyfnewid safleoedd y thermistor a'r gwrthydd newidiol. Wedyn, V_2 yw cyfran y gwrthydd newidiol o'r foltedd. A fyddech chi'n disgwyl i'r atebion i gwestiwn 3 newid neu aros yr un fath?

Mae'r cyfrannau foltedd bob amser yn yr un cyfrannedd â'r gwrthiannau. Yn achos y diagram uchod, gallwch eu hysgrifennu fel hyn:

$$\frac{V_2}{V_1} = \frac{R_t}{R_v}$$

5 (a) Os yw V_2 yn 8 V a V_1 yn 4 V, beth yw cymhareb y gwrthiannau?

   (b) Os yw R_v yn 800 ohm, beth fydd R_t pan yw V_2 yn 8 V a V_1 yn 4 V?

   (c) $V_1 + V_2 = 12$ V. Os yw R_t yn 3000 ohm ac R_v yn 1000 ohm, beth yw gwerthoedd V_1 a V_2?

Deuodau Allyrru Golau (LEDs) fel cydrannau allbwn

Rhaid i ddeuod allyrru golau gael ei gysylltu mewn cyfres â gwrthydd. Fel arall, gallai cerrynt mawr lifo a difrodi'r LED.

6 Eglurwch pam y byddai cerrynt yn fwy heb y gwrthydd.

7 Pam nad yw'r gwrthydd a'r LED yn cael eu cysylltu'n uniongyrchol â'r cyflenwad pŵer?

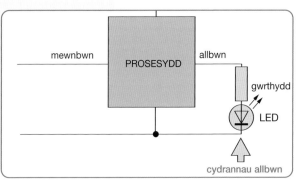

4.8 Systemau electronig i gynnal bywyd

Diwrnod cyntaf Louise   ASTUDIAETH ACHOS

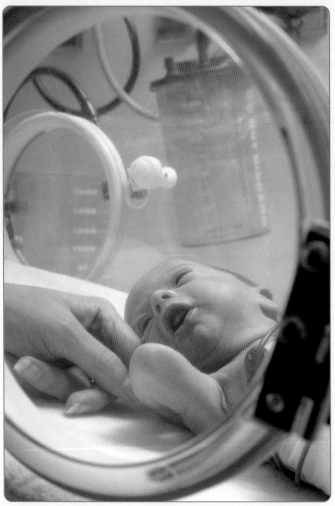

Louise yn ei chrud cynnal.

Nid thermistorau yw'r unig gydrannau mewnbwn mewn systemau electronig. Mae gan grud cynnal Louise ganfodydd symudiad hefyd, er mwyn gallu monitro ei hanadlu. Cydran fewnbwn yw'r canfodydd symudiad. Defnyddir cydrannau allbwn hefyd i ddenu sylw'r nyrs os bydd argyfwng yn codi. Larwm sy'n seinio (swnyn) a LED yw'r rhain.

8 Lluniadwch ddiagram bloc tebyg i'r un ar dudalen 263 i ddangos system electronig a fydd yn monitro anadlu Louise ac yn rhoi rhybuddion os bydd hi'n peidio ag anadlu.

9 Beth yw'r cydrannau mewnbwn ac allbwn ar gyfer y system hon?

10 Pa amodau mewnbwn a fydd yn peri i'r rhybuddion gael eu rhoi?

4.8 Symudiad dan reolaeth

Agor a chau ffenestri

Un ffordd effeithiol o reoli tymheredd yw agor ffenestr. Ond mae gan Steve a Kate, sy'n rhedeg busnes tyfu tomatos, nifer enfawr o ffenestri i feddwl amdanynt. Maen nhw'n tyfu eu tomatos mewn tai gwydr o dan amodau a reolir yn ofalus.

Busnes technoleg uwch yw hwn. Fel rhan o'r system rheoli tymheredd, mae'r ffenestri yn agor ac yn cau'n awtomatig.

Rhaid i'r tymheredd, lefel y lleithder a lefel y golau fod yn berffaith i sicrhau'r amodau tyfu gorau.

Mewnbynnau

Mae'r cydrannau mewnbwn mewn tŷ gwydr yn cynnwys canfodyddion lleithder a synwyryddion golau o'r enw gwrthyddion golau-ddibynnol (LDRs). Yn debyg i thermistorau maen nhw wedi'u cysylltu mewn cyfres â gwrthyddion eraill i wneud trefniadau rhannu foltedd.

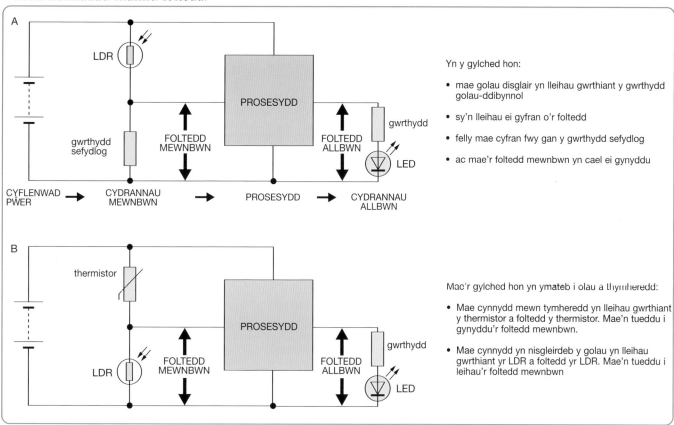

Yn y gylched hon:

- mae golau disglair yn lleihau gwrthiant y gwrthydd golau-ddibynnol
- sy'n lleihau ei gyfran o'r foltedd
- felly mae cyfran fwy gan y gwrthydd sefydlog
- ac mae'r foltedd mewnbwn yn cael ei gynyddu

Mae'r gylched hon yn ymateb i olau a thymheredd:

- Mae cynnydd mewn tymheredd yn lleihau gwrthiant y thermistor a foltedd y thermistor. Mae'n tueddu i gynyddu'r foltedd mewnbwn.
- Mae cynnydd yn nisgleirdeb y golau yn lleihau gwrthiant yr LDR a foltedd yr LDR. Mae'n tueddu i leihau'r foltedd mewnbwn

❶ Edrychwch yn ôl ar dudalennau 263–4 os oes angen ac ysgrifennwch esboniadau o'r rhain:

   (a) thermistor   (b) mewn cyfres   (c) rhannydd foltedd.

Gwahanol gydrannau mewnbwn mewn trefniadau rhannu foltedd.

gw. Systemau electronig i gynnal bywyd, tud. 262

4.9 Symudiad dan reolaeth

Transistorau fel prosesyddion

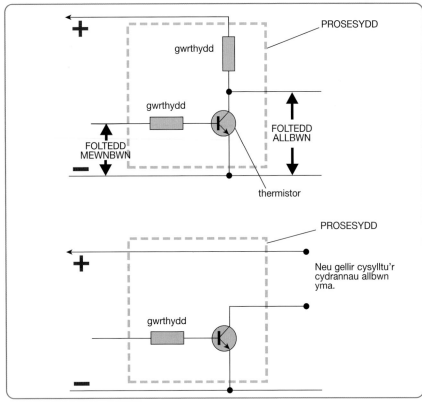

Transistor yw'r gydran bwysicaf mewn rhai mathau o brosesydd.

Gall prosesydd switsio'r foltedd allbwn i werth uchel neu werth isel. Mae transistor yn un math o brosesydd a all switsio rhwng darparu foltedd allbwn isel a foltedd allbwn uchel. Mae ganddo dair gwifren sy'n cael eu cysylltu â chylched. Mae'r switsio'n digwydd trwy newid y foltedd mewnbwn sy'n cael ei roi yn nhrydydd cysylltiad y transistor.

2 Yn achos cyflenwad pŵer 6 V, beth yw gwerthoedd mwyaf a lleiaf:

(a) y foltedd mewnbwn;

(b) y foltedd allbwn?

3 Beth yw manteision switsh electronig dros switsh mecanyddol?

Monitro tymheredd a rheoli moduron

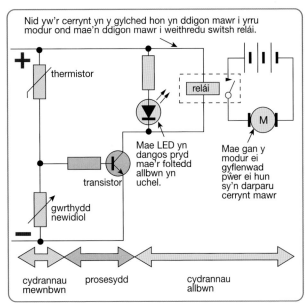

Gall modur fod yn gydran allbwn, ond mae angen ei gyflenwad pŵer ei hun arno.

Mae gwresogyddion, LEDs a larymau yn enghreifftiau o gydrannau allbwn. Gall modur fod yn gydran allbwn hefyd.

Ni all cylched y transistor ddarparu digon o gerrynt i yrru modur, felly mae'r transistor yn switsio cerrynt mewn coil ymlaen. Mae hyn yn magneteiddio'r coil. Mae hyn yn gweithredu switsh. Mae switsh magnetig o'r math hwn yn cael ei alw'n relái.

Dyma beth sy'n digwydd yn nhai gwydr Steve a Kate. Os yw'r tymheredd yn uchel, mae'r moduron yn gweithredu i agor y ffenestri ymhellach. Os yw'r tymheredd yn iawn, mae'r moduron yn aros yn segur. Mae'r ffenestri'n cau'n araf nes bod y moduron yn gweithredu eto.

4 'Mae cydrannau mewnbwn yn synhwyro pethau ac mae cydrannau allbwn yn gwneud pethau.'

(a) Ydych chi'n cytuno â hyn? Yn gyffredinol, beth y mae cydrannau mewnbwn yn ei synhwyro? Beth y mae cydrannau allbwn yn ei wneud?

(b) Ysgrifennwch frawddeg arall i ddweud beth y mae prosesyddion yn ei wneud.

4.9 Symudiad dan reolaeth

Gweithio gyda thransistorau GWEITHGAREDD

Copïwch y diagram cylched ac ychwanegwch y labeli hyn:

- LDR
- gwrthydd newidiol
- rhannydd foltedd
- foltedd mewnbwn
- transistor
- foltedd allbwn
- LED
- gwrthydd i amddiffyn yr LED

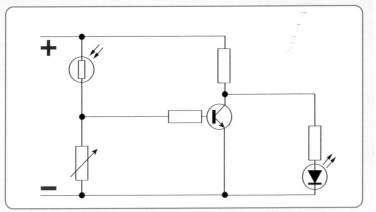

5 Eglurwch a fydd yr LED 'ymlaen' neu 'i ffwrdd' pan fydd golau disglair yn disgyn ar yr LDR.

6 Os rhoddir modur yn lle'r LED, ni fydd yn gweithio.

(a) Pam na fydd yn gweithio?

(b) Brasluniwch ddiagram cylched sy'n gallu monitro arddwysedd golau a gweithio modur.

7 Pa nodweddion sy'n debyg a pha rai sy'n wahanol mewn gwrthydd mewn rhannydd foltedd ac un mewn transistor

Y busnes tyfu tomatos ASTUDIAETH ACHOS

Mae tomatos yn fusnes mawr, ac yn fusnes cystadleuol. Mae uwchfarchnadoedd a chyfanwerthwyr eisiau eu prynu am y pris rhataf posibl. Mae yna fusnesau eraill sy'n gwerthu'r un peth. Dim ond tyfwyr sy'n defnyddio'r dechnoleg orau i gadw eu costau i lawr a fydd yn llwyddo.

Mae rheolaeth electronig yn helpu Steve a Kate Jones i aros mewn busnes. Mae golau, dyfrio a thymheredd i gyd yn cael eu rheoli'n electronig. Fel y dywed Kate, 'Byddai'n cymryd drwy'r wythnos i ddyfrio'r holl blanhigion ein hunain ac allwn ni ddim fforddio cyflogi rhywun i wneud hynny. Rheolaeth awtomatig yw'r unig ateb.'

8 Brasluniwch drefniant rhannu foltedd sy'n darparu foltedd mewnbwn uchel ar gyfer prosesydd pan yw'r tymheredd yn isel.

9 Brasluniwch drefniant rhannu foltedd sy'n darparu foltedd mewnbwn uchel ar gyfer prosesydd pan yw'r golau'n ddisglair.

10 Eglurwch pam mae cylched sy'n rheoli modur, fel yn nhai gwydr Steve a Kate, yn defnyddio relái.

Mae systemau rheoli awtomatig yn helpu i sicrhau cynhaeaf da.

269

4.10 Gwybodaeth ddigidol

Helpu robotiaid i weld

Myfyrwraig ymchwil yw Claire Roberts. Mae hi'n gweithio ar broject i ddatblygu'r defnydd o ffibrau optegol mewn systemau synhwyro robotaidd. Edau hir o wydr haenog sy'n cario signalau goleuni digidol yw ffibr optegol.

Mae Claire Roberts yn arbenigo mewn ffibrau optegol a robotiaid.

Ffibrau optegol a signalau digidol

Ni all geiriau llafar deithio i lawr ffibr. Gall gwifrau copr gario'r wybodaeth fel signalau trydanol, ond ni allant ei chario mor gyflym â ffibrau optegol. Mae geiriau a delweddau'n cael eu hanfon fel codau, gan ddefnyddio fflachiadau cyflym iawn, iawn o oleuni, ar hyd y ffibrau gwydr.

Signal digidol yw'r patrwm wedi'i godio o oleuni 'ymlaen' a goleuni 'i ffwrdd'. Os defnyddiwch '1' am oleuni 'ymlaen' a '0' am oleuni 'i ffwrdd', gallwch ysgrifennu signal digidol o oleuni fflachiog fel llinyn o rifau 1 a 0. Mae patrymau o rifau 1 a 0 yn cario gwybodaeth mewn cod deuaidd.

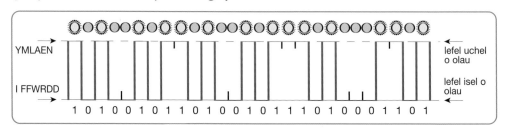

Llif o rifau 1 a 0 sy'n cario gwybodaeth yw signal digidol.

 gw. Pŵer goleuo, tud. 244

Gwneud signalau digidol ar gyfer ffibrau optegol

Gall deuod allyrru golau (LED) droi llif digidol o folteddau yn llif digidol o fflachiadau goleuni. Mae hyn yn hynod o ddefnyddiol. Gall droi signalau trydanol yn signalau goleuni.

Nid oes rhaid i'r llygad dynol allu gweld y signal goleuni. Mae'r mwyafrif o signalau sy'n teithio ar hyd ffibrau optegol yn defnyddio goleuni isgoch.

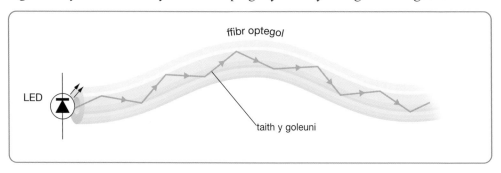

Sut mae goleuni'n teithio ar hyd ffibr optegol.

 gw. Symudiad dan reolaeth, tud. 267

❶ Pa gydran y gallech ei defnyddio i droi signalau goleuni yn signalau trydanol?

❷ Rhowch un fantais sydd gan ffibrau optegol dros wifren gopr.

4.10 Gwybodaeth ddigidol

Systemau rhesymeg

Mae ffibrau optegol yn cario signalau digidol ar ffurf patrymau o oleuni. Gall y gwifrau a'r cydrannau eraill mewn cylched gario signalau digidol ar ffurf patrymau trydanol. Yr enwau a roddir ar foltedd gwerth uchel yw 'ymlaen' neu 'gyflwr rhesymeg 1'. Yr enwau a roddir ar foltedd gwerth isel yw 'i ffwrdd' neu 'gyflwr rhesymeg 0'.

Prosesyddion sy'n defnyddio mewnbynnau ac allbynnau digidol yw systemau rhesymeg.

Adwy NID (*NOT*)

Prosesydd sy'n darparu foltedd allbwn uchel pan yw'r foltedd mewnbwn yn isel yw adwy NID. Mae'r foltedd allbwn yn hollol groes i'r foltedd mewnbwn.

Defnyddiwn wirlen i ddangos sut mae gwahanol folteddau mewnbwn yn cynhyrchu gwahanol folteddau allbwn.

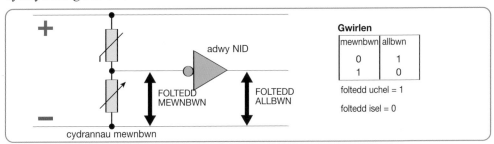

Adwy NID.

Adwy AC (*AND*)

Mae gan adwy AC ddau gysylltiad mewnbwn. Mae'n darparu foltedd allbwn uchel pan yw'r foltedd i fewnbwn A a mewnbwn B yn uchel.

Gall system sy'n defnyddio adwy AC yn brosesydd ymateb i dymheredd a disgleirdeb golau yr un pryd. Neu gall ymateb i symudiad a lleithder yr un pryd. Mae yna lawer o bosibiliadau rheoli.

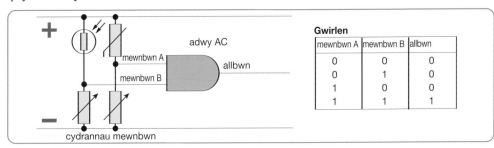

Adwy AC.

Adwy NEU (*OR*)

Bydd adwy NEU yn darparu foltedd allbwn uchel pan yw'r foltedd a roddir naill ai i fewnbwn A neu fewnbwn B yn uchel.

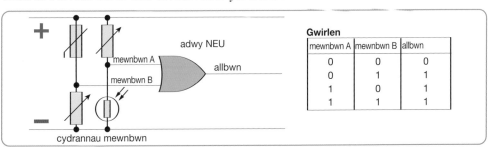

Adwy NEU.

4.10 Gwybodaeth ddigidol

Ffibrau optegol ac adwyon rhesymeg — GWEITHGAREDD

Mae'r rhifau 1 a 0 sy'n teithio ar hyd ffibrau optegol yn gallu darparu'r rhifau 1 a 0 sy'n gweithredu fel mewnbynnau i adwyon rhesymeg.

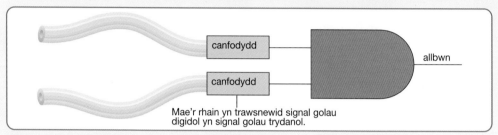

Mae'r rhain yn trawsnewid signal golau digidol yn signal golau trydanol.

3 Pa fath o gydran sy'n darparu'r golau ar gyfer ffibr optegol?

4 Rhowch un fantais defnyddio ffibrau optegol a chanfodyddion i ddarparu'r mewnbynnau i adwyon rhesymeg.

5 Meddyliwch am sut y gellid defnyddio ffibrau optegol mewn systemau rheoli yn y cartref neu'r ysgol.

6 Chwiliwch wefannau'r DU i gael gwybodaeth am ffibrau optegol. Bydd eich chwiliad yn dod o hyd i lawer o gwmnïau sy'n gwerthu ffibrau optegol. Ceisiwch ddarganfod rhai sy'n rhoi:

- gwybodaeth gyffredinol am ffibrau optegol;
- ffyrdd diddorol ar gyfer defnyddio ffibrau optego.

Argraffwch un llun diddorol ac ysgrifennwch eich pennawd byr eich hun i'w egluro.

7

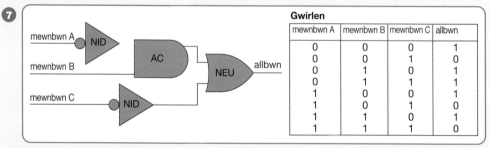

Gwirlen

mewnbwn A	mewnbwn B	mewnbwn C	allbwn
0	0	0	1
0	0	1	0
0	1	0	1
0	1	1	1
1	0	0	1
1	0	1	0
1	1	0	1
1	1	1	0

Beth yw allbwn y system hon, 0 neu 1:

(a) pan fo gan fewnbwn A gyflwr rhesymeg 1, mewnbwn B gyflwr rhesymeg 1, mewnbwn C gyflwr rhesymeg 1?

(b) pan gaiff mewnbwn A ei switsio i 0 ond pan yw'r lleill yn aros yr un fath?

8

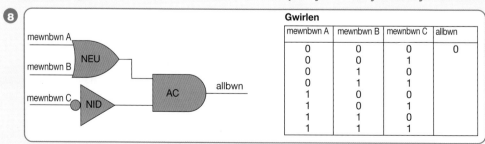

Gwirlen

mewnbwn A	mewnbwn B	mewnbwn C	allbwn
0	0	0	0
0	0	1	
0	1	0	
0	1	1	
1	0	0	
1	0	1	
1	1	0	
1	1	1	

Copïwch a chwblhewch y wirlen ar gyfer y system hon.

4.10 Gwybodaeth ddigidol

Robotiaid Claire

Gall deuodau allyrru golau (LEDs) gynnau a diffodd yn gyflym iawn. Felly gallant anfon llawer o wybodaeth ar hyd ffibr optegol. Mae'r wybodaeth yn teithio fel codau *digidol* o oleuni sy'n fflachio.

Synwyryddion golau yw gwrthyddion golau-ddibynnol (LDRs). Pan yw golau'n eu cyrraedd, mae eu gwrthiant yn gostwng. Felly maen nhw'n effeithio ar foltedd pan gânt eu cysylltu mewn trefniadau *rhannu foltedd*. Maen nhw'n troi codau digidol o oleuni fflachiog yn batrymau digidol o foltedd trydanol. Gallwn eu defnyddio fel *cydrannau mewnbwn* systemau electronig.

Mae Claire Roberts yn gwybod llawer iawn am signalau digidol. Mae hi'n adeiladu systemau electronig wedi'u seilio ar ffibrau optegol. Mae hi'n gwybod bod ffibrau optegol yn well na gwifrau trydanol am anfon gwybodaeth dros bellterau mawr. Mae gan wifrau gryn dipyn o *wrthiant* trydanol, felly mae'r signalau'n gwanhau os yw'r gwifrau'n hir iawn.

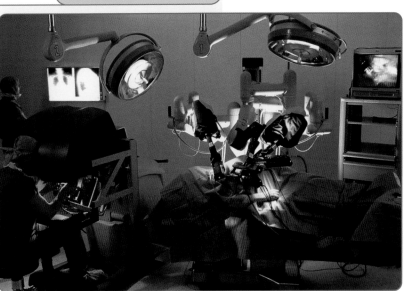

Mae'r robot Da Vinci yn cynnal llawdriniaeth ar y galon dan reolaeth llawfeddyg. Mae ffibrau optegol yn un o freichiau'r robot yn cario gwybodaeth sy'n cynhyrchu delwedd o'r llawdriniaeth at ddefnydd y llawfeddyg.

Ond mae Claire yn ymchwilio i robotiaid yn bennaf. Mae hi'n defnyddio systemau electronig gyda threfniadau mewnbwn-prosesydd-allbwn i greu robotiaid sy'n gallu ymateb i'r byd o'u cwmpas. Nid yw'n broblem iddi hi wneud robot a all ddilyn llinell wen ar y llawr. Gall hi ddefnyddio gwrthyddion golau-ddibynnol i ganfod disgleirdeb golau a moduron i greu symudiad. Mae'r prosesydd yn darparu foltedd allbwn sy'n gweithredu releiau sy'n cychwyn ac yn diffodd moduron.

Gall Claire adeiladu robotiaid llawer mwy soffistigedig na hyn. Yn lle defnyddio gwrthyddion golau-ddibynnol sengl, gall ddefnyddio araeau o ganfodyddion golau i alluogi llygaid y robot i ganfod golau o wahanol gyfeiriadau, yn debyg i'ch llygaid chi. Mae cof fel cyfrifiaduron gan ei robotiaid, fel y gallant ddysgu am y byd o'u cwmpas. Bron y gallech ddweud eu bod nhw'n gwneud eu penderfyniadau eu hunain ynghylch ble i fynd. Gall pobl glyfar wneud peiriannau clyfar.

9 Sut mae Claire yn defnyddio cydrannau i alluogi ei robotiaid i synhwyro'r byd o'u cwmpas?

10 Pa gydrannau allbwn a ddefnyddir ganddi i reoli symudiad y robotiaid?

11 Dyluniwch system sy'n defnyddio dau LDR fel llygaid i reoli symudiad olwynion robot. Defnyddiwch ddiagramau bloc os ydych chi'n ansicr ynghylch manylion y prosesyddion.

12 Gan ddefnyddio'r wybodaeth yn y llyfr hwn, gwnewch restr o'r geiriau mewn italig uchod a rhowch ddiffiniadau ohonynt.

13 Chwiliwch y we am wybodaeth am 'ddeallusrwydd artiffisial'. Darganfyddwch ragor am ymchwil i robotiaid. Darganfyddwch sut y defnyddiwn robotiaid ar hyn o bryd a beth mae robotiaid yn debygol o allu ei wneud yn y dyfodol.

4.11 Codi

Defnyddio ein pennau i godi pethau

Gall pobl symud pethau o le i le a chodi adeiladweithiau enfawr fel pontydd ac adeiladau. Byddai'n amhosibl i ni wneud hyn trwy ddefnyddio ein cyhyrau yn unig. Ein hymennydd sydd wrth wraidd ein llwyddiant.

Un enghraifft yw Pont y Mileniwm ar draws afon Tyne. Yma mae'r ffordd yn cael ei chodi ac mae braich gydbwyso'r bont yn cael ei gostwng. Gall llongau fynd o dan y bont. Rhaid i chi wybod tipyn am rymoedd a pheiriannau i adeiladu rhywbeth fel hyn.

Pont y Mileniwm yn Gateshead.

Codi eich pwysau eich hun

Gallwch gynhyrchu grym tuag i fyny i gydbwyso'ch pwysau.

Mae eich breichiau'n ddigon cryf i godi'ch corff o'r llawr. Gallant gynhyrchu grym sy'n cyfateb i'ch pwysau, sef y grym disgyrchiant sy'n eich tynnu tuag i lawr.

Mewn gwyddoniaeth, mae'n gwneud synnwyr i ni ddefnyddio'r un uned ar gyfer pwysau ag a ddefnyddiwn ar gyfer unrhyw fath arall o rym. Rydym ni'n mesur grym, gan gynnwys pwysau, mewn newtonau (N).

Ymdrech a llwyth

Y grym a roddwch i godi neu symud neu ddal gwrthrych yw eich ymdrech (neu'r grym mewnbwn). Y grym sy'n gweithredu ar y gwrthrych yw'r llwyth (neu'r grym allbwn). Rydym ni'n mesur ymdrech a llwyth mewn newtonau.

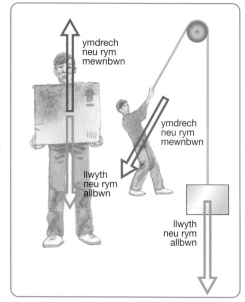

Mewn sefyllfaoedd syml, mae ymdrech a llwyth yr un maint ond nid yn yr un cyfeiriad bob tro (gweler y diagramau ar y dde). Ond gallwn ddefnyddio peiriannau i godi llwythi mawr ag ymdrechion bach.

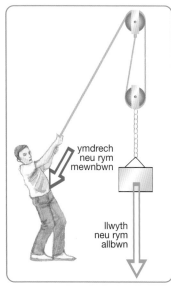

Mae'r llwyth yn fwy na'r ymdrech. Mae'r peiriant hwn yn rhoi mantais fecanyddol dda.

Mae pwlïau'n darparu mantais fecanyddol

Mae system o ddau neu ragor o bwlïau yn lleihau'r ymdrech y mae ei hangen i godi neu symud llwyth. Peiriant yw system pwli. Mae'n rhoi mantais fecanyddol.

Rydym ni'n mesur mantais fecanyddol trwy gymharu llwyth ac ymdrech. Y ffordd orau o'u cymharu yw trwy wneud cyfrifiad rhannu.

$$\text{mantais fecanyddol} = \frac{\text{llwyth}}{\text{ymdrech}}$$

Mae peiriant sy'n gallu symud llwyth sy'n fwy na'r ymdrech yn cael ei alw'n lluosydd grym. Mewn peiriant lluosi grym, mae'r fantais fecanyddol yn fwy nag 1.

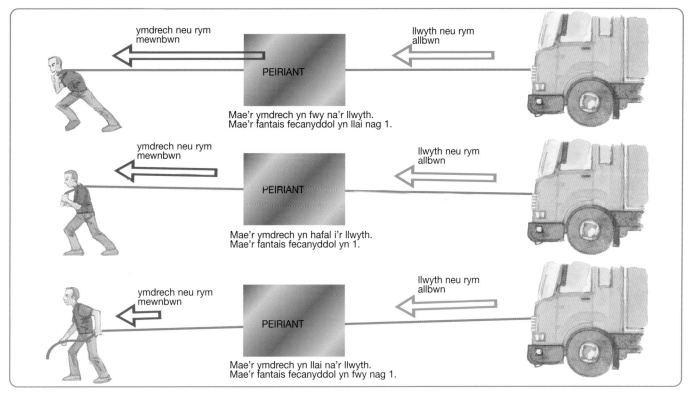

1 A yw'r fantais fecanyddol yn 1, yn fwy nag 1 neu'n llai nag 1 pan yw'r

(a) ymdrech yn llai na'r llwyth? (b) ymdrech yn hafal i'r llwyth?

(c) ymdrech yn fwy na'r llwyth?

Talu am luosi grym

Gall peiriannau luosi grym, ond ni all yr egni sy'n cael ei allbynnu byth fod yn fwy na'r egni sy'n cael ei fewnbynnu. Rhaid i ni dalu am y cynnydd mewn grym. Rydym ni'n talu yn nhermau cyflymder a phellter.

Ar gyfer pob peiriant sy'n lluosi grym, mae cyflymder y llwyth yn llai na chyflymder yr ymdrech. Mae'r ymdrech yn symud yn gyflymach ac yn bellach na'r llwyth.

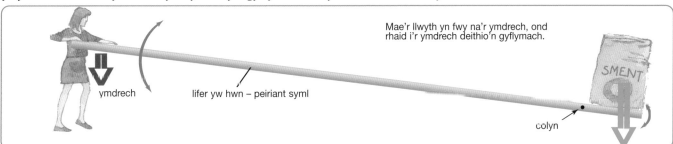

Gallwn gymharu'r pellterau a symudir gan yr ymdrech a'r llwyth yn ystod yr un cyfnod o amser. Rydym ni'n galw'r gymhariaeth yn gymhareb cyflymder.

$$\text{cymhareb cyflymder} = \frac{\text{pellter a symudir gan yr ymdrech}}{\text{pellter a symudir gan y llwyth}}$$

2 Beth yw'r gymhareb cyflymder os yw'r ymdrech a'r llwyth yn symud yn union yr un pellter yn yr un amser?

4.11 Codi

Lifftiau a liferi

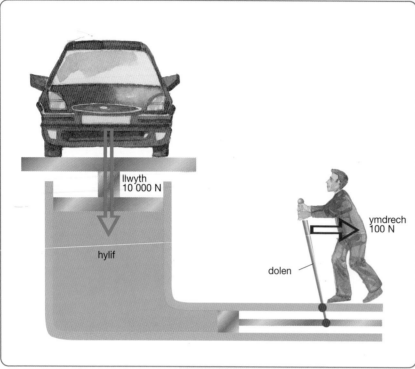

Fersiwn syml iawn o lifft hydrolig.

Lifft hydrolig

Mae'r diagram yn dangos lifft hydrolig a ddefnyddir i godi ceir mewn modurdy.

3 Beth yw maint y llwyth?

4 Beth yw maint yr ymdrech?

5 A yw'r llwyth yn fwy na'r ymdrech?

6 A yw'r fantais fecanyddol yn fwy neu'n llai nag 1?

7 Pam mae'n rhaid i'r gweithiwr dynnu'r lifer yn bell i godi'r llwyth ychydig?

Liferi

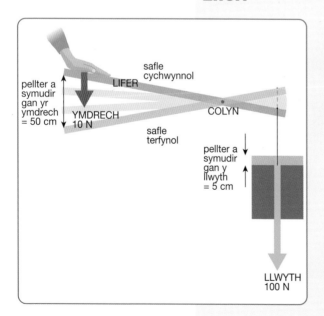

Peiriant syml yw lifer. Mae ganddo ymdrech a llwyth. Hefyd mae ganddo golyn sy'n aros yn ei unfan.

Os yw'r llwyth yn nes at y colyn nag y mae'r ymdrech, yna bydd y llwyth yn fwy na'r ymdrech.

8 Defnyddiwch y templed hwn a rhowch eiriau neu ffigurau yn lle zzzz i gyfrifo mantais fecanyddol y lifer:

$$\text{mantais fecanyddol} = \frac{zzzz}{\text{ymdrech}}$$

$$= \frac{100}{zzzz}$$

$$= zzzz$$

9 Defnyddiwch y templed hwn a rhowch eiriau neu ffigurau yn lle zzzz i gyfrifo'r gymhareb cyflymder:

$$\text{cymhareb cyflymder} = \frac{\text{pellter a symudir gan yr ymdrech}}{zzzz}$$

$$= \frac{zzzz}{5}$$

$$= zzzz$$

Peiriannau ar waith   ASTUDIAETH ACHOS

Mae angen arbenigedd i symud llwythi trwm.

A allwch chi godi car? Gallwch os ydych chi'n gwybod sut i ddefnyddio'r peiriannau iawn.

Pont y Mileniwm dros afon Tyne yn Gateshead, gyda'r llwybr beicio a'r rhodfa wedi'u gostwng. Mae gan y bont golynnau yn y ddau ben, a daw'r grym i'w throi o foduron trydan sydd â chyfanswm pŵer o 440 kW.

⑩ A fydd gan y lifft hydrolig ar gyfer ceir fantais fecanyddol sy'n fwy nag 1? Eglurwch eich ateb.

⑪ Mae'r craen ger y rheilffordd yn defnyddio pwlïau. Beth yw mantais defnyddio pwlïau?

⑫ Eglurwch pam mae'n rhaid i fodur y craen symud yn gyflym, er bod y llwyth yn codi'n araf iawn.

⑬ Pe baech chi'n cynllunio pont symudol fel Pont y Mileniwm ar draws afon Tyne yn Gateshead, a fyddech chi'n defnyddio peiriant? Pa fath o beiriant? (Er enghraifft, lifer syml, system pwli, gerau, system hydrolig.)

4.12 Gerau

Gweithio gyda beiciau

Peiriannau sy'n ein galluogi i deithio'n bellach ac yn gyflymach nag y gallwn ni gerdded neu redeg yw beiciau.

Mae Steve O'Brian yn gweithio mewn siop feiciau sy'n gwerthu ac yn trwsio pob math o feic.

'Maen nhw i gyd yn gweithio'r un ffordd,' medd Steve. 'Mae eich traed yn troi mewn cylch ar gyflymder cyson ac mae'r beic yn mynd â chi'n gyflym ar hyd y ffordd.'

Grym gyrru a ffrithiant

Mae teiar beic yn gwthio i lawr ar arwyneb y ffordd. Gall y ffordd wthio yn ôl oherwydd ffrithiant. Mae ffrithiant yn gadael i arwynebau wthio yn erbyn ei gilydd heb lithro. Mae ffrithiant yn gwrthwynebu llithro.

Ymdrech a llwyth ar feiciau

grym y teiar ar y ffordd

grym y ffordd ar y teiar

Mae'r teiar yn gwthio ar y ffordd ac mae'r ffordd yn gwthio'n ôl ar y teiar.

Lluosydd pellter yw beic – mae'r llwyth yn teithio'n gyflymach ac yn bellach na'r ymdrech.

 gw. Codi, tud. 274

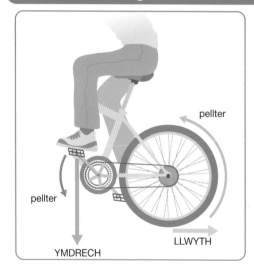

pellter

pellter

YMDRECH

LLWYTH

Pan fyddwch chi'n beicio, eich ymdrech yw'r grym sy'n gweithredu ar y pedalau wrth i chi wthio i lawr. Y llwyth yw'r grym rhwng y teiar a'r ffordd.

Rydym fel rheol eisiau i beiriannau luosi grym er mwyn gallu codi neu symud llwyth mawr ag ymdrech lai. Y peth anarferol am feic yw fod y llwyth yn llai na'r ymdrech.

Ond mae'r beic yn rhoi mantais wahanol i chi. Rhaid i chi wthio'n galed ar y pedalau, ond rydych chi'n teithio'n bell. Mae pellter allbwn beic yn fwy na'i bellter mewnbwn. Lluosydd pellter yw beic.

❶ Pam mae rhai peiriannau'n cael eu galw'n lluosyddion grym?

Defnyddio'r gerau ar feic

Pan newidiwch gêr ar feic, mae'r gadwyn yn symud ymlaen i gocsen wahanol y tu ôl i chi. Mae pob cocsen o wahanol faint.

Rydych chi'n dewis gêr is (cocsen gêr fwy) pan ydych chi eisiau i rym allbwn y teiar ar y ffordd fod yn fwy, er enghraifft, wrth deithio i fyny allt neu gyflymu o gyflymder araf.

Rydych chi'n dewis gêr uchel (cocsen gêr lai) pan ydych chi eisiau teithio'n gyson ar hyd y ffordd mor gyflym â phosibl.

4.12 Gerau

Cofiwch fod:

$$\text{cymhareb cyflymder} = \frac{\text{pellter teithio'r ymdrech}}{\text{pellter teithio'r llwyth}}$$

Mae pellter teithio'r ymdrech yr un peth â'r pellter mewnbwn. Mae pellter teithio'r llwyth yr un peth â'r pellter allbwn.

Mae gwahanol gerau yn rhoi gwahanol gymarebau cyflymder i ni.

② (a) Yn achos beic, ai'r pellter mewnbwn neu'r pellter allbwn sydd fwyaf?

(b) A oes gan feic gymhareb cyflymder o fwy nag un neu lai nag un?

Ffrithiant yn niwsans

Pan fo angen i arwynebau lithro dros ei gilydd, fel both ac echel olwyn, mae ffrithiant yn niwsans. Mae'n poethi'r arwynebau ac mae hyn yn gwastraffu egni. Mae hefyd yn achosi traul.

③ Sut rydych chi'n meddwl ein bod yn ceisio:

(a) cynyddu ffrithiant rhwng y teiar a'r ffordd?

(b) lleihau ffrithiant rhwng yr echel a'r foth ar olwyn beic?

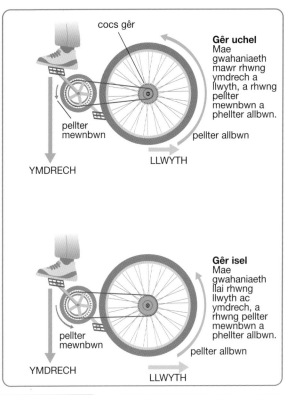

Gêr uchel
Mae gwahaniaeth mawr rhwng ymdrech a llwyth, a rhwng pellter mewnbwn a phellter allbwn.

Gêr isel
Mae gwahaniaeth llai rhwng llwyth ac ymdrech, a rhwng pellter mewnbwn a phellter allbwn.

Cyfrifo mewnbynnau egni ac allbynnau peiriannau

Mewnbwn egni peiriant yw'r gwaith y mae'r ymdrech yn ei wneud. Gallwn gyfrifo hyn trwy luosi'r ymdrech â'r pellter sy'n cael ei deithio ganddi:

egni mewnbwn = gwaith a wneir gan yr ymdrech = ymdrech × pellter a symudir gan yr ymdrech

Felly os yw beiciwr yn rhoi ymdrech gyfartalog o 50 N ar gyfer un tro o'r pedalau ac os yw pellter teithio y naill bedal neu'r llall yn 1 m, yna:

egni mewnbwn = gwaith a wneir gan yr ymdrech = 50 × 1 = 50 J

Gallwn hefyd gyfrifo allbwn egni defnyddiol y peiriant:

allbwn egni defnyddiol = gwaith a wneir gan y llwyth = llwyth × pellter a symudir

Os yw ein beiciwr yn teithio am 10 m gydag un tro o'r pedalau ac os yw'r llwyth cyfartalog yn 4 N, yna:

allbwn egni defnyddiol = gwaith a wneir gan y llwyth = 10 × 4 = 40 J

Gallwn weld bod yr allbwn egni defnyddiol yn llai na'r mewnbwn egni. Mae peth egni wedi cael ei golli oherwydd ffrithiant yn rhannau symudol y beic.

Effeithlonrwydd beic

Dylech gofio sut i gyfrifo effeithlonrwydd:

$$\text{effeithlonrwydd} = \frac{\text{allbwn egni defnyddiol}}{\text{mewnbwn egni}} \times 100$$

Ar gyfer y beiciwr:

$$\text{effeithlonrwydd} = \frac{40}{50} \times 100 = 80\%$$

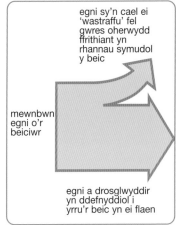

egni sy'n cael ei 'wastraffu' fel gwres oherwydd ffrithiant yn rhannau symudol y beic

mewnbwn egni o'r beiciwr

egni a drosglwyddir yn ddefnyddiol i yrru'r beic yn ei flaen

Diagram Sankey ar gyfer beic.

gw. Tanwyddau a generaduron, tud. 228

4.12 Gerau

Cymarebau gêr

Dyma fformiwlâu ar gyfer cyfrifo mesuriadau ar gyfer peiriannau:

$$\text{mantais fecanyddol} = \frac{\text{llwyth}}{\text{ymdrech}}$$

$$\text{cymhareb cyflymder} = \frac{\text{pellter a symudir gan yr ymdrech}}{\text{pellter a symudir gan y llwyth}}$$

$$\text{mewnbwn egni} = \text{ymdrech} \times \text{pellter a symudir gan yr ymdrech}$$

$$\text{allbwn egni defnyddiol} = \text{llwyth} \times \text{pellter a symudir gan y llwyth}$$

$$\text{effeithlonrwydd} = \frac{\text{allbwn egni defnyddiol}}{\text{mewnbwn egni}} \times 100$$

4 Copïwch y tabl a defnyddiwch y fformiwlâu i'ch helpu i'w gwblhau.

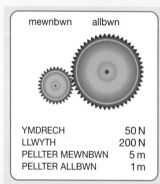

mewnbwn	allbwn
YMDRECH	50 N
LLWYTH	200 N
PELLTER MEWNBWN	5 m
PELLTER ALLBWN	1 m

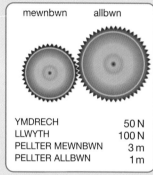

mewnbwn	allbwn
YMDRECH	50 N
LLWYTH	100 N
PELLTER MEWNBWN	3 m
PELLTER ALLBWN	1 m

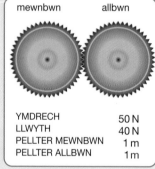

mewnbwn	allbwn
YMDRECH	50 N
LLWYTH	40 N
PELLTER MEWNBWN	1 m
PELLTER ALLBWN	1 m

Ymdrech/N			
Llwyth/N			
Mantais fecanyddol			
Pellter a symudir gan yr ymdrech/m			
Pellter a symudir gan y llwyth/m			
Cymhareb cyflymder			
Lluosydd grym neu luosydd pellter?			
Mewnbwn egni/J			
Allbwn egni defnyddiol/J			
Effeithlonrwydd			

4.12 Gerau

Gwaith Steve ASTUDIAETH ACHOS

Mae Steve yn gwneud gwaith cynnal ar feic. Mae'n dweud, 'Pan ydych chi'n gweithio ar feic fel hyn ac yn defnyddio'ch dwylo i droi'r pedalau, rhaid i chi wthio'n weddol galed. Dydy'r pedal ddim yn mynd yn bell iawn, ond mae'r olwyn yn troi'n gyflym. Y rheswm am hyn yw fod y beic yn *lluosydd pellter*.

'Bu'n rhaid i mi newid rhai o'r cocs ar gerau'r beic hwn. Roedden nhw'n hen ac wedi treulio. Roedd ffrithiant wedi eu gwisgo mewn mannau. Ac roedd hynny'n gwneud y *ffrithiant* yn waeth. Roedd yr arwynebau treuliedig yn rhwbio mwy, ac yn mynd yn boethach. Doedd y gerau ddim mor *effeithlon* ag y dylent fod.

'Doedd y berynnau ddim mewn cyflwr da chwaith. Doedden nhw ddim wedi cael olew ers tipyn ac roedd rhai o'r pelferynnau dur wedi gwisgo'n ddrwg.

5 Ysgrifennwch ystyr y geiriau mewn italig.

6 (a) Ble mae beic yn cael egni ar gyfer ei fudiant?

(b) Defnyddiwch eiriau Steve i egluro un ffordd y mae'n gwastraffu egni.

7 Beth yw pwrpas olew a phelferynnau mewn beic?

8 Beth yw'r gwahaniaeth rhwng sut y defnyddiwn y gair gwaith mewn iaith bob dydd a sut y defnyddiwn ef wrth siarad am egni a pheiriannau?

9 Dychmygwch feic anarferol sydd wedi cael ei ddylunio i fod yn lluosydd grym.

(a) Brasluniwch y pedalau, cadwyn a chocsen gêr ar gyfer y beic.

(b) Sut y byddai'n teimlo i reidio'r beic hwn?

Cwestiynau adolygu

1 (a) Lluniadwch ddiagram bloc ar gyfer system electronig sy'n rheoli'r tymheredd mewn swyddfa.

   (b) Enwch synhwyrydd a dyfais allbynnu a ddefnyddir gan eich system. [6]

2 Mae rheoli tymheredd a golau yn bwysig er mwyn sicrhau bod planhigion mewn tai gwydr masnachol yn tyfu'n dda.

   (a) Pa ddyfais y gellir ei defnyddio fel synhwyrydd golau? [1]

   (b) Gwnewch fraslun i ddangos synhwyrydd golau mewn trefniant rhannu foltedd. [5]

   (c) Sut mae'r rhannydd foltedd yn cyflenwi folteddau gwahanol i'r prosesydd? Defnyddiwch y gair 'gwrthiant' neu 'gwrthydd' yn eich ateb. [3]

3 Gall systemau electronig ddefnyddio synwyryddion i fonitro:

   • arddwysedd golau;

   • cyfradd curiad y galon.

   Sut y gallai'r ddau fath o synhwyrydd fod yn ddefnyddiol mewn canolfan ffitrwydd? [2]

4 Peiriant syml yw lifer.

   (a) Beth yw peiriant? [2]

   (b) Mae tyrnsgriw a ddefnyddir i godi caead tun o baent yn gweithredu fel lifer. Gwnewch fraslun a dangoswch leoliad:

      (i) y colyn;   (ii) yr ymdrech;   (iii) y llwyth. [3]

   (c) Pa un sydd fwyaf, y llwyth neu'r ymdrech? [1]

   (d) A yw'r fantais fecanyddol yn fwy nag 1 neu'n llai nag 1? [1]

   (e) Pa un sy'n symud bellaf yr un pryd, y llwyth neu'r ymdrech? [1]

   (f) A yw'r lifer yn gweithredu fel lluosydd grym neu luosydd pellter? [1]

5 Pam mae'n amhosibl i ni wneud peiriant sy'n lluosydd grym ac yn lluosydd pellter? [2]

6 Ar gyfer pob un o'r cyfrifiadau hyn, dechreuwch drwy ysgrifennu'r fformiwla yr ydych chi'n ei defnyddio.

   Mae system pwli ar graen yn codi llwyth o 1200 N ag ymdrech o 100 N.

   (a) Cyfrifwch y fantais fecanyddol.

   $$\text{mantais fecanyddol} = \frac{\text{llwyth}}{\text{ymdrech}}$$ [3]

   (b) Mae'r llwyth yn symud 2 m ac mae'r ymdrech yn symud 30 m yn yr un amser. Cyfrifwch y gymhareb cyflymder.

   $$\text{cymhareb cyflymder} = \frac{\text{pellter a symudir gan yr ymdrech}}{\text{pellter a symudir gan y llwyth}}$$ [3]

   (c) Cyfrifwch y gwaith sy'n cael ei wneud gan yr ymdrech.

   $$\text{gwaith a wneir} = \text{grym} \times \text{pellter}$$

   (Peidiwch ag anghofio defnyddio uned egni, y joule, gyda'ch ateb.) [4]

   (ch) Cyfrifwch y gwaith sy'n cael ei wneud ar y llwyth.

   $$\text{gwaith a wneir} = \text{grym} \times \text{pellter}$$ [4]

   (d) Eglurwch pam nad yw'r ddau ateb blaenorol yr un fath. [2]

   (dd) Cyfrifwch effeithlonrwydd y system.

   $$\text{effeithlonrwydd} = \frac{\text{gwaith a wneir ar y llwyth}}{\text{gwaith a wneir gan yr ymdrech}}$$ [4]

5 Y Ddaear a'r bydysawd

Y DDAEAR, YR ATMOSFFER A'R BYDYSAWD

Defnyddiwch y canlynol i gadw llygad ar eich cynnydd.

Uned 1

Byddwch chi'n:

- gallu trafod y problemau iechyd sy'n gysylltiedig â llygredd aer ac yn gwybod am beryglon nwyon sy'n achosi llygredd gw. tud. 288–94

Uned 2

Byddwch chi'n:

- gwybod sut y datblygodd atmosffer y Ddaear dros amser gw. tud. 284–8
- gwybod sut mae defnyddio cerbydau yn effeithio ar ansawdd aer gw. tud. 288–94
- gwybod am y problemau iechyd ac amgylcheddol sy'n gysylltiedig â rhai nwyon cyffredin (carbon deuocsid, carbon monocsid) a sut mae gwyddonwyr yn gweithio i leihau'r problemau hyn gw. tud. 288–94
- gwybod am danwyddau amgen ar gyfer cerbydau gw. tud. 288–94
- gwybod bod cramen y Ddaear wedi'i gwneud o blatiau tectonig gw. tud. 294–8
- gwybod sut mae platiau tectonig yn symud, gan achosi drifft cyfandirol a ffurfio mynyddoedd gw. tud. 294–8
- gwybod bod daeargrynfeydd a llosgfynyddoedd i'w cael ar hyd ffiniau platiau tectonig gw. tud. 294–8
- gwybod sut mae symudiadau'r Ddaear yn cael eu monitro. gw. tud. 294–8

Uned 3

Byddwch chi'n:

- gwybod am waith gwyddonwyr sy'n ymchwilio i'r Ddaear a'i hatmosffer gw. tud. 284–8
- gwybod am waith gwyddonwyr sy'n datblygu ffyrdd o fonitro a gwella ansawdd aer gw. tud. 291
- gwybod sut mae gwyddonwyr yn gweithio i fonitro a lleihau'r perygl o ddaeargrynfeydd gw. tud. 294–8
- gwybod bod egni'n cael ei drosglwyddo fel tonnau a deall amledd a thonfedd gw. tud. 298–306
- gwybod am y sbectrwm electromagnetig gw. tud. 298–306
- gwybod sut y defnyddir tonnau ar gyfer cyfathrebu gw. tud. 298–306
- deall y dystiolaeth ar gyfer bydysawd sy'n ehangu. gw. tud. 298–306

5.1 Yr atmosffer

Nwy	Canran yn yr aer
nitrogen N_2	78%
ocsigen O_2	21%
carbon deuocsid CO_2	0.03%
nwyon eraill	llai nag 1%

Nwyon yn yr atmosffer

Pe baech chi'n mynd yn ôl 3000 o filiynau o flynyddoedd mewn amser, byddech yn gweld byd o losgfynyddoedd gyda chraig dawdd yn ffrwydro trwy'r arwyneb. Byddech yn marw o fewn ychydig o funudau. Byddech yn mygu gan nad oedd unrhyw ocsigen yn yr atmosffer a chan ei fod yn llawn nwyon gwenwynig o'r llosgfynyddoedd. Felly o ble daeth ein hatmosffer ni? Sut mae'n adnewyddu'r nwyon a ddefnyddir gan bethau byw?

Nwyon am oes

Mae'r atmosffer yn cynnwys cymysgedd o nwyon. Nitrogen yw'r rhan fwyaf o'r atmosffer. Mae nitrogen yn anadweithiol iawn.

Mae bywyd ar y Ddaear yn dibynnu ar **ocsigen** a **charbon deuocsid** yn yr aer. Mae'r symiau o'r nwyon hyn yn yr aer wedi aros yr un fath ers cannoedd o filiynau o flynyddoedd. Y rheswm am hyn yw fod cydbwysedd rhwng y ffyrdd y mae planhigion ac anifeiliaid yn eu gwneud a'u defnyddio.

gw. Ffotosynthesis, tud. 56

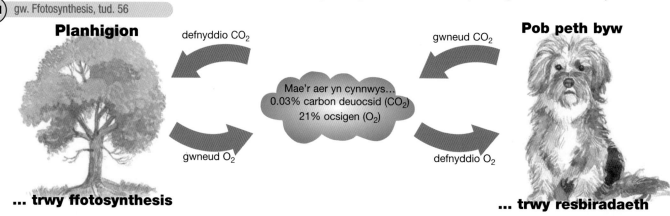

Planhigion

defnyddio CO_2

gwneud O_2

Mae'r aer yn cynnwys... 0.03% carbon deuocsid (CO_2) 21% ocsigen (O_2)

gwneud CO_2

defnyddio O_2

Pob peth byw

... trwy ffotosynthesis

... trwy resbiradaeth

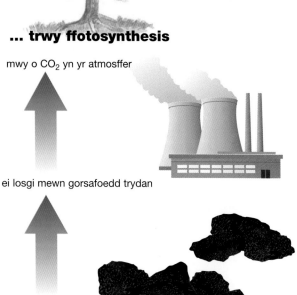

mwy o CO_2 yn yr atmosffer

ei losgi mewn gorsafoedd trydan

glo 250 o filiynau o flynyddoedd oed

Hylosgiad tanwyddau ffosil

Cannoedd o filiynau o flynyddoedd yn ôl, roedd llawer mwy o garbon deuocsid yn yr atmosffer. Roedd coedwigoedd trwchus o goedredyn yn gorchuddio'r Ddaear ac yn defnyddio'r carbon deuocsid wrth iddynt dyfu. Cafodd y planhigion hyn eu **ffosileiddio** gan ffurfio haenau trwchus o lo o dan y Ddaear. Mae'r carbon a gymerwyd o'r atmosffer wedi aros yn y glo am filiynau o flynyddoedd. Dros y 150 o flynyddoedd diwethaf, rydym ni wedi llosgi llawer o'r glo hwn ac wedi rhyddhau'r carbon deuocsid yn ôl i'r atmosffer.

Mae llawer o bobl yn poeni y gallai'r carbon deuocsid 'ychwanegol' hwn gynyddu'r effaith tŷ gwydr ac achosi **newid yn yr hinsawdd**.

① Mae rhai pobl wedi awgrymu y dylid plannu rhagor o goed i leihau'r carbon deuocsid yn yr atmosffer. Eglurwch sut y gallai hyn helpu.

5.1 Yr atmosffer

Yr effaith tŷ gwydr: ffrind neu elyn? GWEITHGAREDD

Mae carbon deuocsid yn achosi'r **effaith tŷ gwydr** – mae hyn yn gweithio tipyn bach fel tŷ gwydr trwy 'gloi' gwres yn y Ddaear, yr un fath â'r gwydr mewn tŷ gwydr. Mae'r haul yn cynhesu'r Ddaear ac mae'r Ddaear yn oeri fel rheol trwy golli gwres yn ôl i'r gofod. Mae carbon deuocsid yn amsugno peth o'r gwres ac yn ei ddal fel na all ddianc, ac mae'r Ddaear yn mynd yn gynhesach.

Mae Gwawr ac Eve yn paratoi ar gyfer trafodaeth yn y dosbarth am yr effaith tŷ gwydr. Mae ganddynt wahanol safbwyntiau.

Nodiadau Gwawr:

- Mae carbon deuocsid wedi bod yn yr atmosffer <u>ers ffurfio'r Ddaear</u>.
- Mae'r effaith tŷ gwydr yn <u>hollol naturiol</u> – mae'n cael ei hachosi gan garbon deuocsid naturiol yn yr aer.
- Mae'r lleuad a'r Ddaear <u>yr un pellter o'r haul</u>, ond <u>nid oes gan y lleuad atmosffer</u>. Dyma ddata am dymereddau arwyneb.

	Pellter o'r haul (miliynau o km)	Tymheredd arwyneb a ragfynegir (°C)	Tymheredd arwyneb gwirioneddol (°C)
Y Ddaear	150	–33	17
Y lleuad	150	–33	–33

- Heb yr effaith tŷ gwydr, byddai gan y Ddaear <u>dymheredd arwyneb o – 33 °C</u>. Mae hyn yn <u>llawer rhy oer i gynnal bywyd</u>. Ni fyddai bywyd wedi esblygu ar y Ddaear heb yr effaith tŷ gwydr.

Mae'r effaith tŷ gwydr yn naturiol. Hebddi, ni fyddai unrhyw fywyd ar y Ddaear.

Gwawr

Nodiadau Eve:

- Mae <u>tanwyddau ffosil</u>, fel <u>glo, nwy ac olew</u>, yn cynnwys llawer iawn o garbon.
- Rydym ni'n llosgi <u>miliynau o dunelli metrig o danwyddau ffosil</u> bob blwyddyn.
- Mae'r <u>carbon deuocsid</u> yn yr atmosffer <u>yn cynyddu</u>, gan achosi'r <u>effaith tŷ gwydr</u>.
- Gallai'r effaith tŷ gwydr wneud i'r Ddaear fynd yn boethach, <u>gan doddi'r capiau iâ</u>.
- Gallai hyn wneud i <u>lefel y môr godi</u>, gan foddi ardaloedd eang o dir a dinasoedd.
- Gallai'r <u>hinsawdd newid</u>, gan achosi <u>newidiadau difrifol yn y tywydd, methiant cnydau, newyn</u> a <u>difodiant bywyd gwyllt</u>.

Llygredd sy'n achosi'r effaith tŷ gwydr. Gallai ladd yr holl fywyd ar y Ddaear.

Eve

2 I beth rydym ni'n defnyddio 'miliynau o dunelli metrig o danwyddau ffosil'?

3 Mae safbwyntiau Gwawr ac Eve yn wahanol iawn. Ysgrifennwch erthygl ar gyfer cylchgrawn i roi darlun cytbwys o'r effaith tŷ gwydr, gan ddefnyddio syniadau Gwawr ac Eve. Dylech ymdrin â dwy ochr y ddadl.

4 Gwnewch restr o ffotograffau y byddech yn eu dewis i'ch helpu i wneud eich pwyntiau yn yr erthygl.

5.1 Yr atmosffer

O ble y daeth ein hatmosffer?

Pan ffurfiwyd y Ddaear gyntaf, roedd hi'n blaned boeth o graig dawdd. Wrth i'r Ddaear oeri, ffurfiodd cramen o graig solid ar yr arwyneb, gyda llosgfynyddoedd o graig dawdd yn echdorri trwy'r gramen denau. Roedd atmosffer cynnar y Ddaear yn cynnwys nwyon a ddaeth o'r graig dawdd.

Mae gwyddonwyr heddiw yn astudio'r nwyon sy'n dod allan o losgfynyddoedd byw. Daw'r nwyon hyn o'r graig dawdd y tu mewn i'r Ddaear, felly maen nhw'n debyg i'r nwyon yn ein hatmosffer cynnar.

Nwy	Nwyon o losgfynydd (atmosffer cynnar y Ddaear/%)	Atmosffer y Ddaear heddiw/%
nitrogen	5	78
ocsigen	0	21
carbon deuocsid	12	0.03
anwedd dŵr	74	llai nag 1
sylffwr deuocsid	9	mymryn (bron 0)

Pam y newidiodd yr atmosffer?

1 Dros filiynau o flynyddoedd … **oerodd y Ddaear.**

→ **Cyddwysodd yr anwedd dŵr** i ffurfio dŵr hylifol, felly:

- cafodd y moroedd eu ffurfio;
- **hydoddodd nwyon hydawdd**, fel sylffwr deuocsid a charbon deuocsid, **yn y moroedd newydd.**

2 Tua 3000 o filiynau o flynyddoedd yn ôl, yn y môr … **ymddangosodd planhigion ar y Ddaear.**

Defnyddiodd y planhigion garbon deuocsid a dechrau gwneud ocsigen trwy ffotosynthesis, felly:

- roedd yr atmosffer yn dechrau cynnwys **ocsigen**;
- roedd llai o **garbon deuocsid**.

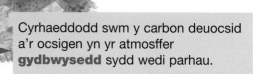

3 Tua 1000 o filiynau o flynyddoedd yn ôl, yn y môr … **ymddangosodd anifeiliaid ar y Ddaear.**

→ Cyrhaeddodd swm y carbon deuocsid a'r ocsigen yn yr atmosffer **gydbwysedd** sydd wedi parhau.

⑤ Edrychwch ar y tabl uchod.

(a) Sut mae canran pob nwy yn yr atmosffer wedi newid dros amser?

(b) Pam rydych chi'n meddwl bod mwy o nitrogen yn yr atmosffer?

(c) Gwnewch dabl i ddangos pam mae canrannau'r nwyon eraill wedi newid.

5.1 Yr atmosffer

Drilio creiddiau iâ

ASTUDIAETH ACHOS

Sut mae gwyddonwyr yn gwybod cymaint am natur atmosffer y Ddaear filoedd o flynyddoedd yn ôl? Wel, bob gaeaf, mae haen newydd o iâ yn ffurfio ar y cap iâ parhaol dros Antarctica. Caiff swigod o aer eu dal yn yr iâ wrth iddo ffurfio.

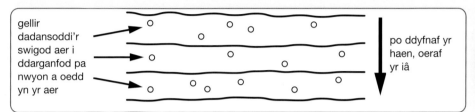

gellir dadansoddi'r swigod aer i ddarganfod pa nwyon a oedd yn yr aer

po ddyfnaf yr haen, oeraf yr iâ

Bydd gwyddonwyr yn drilio trwy'r iâ i ddarganfod pa nwyon sydd wedi'u dal yn y swigod. Mae drilio bas yn rhoi gwybodaeth am yr atmosffer yn ystod y 100 mlynedd diwethaf. Yn 2004 driliodd grŵp o wyddonwyr Ewropeaidd (EPICA) y craidd iâ dyfnaf erioed – aeth y dril 3270 m i lawr (dros 3 km neu ychydig o dan ddwy filltir). Rhoddodd y craidd hwn ddata am yr atmosffer ar y Ddaear bron un filiwn o flynyddoedd yn ôl. O'r samplau, gallent ddarganfod canrannau'r gwahanol nwyon, er enghraifft carbon deuocsid, a oedd yn yr atmosffer yn ystod y cyfnod hwn a hefyd pa mor wahanol oedd tymheredd arwyneb y Ddaear o'i gymharu â heddiw.

Driliodd gwyddonwyr project EPICA dros 3 km trwy'r iâ.

Mae'r gwyddonwyr yn fodlon iawn ar y data – mae'n dangos y bu llawer o oesoedd iâ ac oesoedd 'cynnes' yn ystod y filiwn o flynyddoedd diwethaf. Mae'r data hefyd yn dangos cysylltiad clir rhwng tymheredd y Ddaear a swm y carbon deuocsid sydd yn yr aer – tystiolaeth dda iawn fod yr effaith tŷ gwydr yn ffaith!

6 Pam mae drilio dyfnach yn rhoi gwybodaeth am yr atmosffer amser maith yn ôl?

7 Darllenwch y paragraff olaf am wyddonwyr EPICA.

(a) Eglurwch pam mae'r data'n dangos y bu oesoedd iâ yn y gorffennol.

(b) Eglurwch pam mae'r data'n dangos cysylltiad rhwng tymheredd y Ddaear a swm y carbon deuocsid yn yr aer.

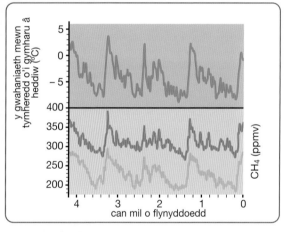

Graff yn dangos peth o'r data o'r craidd iâ.

Ffeithiau allweddol

Copïwch a chwblhewch y brawddegau trwy ddewis y gair cywir o'r rhestr o eiriau allweddol.

1 Mae planhigion yn gwneud ocsigen trwy _____ .

2 Mae pob peth byw yn defnyddio ocsigen yn ystod _____ .

3 Mae'r lefelau o garbon deuocsid yn yr aer yn cynyddu o ganlyniad i _____ _____ _____ .

4 Gall hyn achosi newid yn yr hinsawdd oherwydd yr _____ _____ _____ .

Geiriau allweddol

effaith tŷ gwydr

ffotosynthesis

hylosgiad

resbiradaeth

tanwyddau ffosil

5.2 Y Ddaear a'r amgylchedd

Gall yr aer a anadlwn effeithio ar ein hiechyd.

Newidiadau yn yr amgylchedd

Mae'r aer, dŵr a thir sy'n ein hamgylchynu yn anhepgor i'n bywydau ni ac i fywydau pob peth byw arall. Yn ystod y 150 o flynyddoedd diwethaf, mae pobl wedi dechrau gwneud niwed i'r amgylchedd ac mae'n bosibl y bydd hyn yn bygwth bywydau pobl, anifeiliaid eraill a phlanhigion ar y Ddaear. Pa ddrwg rydym ni'n ei wneud? A beth allwn ni ei wneud yn ei gylch?

Newidiadau naturiol yn yr amgylchedd

Mae llawer o brosesau naturiol yn achosi newid yn yr amgylchedd, er enghraifft:

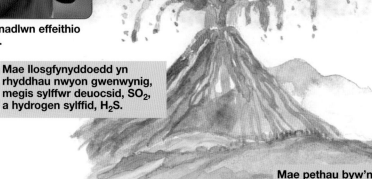

Mae llosgfynyddoedd yn rhyddhau nwyon gwenwynig, megis sylffwr deuocsid, SO_2, a hydrogen sylffid, H_2S.

Mae stormydd mellt yn creu ocsidau

Mae pethau byw'n cynhyrchu ac yn defnyddio ocsigen, carbon deuocsid a nwyon eraill.

Mae pethau byw'n defnyddio maetholion o'r pridd a dŵr i dyfu.

Mae gwastraff anifeiliaid a phethau marw yn pydru ac yn ychwanegu cyfansoddion cemegol at y pridd.

Mae creigiau'n hindreulio ac yn ychwanegu cyfansoddion cemegol at ddŵr.

Hyd yn ddiweddar, roedd y prosesau hyn mewn **cyflwr o gydbwysedd**. Roedd y symiau cyffredinol o nwyon yn yr aer ac o gyfansoddion yn y pridd a'r dŵr yn aros yr un fath gan eu bod yn cael eu defnyddio a'u creu'n barhaus gan brosesau naturiol. Yn ystod y 150 o flynyddoedd diwethaf, mae aer, tir a dŵr y Ddaear wedi dechrau newid gan fod y boblogaeth ddynol wedi cynyddu'n aruthrol a chan ein bod ni'n defnyddio diwydiant ar raddfa fawr.

1 (a) Gwnewch restr o'r mathau o wastraff a gynhyrchir gan eich stryd neu bentref. Cynhwyswch amcangyfrif o faint a gynhyrchir, yn nhermau 'bagiau bin llawn' (gan gynnwys gwastraff o'r tŷ bach!).

(b) Pe na châi'r gwastraff ei gasglu, sut y gallech gael gwared ag ef? Pa broblemau a achosai?

(c) Eglurwch pam nad oedd cael gwared â gwastraff dynol yn gymaint o broblem gannoedd o flynyddoedd yn ôl.

5.2 Y Ddaear a'r amgylchedd

Bodau dynol a'r amgylchedd | GWEITHGAREDD

Ers 150 o flynyddoedd rydym ni wedi byw mewn 'cymdeithas ddiwydiannol'. Hyd yn ddiweddar, byddai'r holl wastraff a gynhyrchwn yn cael ei ryddhau i'r aer, dŵr a phridd. Erbyn heddiw, mae cyfreithiau llym i sicrhau ein bod ni'n lleihau llygredd amgylcheddol i'r eithaf. Mae gwaith gwyddonwyr wedi bod yn bwysig yn y frwydr i warchod yr amgylchedd rhag ein gweithgareddau.

gw. Ffermio dwys, tud. 64

Mae llosgi tanwyddau ffosil yn:

- cynhyrchu **carbon deuocsid** (yr effaith tŷ gwydr);
- cynhyrchu **sylffwr deuocsid** (glaw asid);
- defnyddio **tanwyddau ffosil anadnewyddadwy**.

Mae gwyddonwyr yn helpu trwy:

- wneud prosesau'n **fwy effeithlon** fel bod angen llai o danwydd;
- **tynnu sylffwr** o danwyddau;
- **datblygu prosesau 'sgrwbio'** i dynnu sylffwr deuocsid o simneiau gorsafoedd trydan.

Pan gynhyrchir bwyd trwy ffermio dwys:

- mae gwrteithiau'n achosi **ewtroffigedd** mewn afonydd;
- mae **plaleiddiaid yn niweidio bywyd gwyllt** ac yn gallu aros yn y bwyd rydym ni'n ei fwyta;
- gall **clefydau** ledu'n gyflym trwy anifeiliaid fferm, er enghraifft, ffliw adar.

Mae gwyddonwyr yn helpu trwy:

- drin afonydd a datblygu **gwrteithiau llai niweidiol**;
- datblygu **plaleiddiaid** llai niweidiol;
- datblygu **dulliau ffermio organig**;
- ymchwilio i ddulliau ffermio newydd i gadw **anifeiliaid fferm yn iach**, er enghraifft, brechiadau.

Mae gwneud nwyddau traul yn:

- defnyddio **adnoddau mwyn metel anadnewyddadwy**;
- defnyddio **egni o danwyddau ffosil**;
- creu gwastraff a all fynd i mewn i afonydd ac achosi llygredd, er enghraifft, trwy newid pH dŵr;
- creu llawer o **wastraff anfioddiraddadwy** sy'n mynd i **safleoedd tirlenwi**;
- defnyddio rhai **cemegion** sy'n niweidiol i'r amgylchedd, er enghraifft, mae CFCau'n effeithio ar yr haen oson.

Mae gwyddonwyr yn helpu trwy:

- ddatblygu prosesau **ailgylchu** i arbed gwastraff, egni a metelau;
- datblygu prosesau i niwtraleiddio gwastraff hylifol;
- darganfod **dulliau newydd o ddefnyddio gwastraff** o ddiwydiant;
- datblygu **defnyddiau bioddiraddadwy** sy'n pydru;
- datblygu **cemegion diogel** yn lle rhai niweidiol.

2 Gweithiwch mewn grŵp. Dewiswch un o'r blychau uchod. Gwnewch waith ymchwil i ddarganfod rhagor o wybodaeth. Paratowch gyflwyniad ar gyfer gweddill y dosbarth. Rhowch sylw i ddwy ochr y sefyllfa – beth yw'r problemau a beth y mae gwyddonwyr yn ei wneud i helpu.

5.2 Y Ddaear a'r amgylchedd

Mae **hylosgiad anghyflawn** yn digwydd pan nad oes digon o ocsigen i'r tanwydd losgi'n gyfan gwbl. Mae carbon monocsid gwenwynig a huddygl yn cael eu gwneud.

Cludiant a'r amgylchedd

Mae ein cymdeithas yn dibynnu ar gludiant, nid yn unig i gario pobl, ond i gario bwyd a nwyddau eraill i siopau, defnyddiau crai i ddiwydiant, a defnyddiau adeiladu – popeth sydd ei angen ar gyfer ein bywydau pob dydd. Mae'r mwyafrif o gerbydau'n defnyddio tanwyddau **hydrocarbon** sy'n cael eu gwneud o olew, er enghraifft, petrol a diesel. Mae allyriadau cerbydau (o bibellau gwacáu) yn cynnwys nwyon niweidiol.

Mwrllwch

Mae allyriadau o bibellau gwacáu'n adweithio â'i gilydd i wneud mwrllwch – niwl trwchus o foleciwlau niweidiol sy'n achosi problemau anadlu difrifol a marwolaeth hyd yn oed.

Bu farw 120,000 o bobl ym mwrllwch mawr Llundain yn 1952.

petrol heb ei losgi (hydrocarbonau)
carbon deuocsid CO_2
carbon monocsid CO
gronynnau carbon C
ocsidau nitrogen NO ac NO_2
sylffwr deuocsid SO_2

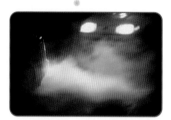

Glaw asid

Mae ocsidau nitrogen a sylffwr deuocsid o bibellau gwacáu'n hydoddi mewn dŵr glaw i wneud glaw asid. Mae glaw asid yn niweidiol i goed a bywyd gwyllt, yn enwedig pysgod ac anifeiliaid dŵr eraill.

Coedwig yn marw o ganlyniad i law asid.

Hylosgiad cyflawn ac anghyflawn tanwydd

Mae'r hydrocarbonau mewn petrol yn cynnwys carbon. Wrth i garbon losgi, mae'n creu llawer iawn o garbon deuocsid sy'n cynyddu'r effaith tŷ gwydr; gallai hyn arwain at newid yn yr hinsawdd.

$$C \text{ (mewn hydrocarbon)} + O_2 \rightarrow CO_2$$

Nid oes digon o ocsigen mewn peiriannau car i'r tanwydd losgi'n gyfan gwbl, felly cynhyrchir carbon monocsid a gronynnau o garbon trwy hylosgiad anghyflawn y tanwydd.

$$C \text{ (mewn hydrocarbon)} + \tfrac{1}{2}O_2 \rightarrow CO$$

Sylwer bod yr adwaith hwn yn defnyddio hanner yr ocsigen yn unig. Mae carbon monocsid yn wenwynig iawn os caiff ei fewnanadlu gan ei fod yn atal y gwaed rhag cludo ocsigen. Mae gronynnau carbon o huddygl yn creu mwg budr.

Trawsnewidyddion catalytig sy'n cael gwared ag ocsidau nitrogen a charbon monocsid.

Petrol sylffwr isel sy'n lleihau sylffwr deuocsid.

Nwyon llai niweidiol o bibellau gwacáu

Datblygu tanwyddau newydd, er enghraifft, celloedd tanwydd hydrogen a biodiesel.

Defnyddio llai o danwydd peiriannau mwy effeithlon, cludiant cyhoeddus gwell, annog pobl i ddefnyddio'u ceir yn llai aml.

Yr unig ffordd o leihau allyriadau CO_2 yw llosgi llai o danwydd!

Gwnewch rywbeth yn ei gylch!

Yn ystod y 30 mlynedd diwethaf mae deddfau llym wedi cael eu cyflwyno i gyfyngu ar y nwyon niweidiol a all gael eu rhyddhau gan gerbydau.

❸ Gwnewch dabl i ddangos y nwyon sy'n cael eu rhyddhau gan gerbydau, y problemau llygredd a achosant, a'r hyn y gallwn ei wneud i ddatrys y problemau.

5.2 Y Ddaear a'r amgylchedd

Monitro ansawdd aer | ASTUDIAETH ACHOS

Mae tua 1500 o orsafoedd monitro ansawdd aer yn y DU. Mae ansawdd aer yn amrywio o le i le gan ddibynnu ar faint o draffig sydd a chynllun y ffyrdd. Mae gan ffyrdd cul rhwng adeiladau tal ansawdd aer gwael fel rheol oherwydd bod y nwyon niweidiol yn cael eu dal. Mae ceir yn cynhyrchu mwy o nwyon niweidiol mewn tagfeydd traffig, neu wrth symud yn araf neu'n cyflymu, felly caiff ansawdd aer ei fonitro ar gyffyrdd a chylchfannau yn aml. Lle mae ansawdd aer yn wael, gellir gwella pethau trwy newid cynllun y ffyrdd fel bod y traffig yn symud yn rhwyddach.

Mae ansawdd aer yn cael ei gofnodi ar indecs o 1 i 10 fel rheol. Mae 1 yn golygu nad oes llawer o lygryddion ac mae 10 yn golygu bod llawer iawn ohonynt.

Gorsaf monitro ansawdd aer yng nghanol dinas Caerdydd.

Band	Indecs	Disgrifydd iechyd
Isel	1–3	Dim effeithiau gwerth sôn amdanynt, hyd yn oed i bobl sy'n sensitif i lygryddion.
Cymedrol	4–6	Effeithiau bach, ni fydd angen gwneud dim mae'n debyg, efallai y bydd pobl sensitif yn sylwi arnynt.
Uchel	7–9	Effeithiau sylweddol y gall pobl sensitif sylwi arnynt; efallai y bydd angen gweithredu, er enghraifft, treulio llai o amser allan mewn ardaloedd llygredig. Efallai y bydd angen i bobl asthmatig ddefnyddio mewnanadlyddion.
Uchel iawn	10	Gall yr effeithiau ar iechyd pobl sensitif fynd yn waeth.

Mae tablau mwy manwl yn dangos faint yn union o wahanol lygryddion sydd yn yr aer. Daw'r data ar y dde o 3 Ebrill 2008. Roedd yr indecs llygredd aer yn 1 (isel). Mae safonau cenedlaethol ar gyfer ansawdd aer, a rhaid gweithredu os nad yw'r ansawdd yn cyrraedd y safonau hyn.

Mae gorsafoedd eraill yn monitro'r tywydd.
Mae hyn yn bwysig gan fod:

- heulwen gynnes yn gwneud i fwrllwch ffurfio'n gyflymach;
- glaw yn golchi llygryddion o'r awyr;
- gwynt yn cario llygryddion i leoedd eraill.

Gorsaf monitro ansawdd aer yng nghanol dinas Caerdydd.
Dyddiad: 03/04/08   Amser: 10:00am

Llygrydd	Mesuriad (μgm^{-3})
CO	300
PM_{10}	24
NO	10
NO_2	31
O_3	48
SO_2	0

Indecs llygredd aer: 1 (isel).

> Mae hyn yn dangos faint o ronynnau o lwch a charbon sydd yn yr aer.

> Mae oson, O_3, yn cael ei wneud mewn mwrllwch – mae hyn yn dangos faint o fwrllwch sydd yn yr aer.

④ Pam rydych chi'n meddwl bod gan rai pobl ddiddordeb arbennig mewn llygredd aer?

⑤ Defnyddir y data hefyd gan bobl sy'n cynllunio ffyrdd.

   (a) Eglurwch sut mae'r data hwn yn ddefnyddiol wrth baratoi cynlluniau ffyrdd.

   (b) Caiff trosffyrdd eu codi weithiau yn lle cylchfannau a chyffyrdd. Maen nhw'n sicrhau bod ceir yn mynd yn gyflymach, gan leihau llygredd aer lleol. Eglurwch pam.

⑥ Mae cynllun ar y gweill i osod gorsaf fonitro newydd ger eich ysgol. Gan ddefnyddio gwybodaeth o'r uned hon, gwnewch sgript fer ar gyfer eitem newyddion leol sy'n egluro pam mae angen gorsafoedd monitro.

5.2 Y Ddaear a'r amgylchedd

Dewis y tanwydd iawn

gw. Olew crai i betrol, tud. 166.

Pympiau tanwydd petrol, diesel ac LPG.

Mae'r mwyafrif o orsafoedd petrol yn gwerthu tri phrif fath o danwydd ar gyfer ceir – **petrol di-blwm, diesel** a **nwy petroliwm hylifol** Mae'r holl danwyddau hyn yn cynnwys hydrocarbonau ac maen nhw wedi'u gwneud o olew crai. Mae llawer o gwmnïau ceir yn gwerthu ceir gyda dewis o beiriannau fel y gall y cwsmer ddewis pa fath o danwydd i'w ddefnyddio.

Yn y tabl isod mae gwybodaeth am beiriannau petrol, diesel neu LPG wedi'u gosod yn yr un math o gar teulu.

Math o danwydd	Enghraifft o foleciwl hydrocarbon yn y tanwydd	Traul tanwydd (litrau y 100 km)	CO_2 a gynhyrchir g/km	Cost y tanwydd y litr (Tach 2005)
Petrol di-blwm	C_8H_{16}	7.0	167	91
Diesel	$C_{10}H_{22}$	4.8	127	95
LPG	C_3H_8	9.3	151	42

7 (a) Pa danwydd sy'n cynnwys y mwyaf o egni? Sut rydych chi'n gwybod hyn?

(b) Darllenwch y gosodiadau hyn a phenderfynwch a ydyn nhw'n gywir neu'n anghywir. Rhowch resymau.

1. Po fwyaf o garbon sydd yn y tanwydd, mwyaf o egni sydd ynddo.
2. Po fwyaf o garbon sydd yn y tanwydd, mwyaf o garbon deuocsid a gynhyrchir bob km.
3. Mae swm y carbon deuocsid a gynhyrchir yn dibynnu ar y draul tanwydd bob km.

8 (a) Gwnewch gyfrifiadau i gyfrifo faint y mae'n ei gostio i deithio 100 km wrth ddefnyddio pob math o danwydd.

(b) Beth arall y byddai angen i chi ei wybod cyn gallu dweud pa gar sydd rhataf ei redeg?

(c) Pam rydych chi'n meddwl bod cwsmeriaid eisiau gwybod faint o garbon deuocsid a gynhyrchir bob km?

Tanwyddau eraill ar gyfer ceir

Daw petrol, diesel ac LPG o **olew crai**. **Tanwydd ffosil anadnewyddadwy,** yw hwn, felly mae llosgi olew crai yn ychwanegu carbon deuocsid at yr atmosffer a bydd yr olew yn **dod i ben** ryw ddydd. Mae gwyddonwyr yn gweithio i ddatblygu tanwyddau eraill ar gyfer ceir. Y rhai mwyaf addawol yw **hydrogen**, **biodiesel** a **gasohol**. Caiff biodiesel a gasohol eu gwneud o blanhigion.

Hydrogen:
- mae'n cynhyrchu dŵr yn unig wrth losgi;
- gellir ei ddefnyddio mewn cell danwydd i redeg ceir.

Ond:
- mae trydan i wneud hydrogen yn ddrud a defnyddir tanwyddau ffosil i'w wneud;
- mae hydrogen yn llawer mwy anodd ei storio na phetrol.

Biodiesel a gasohol:
- gellir eu gwneud yn y DU o gnydau megis betys siwgr neu rêp hadau olew;
- maen nhw'n 'garbon niwtral' gan eu bod, wrth losgi, yn dychwelyd yr un swm o garbon deuocsid i'r aer ag a ddefnyddiwyd wrth i'r cnydau dyfu.

Ond:
- mae angen y tir ar gyfer tyfu bwyd;
- ni ellir eu cynhyrchu ar raddfa ddigon mawr eto.

5.2 Y Ddaear a'r amgylchedd

Mae Hywel yn gwneud prawf MOT   ASTUDIAETH ACHOS

Yn y DU rhaid i geir dros dair blwydd oed gael prawf MOT bob blwyddyn. Pwrpas y prawf MOT yw sicrhau bod ceir yn ddiogel eu gyrru. Un rhan o'r prawf yw profi allyriadau'r bibell wacáu (faint o nwyon sy'n dod o'r bibell) pan fydd peiriant y car yn rhedeg.

Mae Hywel yn gweithio mewn modurdy. Mae'n egluro sut mae'n gwneud y prawf:

'Rydym ni'n rhedeg peiriant y car nes iddo gyrraedd ei dymheredd gweithio arferol cyn profi'r allyriadau o'r bibell wacáu. Mae hyn yn sicrhau bod y prawf yn un teg gan y bydd ceir yn rhyddhau nwyon mwy niweidiol pan fyddan nhw'n oer. Rydym ni'n gosod dadansoddydd nwyon ar y bibell i brofi'r symiau o wahanol nwyon sy'n dod allan. Dau o'r nwyon y byddwn ni'n profi ar eu cyfer yw petrol heb ei losgi (mae hwn i'w weld ar y canlyniadau fel 'HC' am hydrocarbonau) a charbon monocsid. Un o'r rhesymau mwyaf cyffredin dros fethu'r prawf yw mwg yn dod allan o'r bibell wacáu – mae'r mwg yn cynnwys huddygl (gronynnau o garbon). Mae yna gyfyngiadau llym ar faint o bob nwy y gall car ei ryddhau. Bydd car yn methu'r MOT os nad yw'n cwrdd â'r rhain. Mae'r terfynau'n amrywio o fodel i fodel – dydy peiriannau ceir hŷn ddim mor effeithlon â pheiriannau mwy modern, felly mae'r terfynau ychydig yn uwch.

Mae Hywel yn profi allyriadau o bibell wacáu.

'Os bydd y car yn methu, rhaid i ni ddod o hyd i'r nam sy'n achosi'r broblem. Yna gallwn ni ddweud wrth berchennog y car beth sydd angen ei wneud i sicrhau bod y car yn pasio. Namau cyffredin sy'n achosi allyriadau uchel yw traul yn y peiriant, namau gyda'r system danwydd neu ddifrod i drawsnewidydd catalytig. Weithiau gall y gwaith atgyweirio fod yn ddrud iawn, ond weithiau gall hidlydd aer newydd ddatrys y broblem.'

Dyma'r canlyniadau ar gyfer y car a brofwyd gan Hywel:

Prawf segura cyflym	Terfynau	Gwerth gwirioneddol
Cyflymder y peiriant	2500–3000 Cyf	2829 Cyf
CO	llai na 0.3%	0.03%
HC	llai na 200rhym	28rhym

9 Eglurwch pam mae'n bwysig darganfod a oes gan gar lefelau uchel o betrol heb ei losgi neu garbon monocsid yn ei allyriadau gwacáu.

10 (a) Eglurwch pam mae petrol heb ei losgi, carbon monocsid a huddygl i gyd yn cael eu hachosi gan hylosgiad anghyflawn

(b) A fyddai'r car yn pasio'r prawf allyriadau? Rhowch resymau.

Ffeithiau allweddol

Copïwch a chwblhewch y brawddegau trwy ddewis y gair cywir o'r rhestr o eiriau allweddol.

1 Mae rhai prosesau naturiol yn ychwanegu nwyon niweidiol at yr aer, er enghraifft, o _____.

2 Mae allyriadau gwacáu ceir yn cynhyrchu _____ a _____ _____ trwy _____ _____.

3 Enghreifftiau o danwyddau eraill ar gyfer ceir yw _____ a _____.

Geiriau allweddol

carbon monocsid

gasohol

hydrogen

hylosgiad anghyflawn

huddygl (carbon)

llosgfynyddoedd

5.3 Y Ddaear o dan ein traed

Y Ddaear o dan ein traed

Mae'r rhan fwyaf o bobl yn meddwl ein bod ni'n sefyll ar dir solet. Ond mae'r creigiau sy'n ffurfio ein gwledydd a'n cyfandiroedd yn symud yn barhaus. Os ydych chi'n byw mewn ardal o ddaeargrynfeydd, mae'n bosibl gweld creigiau'n symud yn gyflym iawn. Mae hyd yn oed y DU yn symud – rydym ni'n drifftio ychydig o gentimetrau y flwyddyn i ffwrdd o Ogledd America. Mewn 100 mlynedd, efallai y bydd angen i awyrennau hedfan 100 m yn ychwanegol i gyrraedd America!

Platiau'n symud

Mae'r symudiad yn digwydd gan fod cramen y Ddaear wedi'i gwneud o blatiau o graig solet sy'n symud ar y fantell boeth odanynt. **Platiau tectonig** yw'r rhain. Mae'r symudiadau'n araf iawn fel rheol.

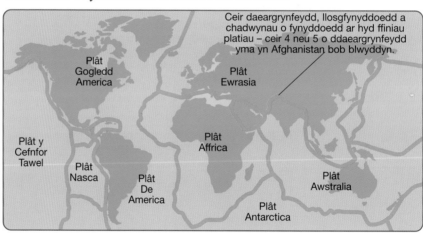

gw. Tonnau a chyfathrebu, tud. 298

Mae rhai platiau'n symud oddi wrth ei gilydd, er enghraifft, platiau Affrica a De America. Mae hyn yn achosi drifft cyfandirol (cyfandiroedd yn symud oddi wrth ei gilydd). Mae craig newydd yn cael ei chreu wrth i graig dawdd ddod allan o'r Ddaear a throi'n solet. Mae rhai platiau'n symud yn nes at ei gilydd, er enghraifft, platiau Ewrasia ac Awstralia, gyda'r canlyniad bod tir yn plygu i wneud mynyddoedd. Yn y lleoedd hyn, mae hen greigiau'n cael eu gwthio i lawr i mewn i'r Ddaear ac yn ymdoddi eto – yn rhan o'r gylchred graig. Weithiau mae'r platiau'n mynd yn 'sownd' ac mae pwysau'n crynhoi hyd nes bod symudiad sydyn – hyn sy'n achosi daeargrynfeydd. Gall daeargryn o dan y môr achosi ton fawr iawn o'r enw tswnami. Mae mannau gwan i'w cael lle mae'r platiau'n cyfarfod â'i gilydd. Mae magma tawdd o grombil y Ddaear yn cael ei wthio allan trwy'r mannau gwan hyn, gan greu llosgfynyddoedd.

1 Darganfyddwch y DU ar y map uchod. Rydym ni'n symud i ffwrdd o Ogledd America, ond nid o Ewrop. Eglurwch pam.

2 Pam nad yw'r DU yn dioddef o losgfynyddoedd neu ddaeargrynfeydd?

5.3 Y Ddaear o dan ein traed

Wegener a damcaniaeth drifft cyfandirol (GWEITHGAREDD)

Alfred Wegener oedd y person cyntaf i feddwl y gallai cramen y Ddaear fod wedi'i gwneud o blatiau symudol. Cyhoeddodd lyfr am ei ddamcaniaeth yn 1915. Gwyddai fod yr haenau o greigiau ar wahanol gyfandiroedd yn debyg iawn a sylwodd fod y cyfandiroedd yn ffitio i'w gilydd fel jigso. Credai eu bod i gyd yn ffurfio un cyfandir enfawr (o'r enw Pangea) ar un adeg a'u bod wedi symud oddi wrth ei gilydd yn araf wrth i'r platiau symud. Ni dderbyniwyd ei ddamcaniaeth ar y dechrau. Ond ers y 1950au mae gwyddonwyr wedi dysgu mwy am adeiledd y Ddaear a gallant bellach ganfod symudiadau bach yn y gramen. Ers y 1960au, mae damcaniaeth Wegener wedi cael ei derbyn.

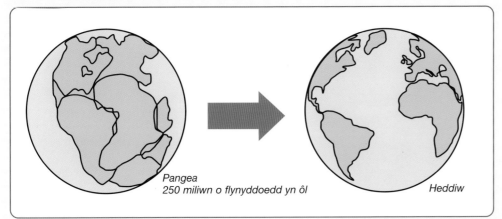

Pangea
250 miliwn o flynyddoedd yn ôl

Heddiw

Drifft cyfandirol.

Haenau craig a ffosiliau

Mae rhai haenau craig yn debyg iawn ar dir sydd wedi'i wahanu gan filoedd o filltiroedd o gefnfor, er enghraifft, Affrica a De America.

Allwedd

mfy – miliwn o flynyddoedd yn ôl

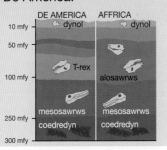

Daeargrynfeydd, llosgfynyddoedd a mynyddoedd

Os byddwn ni'n plotio'r prif ardaloedd o ddaeargrynfeydd, llosgfynyddoedd a chadwynau o fynyddoedd ar fap o'r byd, fe welwn eu bod i gyd ar hyd ffiniau'r platiau.

Mae daeargrynfeydd yn digwydd ar ffiniau platiau.

3 (a) Edrychwch ar y dystiolaeth yn y blychau uchod. Ym marn gwyddonwyr, torrodd De America i ffwrdd o Affrica tua 120 miliwn o flynyddoedd yn ôl. Ym mha ffyrdd y mae'r haenau craig yn cefnogi'r ddamcaniaeth hon?

(b) Ar un adeg, credai rhai pobl fod arwyneb y Ddaear yn crebachu a phlygu gan fod y Ddaear yn mynd yn llai. Pa dystiolaeth y mae'r ddamcaniaeth hon yn ei hegluro? Pa dystiolaeth nad yw'n ei hegluro?

4 (a) Torrwch allan y cyfandiroedd yn fras o fap o'r byd. Ceisiwch eu rhoi wrth ei gilydd i ffurfio Pangea.

(b) Gan ddefnyddio atlas i'ch helpu, lluniwch brif leoliadau mynyddoedd, daeargrynfeydd a llosgfynyddoedd y byd ar fap arall. Eglurwch sut mae hyn yn cefnogi syniadau Wegener am ddrifft cyfandirol.

5.3 Y Ddaear o dan ein traed

Sut mae platiau'n symud

Mae platiau'r Ddaear sy'n ffurfio'r gramen yn gorffwys ar haen o graig boeth iawn, sef y fantell. Mae'r fantell yn solet, ond mewn rhai ffyrdd mae'n ymddwyn fel hylif – mae'n symud yn araf iawn. Ceryntau darfudol o fewn y fantell sy'n peri i'r platiau symud. Mae ceryntau darfudol yn digwydd lle mae craig boethach y fantell yn codi a lle mae craig oerach y fantell yn suddo. Mae'r platiau'n symud wrth i'r fantell symud.

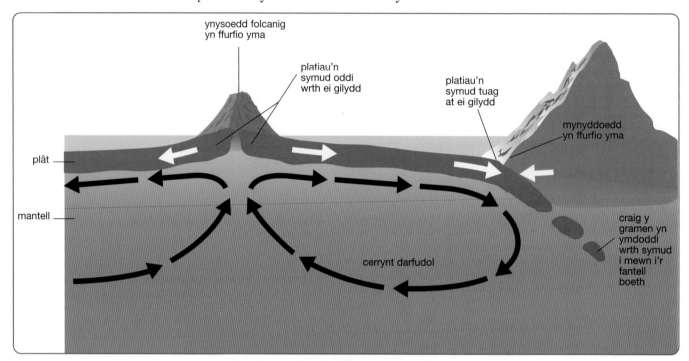

Wrth i'r platiau symud tuag at ei gilydd, mae hen graig yn suddo ac ymdoddi. Mae cadwynau o fynyddoedd yn ffurfio.

Wrth i'r platiau symud oddi wrth ei gilydd, mae magma'n codi ac yn ffurfio craig newydd. Mae hyn yn achosi drifft cyfandirol. Mae daeargrynfeydd a llosgfynyddoedd yn digwydd ar y ddau fath o ffin.

5 Y gylchred graig yw'r enw ar symudiad y creigiau a ddangosir yn y diagram. Eglurwch beth sy'n digwydd i un darn o graig ar hyd ei daith.

Geiriau allweddol
daeargrynfeydd
drifft cyfandirol
llosgfynyddoedd
mynyddoedd
platiau tectonig

Ffeithiau allweddol

Copïwch a chwblhewch y brawddegau trwy ddewis y gair cywir o'r rhestr o eiriau allweddol.

1 Mae cramen y Ddaear wedi'i gwneud o _____ _____.

2 Wrth i blatiau symud oddi wrth ei gilydd, mae'n achosi _____ _____.

3 Wrth i blatiau symud tuag at ei gilydd, mae _____ yn cael eu ffurfio.

4 Ar ymylon platiau, mae _____ a _____ yn digwydd.

5.3 Y Ddaear o dan ein traed

Arbed San Francisco   ASTUDIAETH ACHOS

Mae plât tectonig y Cefnfor Tawel yn cyfarfod â phlât tectonig Gogledd America o dan California. Mae ffawt San Andreas yn rhedeg ar hyd y ffin rhwng y platiau am 650 o filltiroedd trwy ardaloedd poblog a chefnog megis San Francisco. Mae daeargrynfeydd yn gyffredin ar hyd y ffawt. Cafodd 9000 o bobl eu hanafu mewn daeargryn yn 1994. Achosodd un arall werth 40 biliwn o ddoleri o ddifrod yn 1992. Mae gwyddonwyr yn credu y bydd 'yr Un Mawr' yn digwydd yn ystod y 30 mlynedd nesaf, ond mae'n anodd iawn gwybod ble yn union. Mae pob symudiad bach ar hyd y ffawt yn cael ei fonitro i geisio rhagfynegi pryd bydd y daeargryn nesaf yn digwydd.

Monitro'r ffawt

Mae gwyddonwyr yn gweithio i ragfynegi'r daeargryn nesaf trwy:

- ddefnyddio **seismogramau** i fonitro symudiadau'r Ddaear;
- cymryd samplau o'r ffawt o dwll turio tri chilometr o ddyfnder (twll 'SAFOD');
- edrych ar ddata hanesyddol i geisio darganfod beth i'w ddisgwyl ychydig cyn daeargryn mawr.

Mae seismogram yn gwneud marciau ar rolyn o bapur yn ystod crynfeydd. Ar ôl daeargryn, mae dau fath o don yn teithio trwy'r ddaear – **tonnau p** a **thonnau s**. Mae'r tonnau'n gwneud i'r ddaear grynu ac i adeiladau ddisgyn. Mae'r tonnau p yn teithio'n gyflymach na'r tonnau s. Trwy astudio seismograffau a gymerir mewn gwahanol leoedd, gall gwyddonwyr ddarganfod ble yn union y dechreuodd y creigiau symud. Mae'r mwyafrif o grynfeydd yn rhy fach i bobl eu teimlo hyd yn oed, ond mae pob symudiad o fewn y Ddaear yn rhoi gwybodaeth am ble mae'r creigiau dan bwysau.

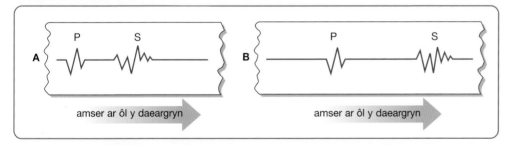

Mae'r seismograffau uchod ar gyfer daeargryn bach a gofnodwyd mewn dwy orsaf fonitro, A a B. Maen nhw'n dangos mai gorsaf A oedd agosaf at y daeargryn.

6 Edrychwch ar y seismograffau. Pam mae tonnau p yn cyrraedd yr orsaf fonitro cyn tonnau s? Sut y gallwch ddweud mai gorsaf A sydd agosaf at y daeargryn?

Bydd rhybudd cynnar bod daeargryn ar ei ffordd yn achub bywydau gan y bydd yn bosibl symud y trigolion, ond beth am yr adeiladau eu hunain. Caiff adeiladau a phontydd mawr newydd yn San Francisco eu codi ar sylfeini sy'n gallu amsugno sioc (er enghraifft, defnyddir pyst rwber) ac maen nhw'n hyblyg i sicrhau na fyddan nhw'n disgyn. Ni chaiff unrhyw adeiladau eu codi ar y ffawtlin. Caiff y prif gyflenwadau dŵr, nwy a thrydan eu torri i ffwrdd yn awtomatig mewn argyfwng rhag ofn iddynt achosi difrod neu danau yn ystod daeargryn.

7 Eglurwch sut mae California yn paratoi i atal difrod ac achub bywydau os bydd daeargrynfeydd yn taro yn y dyfodol.

Cafodd Pyramid Transamerica ei godi i wrthsefyll daeargrynfeydd. Er iddo siglo dros droedfedd yn ystod y daeargryn yn Loma Prieta, California yn 1989, ni chafodd ei ddifrodi.

5.4 Tonnau a chyfathrebu

Tswnami

Mae **tonnau** yn dda iawn am drosglwyddo **egni** o un lle i le arall. Daeargryn o dan y môr a achosodd y tswnami a ddinistriodd drefi arfordirol trwy Dde-Ddwyrain Asia yn 2004. Cafodd yr egni o'r daeargryn ei drosglwyddo gan donnau i'r trefi arfordirol lle cafodd ei ryddhau i achosi dinistr mawr i fywyd ac eiddo.

Gan fod tonnau cystal am drosglwyddo egni, mae gwyddonwyr yn eu defnyddio i gyfathrebu dros bellterau enfawr. Tonnau sy'n cael eu defnyddio i drosglwyddo neges o un rhan o'r Ddaear i ran arall. Gallant hyd yn oed trosglwyddo gwybodaeth yn bell i'r gofod er mwyn i wyddonwyr allu cyfathrebu â cherbydau gofod.

Ar 26 Rhagfyr 2004, egni o ddaeargryn o dan y môr a achosodd y tswnami a ddinistriodd drefi arfordirol yn Ne-Ddwyrain Asia.

Pa fath o donnau a ddefnyddiwn ar gyfer cyfathrebu?

Defnyddir tonnau o'r **sbectrwm electromagnetig** ar gyfer cyfathrebu. Mae'r sbectrwm electromagnetig yn cynnwys tonnau o wahanol donfeddi. Byddwch wedi clywed am rai o'r tonnau hyn o'r blaen.

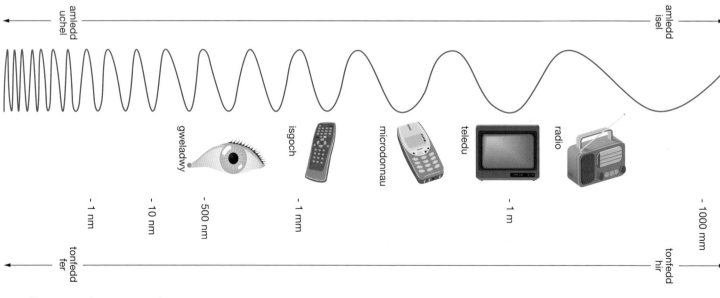

Sbectrwm electromagnetig.

① Edrychwch ar y llun o'r sbectrwm electromagnetig. Pa un o'r canlynol sydd â'r tonnau hiraf a pha un sydd â'r tonnau byrraf?

Golau ar gyfer gweld, microdonnau ar gyfer ffonau symudol, signal ar gyfer setiau teledu, tonnau radio.

5.4 Tonnau a chyfathrebu

Y tswnami yn Asia   GWEITHGAREDD

Digwyddodd y daeargryn yn Asia yn ddwfn o dan y cefnfor oddi ar ynys Sumatera ar 26 Rhagfyr 2004. Mae'r map yn dangos sut y cynhyrchodd yr egni o'r daeargryn donnau a ledodd dros Gefnfor India. Mae hefyd yn dangos faint o amser a gymerodd i'r tonnau gyrraedd gwahanol wledydd.

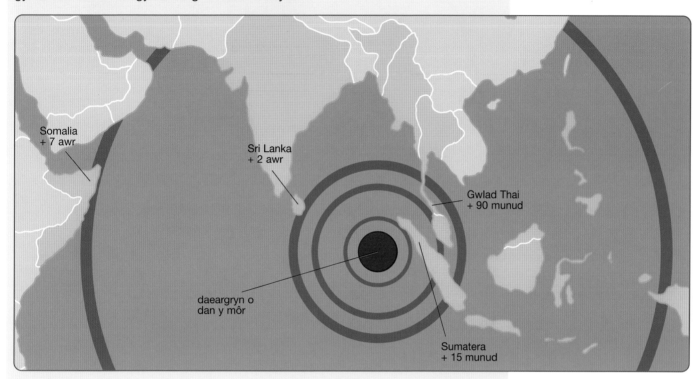

2 Awgrymwch pam y cyrhaeddodd y tswnami Wlad Thai cyn y cyrhaeddodd Somalia.

3 Awgrymwch pam y gwnaeth y don a gyrhaeddodd Somalia lai o ddifrod na'r don a gyrhaeddodd Wlad Thai.

Edrychwch ar y tabl o ddata. Mae'n dangos uchder y don wrth iddi agosáu at Wlad Thai.

Uchder y don/m	Dyfnder y cefnfor/m
2	dros 20
3	20
5	15
7.5	10
10	5

Plotiwch graff i ddangos sut yr effeithiodd dyfnder y cefnfor ar uchder y don.

4 Eglurwch y berthynas rhwng uchder y don a dyfnder y cefnfor.

5 Awgrymwch pam yr aeth y don yn uwch wrth fynd yn nes at yr arfordir.

5.4 Tonnau a chyfathrebu

Beth yw tonnau?

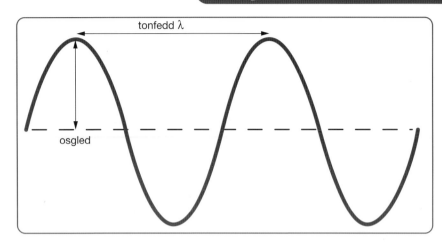

Tonfedd

Tonfedd yw hyd un don gyflawn. Y symbol ar gyfer tonfedd yw λ.

Gall rhai tonnau, megis pelydrau X, fod yn fyr iawn. Gall tonnau eraill, megis tonnau radio, fod yn hir iawn.

Amledd

Amledd yw nifer y tonnau sy'n mynd heibio bob eiliad. Y symbol ar gyfer amledd yw f. Os yw'r amledd yn un don yr eiliad, mae'n cael ei alw'n 1 Hz.

Cant o donnau yr eiliad yw 100 Hz.

Mae mwy o egni'n cael ei drosglwyddo wrth i amledd y don gynyddu.

Osgled

Osgled yw uchder y don. Mae mwy o egni'n cael ei drosglwyddo wrth i osgled y don gynyddu. Y symbol ar gyfer osgled yw a.

Tonnau

Gellir defnyddio'r tri symbol hyn i ddisgrifio **tonnau**. Gellir cyfrifo buanedd ton trwy luosi amledd y don â'i thonfedd. Y symbol ar gyfer buanedd neu gyflymder yw v.

$$\text{buanedd ton} = \text{amledd} \times \text{tonfedd}$$
$$v = f \times \lambda$$

Er bod hyn yn edrych yn gymhleth, mae'n weddol syml mewn gwirionedd. Os sefwch ar y traeth, gallwch gyfrif faint o donnau sy'n cyrraedd y tywod bob eiliad (f). Gall fod yn llai nag un don, er enghraifft, un don bob pum eiliad. Os felly, byddai'r amledd yn 0.2 o un don bob eiliad neu 0.2 Hz. Os lluoswch hyn â hyd y don (λ), byddwch chi'n darganfod pa mor gyflym y mae'r tonnau'n teithio. Yr enw ar hyn yw'r hafaliad ton.

6 Os yw 0.2 ton yn glanio ar y traeth bob eiliad, ac os yw hyd ton yn ddau fetr, cyfrifwch fuanedd y don.

5.4 Tonnau a chyfathrebu

Gweithio gyda thonnau   (ASTUDIAETH ACHOS)

Mae Steve yn gweithio yn Comet. Mae'n gwerthu offer y gall pobl eu defnyddio i gyfathrebu â'i gilydd. Dyma rai o'r pethau y mae Steve yn eu gwerthu.

Mae tonnau teledu a radio yn teithio dros bellter mawr i'n cartrefi. Maen nhw'n cario gwybodaeth ar ffurf lluniau a sain.

Mae Steve yn gweithio yn Comet.

Mae ffonau symudol yn defnyddio microdonnau. Erialau ar drosglwyddyddion sy'n anfon y tonnau i'n ffonau ac o'n ffonau. Yna anfonir y signalau rhwng gwahanol drosglwyddyddion.

Mae teclynnau pell-reoli yn defnyddio tonnau isgoch. Dim ond dros bellter bach y gall y signal deithio.

Mae ceblau ffibr optegol yn defnyddio tonnau goleuni i drawsyrru gwybodaeth dros bellter mawr. Defnyddir goleuni laser weithiau.

7 Pa fath o ddyfais a werthir gan Steve sy'n trawsyrru dros y pellter byrraf?

8 Awgrymwch pam mae'r ddyfais hon yn trawsyrru dros bellter byr yn unig.

9 Pa fath o ddyfais sy'n defnyddio goleuni i drawsyrru gwybodaeth?

10 Rhaid i drosglwyddyddion ar gyfer ffonau symudol fod yn llinell welediad ei gilydd. Awgrymwch pam.

11 Pa fath o ddyfais a werthir gan Steve sy'n defnyddio'r donfedd hiraf?

Ffeithiau allweddol

Copïwch a chwblhewch y brawddegau trwy ddewis y gair cywir o'r rhestr o eiriau allweddol. Gellir defnyddio pob gair fwy nag unwaith.

1 Mae tonnau radio a microdonnau'n perthyn i'r _____ _____.

2 Mae'r symbol f yn sefyll am _____. Mae'n fesur o faint o _____ sy'n mynd heibio bob eiliad.

3 Mae uchder ton yn cael ei alw'n _____.

4 Mae tonnau'n dda iawn am drosglwyddo _____.

5 Gellir darganfod _____ trwy fesur y pellter o un pwynt ar don i'r un pwynt ar y don nesaf.

Geiriau allweddol

amledd

egni

osgled

sbectrwm electromagnetig

tonfeddi

tonnau

5.4 Tonnau a chyfathrebu

Darganfod y gofod

Allwch chi weld y paladr hwn o oleuni'n dod tuag at eich llygaid?

Na alla.

Y rheswm am hynny ydy fod tonnau goleuni'n teithio mor gyflym.

Mae'r gofod yn fawr

Er bod y gofod yn fawr, mae gwyddonwyr wedi darganfod llawer amdano – diolch i donnau. Mae rhai o'r sêr y gallwn eu gweld yn y nos mor bell i ffwrdd fel bod y tonnau goleuni wedi cymryd milocdd o flynyddoedd i'n cyrraedd.

Mae gwyddonwyr yn mesur pellter y sêr mewn blynyddoedd golau. Dyma'r pellter y gall goleuni ei deithio mewn un flwyddyn. Gan fod goleuni'n teithio mor gyflym, mae un flwyddyn golau yn 9 500 000 000 000 km. Ceisiwch ddychmygu pa mor bell i ffwrdd yw rhai sêr os ydyn nhw'n filoedd o flynyddoedd golau i ffwrdd.

Cysawd yr haul – ein hiard gefn ni

Mae rhai gwrthrychau yn y gofod yn llawer nes atom. Mae'r haul, ein seren agosaf, wyth munud golau yn unig i ffwrdd. Mae'r lleuad, sy'n troi o amgylch y Ddaear, yn 1.25 eiliad golau i ffwrdd. Mae'r Ddaear a'r holl blanedau eraill yn troi o gwmpas yr haul. Yr unig reswm y gallwn weld y planedau yw oherwydd eu bod yn adlewyrchu peth o olau'r haul yn ôl i'n llygaid.

Casglu tonnau

Gall gwyddonwyr ddefnyddio ddau fath o delesgop i gasglu tonnau o sêr pell.

Gall gwyddonwyr hyd yn oed casglu pelydrau isgoch a phelydrau X o sêr pell.

Mae telesgopau radio'n casglu tonnau radio.

Mae telesgopau golau yn casglu tonnau goleuni.

⓬ Heblaw am yr haul, mae'r seren agosaf at y Ddaear yn 4.5 blwyddyn golau i ffwrdd. Cyfrifwch pa mor bell i ffwrdd yw hyn mewn cilometrau.

5.4 Tonnau a chyfathrebu

Y bydysawd clystyrog

ASTUDIAETH ACHOS

Nid yw gwrthrychau megis planedau, lleuadau a sêr wedi'u gwasgaru'n wastad trwy'r gofod. Mae tuedd iddynt ffurfio clystyrau. Mae'r Ddaear a'r planedau eraill yn troi o amgylch yr haul. Dyma gysawd yr haul. Mae'r haul a miliynau o sêr eraill wedi'u clystyru gyda'i gilydd yn ein galaeth ni. Y Llwybr Llaethog yw'r enw a roddwn ar hon. Mae'r holl sêr a welwch yn awyr y nos yn perthyn i'n galaeth ni. Mae'r bydysawd yn cynnwys miliynau a miliynau o alaethau eraill. Mae'r galaethau hyn mor bell i ffwrdd fel bod yn rhaid defnyddio telesgop i'w gweld yn glir.

⓯ Edrychwch ar y ffotograff. Mae'n dangos rhai sêr o flaen pedair galaeth wahanol. Awgrymwch pa alaeth y mae'r sêr a welwch yn perthyn iddi.

Gwneud eich cysawd haul eich hun

Edrychwch ar y data yn y tabl hwn.

	Yn cael ei gynrychioli gan	Pellter o'r haul/miliynau o filltiroedd
Yr Haul	pêl lan môr	
Mercher	pysen	36
Gwener	grawnwinen	67
Y Ddaear	grawnwinen	93
Mawrth	pysen	142
Iau	pêl griced	484
Sadwrn	pêl snwcer	888
Wranws	pêl tennis bwrdd	1784
Neifion	pêl tennis bwrdd	2799
Plwton	pen pin	3674

Rhowch y bêl lan môr yn un pen i'ch cae chwarae. Yn awr rhowch eich pysen gyntaf 23 metr i ffwrdd. Ar y raddfa hon, mae miliwn o filltiroedd yn cael ei chynrychioli gan 66 cm.

⓮ Cyfrifwch pa mor bell o'r bêl lan môr y dylai'r holl blanedau eraill fod.

⓯ A allwch chi ffitio eich model o gysawd yr haul ar eich cae chwarae?

⓰ Ar y raddfa hon, heblaw am yr haul, pa mor bell i ffwrdd fyddai'r seren agosaf?

5.4 Tonnau a chyfathrebu

Mae'r bydysawd yn ehangu

Mae gwyddonwyr yn credu i'r bydysawd ddechrau gyda ffrwydrad enfawr, y Glec Fawr.

Felly rhaid bod y bydysawd cynnar wedi ehangu'n gyflym iawn. Rhai blynyddoedd yn ôl, roedd gwyddonwyr eisiau gwybod a oedd y bydysawd yn dal i ehangu. Roedd yn anodd iawn cael ateb i'r cwestiwn hwn. Yn ffodus, llwyddodd gwyddonydd enwog o'r enw Edwin Hubble i ddatrys y broblem.

Hubble ac effaith Doppler

Dychmygwch eich bod chi'n sefyll ger trac rasio. Wrth i gar ddynesu, mae traw y sain o'r peiriant yn swnio'n uchel iawn. Ond wrth i'r car fynd heibio, mae'r traw yn mynd yn is – nid oherwydd bod y sain o'r car wedi newid mewn gwirionedd, ond oherwydd effaith Doppler.

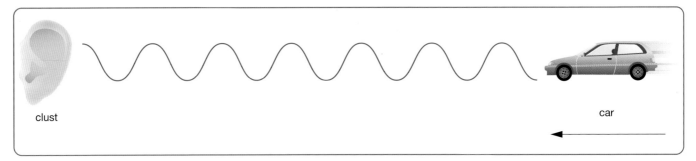

clust

car

Wrth i'r car symud tuag atoch, mae'r tonnau sain yn cael eu gwasgu. Mae ganddynt donfedd fyrrach, felly mae'r traw yn uwch.

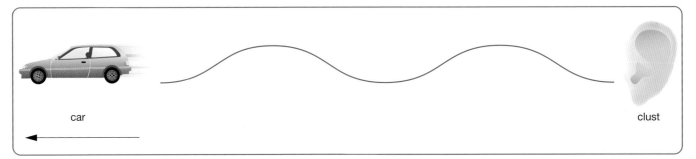

car

clust

Wrth i'r car symud i ffwrdd, caiff y tonnau sain eu lledu. Mae ganddynt donfedd hirach, felly mae'r traw yn is.

Sylweddolodd Hubble fod yr un peth yn digwydd gyda goleuni.

Wrth iddynt astudio'r goleuni o sêr, darganfyddodd seryddwyr fod y goleuni'n cael ei estyn. Roedd tonfedd y goleuni'n hirach nag y dylai fod ac roedd ym mhen coch y sbectrwm. Gallai seryddwyr ddweud oddi wrth y rhuddiad hwn fod y bydysawd yn parhau i ehangu.

Yn sgil darganfyddiad Hubble, newidiwyd ein ffordd o feddwl am y bydysawd.

17 Awgrymwch pa liw fyddai'r goleuni pe bai'r bydysawd yn crebachu.

5.4 Tonnau a chyfathrebu

Darganfod Plwton ASTUDIAETH ACHOS

Darganfyddwyd Plwton gan Clyde Tombaugh. Roedd seryddwr enwog o'r enw Percival Lowell wedi rhagfynegi bodolaeth Plwton ond heb lwyddo i'w ddarganfod. Roedd Tombaugh yn gweithio fel technegydd yn Arsyllfa Lowell a gofynnwyd iddo ddod o hyd i Blwton. Tynnodd gyfres o ffotograffau o ble y dylai fod a llwyddodd i'w ddarganfod ar 18 Chwefror 1930.

Plwton a'i leuad, Charon.

Plwton – y blaned ryfedd

Planed anarferol yw Plwton. Pan gafodd ei darganfod, newidiodd y ffordd yr oedd seryddwyr yn meddwl am gysawd yr haul. Nid yw Plwton yn yr un llinell â'r planedau eraill ond ar oledd o 19°.

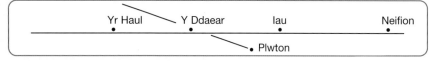

Mae Plwton yn cylchdroi ar yr un cyflymder yn union ag y mae ei leuad, Charon, yn troi o gwmpas y blaned. Felly pe baech chi'n sefyll ar Blwton, byddai'r lleuad bob amser yn yr un lle.

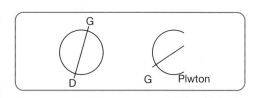

Mae pegynau'r gogledd a'r de ar Blwton bron â wynebu'r dwyrain a'r gorllewin o'u cymharu â phlanedau eraill. Erbyn hyn cafodd Plwton ei ailddosbarthu fel cor-blaned.

18 Beth oedd enw'r person a ddarganfyddodd Plwton?

19 Beth yw enw lleuad Plwton?

20 Ym mha ffyrdd y mae Plwton yn wahanol i'r planedau eraill yng nghysawd yr haul?

21 Mae Plwton yn bell o'r haul. Awgrymwch beth yw'r amodau ar arwyneb Plwton. Yna chwiliwch y Rhyngrwyd i gael gwybodaeth am yr amodau ar y blaned.

Ffeithiau allweddol

Copïwch a chwblhewch y brawddegau trwy ddewis y gair cywir o'r rhestr o eiriau allweddol.

1 Y blaned sydd bellaf o'r haul yw _____.

2 Mae'r holl blanedau a'r haul yn perthyn i _____ _____ _____.

3 Y Llwybr Llaethog yw enw ein _____ ni ac mae'n cynnwys yr holl sêr gweladwy.

4 Math o _____ yw ein haul ni.

5 Mae'r holl alaethau i'w cael yn y _____.

Geiriau allweddol

bydysawd

cysawd yr haul

galaeth

Plwton

seren

Cwestiynau adolygu

1 Mae'r tabl yn dangos sut mae canran yr ocsigen yn yr atmosffer wedi newid dros amser.

Miliynau o flynyddoedd yn ôl	4000	3000	2000	1000	0
Canran yr ocsigen yn yr aer	0	1	10	20	21

(a) Plotiwch graff i ddangos y wybodaeth hon. [3]

(b) (i) Ymddangosodd y planhigion cyntaf ym moroedd y Ddaear 3000 miliwn o flynyddoedd yn ôl. Ymddangosodd yr anifeiliaid môr cyntaf 1000 miliwn o flynyddoedd yn ôl. Nodwch y rhain ar eich graff [1]

(ii) Eglurwch pam mae canran yr ocsigen yn yr atmosffer wedi newid. [3]

2 (a) Lluniwch flwch i gynrychioli peiriant car. Defnyddiwch saethau wedi'u labelu i ddangos y sylweddau cemegol sy'n mynd i mewn ac allan. Rhowch gylch am y sylweddau sy'n niweidiol i iechyd pobl. Beth yw peryglon y sylweddau hyn?

(b) Yn 2003, cyflwynodd maer Llundain dâl tagfa ar gyfer dinas Llundain. Rhaid i bob cerbyd sy'n dod i mewn dalu £8 y dydd. Dechreuodd llawer o bobl sy'n gweithio yn Llundain ddefnyddio'r trên tanddaearol yn hytrach na'u ceir i fynd i'r gwaith. Ysgrifennwch baragraff i egluro manteision ac anfanteision cyflwyno taliadau tagfa i ddinasoedd.

3 (a) Mae tair gorsaf fonitro, A, B ac C, yn monitro'r un daeargrynfeydd. Mae A agosaf at y daeargryn, mae C bellaf i ffwrdd. Lluniwch seismograffau i ddangos sut y byddai'r tonnau p ac s yn edrych yn y tair gorsaf. Rhowch labeli ar y graffiau i egluro pam maen nhw'n wahanol

(b) Chwiliwch am wybodaeth am raddfeydd Richter a Mercalli a ddefnyddir i fesur daeargrynfeydd. Pam y defnyddir dwy raddfa?

4 Paratowch sgwrs i'ch dosbarth i egluro'r newidiadau y mae platiau tectonig yn eu gwneud i arwyneb y Ddaear. Gwnewch restr o ffotograffau y byddech yn eu defnyddio i egluro eich sgwrs. Ysgrifennwch nodiadau ar ffurf pwyntiau bwled i gyd-fynd â phob ffotograff.

5 Defnyddiwch y fformiwla isod i ateb y cwestiynau sy'n dilyn:

buanedd ton = amledd x tonfedd

$$v = f \times \lambda$$

(a) Mae gan don sain amledd o 500 Hz a thonfedd o 0.66 metr. Cyfrifwch fuanedd sain.

(b) Mae buanedd goleuni bob amser yr un fath. Awgrymwch beth fydd yn digwydd i'r amledd (f) wrth i'r donfedd (λ) leihau.

6 Gwyddoniaeth yn y gweithle

GWEITHIO YM MYD GWYDDONIAETH

Cynnwys

Aseiniadau sy'n gysylltiedig â'r adran hon:

Defnyddio gwyddoniaeth yn y gwaith.

Defnyddiwch y canlynol i gadw llygad ar eich cynnydd.

Uned 3

Byddwch chi'n:

- gwybod enwau rhai cyflogwyr lleol, cenedlaethol a rhyngwladol sy'n defnyddio gwyddoniaeth gw. tud. 308

- gwybod a yw pobl sy'n cael eu cyflogi ym myd gwyddoniaeth yn gwneud defnydd mawr, sylweddol neu fach o wyddoniaeth gw. tud. 308

- gwybod am gwmnïau lle mae'r gweithwyr yn defnyddio gwyddoniaeth mewn gwahanol ffyrdd gw. tud. 308

- gallu trafod pam mae cwmni yn dewis lleoliad arbennig gw. tud. 309

- gwybod am y cymwysterau a'r sgiliau sydd eu hangen ar gyfer gwahanol swyddi ym myd gwyddoniaeth gw. tud. 310–11

- gwybod ble i edrych i gael gwybodaeth am yrfaoedd ym myd gwyddoniaeth. gw. tud. 311

6.1 Gweithio ym myd gwyddoniaeth

Mae Colin yn gwneud defnydd bach o wyddoniaeth ar raddfa leol.

Y ffarier

Ffarier yw Colin. Pedoli ceffylau yw ei waith. Dywed, 'Fe adewais i'r ysgol yn 16 oed gyda phum TGAU. Roeddwn i'n lwcus cael prentisiaeth gyda'm hewythr. Fe ddysgodd y grefft gyfan i mi. Fe gymerodd bedair blynedd i mi ddod yn ffarier cymwysedig.

'Yna fe sefydlais fy musnes fy hun. Rydw i'n gwneud mwy na phedoli ceffylau. Mae'r gwaith yn gofyn i chi fod yn dda gyda phobl, yn gryf ac yn ffit. Bydd fy nghwsmeriaid yn aml yn dod ata i, yn hytrach na'r milfeddyg, os yw eu ceffylau'n dioddef o anaf neu haint yn eu traed.'

Defnyddio gwyddoniaeth yn y gweithle

Mae Colin yn byw ac yn gweithio'n lleol – mae ei gyflogwr (ef ei hunan!) yn gweithio mewn ardal ddaearyddol fach. Mae'n defnyddio gwyddoniaeth yn ei waith. Rhaid iddo wybod am ddur ac aloion a rhaid bod ganddo ddealltwriaeth dda o agweddau meddygol ar ofalu am draed ceffylau. Gallwn ystyried ei fod yn gwneud defnydd bach o wyddoniaeth, gan fod gwyddoniaeth yn un agwedd yn unig ar ei waith.

Mae cwmnïau eraill yn cyflogi pobl ar raddfa genedlaethol (ar hyd a lled y wlad) neu ryngwladol (mewn sawl gwlad). Mae rhai cwmnïau'n gwneud defnydd mawr o wyddoniaeth (dyma'r prif beth a wnânt) neu ddefnydd sylweddol o wyddoniaeth (mae'n rhan bwysig o'u gwaith).

1 Dosbarthwch y swyddi hyn yn rhai lleol, cenedlaethol neu ryngwladol:

(a) nyrs yn y Gwasanaeth Iechyd Gwladol;

(b) nyrs sy'n gweithio i gartref preswyl preifat;

(c) peiriannydd dylunio ceir sy'n gweithio i gwmni sydd â ffatrïoedd drwy Ewrop;

(ch) trafaeliwr sy'n gwerthu gwrteithiau i ffermwyr ym Mhrydain ar ran cwmni yn yr Iseldiroedd.

2 Pa sgiliau gwyddonol a pha fathau o wybodaeth wyddonol y mae'r bobl hyn yn eu defnyddio yn eu swyddi?

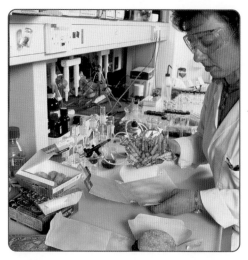

Gwyddonydd bwyd sy'n gweithio i gwmni cenedlaethol yw Anita. Mae hi'n ymchwilio i gynhyrchion bwyd newydd ac yn defnyddio cryn dipyn o wyddoniaeth yn ei gwaith.

Daearegwr yw Joe sy'n gweithio i gwmni olew rhyngwladol. Mae'n astudio adeiledd maes olew ac yn gwneud defnydd mawr o wyddoniaeth.

6.1 Gweithio ym myd gwyddoniaeth

Tref fawr/canol dinas

Cysylltiadau cludiant da ar gyfer ceir

Problemau parcio/traffig mewn rhai trefi

Llawer o bobl (cwsmeriaid a gweithwyr)

Cyfleusterau eraill i ddenu pobl (caffis, sinemâu ac ati)

Tir drud a rhenti a threthi busnes uchel

Mynediad yn anodd i lorïau/cerbydau trwm

Cyrion trefi/stadau diwydiannol/pentrefi llai/ger traffyrdd

Mynediad da i geir a cherbydau trwm

Gellir adeiladu meysydd parcio mawr

Cysylltiadau cludiant da i gartrefi pobl

Tir a rhenti'n rhatach

Ychydig o gyfleusterau i bobl

Gwrthwynebiadau amgylcheddol i adeiladu newydd ar gaeau

Ardaloedd arfordirol

Gall porthladdoedd dwfn dderbyn defnyddiau crai trwm o wledydd tramor

Nid yw mynediad ar hyd ffyrdd/rheilffyrdd i rannau eraill o'r wlad yn hawdd bob amser

Ffatrïoedd mawr, hyll neu beryglus wedi'u lleoli i ffwrdd o ardaloedd poblog

Rhai ardaloedd arfordirol yn agos at lawer o bobl

Tir yn rhatach nag yn y trefi

Gwrthwynebiadau amgylcheddol i adeiladu newydd ar yr arfordir

Pam mae cwmnïau ble maen nhw? **GWEITHGAREDD**

Pe baech chi'n dechrau eich cwmni eich hun, byddai'n rhaid i chi ddewis ble i sefydlu eich busnes – gallai lleoliad da wneud y gwahaniaeth rhwng llwyddiant a mynd yn fethdalwr. Mae'r tabl yn rhoi gwybodaeth am dri math o leoliad.

3 Math arall o leoliad ar gyfer cwmnïau yw ardaloedd gwledig.

   (a) Gwnewch restr o 'nodweddion', yn debyg i'r panel ar y chwith, ar gyfer 'ardaloedd gwledig'.

   (b) Pam rydych chi'n meddwl ei bod hi'n aml yn anodd i bobl sy'n gweithio mewn ardaloedd gwledig ddod o hyd i swyddi sy'n talu'n dda?

Bydd map ffyrdd a'r *Yellow Pages* yn eich helpu gyda'r gweithgaredd nesaf.

Mae gweithwyr sy'n gweithio i'r cwmnïau canlynol i gyd yn defnyddio gwyddoniaeth yn eu gwaith:

- gwneuthurwyr cemegion amaethyddol (gwneud gwrteithiau a chemegion eraill ar gyfer ffermydd);

- salonau harddwch;

- concrit wedi'i gymysgu'n barod (pobl sy'n gwerthu concrit sy'n barod i'w ddefnyddio);

- deintyddfeydd (deintyddion);

- cwmnïau peirianneg electronig (pobl sy'n cynhyrchu systemau cyfrifiadurol i fusnesau);

- bridwyr a gwerthwyr da byw;

- chwareli;

- ailgylchu (cwmnïau sy'n ailgylchu defnyddiau megis gwydr, plastig a metelau);

- masnachwyr metel sgrap (pobl sy'n casglu ac yn didoli metel sgrap i'w werthu).

4 Dewiswch DRI math o gwmni o'r rhestr hon. Cynhyrchwch 'restr o ddymuniadau' o'r pethau y byddai pob cwmni eu heisiau yn ei leoliad delfrydol. Rhannwch eich syniadau â grwpiau eraill.

5 Chwiliwch am gwmnïau yn y *Yellow Pages* neu drwy ddefnyddio www.yell.com ar y Rhyngrwyd. Dewiswch un cwmni yn eich ardal chi ac eglurwch fanteision ei leoliad.

6.1 Gweithio ym myd gwyddoniaeth

Gwyddoniaeth ar waith — ASTUDIAETH ACHOS

Mae swyddi gwahanol yn gofyn am lefelau gwahanol o gymwysterau. Gallwch wneud cais am rai swyddi ar ôl gadael yr ysgol gyda chymwysterau TGAU. Mae sawl llwybr y gallwch ei ddilyn ar ôl TGAU. Er enghraifft, bydd rhai pobl yn astudio am gymwysterau Safon Uwch ac yna'n mynd ymlaen i brifysgol am dair neu bedair blynedd i ennill gradd. Ar gyfer rhai swyddi, mae angen gwneud cwrs ôl-raddedig ar ôl cwblhau gradd.

Ond beth bynnag yw'r gwaith a ddewiswch, bydd angen i chi barhau i hyfforddi a chael profiad. Er enghraifft, gallech gael swydd fel peiriannydd ceir gyda chymwysterau TGAU, ond fyddech chi ddim yn cael y cyfrifoldeb o drwsio ceir pobl hyd nes i chi dderbyn hyfforddiant llawn. Dim ond peiriannydd profiadol iawn a allai wneud cais am swydd fel rheolwr modurdy atgyweirio ceir.

Ar y tudalennau sy'n dilyn mae rhai pobl yn siarad am eu gwaith.

Nyrs ddeintyddol
Nyrs ddeintyddol yw Rosie.

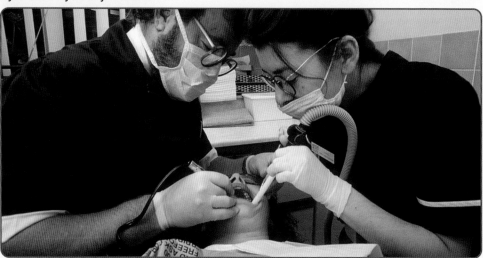

'Pan ddechreuais weithio yma, fy ngwaith oedd ateb y ffôn, gwneud apwyntiadau a ffeilio dogfennau. Ar ôl tua chwe mis, fe ddechreuais helpu yn y ddeintyddfa. Mae gennym dair ystafell yn y ddeintyddfa. Ar ôl gorffen gyda chlaf mewn un ystafell, bydd y deintydd yn symud drws nesaf i'r claf nesaf. Fy ngwaith i yw tacluso'r ystafell ar ôl pob triniaeth a chael popeth yn barod ar gyfer y claf nesaf. Rhaid i mi ddiheintio'r holl offer bob tro y maen nhw'n cael eu defnyddio. Yn ddiweddar, rydw i wedi dechrau helpu'r deintydd gyda'r cleifion. Fi sy'n gyfrifol am ddal yr offer sugno ac am gofnodi gwybodaeth ar gofnodion y claf wrth i'r deintydd wneud ei waith. Rydw i hefyd wedi bod yn dysgu sut i gymysgu llenwadau a defnyddiau ar gyfer gwneud argraffion. Fe fyddaf i'n dechrau helpu gyda'r pelydrau X nesaf.

'Fe ddechreuais weithio yma ar ôl gadael yr ysgol gyda chymwysterau TGAU a bues i'n astudio yn y coleg addysg bellach lleol am fy Nhystysgrif Genedlaethol mewn Nyrsio Deintyddol. Ond rydw i wedi dysgu llawer mwy drwy wneud pethau fy hun yn y gwaith.

'Rydw i wrth fy modd yma. Dywedodd y deintydd ei fod yn gwybod y byddwn i'n gwneud nyrs ddeintyddol dda pan roddodd gyfweliad i mi gan fy mod i mor dwt a thaclus! Rydw i'n meddwl ei bod hi'n bwysig iawn fod yn dda gyda phobl hefyd, felly rydw i'n gwneud fy ngorau i fod mor gyfeillgar a siriol â phosibl. Fe berswadiais y deintydd i fywiogi'r ystafell aros – mae'r cleifion yn cymryd diddordeb mawr yn y tanc pysgod newydd!'

6.1 Gweithio ym myd gwyddoniaeth

Gwyddoniaeth ar waith (*parhad*) ASTUDIAETH ACHOS

Swyddog coetir

Mae Craig yn mwynhau gweithio yn yr awyr agored.

Mae Craig yn gweithio fel Swyddog Coetir i Goed Cadw (*Woodland Trust*).

'Fe adewais i'r ysgol ar ôl gorffen fy arholiadau Safon Uwch ac fe dreuliais dair blynedd yn tocio a thorri coed i gwmni coedwigaeth lleol. Roeddwn i'n gryf a ffit iawn erbyn y diwedd!

'Fe benderfynais ddilyn cwrs er mwyn gallu gwneud cais am swydd reoli ym maes coedwigaeth. Astudiais am HND mewn coedwigaeth ac yna am radd. Bues i'n astudio rhan-amser gan fy mod i'n dal i weithio, felly roedd gen i brofiad yn ogystal â chymwysterau i'w cynnig.

'Rydw i nawr yn gofalu am y coed sy'n eiddo i Goed Cadw yn fy ardal i, sy'n cwmpasu pedair sir. Mae angen gwneud llawer o waith cynnal a chadw ar goed. Fi sy'n trefnu'r gwaith o dorri coed i lawr os oes gormod ohonynt. Fe fyddwn ni weithiau'n plannu coed newydd hefyd. Defnyddiwn blaleiddiaid cemegol i amddiffyn y coed ifanc.

'Rhaid i mi ddiweddaru fy ngwybodaeth wyddonol i sicrhau fy mod i'n gwneud y penderfyniadau gorau ar gyfer fy nghoetiroedd. Mae Coed Cadw yn awyddus i ddiogelu'r amgylchedd. Weithiau mae'n rhaid i mi gael cyngor gan bobl eraill. Er enghraifft, mae ecolegwyr yn gallu rhoi cyngor ar amddiffyn yr anifeiliaid a phlanhigion yn ein coetiroedd.

'Os oes angen torri llawer o goed mewn coedwig, fe fyddwn ni'n defnyddio peiriannau mawr iawn a llawer iawn o bobl. Weithiau mae'n rhaid i ni adeiladu ffyrdd hyd yn oed i gael y coed allan. Mae mesur ac amcangyfrif faint o goed sydd mewn rhan o goedwig yn sgil arbenigol a ddysgais yn ystod fy astudiaethau. Rydym ni'n gwerthu'r coed i felinau. Mae'n cael ei ddefnyddio i wneud papur a bwrdd sglodion i'r diwydiant adeiladu.

'Mae Coed Cadw yn awyddus iawn i annog pobl i ddefnyddio coedwigoedd a chymryd diddordeb ynddynt. Fe fydda i'n siarhau bod y llwybrau a'r cyfleusterau mewn cyflwr da, a bydda i'n mynd i sioeau lleol, yn rhoi sgyrsiau ac yn tywys grwpiau drwy ein coetiroedd. Mae'r coetiroedd yn lleoedd da ar gyfer cerdded a gweithgareddau hamdden.

'Fe fyddwn i'n hoffi treulio fy holl amser yn y coetiroedd, ond mae gwaith papur yn mynd â thua hanner fy amser gwaith. Os ydych chi'n gweithio i gwmni mawr, rhaid i chi ddarllen llawer o ddogfennau, mynd i gyfarfodydd a chadw mewn cysylltiad â phobl eraill. Rhaid i mi gadw cyfrif o'r holl arian sy'n cael ei wario ar gynnal y coetiroedd a rhaid i mi benderfynu hefyd faint o arian y bydd ei angen ar gyfer gwaith yn y dyfodol.'

Gallwch gael gwybodaeth am swyddi eraill sy'n defnyddio gwyddoniaeth yn y llyfr *Occupations* neu yn www.connexions.gov.uk/occupations/.

Cwestiynau adolygu

Nodyn: Bydd y gweithgareddau hyn yn eich helpu i ddatblygu dealltwriaeth ehangach o wyddoniaeth yn y gweithle cyn i chi wneud eich aseiniad ar gyfer Uned 3.

1 Edrychwch ar yr astudiaethau achos yn yr adran hon.

Mae 'gwasanaethau' yn golygu sut mae gwaith rhywun yn helpu'r cyhoedd.

'Cynhyrchion' yw'r pethau y mae cwmni'n ei werthu.

Gwnewch gopi o'r tabl isod a llenwch ef ar gyfer pob unigolyn.

Astudiaeth achos	Cymwysterau a hyfforddiant	Sgiliau gwyddonol a ddefnyddir yn y gweithle	Pa wasanaethau	Pa gynhyrchion
Nyrs ddeintyddol				
Swyddog coetir				

2 Defnyddiwch y llyfr *Occupations* i gael gwybodaeth am y swyddi canlynol:

- hylenydd deintyddol • trydanwr (gwaith cynnal a chadw a thrwsio)
- technegydd sain • milfeddyg.

(a) Llenwch gopi o'r tabl hwn i gyflwyno gwybodaeth am y swyddi hyn.

Enw'r swydd	Cymwysterau sydd eu hangen ar gyfer y swydd	A oes angen profiad / hyfforddiant pellach?	Enghraifft o dasg ddyddiol sy'n defnyddio gwyddoniaeth

(b) Pa rai o'r swyddi hyn y gallwch eu gwneud cyn gynted ag y bo'r cymwysterau angenrheidiol gennych? Pa swyddi y mae angen profiad neu hyfforddiant pellach i'w gwneud?

(c) Pa gyngor y byddech chi'n ei roi i Rosie (y nyrs ddeintyddol yn yr astudiaeth achos) pe bai hi eisiau bod yn hylenydd deintyddol?

(ch) Dewiswch UN o'r swyddi hyn (neu swydd yr hoffech chi ei gwneud eich hun).

    (i) Pa wyddoniaeth sy'n gysylltiedig â'r gwaith?

    (ii) Ysgrifennwch 'ddyddiadur' ar gyfer erthygl 'Diwrnod ym Mywyd...' am rywun sy'n gwneud y swydd.

3 Edrychwch drwy'r astudiaethau achos yn y gwerslyfr cyfan. Dewch o hyd i enghreifftiau o bobl sy'n gweithio.

Rhowch eich hun yn sefyllfa UN o'r bobl hyn. Meddyliwch am y wybodaeth a fyddai wedi bod yn eich CV pan wnaethoch gais am y swydd. Ysgrifennwch CV byr i ddangos eich cymwysterau, hyfforddiant a phrofiad. (Gall y llyfr *Occupations* eich helpu yma.) Ysgrifennwch baragraff i egluro'r sgiliau sydd gennych i wneud y swydd.

4 Holwch aelod o'ch teulu neu ffrind sy'n gweithio mewn swydd lle defnyddir gwyddoniaeth, er enghraifft, trin bwyd, trin gwallt, peiriannydd ac yn y blaen. Darganfyddwch:

(a) wybodaeth am y wyddoniaeth a ddefnyddiant yn eu gwaith;

(b) sut mae iechyd a diogelwch yn effeithio ar eu gwaith;

(c) pam mae eu cwmni wedi'i leoli ble y mae;

(ch) a yw eu cyflogwr yn un lleol, cenedlaethol neu ryngwladol.

Atodiad

ATODIAD 1

1 Y tabl cyfnodol

Grŵp

I	II		III	IV	V	VI	VII	0
								2 He Heliwm 4
3 Li Lithiwm 7	4 Be Beryliwm 9		5 B Boron 11	6 C Carbon 12	7 N Nitrogen 14	8 O Ocsigen 16	9 F Fflworin 19	10 Ne Neon 20
11 Na Sodiwm 23	12 Mg Magnesiwm 24		13 Al Alwminiwm 27	14 Si Silicon 28	15 P Ffosfforws 31	16 S Sylffwr 32	17 Cl Clorin 35.5	18 Ar Argon 40
19 K Potasiwm 39	20 Ca Calsiwm 40	21 Sc Scandiwm 45 / 22 Ti Titaniwm 48 / 23 V Fenadiwm 51 / 24 Cr Cromiwm 52 / 25 Mn Manganis 55 / 26 Fe Haearn 56 / 27 Co Cobalt 59 / 28 Ni Nicel 59 / 29 Cu Copr 64 / 30 Zn Sinc 65	31 Ga Galiwm 70	32 Ge Germaniwm 73	33 As Arsenig 75	34 Se Seleniwm 79	35 Br Bromin 80	36 Kr Crypton 84
37 Rb Rwbidiwm 85	38 Sr Strontiwm 88	39 Y Ytriwm 89 / 40 Zr Sirconiwm 91 / 41 Nb Niobiwm 93 / 42 Mo Molybdenwm 96 / 43 Tc Technetiwm (99) / 44 Ru Rwtheniwm 101 / 45 Rh Rhodiwm 103 / 46 Pd Paladiwm 106 / 47 Ag Arian 108 / 48 Cd Cadmiwm 112	49 In Indiwm 115	50 Sn Tun 119	51 Sb Antimoni 122	52 Te Telwriwm 128	53 I Ïodin 127	54 Xe Senon 131
55 Cs Cesiwm 133	56 Ba Bariwm 137	57 La Lanthanwm 139 / 72 Hf Haffniwm 178 / 73 Ta Tantalwm 181 / 74 W Twngsten 184 / 75 Re Rheniwm 186 / 76 Os Osmiwm 190 / 77 Ir Iridiwm 192 / 78 Pt Platinwm 195 / 79 Au Aur 197 / 80 Hg Mercwri 201	81 Tl Thaliwm 204	82 Pb Plwm 207	83 Bi Bismwth 209	84 Po Poloniwm (210)	85 At Astatin (210)	86 Rn Radon (222)
87 Fr Ffranciwm (223)	88 Ra Radiwm (226)	89 Ac Actiniwm (227)						

1 H Hydrogen 1

ALLWEDD

rhif atomig — 3 Li Lithiwm — 7 — màs atomig cymharol

[ ] metelau

[ ] anfetelau

2 Rhai elfennau a'u symbolau

Rhaid i chi wybod y symbolau cemegol ar gyfer yr elfennau canlynol a gallu eu dosbarthu'n fetelau neu'n anfetelau:

Metelau		Anfetelau	
Elfen	**Symbol Cemegol**	**Elfen**	**Symbol Cemegol**
Alwminiwm	Al	Bromin	Br
Bariwm	Ba	Carbon	C
Calsiwm	Ca	Clorin	Cl
Haearn	Fe	Fflworin	F
Plwm	Pb	Hydrogen	H
Magnesiwm	Mg	Nitrogen	N
Potasiwm	K	Ocsigen	O
Arian	Ag	Ffosfforws	P
Sodiwm	Na	Silicon	Si
Sinc	Zn	Sylffwr	S

3 Rhai cyfansoddion a'u fformiwlâu

Rhaid i chi wybod enwau a fformiwlâu'r cyfansoddion cemegol canlynol:

Cyfansoddyn	Fformiwla	Cyfansoddyn	Fformiwla
Amonia	NH_3	Bariwm clorid	$BaCl_2$
Carbon deuocsid	CO_2	Sodiwm clorid	$NaCl$
Methan	CH_4	Calsiwm carbonad	$CaCO_3$
Dŵr	H_2O	Copr carbonad	$CuCO_3$
Asid hydroclorig	HCl	Sodiwm carbonad	Na_2CO_3
Asid sylffwrig	H_2SO_4	Potasiwm nitrad	KNO_3
Calsiwm ocsid	CaO	Arian nitrad	$AgNO_3$
Haearn ocsid	Fe_2O_3	Bariwm sylffad	$BaSO_4$
Plwm ocsid	PbO	Copr sylffad	$CuSO_4$
Sodiwm hydrocsid	$NaOH$	Sodiwm sylffad	Na_2SO_4

4 Priodweddau defnyddiau

Defnydd	Gwrthiant gwifren 1 metr gyda diamedr o 1mm, mewn ohmau (Ω)	Dargludedd thermol, mewn watiau y metr y radd Celsius (W m^{-1} °C^{-1})	Dwysedd mewn cilogramau y metr ciwbig (kg m^{-3})
alwminiwm	0.031	238	2700
constantan	0.576	22	8900
copr	0.020	385	8940
haearn	0.113	80	7860
plwm	0.242	38	11350
dur meddal	0.216	60	7700
tun	0.146	64	7280
concrit	uchel iawn	1.45	2300
llenwydr	uchel iawn		2460
neilon	uchel iawn	0.25	1130
poly(ethen) (dwysedd isel)	uchel iawn	0.33	920
poly(ethen) (dwysedd uchel)	uchel iawn	0.5	960
dŵr		0.6	1000

5 Unedau'r system ryngwladol

Mesur	Uned	Byrfodd
maint cemegol	môl	môl
cerrynt	amper	amp neu A
dwysedd	cilogram y metr ciwbig	kg m^{-3}
pellter a hyd	metr	m
egni a gwaith	joule	J
grym	newton	N
pŵer	wat	W
gwrthiant	ohm	Ω
tymheredd	gradd Celsius*	°C
amser	eiliad	s
foltedd	folt	V
cyfaint	metr ciwbig	m^3

* Yr uned ryngwladol yw'r kelvin (K) ond mae °C yn dderbyniol at ddefnydd pob dydd.

Mynegai

Mae rhifau tudalen glas yn nodi'r dudalen lle mae'r gair yn cael ei egluro.

Yr Adran Gludiant t.257

The Advertising Archives t.136

Alamy tt.244 (Arcaid Ed), 277 (isod) (Brian Crossley)

Alan Thomas tt.1, 4 (uchod), 6, 14, 34, 46, 68, 96, 169, 196, 207, 209, 214, 215, 217 (isod), 277 (uchod de), 278, 281

Andrew Whitehead tt.258, 243

Ann Tiernan t.217 (uchod)

Boots PLC t.173

Byron Dawson tt.7, 9, 12, 16, 17, 86 (uchod), 94, 97, 98, 115 (uchod), 118, 119, 134, 135, 137, 143, 301 (uchod de), 302 (de)

CBAC (Mostyn Davies) tt.8 (uchod), 82 (uchod), 115 (isod), 291

Coed Cadw/The Woodland Trust t.311

Colin Bell tt.40 (uchod), 41 (uchod), 42, 52, 54, 55

Combined Heating & Power Association tt.228, 233

Corbis tt.29 (William Taufic), 30 (Kelly-Mooney Photography), 93 (Dave Bartruff), 141 (Jeffrey L. Rotman), 146 (chwith) (Bettmann), 153 (Ariel Skelley), 156 (Philippe Eranian), 162 (Ed Young), 195 (Owen Franken), 199 (Richard T. Nowitz), 206 (Paul A. Souders), 210 (Charles E. Rotkin), 212 (Sotheby's), 234 (isod) (Royalty Free), 237 (Gabe Palmer), 266 (Chuck Savage), 286 (Kevin Schafer), 288 (Roy Morsch), 290 (de) (Will a Deni McIntyre), 295 (Tom Wagner), 297 (Craig Lovell), 301 (isod de) (Masahiro Morsch), 305 (chwith) (Bettmann), 307 (Tom Stewart), 308 (uchod) (Kit Houghton).

Corel tt.39, 51, 63, 72, 73 (de), 145, 218

DIY Photolibrary t.223 (chwith)

Ford tt.252 (John Moffat), 253

Getty Images tt.75 (chwith) (Brian Brown), 132 (Adam Smith), 150 (Janet Gill), 163 (Harry Sieplinga/HMS Images), 295 (Royalty Free), 301 (uchod chwith) (Royalty Free), 301 (isod canol) (Mark Harwood)

Y Grid Cenedlaethol tt.220, 222

Joanne Mitchell t.292 (uchod)

John Birdsall Social Issues Photo Library t.128

King Edward tt.248, 251

Marcus Photodisc tt.107, 122, 124

Photofusion tt.149 (Paul Baldesare), 155 (Dorothy Burrows), 159 (Trevor Perry), 174 (Leslie Garland), 178 (Stan Gamester)

Rex Features tt.224, 227, 240, 261, 310

Robert Harding Picture Library t.262

Sally Ford t.213 (isod) (Hanson Bricks)

Saskia Gwinn t.292 (isod)

Science Photo Library tt.4 (isod) (Martyn F Chillmaid), 5 (Rosenfeld Images Ltd), 8 (isod) (Andrew Lambert Photography), 11 (Andrew Lambert Photography), 19 (BSIP, Beranger), 20 (BSIP, Laurent), 25 (de) (John Durham), 25 (chwith) (Dr Gopal Murti), 26 (Andrew Syred), 40 (canol chwith a chanol de) (CNRI), 45 (Saturn Stills), 66 (Dr Jeremy Burgess), 69 (Vaughan Fleming), 78 (Chris Knapton), 81 (Dr Kari Lounatmaa), 82 (isod) Gary Holscher/Agstock), 86 (isod) (Dr Gary Gaugler), 88, 105 (Ysgol Feddygol Ysbyty Santes Fair), 111 (George Bernard), 133 (uchod) Cordelia Molloy), 133 (isod) (Saturn Stills), 142 (Biophoto Associates), 146 (de) (Soames Summerhays), 152 (uchod) (Cordelia Molloy), 152 (canol chwith) (Paul Seheult; Eye Ubiquitous), 152 (canol de) (Maximilian Stock Ltd), 165 (Simon Fraser), 166 (Richard Folwell), 167 (Sindo Farina), 175 (Malcolm Fielding), 177, 181 (Hawlfraint y Goron/Labordy Iechyd a Diogelwch), 183 (chwith) (BSIP, Laurent/Lepee), 183 (de) (Alex Bartel), 193 (Martyn F. Chillmaid), 197 (chwith) (Michael Barnett), 197 (canol) (Biophoto Associates), 197 (de) Arnold Fisher), 219 (Chris Knapton), 234 (uchod) (Gusto), 239 (C. Powell, P Fowler a D. Perkins), 241 (Martin Bond), 256 (Michael Donne), 259 (Michael Donne), 269 (Maximilian Stock Ltd), 270, 273 (Peter Menzel), 277 (uchod chwith) (Maximilian Stock Ltd), 283 (Mike Agliolo), 290 (canol) (Y. Hamel, Publiphoto Diffusion), 301 (isod chwith) (Mark Clarke), 302 (chwith) (Rafael Macia), 303 (Detlev Van Ravenswaay), 305 (de) (Chris Butler), 308 (isod chwith) David Parker), 308 (isod de) (Ken M. Johns)

Science & Society Picture Library t.290 (chwith)

Sonia Clark t.203

Stockbyte tt.101, 102, 109

Transcontinental Goldfish Company Ltd t.56

Wikipedia t.298